CONTES

ET

NOUVELLES

D'AUJOURD'HUI

Prisalla Wascher
2209 Holder Way
Bakersfield

CONTES ET NOUVELLES D'AUJOURD'HUI

EDITED BY

THE FRENCH DEPARTMENT

YALE UNIVERSITY

HARPER & ROW, PUBLISHERS

NEW YORK AND LONDON

Contents

CONTENTS

Foreword

In 1949 the members of the Department of French at Yale
University published a volume of *Contes Modernes* which has
consistently found favor in colleges and schools here and in
other countries. Those stories ranged from the realistic short
story to the psychological one and, in terms of dates, from the
Naturalistic movement (Daudet, Zola, Maupassant) to Gide,
Proust, Sartre, and Camus.

The present volume will be found to be greatly different in
scope and in character. A remarkable improvement in the
methods of language teaching, in the quality of that teaching,
and in the motivation and skill of students taking foreign
languages has occurred in the United States since the middle of
the century. Many pupils in good secondary schools all over
the country, a number of them preparing for advanced standing,
are able to read material that would formerly have been reserved
for college students. The freshmen entering college after a rigid
selection have a mastery of language superior to that of their
predecessors one or two generations ago. They have been
accustomed to an oral approach that has enhanced their ability
to read fast and to ask and answer questions in the foreign
tongue. They are intellectually more sophisticated, perhaps even
more mature emotionally. This new volume, selected and edited
by a new group of an enlarged Department of French at Yale, is
also designed for students with two or three years of French in
school or in college. It could be used concurrently with, and either
before or after, its predecessor, the *Contes Modernes* of 1949.

The twenty authors selected here are all, with the exceptions
of Marcel Aymé and Jean Giono, different from those whose

stories constituted the earlier volume. The texts by which they are represented have all been published since 1940 and represent the contemporary literature of France. The writers already profusely available in school editions in America—Malraux, Sartre, Camus—have purposely been omitted (of those three, Sartre is the only toweringly great master of the *nouvelle*, and his volume of five stories entitled *Le Mur*, one of the most expert in French, appeared before World War II). The emphasis of the editors has been laid in the present volume on the short story as an autonomous literary genre; therefore, no episodes or sections from novels have been included. Some of the authors here represented are not yet well known to American readers; the choice made by the editors is not a conventional or a trite one. But every one of the stories will be found by some groups of readers to have significant qualities of language and of style, literary virtues, and broad human significance. There are humor and fantasy in many of them, and there is less anguish than had become fashionable—and is now already slightly passé—in the literature of the forties and fifties.

An introduction in English offers some remarks on the art of the short story and on the general features of the texts that follow. It may suggest to the readers what to look for in the stories. Each selection is preceded by an introductory essay in French on the writer and on the story that follows. Each is followed by a series of questions, also in French, which should prove useful for class discussions and in guiding students toward a literary and psychological interpretation of the stories. Ample notes have been provided, translating into English, or explaining, when necessary, the phrases that might be obscure, the proper names, and the difficult words; thus the student will not have to resort constantly to the vocabulary. The vocabulary itself includes most of the words a student with two years of French might not know or remember.

The selecting of these stories was primarily the work of two of our colleagues: Kenneth Cornell and Dean Georges May. The introductory essays, footnotes, and questions were written, respectively, by the following members of the Yale French Department: Michel Beaujour (story by Jacques Guicharnaud);

Jean Boorsch (Paul Morand); Bruno Braunrot (Boris Vian); Victor Brombert (Françoise Mallet-Joris); Nelson Brooks (Henri Thomas); Pierre Capretz (André Maurois); Annie Cecchi (Nathalie Sarraute); Jacques Guicharnaud (Marcel Aymé, Pierre Gascar); Stirling Haig (Pieyre de Mandiargues); Maria Kosinski (Lise Deharme); Catherine Lafarge (Robbe-Grillet); Joseph McMahon (Ionesco); Henri Peyre (Jean Giono); Michel Philip (Noël Devaulx); Charles Porter (Claude Spaak); Nancy Regalado (Claude Boncompain). Much of the editing was done by Kenneth Cornell.

HENRI PEYRE

Acknowledgments

Permission to reprint the stories that compose this volume is gratefully acknowledged to the following:

Éditions Gallimard, Paris, for the following stories: "Dermuche," from *Le Vin de Paris* (1947), by Marcel Aymé; "Euphémisme," from *La Dame de Murcie* (1961) by Noël Devaulx; "Les Chevaux," from *Les Bêtes* (1953) by Pierre Gascar; "Forêt," from *Entre Chien et Loup* (1949) by Jacques Guicharnaud; "Le Piéton de l'air," from *La Photo du Colonel* (1962) by Eugène Ionesco; "La Présidente," by Paul Morand, *Nouvelle Revue Française*, March 1957; "Histoire d'une bague," from *Histoire de Pierrot* (1960), by Henri Thomas.

Éditions Bernard Grasset, Paris, for "Les Pierreuses," from *Feu de Braise* by Pieyre de Mandiargues (1959).

Éditions René Julliard, Paris, for "De l'Infini au Zéro," from *Le Pays des Miroirs* (1962) by Claude Spaak, and "Le Souterrain," from *Cordélia*, by Françoise Mallet-Joris (1956).

French and European Publications, 610 Fifth Avenue, New York, for "Ariane, Ma Sœur," from *Toujours l'Inattendu arrive* by André Maurois (1943).

Éditions de Minuit, for the texts from *Tropismes*, by Nathalie Sarraute (1946) and from *Instantanés* (1962) by Alain Robbe-Grillet.

M. Claude Boncompain, Valence, Drôme, France, for "Les Chats," published in February 1962 in *Les Œuvres Libres*, Paris.

Éditions J. J. Pauvert, Paris, for "Le Rappel," from *L'Arrache Cœur*, by Boris Vian (1962).

La Table Ronde, Paris, for "Comment Retrouver Isabelle?" and "Le Palais Menditte," by Lise Deharme, published in September 1954, No. 81, and "Faust au Village" by Jean Giono, May 1949, No. 19.

Introduction

The French enjoy a reputation for clarity in their critical thinking and for defining literary terms with neatness; they long believed in categorizing literary genres and in avoiding the Anglo-Saxon and Germanic confusion which interspersed a tragedy with comic and lyrical moments and which failed to differentiate between a novel and a long short story. Shakespeare and Goethe long puzzled them by their nonchalant or studied disregard of neat categories; Napoleon the First is reported to have addressed Goethe at Weimar with the remark that the author of *Faust* did not care for "les genres tranchés."

Yet French critics and estheticians of literature have never been able to assign to neat compartments the "nouvelle" (or short story), the "récit" (long short story or novelette, such as Camus' *L'Etranger*, Gide's *La Symphonie pastorale* or William Styron's *The Long March*) and the "conte." We should be hard put to assign some of the stories in this volume to the first and the others to the second or third of those categories. The "récit" is longer than the "nouvelle," usually more psychological in subject matter and less dramatic in style, closer to the semi-poetical genre which the Germans call "die Novelle" and which constitutes one of the very original branches of their literature. The "conte" is definitely shorter, often more delicate and airy than the "nouvelle." It may have a flavor of the past about it and appear like a descendant of the "conte de fées" or of the casual, pleasantly nonchalant *Contes du Lundi* told by Alphonse Daudet. The "conte" lends itself readily to incursions into the realm of the fantastic and the visionary, perhaps because the word was used in the titles of such books as Hoffmann's

Contes fantastiques, as they were called when adapted from German into French around 1830 and in the title of Jacques Offenbach's opera later inspired by Hoffmann's tales. A number of the selections in this volume show the very strong attraction that the fantastic has today for the French; they may be called "contes."

The other selections may more aptly be termed "nouvelles" or short stories, only one or two of them (by Françoise Mallet-Joris and by Paul Morand) tending toward the length of a "récit." But the short story is no more easily defined than the novel, in spite of many courses given in American colleges on the technique of the short story and several books written on it. Flaubert placed "Un Cœur simple" among his *Trois Contes*. It is, however, a realistic and pathetic story of a simple-minded and simple-hearted rustic maid who led a patient life of un-rewarded devotion to her masters; and there is nothing fantastic about useless passion and unrestrained pity. Others have con-tended that "nouvelles" should be primarily objective and dramatic, and eschew the reminiscing tone of the first person singular. In truth, the words "contes" and "nouvelles" are almost interchangeable. The features they may have in common may be briefly noted here.

The first is, obviously, brevity. Brevity makes these stories especially fit for reading by students of foreign languages who must become accustomed to different vocabularies, to different devices and mannerisms of syntax, and to a rich variety of styles among the writers whom they study. Later, or in supple-mentary reading, students may be led to longer novels by Balzac, Flaubert, Proust, or Malraux; but such reading of entire masterpieces will be attempted more fruitfully after they have acquired a sufficient vocabulary and a more sophisticated perception of the stylistic and psychological originality of the great masters of the novel.

Along with brevity come elimination of the nonessential, avoidance of those digressions which novelists—from Balzac to Tolstoy and Proust—have often indulged in, a strict selection of the striking or revealing details, and conciseness in expression. A short story is not, and should not be, the by-product of a novelist's activity, into which he pours detached anecdotes or episodes that he finds unmanageable or superfluous in the novel he is writing. Nor does it constitute a pastime for a weary novelist, who dashes off a minor story as respite from his more arduous labor on a rambling "roman-fleuve." Many a fastidious judge of literature has been embarrassed by all that, in the novel, is haphazard, unstructured, arbitrary, pliable, and undetermined to the point of formlessness. Paul Valéry, André Gide, André Breton, Roger Caillois, and the Spanish philosopher Ortega y Gasset have in our century severely indicted the novel as a "bastard" and dissatisfying art form. In the fourth section of his penetrating essay on Théophile Gautier (1859), Baudelaire had already voiced his preference for the short story over the novel as a more restrained and effective medium:

> Le roman et la nouvelle ont un privilège de souplesse merveilleux. Ils s'adaptent à toutes les natures, enveloppent tous les sujets, et poursuivent à leur guise différents buts ... Le roman ... est un genre bâtard dont le domaine est vraiment sans limites. Comme beaucoup d'autres bâtards, c'est un enfant gâté de la fortune, à qui tout réussit. Il ne subit d'autres inconvénients et ne connaît d'autres dangers que son infinie liberté. La nouvelle, plus resserrée, plus condensée, jouit des bénéfices éternels de la contrainte: son effet est plus intense; et comme le temps consacré à la lecture d'une nouvelle est bien moindre qui celui nécessaire à la digestion d'un roman, rien ne se perd de la totalité de l'effet. (*L'Art Romantique*)

The short story has often been compared to the drama, more particularly to a one-act play, while the novel, especially in Russia and Britain, has often seemed to be closer to the epic and to embrace a vast scope of life in a broad compass while accepting the collaboration of time. A condensed structure and a feverishly mounting tension are indeed the characteristic features of many short stories. No rambling excursions are permitted, no over-moralizing, no let-down of the emotions or of the curiosity aroused at the very outset; the reader's attention cannot be allowed to flag until the dénouement is reached. Elaborate descriptions, such as those in which Balzac and Hardy have liked to indulge, would be out of place in a short story. A certain atmosphere has to be conjured up and imposed upon the reader's imagination at the very beginning. A few "blanks," a few musical pauses may occur (the power of silence may be marshalled occasionally by the expert storyteller), but the sense of motion and tension communicated to the story should constantly vibrate in the reader. Clearly, the slow development of character, the evolution of a person slowly degenerating or creeping toward his tragic ending, the game of concealment of their authentic selves played by two beings gradually estranged from each other are reserved for the novelist's art.

The manner of the short story writer is mordant, hurried, objective. The insight into the inner lives of a very few characters is not absent from the stories of Chekhov, Pirandello, D. H. Lawrence, or even Maupassant. But the inner life and the outer existence are best conveyed when intimately fused together. The slow origins of a crisis, the subterranean genesis of love or hatred in the recesses of the subconscious belong to the novelist's realm. Maupassant, in that literary manifesto which the preface to his novel *Pierre et Jean* constitutes, remarks: "La psychologie doit être cachée dans le livre comme elle est cachée en réalité sous les faits de l'existence." Henry James, apropos of Maupassant's stories, which have won their greatest acclaim among English writers, had likewise insisted that the storyteller's concern was "to know how events come to pass, but to say as little about it as possible."

The art of the short story is not without its pitfalls. The brevity of the genre, its compactness, its limited demands upon the patience and the active collaboration of the reader, and the relatively small number of possibilities open to it have made it an ideal medium for magazines in search of compactness and of a "snappy" manner, anxious to have their authors provide "punch" and a quick and ephemeral touch on our nerves. Courses on how to write a short story that will fulfill the demands of magazines are offered in some colleges. The technique is reduced to a few devices and stressed at the expense of variety, richness of content, and, often, personality. An abrupt beginning that plunges the reader "in medias res" is deemed to be one of the requirements. There are devices—even tricks—through which closeness of texture, mounting tension, and artificially calculated surprise can be achieved. The style may become over-concrete and journalistic in a bad sense, with the author displaying a too-professional skill and scoring a bull's-eye every time. The devices used by Ambrose Bierce, O'Henry, and Hemingway in this country or by Maupassant in France are systematized and taught; but the outer shell is more easily borrowed by novices than the spirit breathed into those devices is assimilated. The same Maupassant who worked very hard for ten years before acquiring his own style and satisfying his mentor, Flaubert, received from the latter this salutary warning: "To love more strongly, to feel more intensely, to understand more completely," such are the duties of the artist.

The recent French short stories, of which a varied selection is offered in this volume, are striking in their avoidance of conventionality and in the reluctance of their authors to follow in the footsteps of the great masters of the nineteenth century.

Balzac, the giant among all the French authors of short stories (in "L'Auberge rouge," "L'Adieu," "Un Drame au bord de la Mer," "Une Passion dans le désert") is inimitable, as, apparently, is Sartre, whose "Le Mur," "La Chambre," "L'Enfance d'un Chef," and even the ironical "Intimité" probably rate among the masterpieces of the modern "nouvelle." Mérimée and Maupassant, whose art can be analyzed and perhaps imitated for the poignant sense of the ironies of existence and for the authors' unerring way of pruning off all adventitious details in order to concentrate on the vivid ones, are more dangerous models for their successors. The stories that our age has seemed to prefer, those of Chekhov and those of a still earlier and superb Russian, Leskov, those of Thomas Mann and of Conrad, were those in which the teller of tales refused to bow to any of the conventions of the traditional, compact, and ironically or brutally realistic short story of the periods of Realism and Naturalism. Among the authors represented in the present volume, Marcel Aymé and Pierre Gascar appear to be closest to the search for dramatic and savage, or bitter, violence favored by French short story writers of an earlier era. The individual introductions to their impressively haunting tales have stressed how original those authors manage to be within the framework of a tradition that they renovate and enrich.

Around the middle of the twentieth century, however, a new trend became conspicuous in the taste of the French reading public and in the writers of *Contes et Nouvelles*. The novel was becoming highly philosophical and often ponderously didactic as novelists, emerging from World War II, stressed their duty to help prevent the recurrence of such a catastrophe: they advocated "commitment" and enabling, or helping, readers become aware of their freedom and of their responsibilities to society. Social and political criticism may have its place in fiction: it did in the work of Balzac, Dickens, Thackeray, and Dostoevski; it can hardly be fitted into the short story, which indeed has remained immune to it. On the other side, and as a reaction against the fiction inspired by Existentialism, a number of novelists, who for a time were called "new" and appeared to be, set themselves up as champions of a renovated realism. They measured, weighed, and described objects (a wall, a chair, a picture, a tapestry, the labyrinthine streets of a city) with utmost minuteness and with an awe-struck respect for "l'ordre des choses," which is also the title of one of the volumes (by Jacques Brosse) embodying that respect for "chosisme." Economy of means is not always the guiding principle of the most gifted and the most profuse of those new novelists, Michel Butor and Claude Simon; they would hardly qualify as short-story writers. Alain Robbe-Grillet and Nathalie Sarraute, however, do; samples of their ingenious handling of the medium, in *Instantanés* by the former and in *Tropismes* by the latter, are offered in this volume.

Others, and perhaps the most original among those modern writers, have shied away from both didactic philosophy and diligent and pedestrian realism. They have turned away from the traditional "nouvelle"—dramatic, structured, and highly condensed—toward the freer and more capricious "conte." In so doing, they recapture an old French tradition of an ironical, sophisticated, highly civilized, and discerning art form. As early as 1898, a future statesman, at that time an astute interpreter of the literature of his age, Léon Blum, lent to no other person than Goethe the following remark in his imaginary *Nouvelles Conversations de Goethe avec Eckermann*:

Si le roman a sa beauté propre, je crois qu'elle est dans la vérité; ... je crois que la vérité romanesque n'est pas autre chose qu'une force appesantie et partiale d'observation, de poésie, de passion ou de raison. Ce qui nous charme dans le conte, c'est au contraire l'agrément ou l'émotion, la justesse, la mesure, et soit la leçon morale, soit une sorte d'insouciance qui la dépasse ... Peut-être l'esprit français sera-t-il toujours mieux armé pour le conte que pour le roman.

If there is any validity in that remark, it has taken on enhanced significance in France since the Surrealist movement, which was most revolutionary in the twenties and which influenced youth in the thirties. Many of the writers and painters who came of age during the fourth and fifth decades of our century were profoundly marked by Surrealism. They subsequently freed themselves from the orthodoxy that the leader of the movement, André Breton, attempted to force upon those who worshipped at his Surrealist chapel: René Char, Yves Bonnefoy, and before them older members of the group, such as Louis Aragon and Paul Éluard, who all count among the most gifted poets of modern France, were steeped in the vision of the Surrealists, as were Dali, Miro, De Chirico, Tanguy, and Masson the painters.

Whether or not they rallied under Breton's banner (most of them did not), the authors represented in this volume were influenced by the Surrealist distrust of reason and realism. They chose instead to make room for "le merveilleux." Nothing is impossible or incredible for them, even (or perhaps especially) if it violates all the narrow rules of our logic. They prefer, in the words of the least Surrealistic or mystical of philosophers—Aristotle, "an impossibility that seems probable rather than a probability that seems impossible." Lise Deharme, Marguerite Duras, Henri Thomas, and even Françoise Mallet have all been tempted by the lightness of touch, the playful fantasy, the search for a misty and mysterious state of grace which were the goals of much Surrealist activity. Noël Devaulx, whose story borders on the supernatural and tells of the witchcraft that a statue can work upon a modern amateur of saints in stone, Claude Spaak, who is as fascinated by mirrors as Surrealist poets were, and most of all, Pieyre de Mandiargues, the most enchanting teller of tales to have deftly played with the Surrealist themes of eroticism and of woman as an intermediary between man and a magical universe, stand, in the present volume, as the clearest exponents of a Surrealist vision of the universe.

Those writers, as well as Jean Giono in his evocation of a Mephistopheles visiting a simple truck driver in the mountainous region of the Lower Alps, and Ionesco in his handling of the impossible made credible, have been seduced by the present distrust of reason, considered to be an inadequate instrument for rendering an account of the world and of life. Ever since 1910 or so, French writers have endeavored to obliterate the frontiers separating the known and the unknown, the possible and the impossible. A similar current of sensibility had challenged rationalism during the Romantic era: Gérard de Nerval, himself a master of the novelette, attempted to depict dream overflow into real life: "Il faut, au besoin, passer les bornes du nonsens et de l'absurdité," he declared in his gentle and dreamy story, *Sylvie*. Théophile Gautier, the author of stories like "Ondine" and "La Belle et la Bête" which have inspired both the cinema and the ballet, also resorted to the fantastic. But, unlike some of his German and English contemporaries, whose imagination conjured up ghosts, devilish phantoms, and monstrous Frankensteins, Gautier eschewed wild or mad hallucinations such as might have delighted Goya or Hoffmann, "Il faut, dans la fantaisie la plus folle, un appareil de raison, un prétexte quelconque, un plan, des caractères et une conduite." Such was one of his pronouncements, which might be typical of a compatriot of Charles Perrault, the most reasonable among authors of fairy tales as well as those discreet and restrained storytellers of today who never quite expel reason from their madness.

In the second half of the nineteenth century the Romantic movement, with its emphasis upon the supernatural, the angelic, and the grotesque, lost much of its impetus; and at the turn of the century, Realism had inspired short stories that strove for forcefulness, brutality, and ironic cruelty. The "nouvelle" had become a dramatic and vivid literary form, based upon the assumption propagated by Hegel that the rational is real and that reality is fundamentally rational. Philosophers and scientists were then hopeful that they could explain away mystery, that they could determine reality through observation and the study of causes.

Today we are less certain that we can fully understand reality through observation and experimentation, or that by describing the reality of men and things we provide ourselves with a key to understanding them. Realism has lost much of its appeal for us. The stories that echo the deeper concerns of our age are probably those that attempt to endow us with a more intense perception of mystery imperceptibly emerging from ordinary life, and to create in us a state of grace. We hope that the readers of this collection of tales and short stories may occasionally feel charmed, entertained, enriched by the pages that follow. At a time when anxiety and tragedy have become a fetish with many of us, the humor and the civilized, gentle spirit of comedy that breathes in the delineation of women by André Maurois or Françoise Mallet-Joris, which enhances our understanding and our playful enjoyment of life in most of the other stories here, should prove a pleasant relief. Many of these stories should provide, not only a fruitful exercise in the learning of French, but also an insight into the moods of the French people today and into the practice of a gentle and subtle art. Sean O'Faolain's comment on contemporary French authors, in a brilliant volume on the short story, is indeed applicable to the authors in our collection.

France, clearly, is, as she has always been, the breeding ground of the personal and original way of looking at things, expounded with intelligence and defended with disruptive passion, a virtue as fruitful in art as it is fatal in politics.

HENRI PEYRE

Bibliography

Bates, H. E. *The Modern Short Story. A Critical Survey.* London, Th. Nelson, 1941.

Bonnet, Henri. *Roman et Poésie.* Paris, Nizet, 1951.

Canby, Henry S. *A Study of the Short Story.* New York, Holt, 1913.

Castex, Pierre. *Le Conte fantastique en France de Nodier à Maupassant.* Paris, Corti, 1951.

Lemonnier, Léon. *Edgar Poe et les conteurs français.* Paris, Aubier, 1947.

Maugham, Somerset. *Tellers of Tales.* New York, Doubleday, 1939.

O'Connor, Frank. *The Lonely Voice. A Study of the Short Story.* London, Macmillan, 1964.

O'Faolain, Sean. *The Short Story.* New York, Devin-Adair Co., 1951.

Peyre, Henri. *Contemporary French Literature. A Critical Anthology.* New York, Harper & Row, 1963.

Schneider, Marcel. "Le Roman poétique," *Revue de Paris.* October 1962, pp. 117–125.

Schneider, Marcel. *La Littérature fantastique en France.* Paris, Fayard, 1964.

CONTES

ET

NOUVELLES

D'AUJOURD'HUI

Marcel Aymé

Né en 1902 dans une petite ville des bords de l'Yonne, Marcel Aymé n'a abordé la littérature qu'à la suite d'une longue maladie et après des débuts assez incertains dans la vie. Vocation tardive, puisqu'elle se manifeste vers l'âge de vingt-quatre ans—mais qui devait faire de Marcel Aymé un des écrivains contemporains les plus prolifiques, et sans doute aussi l'un des plus lus en France. Un roman publié en 1929, _La Table-aux-crevés,_ lui a valu le Prix Théophraste Renaudot; depuis lors il n'a cessé d'écrire romans, récits, contes (pour adultes et pour enfants) et, à partir de 1948, pièces de théâtre.

Écrivain indépendant, il a d'abord dérouté les critiques. Il demeure d'ailleurs un auteur quelque peu «en marge,» à cause de la discrétion de sa personnalité aussi bien que du non-conformisme de son œuvre. Celle-ci, fort diverse, oscille entre le genre «paysan» (représenté par exemple par _La Table-aux-crevés,_ ou par son roman le plus célèbre, _La Jument verte,_ 1933), la satire des mœurs contemporaines (aussi bien dans des romans comme _Uranus,_ 1948, _Le Confort intellectuel,_ 1949, que dans des comédies très acerbes comme _La Tête des autres,_ 1952), et le conte fantastique (_Le Passe-muraille,_ 1943). Il est sans doute inutile d'ajouter que ces genres se mêlent étroitement dans certaines œuvres, dans certains recueils.

Cette alliance du fantastique et de l'observation réaliste est la qualité éminente de l'œuvre d'Aymé. Du coup, au temps des modes philosophiques, on ne saurait à quel «isme» le rattacher. En outre, à côté des écrivains récents qui sont à la recherche de nouvelles formes et de nouvelles techniques, Marcel Aymé fait figure de conteur traditionnel. C'est qu'il conte d'abord pour le plaisir de conter, non pour illustrer quelque thèse profonde, non plus pour révolutionner l'art d'écrire. A cette attitude tiennent en grande partie son succès

1

auprès du grand public et son charme indéniable, mais aussi le second rang qu'il occupe immédiatement derrière les grands ténors de la littérature française d'aujourd'hui. Ni philosophe ni expérimentateur, Marcel Aymé est toutefois un peintre doué d'une très féconde imagination, un observateur exact, un critique des mœurs souvent impitoyable.

Certes, dans ses tableaux de la vie paysanne, il fait surtout preuve d'une verdeur toute rabelaisienne, par le choix des situations les plus cocasses et souvent les moins décentes, par son don aussi de reconstituer un langage savoureux chez ses personnages. Mais le rire qu'il provoque chez son lecteur ne doit pas faire oublier le curieux mélange d'amertume et de tendresse, de méchanceté même et de compréhension profonde, qui donne à un roman comme *La Jument verte*, par exemple, sa résonance toute particulière. Dans ses œuvres consacrées aux mœurs contemporaines, son refus du conformisme politique et social le conduit à disséquer le mécanisme des motifs inavoués, des veuleries, des appétits sournois, et aussi de certaines attitudes généreuses qui ont marqué toutes les classes de la société française pendant la dernière guerre et pendant les années qui l'ont précédée et suivie. Médiocrités ou bassesses sont violemment éclairées, parfois avec quelque hargne,—toutefois ici encore percent une sympathie et une indulgence dont certains critiques trouvent qu'elles manquent vraiment trop de grandeur, mais qui donnent aux satires de Marcel Aymé leur tonalité propre.

«Dermuche,» qui figure dans le recueil *Le Vin de Paris* (1947), appartient au troisième genre cultivé par Marcel Aymé: le conte fantastique. On n'y trouvera évidemment pas le fantastique à l'état pur, mais un mélange comique de satire et de merveilleux. Certes, chez Marcel Aymé, le merveilleux se manifeste en grande partie pour lui-même. Marcel Aymé a déclaré une fois qu'il aimait également les fées et les hommes. Ici, le plaisir que procure ce conte tient d'abord au miracle même qui en est le sujet. Mais à ce plaisir, qui est celui du libre jeu de l'imagination, s'ajoute une cocasserie produite par le temps et le lieu choisis par l'auteur: le monde moderne, une prison, la société des criminels, des rentiers, des magistrats, la vie de tous les jours. Les hommes *d'aujourd'hui* se conduisent devant les phénomènes fantastiques selon les préjugés, l'éducation, les obligations sociales *d'aujourd'hui*. Ils ne peuvent nier le fait miraculeux (affirmé par l'auteur de façon péremptoire et développé jusque dans ses dernières conséquences logiques), ils cherchent donc à l'intégrer dans leurs habitudes «raisonnables»—si peu faites pour le merveilleux! Un tel

2

conflit annonce, à bien des égards, ceux que l'on trouve dans la littérature dite «de l'absurde,» mais les intentions de Marcel Aymé semblent bien différentes : il ne s'agit pas pour lui de présenter des métaphores de la condition humaine ou d'évoquer symboliquement toute une métaphysique ; il cherche plutôt, tout en nous amusant par une certaine logique de l'imagination, à mettre en lumière quelques défauts de la société contemporaine et à en faire rapidement la satire.

Ainsi, il serait vain de chercher dans «Dermuche» des profondeurs théologiques. D'un autre côté, il serait tout aussi injuste de voir dans ce conte une raillerie délibérée dirigée contre certains mystères. Marcel Aymé s'est avant tout amusé à métamorphoser son héros, à justifier le plus simplement possible cette transformation, pour en tirer ensuite, avec rigueur et concision, toutes les conséquences. En second lieu, ce miracle est un prétexte pour camper rapidement quelques personnages : la brute à la fois meurtrière et innocente, le prêtre naïf et de bonne volonté, les fonctionnaires de la Justice humaine qui ne sauraient admettre les dérogations aux règlements. Enfin, l'extraordinaire aventure de Dermuche révèle une des préoccupations de Marcel Aymé : la question de la peine de mort et de l'impitoyable fonctionnement de la justice,—question posée ici avec infiniment moins de brutalité que dans *La Tête des autres*, mais qui n'en est pas moins présente. Presque toujours, le sourire indulgent ou sarcastique de Marcel Aymé dissimule une gravité réelle.

DERMUCHE

I<small>L</small> <small>AVAIT</small> assassiné une famille de trois personnes pour s'emparer d'un plat à musique[1] qui lui faisait envie depuis plusieurs années. L'éloquence rageuse de M. Lebœuf, le procureur, était superflue, celle de Mᵉ Bridon,[2] le défenseur, inutile. L'accusé fut condamné à l'unanimité à avoir la tête tranchée. Il n'y eut pas une voix pour le plaindre, ni dans la salle, ni ailleurs. Les épaules massives, une encolure [3] de taureau, il avait une énorme face plate, sans front, toute en mâchoires, et de petits yeux minces au regard terne. S'il avait pu subsister un doute quant à sa culpabilité, un jury sensible l'aurait

---

[1] musical centerpiece   [2] for *Maître* Bridon; title given to lawyers
[3] neck.

condamné sur sa tête de brute. Durant tout le temps des débats, il demeura immobile à son banc, l'air indifférent et incompréhensif.

— Dermuche, lui demanda le président, regrettez-vous votre crime ?

— Comme ci comme ça,[4] monsieur le Président, répondit Dermuche, je regrette sans regretter.

— Expliquez-vous plus éloquemment. Avez-vous un remords ?

— Plaît-il, monsieur le Président ?

— Un remords, vous ne savez pas ce qu'est le remords ? Voyons, vous arrive-t-il de souffrir en pensant à vos victimes ?

— Je me porte bien, monsieur le Président, je vous remercie.

Le seul instant du procès pendant lequel Dermuche manifesta un intérêt certain fut celui où l'accusation produisit le plat à musique. Penché au bord de son box, il ne le quitta pas du regard, et, lorsque la mécanique, remontée par les soins du greffier,[5] égrena sa ritournelle,[6] un sourire d'une très grande douceur passa sur son visage abruti.

En attendant que la sentence fût exécutée, il occupa une cellule du quartier des condamnés et y attendit tranquillement le jour de la fin. L'échéance[7] ne semblait d'ailleurs pas le préoccuper. Il n'en ouvrit jamais la bouche aux gardiens qui entraient dans sa cellule. Il n'éprouvait pas non plus le besoin de leur adresser la parole et se contentait de répondre poliment aux questions qui lui étaient faites. Sa seule occupation était de fredonner[8] la ritournelle délictueuse[9] qui l'avait poussé au crime, et il la connaissait mal. Affligé d'une mémoire très lente, c'était peut-être l'agacement de ne pouvoir y retrouver l'air du plat à musique qui l'avait conduit, un soir de septembre, dans la villa des petits rentiers[10] de Nogent-sur-Marne. Ils étaient là deux vieilles filles et un oncle frileux, décoré de la Légion d'honneur. Une fois par semaine, le dimanche, au dessert du repas de midi, l'aînée des deux sœurs remontait[11] le plat à musique. A la belle saison, la fenêtre de leur salle à manger

---

[4] so so   [5] the clerk of the court   [6] let the notes of its ritornel drop one after the other   [7] outcome   [8] to hum   [9] which caused the crime   [10] small stockholders   [11] wound up.

restait ouverte et, pendant trois ans, Dermuche avait connu des étés enchantés. Blotti au pied du mur de la villa, il écoutait la mélodie dominicale qu'il essayait, pendant toute la semaine, de ressaisir dans son intégrité, sans jamais y parvenir complètement. Dès les premières heures de l'automne, l'oncle frileux faisait fermer la fenêtre de la salle à manger, et le plat à musique ne jouait plus que pour les petits rentiers. Trois années de suite, Dermuche avait connu ces longs mois de veuvage[12] sans musique et sans joie. Peu à peu, la ritournelle lui échappait, se dérobait jour après jour et, la fin de l'hiver venue, il ne lui en restait plus que le regret. La quatrième année, il ne put se faire à l'idée d'une nouvelle attente et s'introduisit un soir chez les vieux. Le lendemain matin, la police le trouvait occupé, auprès des trois cadavres, à écouter la chanson du plat à musique.

Pendant un mois, il la sut par cœur, mais à la veille du procès, il l'avait oubliée. Maintenant, dans sa cellule de condamné, il ressassait les bribes[13] que le tribunal venait de lui remettre en mémoire et qui devenaient chaque jour un peu plus incertaines. *Ding, ding, ding*, chantonnait du matin au soir le condamné à mort.

L'aumônier[14] de la prison venait visiter Dermuche et le trouvait plein de bonne volonté. Il aurait pourtant souhaité que le misérable eût l'esprit un peu plus ouvert, que la bonne parole pénétrât jusqu'à son cœur. Dermuche écoutait avec la docilité d'un arbre, mais ses brèves réponses, pas plus que son visage fermé, ne témoignaient qu'il s'intéressât au salut de son âme, ni même qu'il en eût une. Pourtant, un jour de décembre qu'il lui parlait de la Vierge et des anges, le curé crut voir passer une lueur dans ses petits yeux ternes, mais si fugitive[15] qu'il douta d'avoir bien vu. A la fin de l'entretien, Dermuche interrogea brusquement: «Et le petit Jésus, est-ce qu'il existe toujours?» L'aumônier n'hésita pas une seconde. Certes, il aurait fallu dire que le petit Jésus avait existé, et qu'étant mort sur la croix à l'âge de trente-trois ans, il n'était pas possible de parler de lui au présent. Mais Dermuche avait l'écorce du crâne[16] si dure qu'il était difficile de le lui faire comprendre. La fable du petit Jésus

---

[12] months during which he felt like a widower [13] scraps, fragments
[14] chaplain [15] fleeting [16] the crust of his brain.

5

lui était plus accessible et pouvait ouvrir son âme à la lumière des saintes vérités. Le curé conta à Dermuche comment le fils de Dieu avait choisi de naître dans une étable, entre le bœuf et l'âne.

— Vous comprenez, Dermuche, c'était pour montrer qu'il était avec les pauvres, qu'il venait pour eux. Il aurait aussi bien choisi de naître dans une prison, chez le plus malheureux des hommes.

— Je comprends, monsieur le curé. En somme, le petit Jésus aurait pu naître dans ma cellule, mais il n'aurait pas accepté de venir au monde dans une maison de rentiers.

L'aumônier se contenta de hocher la tête.[17] La logique de Dermuche était inattaquable, mais elle s'ajustait d'un peu trop près à son cas particulier et semblait peu propre à le disposer au repentir. Ayant donc hoché entre oui et non, il enchaîna sur les rois mages, le massacre des Innocents, la fuite, et conta comment le petit Jésus, quand la barbe lui eut poussé, mourut crucifié entre deux larrons,[18] pour ouvrir aux hommes les portes du ciel.

— Pensez-y, Dermuche, l'âme du bon larron aura sans doute été la première de toutes les âmes du monde à entrer au paradis, et ce n'est pas l'effet d'un hasard, mais parce que Dieu a voulu nous montrer ce que tout pécheur peut attendre de sa miséricorde. Pour lui, les plus grands crimes ne sont que les accidents de la vie . . .

Mais, depuis longtemps, Dermuche ne suivait plus l'aumônier, et l'histoire du bon larron lui semblait aussi obscure que celles de la pêche miraculeuse et de la multiplication des pains.

— Alors, comme ça, le petit Jésus était retourné dans son étable?

Il n'en avait que pour le petit Jésus. En sortant de la cellule, l'aumônier réfléchissait que cet assassin n'avait pas plus de compréhension qu'un enfant. Il en vint même à douter que Dermuche fût responsable de son crime et pria Dieu de le prendre en pitié.

«C'est une âme d'enfant dans un corps de déménageur,[19] il a

---

[17] to shake his head   [18] thieves   [19] furniture mover.

tué les trois petits vieux sans y mettre de malice, comme un enfant ouvre le ventre de sa poupée ou lui arrache les membres. C'est un enfant qui ne connaît pas sa force, un enfant, un pauvre enfant, et rien qu'un enfant, et la preuve, c'est qu'il croit au petit Jésus.»

Quelques jours plus tard, le prêtre faisait une visite au condamné. Il demanda au gardien qui l'accompagnait pour lui ouvrir la porte:

— C'est lui qui chante?

On entendait, comme un son de basse cloche, la voix mâle de Dermuche scander sans repos: *Ding, ding, ding.*

— Il n'arrête pas de toute la journée avec son *ding, ding, ding, ding.* Si encore ça ressemblait à quelque chose, mais ce n'est même pas un air.[20]

Cette insouciance d'un condamné à mort qui n'était pas encore en règle avec le ciel ne manqua pas d'inquiéter l'aumônier. Il trouva Dermuche plus animé qu'à l'ordinaire. Sa face de brute avait une expression d'alerte douceur et, dans la fente de ses paupières, brillait une lueur rieuse. Enfin, il était presque bavard.

— Quel temps qu'il fait[21] dehors, monsieur le curé?

— Il neige, mon enfant.

— Ça ne fait rien, allez, ce n'est pas la neige qui va l'arrêter. Il s'en fout[22] de la neige.

Une fois de plus, l'aumônier lui parla de la miséricorde de Dieu et de la lumière du repentir, mais le condamné l'interrompait à chaque phrase pour l'entretenir du petit Jésus, en sorte que les recommandations n'étaient d'aucun effet.

— Est-ce que le petit Jésus connaît tout le monde? Vous croyez qu'au paradis le petit Jésus a la loi? A votre idée, monsieur le curé, est-ce que le petit Jésus est pour[23] la musique?

A la fin, l'aumônier n'arrivait plus à placer un mot. Comme il se dirigeait vers la porte, le condamné lui glissa dans la main une feuille de papier pliée en quatre.

— C'est ma lettre au petit Jésus, dit-il en souriant.

L'aumônier accepta le message et en prit connaissance quelques instants plus tard.

[20] a tune   [21] for: *Quel temps fait-il?* How's the weather?   [22] he doesn't give a damn   [23] in favor of.

7

«Cher petit Jésus, disait la lettre. La présente[24] est pour vous demander un service. Je m'appelle Dermuche. Voilà la Noël qui vient. Je sais que vous ne m'en voudrez pas[25] d'avoir descendu[26] les trois petits vieuzoques[27] de Nogent. Ces salauds-là,[28] vous n'auriez pas pu venir au monde chez eux. Je ne vous demande rien pour ici, vu que je ne vais pas tarder à éternuer dans le sac.[29] Ce que je voudrais, c'est qu'une fois en paradis, vous me donniez mon plat à musique. Je vous remercie par avance, et je vous souhaite bonne santé.— Dermuche.»

Le prêtre fut épouvanté par le contenu de ce message qui témoignait trop clairement à quel point le meurtrier était imperméable au repentir :

«Bien sûr, songeait-il, c'est un innocent qui n'a pas plus de discernement qu'un nouveau-né, et cette confiance qu'il a mise dans le petit Jésus prouve assez sa candeur d'enfant, mais quand il se présentera au tribunal avec trois meurtres sur la conscience et sans l'ombre d'un repentir, Dieu lui-même ne pourra rien pour lui. Et pourtant, il a une petite âme claire comme une eau de source.»

Le soir, il se rendit à la chapelle de la prison et, après avoir prié pour Dermuche, déposa sa lettre dans le berceau d'un enfant Jésus en plâtre.

A l'aube du 24 décembre, veille de Noël, un paquet[30] de messieurs bien vêtus pénétrait avec les gardiens dans la cellule du condamné à mort. Les yeux lourds encore de sommeil, l'estomac mal assuré et la bouche bâilleuse,[31] ils s'arrêtèrent à quelques pas du lit. Dans la lumière du jour naissant, ils cherchaient à distinguer la forme d'un corps allongé sous la couverture. Le drap du lit remua faiblement et une plainte légère s'exhala de la couche. Le procureur, M. Lebœuf, sentit un frisson lui passer dans le dos. Le directeur de la prison pinça sa cravate noire et se détacha du groupe. Il tira sur ses manchettes,[32] chercha le port de tête convenable et, le buste en

[24] this letter [25] you won't hold it against me [26] to have killed [27] (slang) old people [28] those stinkers [29] to sneeze into the bag: to be put to death [30] a group [31] still yawning [32] cuffs.

arrière, les mains jointes à hauteur de la braguette,[33] prononça d'une voix de théâtre:

— Dermuche, ayez du courage, votre recours en grâce est rejeté.

Une plainte lui répondit, plus forte et plus insistante que la première, mais Dermuche ne bougea pas. Il semblait être enfoui jusqu'aux cheveux et rien n'émergeait de la couverture.

— Voyons, Dermuche, ne nous mettons pas en retard, dit le directeur. Pour une fois, montrez un peu de bonne volonté.

Un gardien s'approcha pour secouer le condamné et se pencha sur le lit. Il se redressa et se tourna vers le directeur avec un air étonné.

— Qu'est-ce qui se passe?

— Mais je ne sais pas, monsieur le directeur, ça bouge, et pourtant . . .

Un long vagissement[34] d'une tendresse bouleversante s'échappa des couvertures. Le gardien, d'un mouvement brusque, découvrit largement le lit et poussa un cri. Les assistants, qui s'étaient portés en avant, poussaient à leur tour un cri de stupeur. A la place de Dermuche, sur la couche ainsi découverte, reposait un enfant nouveau-né ou âgé de quelques mois. Il paraissait heureux de se trouver à la lumière et, souriant, promenait sur les visiteurs un regard placide.

— Qu'est-ce que ça veut dire? hurla le directeur de la prison en se tournant vers le gardien-chef. Vous avez laissé évader le prisonnier?

— Impossible, monsieur le directeur, il n'y a pas trois quarts d'heure que j'ai fait ma dernière ronde et je suis sûr d'avoir vu Dermuche dans son lit.

Cramoisi,[35] le directeur injuriait ses subordonnés et les menaçait des sanctions les plus sévères. Cependant, l'aumônier était tombé à genoux et remerciait Dieu, la Vierge, saint Joseph, la Providence et le petit Jésus. Mais personne ne prenait garde à lui.

— Nom de Dieu! s'écria le directeur qui s'était penché sur l'enfant. Regardez donc, là, sur la poitrine, il a les mêmes tatouages que Dermuche.

[33] the fly of his trousers [34] cry of a newborn baby [35] purple with anger.

Les assistants se penchèrent à leur tour. L'enfant portait sur la poitrine deux tatouages symétriques, figurant, l'un, une tête de femme, l'autre, une tête de chien. Aucun doute, Dermuche avait exactement les mêmes, aux dimensions près. Les gardiens s'en portaient garants.[36] Il y eut un silence d'assimilation prolongé.

— Je m'abuse [37] peut-être, dit M. Lebœuf, mais je trouve que le nourrisson [38] ressemble à Dermuche autant qu'un enfant de cet âge puisse ressembler à un homme de trente-trois ans. Voyez cette grosse tête, cette face aplatie, ce front bas, ces petits yeux minces et même la forme du nez. Vous ne trouvez pas? demanda-t-il en se tournant vers l'avocat du condamné.

— Evidemment, il y a quelque chose, convint Mᵉ Bridon.

— Dermuche avait une tache de café au lait [39] derrière la cuisse, déclara le gardien-chef.

On examina la cuisse du nourrisson sur laquelle on découvrit le signe.

— Allez me chercher la fiche anthropométrique [40] du condamné, commanda le directeur. Nous allons comparer les empreintes digitales.[41]

Le gardien-chef partit au galop. En attendant son retour, chacun se mit à chercher une explication rationnelle de la métamorphose de Dermuche, qui ne faisait déjà plus de doute pour personne. Le directeur de la prison ne se mêlait pas aux conversations et arpentait [42] nerveusement la cellule. Comme le nourrisson, apeuré par le bruit des voix, se mettait à pleurer, il s'approcha du lit et proféra d'un ton menaçant:

— Attends un peu, mon gaillard, je vais te faire pleurer pour quelque chose.

Le procureur Lebœuf, qui s'était assis à côté de l'enfant, regarda le directeur d'un air intrigué.

— Croyez-vous vraiment que ce soit votre assassin? demanda-t-il.

— Je l'espère. En tout cas, nous allons bientôt le savoir.

En présence de ce miracle délicat, l'aumônier ne cessait de

---

[36] vouched for it   [37] I am deluding myself   [38] infant   [39] light brown spot   [40] anthropometric or descriptive card   [41] fingerprints   [42] was pacing up and down.

rendre grâces à Dieu, et ses yeux se mouillèrent de tendresse tandis qu'il regardait cet enfant quasi [43] divin qui reposait entre Lebœuf et le directeur. Il se demandait avec un peu d'anxiété ce qui allait arriver et concluait avec confiance:

«Il en sera ce que le petit Jésus aura décidé.»

Lorsque l'examen comparé des empreintes digitales eut confirmé l'extraordinaire métamorphose, le directeur de la prison eut un soupir de soulagement et se frotta les mains.

— Et, maintenant, pressons-nous, dit-il, nous n'avons déjà que trop perdu de temps. Allons, Dermuche, allons . . .

Un murmure de protestation s'éleva dans la cellule, et l'avocat du condamné s'écria avec indignation:

— Vous ne prétendez tout de même pas faire exécuter un nourrisson! Ce serait une action horrible, monstrueuse. En admettant que Dermuche soit coupable et qu'il ait mérité la mort, l'innocence d'un nouveau-né est-elle à démontrer?

— Je n'entre pas dans ces détails-là, répliqua le directeur. Oui ou non, cet individu est-il notre Dermuche? A-t-il assassiné les trois rentiers de Nogent-sur-Marne? A-t-il été condamné à mort? La loi est faite pour tout le monde, et moi, je ne veux pas d'histoires. Les bois [44] sont là et il y a plus d'une heure que la guillotine est montée. [45] Vous me la baillez belle [46] avec votre innocence de nouveau-né. Alors il suffirait de se changer en nourrisson pour échapper à la Justice? Ce serait vraiment trop commode.

Me Bridon, d'un mouvement maternel, avait rabattu la couverture sur le petit corps potelé [47] de son client. Heureux de sentir la chaleur, l'enfant se mit à rire et à gazouiller. [48] Le directeur le regardait de travers, [49] jugeant cet accès de gaîté tout à fait déplacé.

— Voyez donc, dit-il, ce cynisme; il entend crâner [50] jusqu'au bout.

— Monsieur le directeur, intervint l'aumônier, est-ce que, dans cette aventure, vous n'apercevez pas le doigt de Dieu?

— Possible, mais ça ne change rien. En tout cas, je n'ai pas à

[43] virtually [44] the scaffold [45] was erected [46] that's a fine story you are telling me! [47] chubby [48] to babble [49] was looking askance at him [50] to brag.

m'en occuper. Ce n'est pas Dieu qui me donne mes consignes,[51] ni qui s'occupe de mon avancement.[52] J'ai reçu des ordres, je les exécute. Voyons, monsieur le Procureur, est-ce que je n'ai pas entièrement raison?

Le procureur Lebœuf hésitait à se prononcer[53] et ne s'y résolut qu'après réflexion.

— Evidemment, vous avez la logique pour vous. Il serait profondément injuste qu'au lieu de recevoir une mort méritée, l'assassin eût le privilège de recommencer sa vie. Ce serait d'un exemple déplorable. D'autre part, l'exécution d'un enfant est une chose assez délicate, il me semble que vous feriez sagement d'en référer à vos supérieurs.[54]

— Je les connais, ils m'en voudront de les avoir mis dans l'embarras. Enfin, je vais tout de même leur téléphoner.

Les hauts fonctionnaires n'étaient pas arrivés au ministère. Le directeur dut les appeler à leur domicile particulier. A moitié réveillés, ils étaient de très mauvais poil.[55] La métamorphose de Dermuche leur fit l'effet d'une ruse déloyale qui les visait personnellement, et ils se sentaient très montés contre lui.[56] Restait que[57] le condamné était un nourrisson. Mais l'époque n'étant pas à[58] la tendresse, ils tremblaient pour leur avancement qu'on ne vînt à les suspecter d'être bons. S'étant concertés, ils décidèrent que . . . «le fait que le meurtrier se fût un peu tassé[59] sous le poids du remords ou pour toute autre cause ne pouvait en rien contrarier les dispositions de la Justice.»

On procéda à la toilette du condamné, c'est-à-dire qu'on l'enveloppa dans le drap du lit et qu'on lui coupa un léger duvet[60] blond qui poussait sur la nuque. L'aumônier prit ensuite la précaution de le baptiser. Ce fut lui qui l'emporta dans ses bras jusqu'à la machine dressée dans la cour de la prison.

Au retour de l'exécution, il conta à Mᵉ Bridon la démarche qu'avait faite Dermuche auprès du petit Jésus.

— Dieu ne pouvait pas accueillir au paradis un assassin que

---

[51] orders   [52] promotion   [53] to express his opinion   [54] to report the case to your chiefs   [55] they were in a very bad mood   [56] very much worked up against him   [57] the fact remained that . . .   [58] not prone to   [59] had shrunk a little   [60] down.

le remords n'avait même pas effleuré. Mais Dermuche avait pour lui l'espérance et son amour du petit Jésus. Dieu a effacé sa vie de pécheur et lui a rendu l'âge de l'innocence.

— Mais si sa vie de pécheur a été effacée, Dermuche n'a commis aucun crime et les petits rentiers de Nogent n'ont pas été assassinés.

L'avocat voulut en avoir le cœur net [61] et se rendit aussitôt à Nogent-sur-Marne. En arrivant, il demanda à une épicière de la rue où se trouvait la maison du crime, mais personne n'avait entendu parler d'un crime. On lui indiqua sans difficulté la demeure des vieilles demoiselles Bridaine et de l'oncle frileux. Les trois rentiers l'accueillirent avec un peu de méfiance et bientôt, rassurés, se plaignirent que, dans la nuit même, on leur eût volé un plat à musique posé sur la table de la salle à manger.

QUESTIONS

1. Quelle est l'intention de Marcel Aymé quand il nous dit que, même en cas de doute, Dermuche aurait été condamné par «un jury sensible . . . sur sa tête de brute»?
2. Par quels détails Marcel Aymé nous fait-il comprendre que Dermuche a la mentalité d'un très jeune enfant?
3. Dans quelle mesure l'auteur se moque-t-il de l'aumônier? Dans quelle mesure manifeste-t-il de la sympathie pour ce prêtre?
4. Quel est à votre avis le personnage le plus caricatural de ce conte? Au moyen de quels traits l'auteur le dessine-t-il?
5. Un jeu de mots permet à l'auteur de souligner de façon comique le caractère «quasi-divin» de la situation, à un moment donné de l'histoire. L'avez-vous remarqué?
6. Comment l'auteur tire-t-il toutes les conséquences logiques de sa donnée initiale? Êtes-vous complètement satisfait par la découverte finale?
7. L'auteur intervient dans son conte par le vocabulaire même qu'il utilise dans la narration. Décrivez donc son style, et les effets qu'il produit.

[61] to get to the bottom of the case.

13

8. Chaque personnage parle (ou écrit) selon son rang, sa fonction. Étudiez et caractérisez la manière propre à chacun.

9. Dans quelle mesure avons-nous eu raison de dire, dans notre notice d'introduction, que ce conte révèle une grave préoccupation?

10. Pouvez-vous imaginer comment un auteur tel qu'Albert Camus aurait traité un sujet analogue? Point de miracle, sans aucun doute,—mais comment aurait-il présenté le cas d'un Dermuche?

Claude Boncompain

Claude Boncompain est né en 1908 à Yssingeaux (Haute-Loire) dans le Massif Central, et demeure maintenant à Valence, aux bords du Rhône. Romancier, il s'intéresse, comme Thomas Hardy en Angleterre ou comme Jean Giono et François Mauriac en France, à la vie, aux superstitions et à la psychologie des paysans et des gens des villes provinciales, dans des romans tels que son *Cavalier de Riouclare* (1943). Il a également écrit avec François Vermale un livre sur *Stendhal ou la double vie de Henri Beyle.*

Les Chats est une nouvelle en forme de dialogue-confession où le narrateur se révèle comme monstre en faisant sa propre apologie. Comme il le dit lui-même, le narrateur est comme un poulpe renversé chez qui vient «au jour et à tous les contacts le plus secret, le plus fragile de lui-même.» Ce spectacle d'un homme vu dans son être le plus intime sert à développer le thème central de Boncompain, que le besoin d'amour, inassouvi ou dévoyé, devient méchant et monstrueux.

Boncompain fait preuve d'un talent d'observateur à la Balzac dans son tableau des mœurs d'une ville de province avec sa vieille aristocratie dégénérée, sa bourgeoisie avare et guindée, où le narrateur, médecin ambitieux, fait son chemin. Mais l'intrigue et la description sont subordonnées à la psychologie des personnages qui, hantés par des visions de pourriture et de mort, refusent l'amour qui ne leur apparaît que comme une souffrance. Ils se réfugient dans l'amour ou la haine des animaux, ensuite dans la folie, le suicide et le meurtre. Boncompain pousse très loin l'étude psychologique de ses personnages; la folie de Florence est expliquée en termes de son hérédité et de son éducation; la déformation physique du narrateur boiteux et chétif se prolonge en déformation mentale quand, rebuté, son amour se métamorphose en haine contre toute forme de vie, humaine ou

1 5

animale. Ses personnages sont des faibles qui ne résistent pas à la vie, dont l'esprit ne tient qu'à «un fil d'habitudes,» et dont les sentiments, quand ils leur donnent libre cours, les amènent à des passions folles et macabres. C'est une histoire d'une morbidité exaspérée où «personne ne sauve personne.»

On peut se demander si Boncompain ne s'est pas limité à l'excès en faisant de ses personnages des cas pathologiques qui n'expriment rien d'autre que leur souffrance tragique mais individuelle. D'autres auteurs modernes se sont servis avant lui de cette même technique de «confession» d'un personnage «monstrueux» qui vit en marge de la société ou éloigné de l'amour, mais pour exprimer des vérités et pour poser des questions plus larges. Dans *Le Sous-sol* (1864) Dostoïewski nous présente un héros dévoré de malice qui dit: «Je n'ai fait que porter à l'extrême limite, dans ma vie, ce que vous n'osiez pas amener même à moitié.» Le héros de *La Chute* (1956) de Camus, exilé, pose le problème du sens de la liberté humaine et son portrait devient «un miroir ... de l'humanité entière,» tandis que Meursault, que Camus fait parler dans *L'Étranger* (1942), isolé, condamné, découvre un sens à la vie au moment de mourir. Louis, héros du *Nœud de vipères* (1933) de Mauriac, ressemble beaucoup au narrateur des *Chats* par son besoin d'amour, par sa haine et même par son avarice, mais il est racheté quand il accepte l'amour de Dieu. Le héros de Boncompain nous fait frissonner, mais nous ne nous retrouvons guère chez lui. Rien ne rachète son personnage, il ne dépasse jamais sa misère particulière et il sombre seul dans la haine et le désespoir.

LES CHATS

MAIS SI, asseyez-vous. Je sais que vous avez le temps et maintenant vous voici enfin calmé. Je suis moi-même un homme raisonnable et froid. Nous finirons par nous entendre. Prenez donc cette bergère [1]-là. Elle est ancienne et jolie dans son époque, [2] légère et bien évasée, n'est-ce pas? Vous êtes connaisseur. J'ai vu cela à votre mouvement. Vous avez le goût de l'antiquité. La passion, dites-vous? Oh! ne galvaudons pas les mots. Oui, vous pouvez regarder. Il y a ici quelques objets assez beaux que j'ai du plaisir à posséder. Ce n'est pas une

---

[1] armchair   [2] in its style.

aide négligeable que nous apportent les objets. A condition de
les dominer, de ne pas être assujetti par eux. Sans quoi on va
vers l'encombrement et le désordre. La limite du désordre est
subtile: deux tableaux de trop sur les murs, quelques meubles
excessifs dans une pièce et la mesure est outrepassée.[3] Est-ce
qu'il n'en est pas ainsi de nos sentiments? La bride lâchée,[4]
qui sait où ils nous emporteront, si innocents qu'ils se pré-
sentent en leurs débuts. Et l'amour des bêtes . . . Ne vous agitez
pas. Nous n'allons pas recommencer. Je sais: vous me jugez
méchant. Il est bien entendu que toute personne sensible ne
peut apercevoir un chien sans bêtifier un peu, l'appeler d'une
voix de tête,[5] aiguë et affectée, pour lui caresser l'arrière du
crâne. Et vous vous dites que les gens ont sans doute raison. Car
je présume qu'ils vous ont parlé de moi. En quels termes, je
l'imagine; je me divertis à lire dans leurs yeux quand je les
croise. Je recueille quelques bouts de phrases. D'ailleurs, ils ne
se gênent pas. Vous leur ferez plaisir, si mon nom tombe dans
une conversation, en insinuant: «Un homme qui a horreur des
animaux.» Vous leur fournirez un grief précis qui leur fait
défaut.[6] Jusqu'à présent, ils n'ont à me reprocher qu'une seule
chose, la plus grave il est vrai, mais difficile à confesser: ils
n'admettent pas que je me passe d'eux. Quelques-uns, plus
subtils peut-être, s'interrogent sur ma solitude. Parmi eux, le
curé qui lit volontiers son bréviaire sous les platanes de la route,
là, en contrebas, et qui attend que je le salue comme tout le
monde. Mais je ne veux pas lui donner cette satisfaction. A mes
heures de faiblesse, certains souvenirs me viennent caresser, des
émotions religieuses de mon enfance. C'est une grande facilité
de croire: à Dieu, aux autres, à la vertu de certaines idées. Et il
faut un rude entêtement pour rester debout dans un désert de
solitude même s'il est fleuri de rosiers, ombragé de beaux arbres
comme ce parc et limité par une aimable demeure comme
celle-ci. J'ai renoncé à tous les secours, jusqu'aux plus menus.
Le tabac, tenez, est un remède. Fumer embrume l'esprit, noie[7]
les contours de la réalité, abrège le temps. Je m'y suis laissé
aller et je m'en suis guéri, assouplissant une volonté dont je

---

[3] the proportions are spoiled [4] given free rein [5] a nasal voice [6] You'll
give them a specific grievance which they lack [7] softens, submerges.

1 7

n'ai pourtant nul emploi. Car la volonté est inutile contre l'investissement[8] de l'ennui. Plus sérieux serait l'exercice d'un métier. Je gagnerais sûrement en pariant avec vous que personne ne vous a dit que je suis votre confrère. Par le titre du moins, car pour le reste il y a bien des lustres[9] que j'y ai renoncé après l'avoir pratiqué moins d'un an. Bref, je suis médecin, comme vous. Votre prédécesseur ne l'ignorait pas. Il se serait même autorisé volontiers de ce lien pour en nouer d'autres,[10] pour me faire visite. J'ai dû me garder. Mais quand je fis enclore de murs mon domaine, j'ai laissé sur la limite qui nous est commune la haie qui sépare encore mon parc de votre jardin. Par un reste de bonté. Pour ne pas offenser ce voisin trop sociable. J'ai fait tailler ces fourrés d'épines afin qu'ils s'épaississent. Nous ne pouvions nous voir et lui, du moins, ne possédait pas de chien. Je ne pouvais prévoir ce qui vient d'arriver : qu'un stupide lapin se glisserait à travers les ronces, que votre épagneul le prendrait en chasse, aboierait sous ma fenêtre, puis à mes chausses[11] et qu'une vieille colère remonterait en moi, de si profond, après si longtemps. Oui, oui, j'exècre les bêtes domestiques, ces mendiantes d'affection, je hais ces regards qu'elles tournent vers vous pour appeler la caresse, se mêler à votre vie, s'y tailler une place et finalement vous asservir jusqu'à ce que vous ne sentiez plus leur infecte odeur, que vous supportiez leurs ordures. Ainsi en est-il des gens[12] et je n'arrive plus à m'expliquer comment j'ai pu, pendant un certain temps, les fréquenter, me mêler à eux et, pire encore : les soigner. Certains prétendent qu'une pointe de sadisme trouve dans l'exercice de la médecine une louable sublimation. En ce cas, vous seriez un peu mon complice. Ce qui m'est arrivé ? Rien. Enfin, si : une aventure. Chacun a la sienne. D'ailleurs ce serait trop long à vous raconter. Oh ! moi, j'ai le temps, mais vos malades doivent vous harceler. Je connais cela ; le dimanche aussi. Vous n'avez prévenu personne que vous veniez me voir ? On aurait été bien surpris. Bon ! Puisque cela vous intéresse . . . C'est une vieille histoire. Voici :

[8] invasion   [9] a long time (« *un lustre* » is period of five years)   [10] he would even have liked to profit by this tie to establish others   [11] at my heels   [12] people are like that too.

— J'étais installé depuis moins d'un mois dans ce pays où je ne connaissais quasi personne. Les gens, se défiant de mon jeune âge bien que j'eusse laissé pousser une barbe dont je croyais qu'elle me donnait l'air[13] grave, préféraient appeler mes confrères des environs et leur payer une longue course. Je n'avais pas vu trois malades. Ma femme de ménage tricotait à longueur de jour dans l'antichambre vide, cependant que je me rongeais les sangs[14] dans mon cabinet. Un après-midi, on sonna. Elle courut à la porte et, plus vite encore, vint me prévenir qu'on m'attendait à l'hôtel de Marnhac.

— Un voyageur! dis-je, plutôt désappointé.

Cette méprise fit rire ma portière et je rougis lorsqu'elle m'expliqua qu'on désignait ainsi la résidence d'une noble famille. J'étais si confus qu'elle en fut gênée à son tour.

— Oh! vous savez, les Marnhac! fit-elle avec un geste désinvolte.

Je n'en pus rien tirer de plus précis. Sur la placette bosselée, caillouteuse et cernée de vieilles maisons basses qui s'inclinent à l'ombre de l'hôtel de ville, je reconnus l'entrée facilement. «Il y a un masque sur le fronton,» m'avait-elle précisé. Cette tête de méduse qui gardait sous l'usure et le verdissement du temps son expression crispée autour du cri muet que jetait l'horrible bouche était si frappante qu'on ne remarquait point d'abord la banalité de la façade. Je frappai deux coups du marteau de fer qui éveilla derrière le vantail[15] une résonance profonde et, tout en attendant, je remarquai que les fenêtres avaient leurs volets clos. Les gonds grincèrent. Je me trouvai devant le petit père Valette.[16] Je l'ai employé depuis comme cireur et valet pour quelques extras.[17] Il avait servi, jeune, dans un château et en gardait certaines bonnes manières. Mais il buvait tant que personne ne pouvait le garder bien longtemps. De l'hôpital à des places éphémères, il s'acheminait doucement vers une fin de clochard. Cependant, j'avoue que cette première fois je ne remarquai que son allure déférente et stylée, bien que sa casquette me surprît. Je savais peu de choses des serviteurs de grande maison, étant passé de l'atelier de repasseuse[18] de ma

---

[13] made me appear [14] I fretted [15] the door [16] old man Valette [17] odd jobs [18] shop where ironing is done.

CLAUDE BONCOMPAIN

mère à la bohème d'un étudiant pauvre. Mais cette casquette à visière de cuir [19] qu'il tenait haut, le bras presque horizontal, et son vieux costume de velours vert, lui composaient une silhouette de vieux serviteur un peu rustre, mi-cocher et mi-garde-chasse. Une longue moustache blanche ennoblissait sa trogne enluminée. [20] Il referma doucement puis, s'étant recoiffé, me précéda dans l'immense entrée aux dalles sonores, à la voûte sombre comme un tunnel, qui déboucha sur un immense vestibule. Parvenu là, mon guide disparut, je ne sus comment; j'éprouvai soudain cette impression de tristesse et de malaise qu'on a lorsqu'on visite seul une maison abandonnée depuis très longtemps mais où tout reste en place, où tout vous parle d'une vie ancienne, finie, sur laquelle le temps, l'indifférence et l'oubli ont déposé leur poussière. Quatre hauts murs fermaient ce lieu où pleuvait un jour [21] droit, gris, filtré par un toit de verre à moitié opaque.

J'avais moins l'impression de respirer que de déglutir quelque liquide répugnant, tant l'air était saturé d'une odeur fétide. Ajoutez à cela que je me sentis bientôt de moins en moins seul. Quelque chose bougeait à travers l'encombrement des meubles. Je vis un chat, puis deux, puis dix. Ils sortaient de tous côtés, élastiques et silencieux, à mesure que j'avançais. Les uns s'étiraient en bâillant comme éveillés d'un long sommeil. D'autres me regardaient puis se levaient pour changer de place avec lenteur sans me perdre de vue. Quelques-uns trottinaient sur leurs pattes de laine puis, grimpant un escalier tournant, disparaissaient sur un palier en estrade où une porte entrouverte les avalait. On les accueillait là-haut. Un murmure, une voix humaine à peine perceptible avec des inflexions pareilles à des miaulements étouffés, comme si quelqu'un parlait chat. [22] Je toussotai. Alors un autre bruit—un raclement de chaise sur le dallage—m'attira vers un palmier aux feuilles poussiéreuses qui poussait dans une caisse peinte derrière laquelle un homme se leva quasi nu, vêtu d'un petit caleçon de couleur. Il était jeune, tout confus et tenait un journal à la main.

— Monsieur, commençai-je . . .

[19] leather visor   [20] his reddish, bloated face   [21] shone a light   [22] mewed or purred like a cat.

2 0

— Oh! excusez-moi. Je . . . Je . . . Je n'attendais personne.

Il se précipita à grandes enjambées dans l'escalier.

— Mère! appela-t-il d'une voix où vibrait encore sa surprise.

J'eus soudain une grande envie de rire.

Mme de Marnhac parut enfin.

— Bonjour, docteur, dit-elle avec simplicité. Voulez-vous venir, je vous prie?

Peut-être vous a-t-on parlé d'elle? Elle avait encore grand air à cette époque. De haute taille, vêtue de noir avec un dédain total de la mode, elle scintillait et cliquetait à chaque mouvement; cuirassée de passementeries, embreloquée de jais et de strass,[23] elle portait toujours sur elle quantité de bijoux. Au ruban qui soutenait son cou s'agrafaient de gros brillants et ses mains étaient couvertes de bagues. Elle avait des pierreries jusque dans la masse de ses cheveux gris qu'elle remontait sans cesse, comme par tic, en un chignon informe car elle ne se peignait pas plus qu'elle ne se lavait. Il faut avouer que, de près, on voyait la crasse de son cou, de son front, en traînées sombres. Chez elle, son odeur se perdait dans celle de toute la maison mais elle la transportait au-dehors dans ses jupes. Et les gens s'écartaient d'elle à l'église, dans les boutiques. On la suivait à la trace.[24] Ce fumet sûri de pipi[25] de chat, aurait vidé les salons de ses amies si elle eût encore fait des visites. Mais elle ne voyait personne. On n'avait pourtant pas encore oublié dans la ville le temps où les Marnhac tenaient le haut du pavé,[26] les réceptions qu'ils donnaient, leur train de maison. Le mari avait été diplomate. Il s'était retiré tôt de la carrière. On les disait extrêmement riches et assez originaux. Ils élevaient leurs enfants dans une complète indépendance, sans collège, sans précepteur, sans discipline. Seule, je crois, leur grand-mère maternelle se préoccupa d'apprendre à lire aux deux filles qui parcoururent ensuite au hasard de leur fantaisie[27] toute la bibliothèque de la maison en attendant de s'abîmer dans la lecture comme vous le verrez. Peut-être les professeurs ne sont-ils utiles qu'aux gens qui n'apprendraient rien tout seuls.

[23] armored with laces, covered with trinkets of jet and paste   [24] by the smell   [25] this sour odor of urine   [26] had a high social position   [27] as they pleased.

2 1

Si leur intelligence naturelle s'épanouit dans cette liberté, la fantaisie de leur caractère se donna libre cours. On vous racontera encore d'elles cent excentricités. Invitées, elles arrivaient dans des toilettes qu'elles avaient conçues, ne parlaient qu'à qui leur plaisait, et si elles n'aimaient pas les gâteaux qu'on leur avait offerts, elles les jetaient sans gêne à travers le buffet ou par-dessus leur épaule. On leur pardonnait tout, non à cause de leur nom mais pour leur charme, pour leur beauté. Elles ignoraient l'ennui et organisaient des jeux, des farces, des divertissements, pliant tout le monde à leur désir par un sourire, par un joli mot. Elles dansaient à ravir.[28] Elles chantaient. La musique leur était naturelle comme aux oiseaux et sans connaître les notes elles jouaient du piano mieux que leurs amies. On leur connut des engouements[29] de cheval, puis d'automobile. Ai-je besoin d'ajouter qu'une cour de jeunes gens les entourait, ayant l'air de trouver naturel qu'on s'occupât d'elles? Chacun souriait à qui lui avançait une chaise ou lui glissait un compliment. Florence ... C'était la plus jeune. L'aînée s'appelait Francesca et leur frère Gonzague. Il paraît que M. de Marnhac avait vécu longtemps à Rome, qu'il était très épris de l'Italie et ce qui les a longtemps fait vivre, ce fut la vente de leur collection de tableaux. Un grand Véronèse ornait la salle à manger avec plusieurs Palma, des Pérugin, une série de dessins de Guardi.[30] Oui, monsieur, on a vu cela, ici. Mais j'anticipe. Florence, donc, raconte-t-on, à une soirée, s'était laissé prendre la main par un audacieux garçon que tous les autres regardaient avec envie. Il la lui serrait ostensiblement sans qu'elle parût s'en apercevoir. Puis, très simplement, désirant se lever, elle se tourna vers lui et, du ton dont elle eût demandé un verre d'orangeade:

— Voulez-vous me rendre ma main? lui dit-elle.

Des créatures parfaitement simples, voilà ce qu'elles étaient.

Dans cette société de petite ville si guindée, timorée et hantée par l'opinion des autres, elles n'étaient effleurées ni par

---

[28] most charmingly [29] they were known to be infatuated by [30] Veronese (1528–1588), Palma (1544–1628), Guardi (1712–1793): Italian painters of the Venetian school; Perugino (1445?–1523): Italian painter of the Umbrian school, master of Raphael.

la vanité ni par l'amour-propre. Cela tenait de famille.[31] Ces gens se laissaient gouverner par leur plaisir et leur imagination. Eût-on ri d'eux sous leur nez qu'ils ne s'en fussent pas aperçus.[32] Quelle force que le naturel en un milieu où tout le monde se hausse et se contraint! Ainsi, leur mère habilla pendant un an ou deux son petit garçon en page, avec une culotte de soie, un justaucorps,[33] un chapeau à plume. On fut éberlué. Mais l'enfant était si beau, si gracieux, si souriant qu'à la fin on fut conquis. On ne se retournait même plus dans la rue. C'était Gonzague de Marnhac. On le prenait tel quel. Il faut dire aussi qu'on ne le voyait qu'en voiture ou conduit par sa gouvernante.

Puis leur père mourut. La fortune s'en alla en fumée, s'évanouit entre les mains de cette femme qui n'avait jamais signé un chèque, n'était jamais entrée dans une banque et faisait remise du loyer[34] à ses fermiers pour peu que ceux-ci pleurassent ou aient l'esprit de lui raconter ces innombrables malheurs qui, à les croire, réduisent chaque année à la famine les paysans sans les empêcher toutefois d'acquérir des terres. Un notaire honnête —il devait en rester encore à cette époque, car je vous parle d'il y a plus de quarante ans—sauva la dernière partie de leurs biens. De quoi subsister étroitement.

Alors, ces femmes s'enfermèrent chez elles. On se lassa vite de les y aller voir. La guerre, l'autre, était passée. La ville prospérait. Les commerçants s'enrichissaient. Même la vie des campagnes, inchangée depuis des siècles, commençait à évoluer. C'est alors qu'au hasard d'un poste vacant, j'arrivai dans le pays et, comme je vous l'ai dit, chez les Marnhac.

La vieille dame me tendit la main, très haut et mollement, en femme qui a l'habitude qu'on s'incline devant elle pour la saluer.

— Oh! docteur, dit-elle, vous êtes venu très vite. J'en suis un peu confuse. J'espère n'avoir pas interrompu vos consultations car notre malade pouvait attendre.

Sur ces derniers mots, elle eut un rire mince et contracté qui lui secoua la tête tandis que son cou se raidissait. Cette ironie ne m'était pas destinée mais portait loin. La voix était aiguë.

[31] came from their family tradition [32] One could laugh at them to their face without their noticing [33] silk knee breeches, a jerkin [34] returned their rent.

— Il ne s'agit que d'un caprice de ma fille.

— Ah! Et qu'éprouve-t-elle?

— Un peu de dégoût, quelque amertume, je pense.

— Est-ce qu'elle souffre?

— Non, protesta-t-elle avec un mouvement des épaules.

— Mais alors . . .

— Oui. Elle refuse de manger.

— Depuis longtemps?

— Bah!

La main baguée de Mme de Marnhac traça dans l'air un signe vague aux reflets endiamantés, comme si elle eût indiqué une distance imprécise.

Je pris une attitude compréhensive et, en homme pénétré de sa science:

— Je vois, dis-je doctement. Un peu d'anorexie [35] juvénile.

Ce diagnostic parut l'amuser, ou plutôt le fait que j'en eusse un déjà. Elle me le fit répéter, ce que je fis de mauvaise grâce, et craignant de m'avoir vexé:

— C'est très bien, très bien, ajouta-t-elle. Vous serez notre médecin désormais. Nous n'en aurons pas d'autre. Venez.

Elle marchait devant moi dans un corridor recouvert d'une carpette usée qui amortissait à peine le bruit des pas, le craquement du plancher. Elle s'arrêta, tourna la poignée d'une porte qui sembla résister. Alors elle secoua la serrure, en appelant, doucement d'abord puis avec colère:

— Florence!

Elle finit par taper deux ou trois coups de pied dans le vantail. Vainement. Elle demeura un instant le front contre le bois, immobile, écoutant ou succombant à une soudaine lassitude. Un moment s'écoula qui me parut long, puis je vis la vieille dame plonger dans la chambre, tituber, se rattraper en levant les bras, et sa fille, qui venait d'ouvrir à la volée, [36] l'apostropha:

— Que faisiez-vous là derrière? Allez-vous maintenant mettre l'œil aux serrures?

— Je t'amenais le docteur, reprit Mme de Marnhac d'une voix suave en remontant négligemment son chignon.

[35] loss of appetite   [36] suddenly.

2 4

Sa fille traversa toute la chambre éclairée par deux veilleuses, une de chaque côté du lit. Elle était en chemise[37] et, à travers l'étoffe légère, la lumière dessinait son corps magnifique aussi nettement que si elle eût été nue. Ses pieds foulaient l'épaisseur du tapis sans aucune hâte en une marche lente qui balançait ses hanches, coupant aux longs ciseaux sombres des jambes la clarté pâle qui l'entourait, l'irradiait, semblait naître de cette chair indiscrètement révélée. Elle s'assit sur le lit vaste où s'amoncelaient draps, couvertures et une épaisse fourrure zébrée. Comme elle se recouvrait, renversée sur les oreillers, je m'aperçus que cette fourrure s'animait, parcourue d'ondulations aux plis desquelles s'éveillaient des étincelles, des scintillations magnétiques. La tête plate d'un chat se souleva. La malade tendit vers lui son bras en l'appelant doucement Farou ou je ne sais quel nom d'une sonorité approchante, prononcé gutturalement et pareil à un ronronnement identique. C'était la voix, le dialogue que j'avais surpris un peu plus tôt. La bête s'étira, poussant la tête sous la main qui la caressait, et se renversa, pattes repliées, montrant ses crocs pointus. La caresse s'activait, nerveuse, et le cri se durcissait, si bien que ce jeu évoquait plutôt l'idée d'une lutte. Un même frémissement courait de la robe vibrante, soyeuse, au bras blanc de la femme, un fluide électrique dangereux. Mlle de Marnhac, le cou gonflé, la bouche entrouverte, toute à[38] son plaisir, ne s'occupait pas plus de moi que si elle ne m'eût pas remarqué. Je tournai les yeux vers sa mère que je vis au pied du lit, fort occupée à manier un autre matou, un énorme chat blanc qui faisait le gros dos.[39] Cette scène, en se prolongeant dans la pénombre, devenait fascinante, remuait en moi des sentiments ambigus, une répulsion et une attirance mêlées, avec un fourmillement au bout de mes doigts, une envie de toucher à mon tour une de ces bêtes, de la serrer jusqu'à ce qu'elle se retourne et me griffe la peau, quand Florence laissa échapper une petite plainte. Je vis une boule de poils voltiger, projetée violemment au milieu de la pièce, et retomber avec un bruit amorti.

— Il vous a fait du mal, dis-je.

---

[37] in her nightgown [38] entirely absorbed in [39] arched his back.

Elle suçait le revers de sa main. Son regard se leva, me découvrit enfin, un regard d'enfant coupable. Je crois qu'à cet instant et pour ce regard, je l'ai aimée.

J'avais, au fond de ma nature timide, le plus grand besoin d'être rassuré, mis en confiance, et je sentais d'instinct qu'elle était sans arrière-fond,[40] sans duplicité, incapable de calcul. Un être simple, vous ai-je dit. Elle respirait l'ingénuité. Je l'ai vue depuis souvent capricieuse, méchante, parfois livrée à des impulsions perverses, mais elle ignorait le mensonge, toutes les formes de dissimulation.

En léchant sa plaie, elle secoua la tête pour me signifier qu'elle ne souffrait pas ou que cela ne me regardait pas,[41] et elle agitait ainsi ses longs cheveux défaits, d'un noir luisant. Ses yeux aussi étaient noirs, entourés d'un cerne qui trahissait seul quelque fièvre, la tension intérieure d'une vie recluse, car son visage était plutôt plein qu'allongé, avec le menton étroit, un peu mou et rond qui signale, dit-on, les tempéraments peu volontaires. Trait qu'accentuait une lèvre supérieure épaisse et courte, découvrant les dents. Rien, en tout cas, d'une anorexique; un décolleté à l'ancienne, arrondi et bouillonné de gros plis coulisses[42] sur un ruban de soie laissait entrevoir une gorge pleine.

— Eh bien, docteur? intervint sa mère à qui je dus faire entendre qu'un examen serait peut-être plus facile si elle se retirait.

— Vraiment, docteur?

— Oui, madame.

— Oh! dans ce cas . . .

Elle me tourna le dos et, comme elle sortait, j'eus l'impression, rien qu'à regarder ce dos, qu'elle se moquait encore de moi, car elle se tortillait et tréssautait à petits pas en pinçant ses jupes de deux doigts.

— Mademoiselle . . .

— Monsieur . . .

— Vous savez pourquoi l'on m'a fait venir?

— Non, monsieur. Peut-être pour me punir?

[40] guileless [41] that was none of my business [42] an old-fashioned gown, round-necked and edged with large pleats gathered on.

— Pour vous ...? Oh! non! Madame votre mère paraît si inquiète de votre manque d'appétit!

— Ah!

— Vous ne mangez rien, paraît-il?

— Moi? Ai-je donc l'air si maigre?

Elle s'assit sur son lit, baissa les yeux vers ses seins, regarda ses épaules qui étaient rondes, ses beaux bras, et moi enfin, qui me sentis les joues brûlantes.

— Je vais vous dire la vérité, monsieur. Cela m'ennuie de manger avec eux. Tous les jours, à la même heure, ils s'assoient à la même place. Mon frère doit endosser une veste. Et ils sonnent pour que le domestique, la femme de ménage leur passent les plats. Cela dure. Ils en viennent à parler,[43] n'ayant rien à s'apprendre.

— Alors, vous ne mangez pas? Ou vous vous faites servir ici?

— Non. Personne n'entre ici que mère. Et encore! Elle a fait exprès de vous y introduire aujourd'hui. Pourquoi? Pour me vexer peut-être parce que je n'accepte personne. Peut-être aussi parce qu'elle se veut en paix. A certaines minutes, il est possible qu'elle s'inquiète de moi. Les médecins servent à cela, à se donner l'illusion qu'on aide les autres, qu'il est facile de connaître le mal et de le soulager, avec des remèdes, de petites boules, des gouttes, du sirop. C'est ainsi que j'agis avec mes chats. Quand ils me semblent malheureux, trop gras ou trop étiques,[44] qu'ils se frottent l'oreille ou se lèchent le poil de certaine manière, je leur administre un traitement que le vétérinaire a fait préparer. Tiens, je l'oubliais; il est si effacé, le pauvre garçon!

— Est-ce un compliment?

— Pour moi, oui.

— Et de votre médecin, direz-vous de même?

Durant un court silence, elle laissa s'évanouir l'écho de ma demande que je jugeai aussitôt audacieuse.

— La nuit, quand ils dorment, je me lève, je descends fureter[45] dans les placards. Dans cette maison, comme dans la

[43] finally they talk [44] emaciated [45] to rummage.

plupart des maisons, on achète et on prépare toujours trop de nourriture. La peur de la faim *tracasse* tout le monde, riches comme pauvres, et . . .

Elle s'interrompit. On marchait dans le couloir. J'avais cent questions encore à lui poser. Tout n'était-il pas extraordinaire, ici? Depuis combien de temps, pourquoi . . .

— Mais oui, mère, entrez. N'attendez pas ainsi. Ne guettez rien.

Nous n'échangeâmes pas un mot de plus. Elle s'allongea, enfouit la tête à moitié sous les oreillers bordés de dentelles et Mme de Marnhac me reconduisit avec des mines complices, nullement curieuse, semblait-il, du résultat de ma visite. Pour régler mes honoraires, à la recherche d'un sac («Où est ma bourse en perles?» marmonnait-elle), elle ouvrit les trois tiroirs d'une commode en laque rouge dont, malgré mon ignorance, la cambrure, le poli onctueux, la tournure [46] me frappèrent. Retournez-vous! Elle est là, derrière vous. Exquise, oui. Et, tenez, au coin du petit tiroir, ici, pouvez-vous lire la signature? A jour frisant,[47] on devine la date aussi. Non, je vous en prie, ne touchez pas cela. Non, rien. Des cheveux, rien qu'une longue *mèche* de cheveux. Les meubles anciens, on ne devine jamais ce qu'ils ont contenu, des reliques bizarres parfois.

Lorsque je me retrouvai sur la petite place, la première certitude qui s'imposa à moi fut que je ne quitterais plus cette ville. Le matin même, elle m'était indifférente. Nul lien ne m'y attachait. Une situation de raccroc [48] m'y avait conduit et je l'eusse abandonnée aussitôt pour un poste meilleur, mieux achalandé.[49] Désormais, je m'y fixais. J'examinai la disposition des maisons, leurs vieux ornements sculptés, la forme des pignons,[50] cette inscription curieuse qui souligne au-dessus de la boulangerie un blason à croissants.[51] Chaque détail m'entrait dans la mémoire d'autant plus fort que la placette était déserte: pas un visage aux fenêtres, pas une silhouette dans cet étroit espace mi-parti d'ombre et de soleil, le soleil de cinq heures qui n'éblouit pas mais pénètre les choses, les revêt de douceur,

[46] the curvature, the gleaming polish, the style   [47] in a slanting light   [48] a chance position   [49] with a large clientele   [50] gables   [51] a coat of arms with crescents.

comme d'une mousse dorée. Tout cela me touchait autant que si je l'eusse contemplé mille fois, pendant des années. L'avenir était en moi déjà comme un long passé patiné de regrets. J'ignorais encore tout de cette jeune fille sinon qu'elle était enfermée mieux que dans une prison. Je n'étais capable ni de l'oublier ni de l'affranchir. Toute impatience m'avait quitté. La veille, je ne songeais qu'à réussir, je formais des projets, je tirais des plans, j'établissais des listes de gens à conquérir. Être prié à dîner chez le vieux général qui invitait les célibataires était mon pont d'Arcole,[52] entrer au conseil municipal mon Austerlitz,[53] devenir maire mon couronnement. Or, voici que ma vie venait d'être retournée. Lors d'un bref séjour au bord de la mer, j'ai vu un pêcheur capturer des poulpes, de petites pieuvres.[54] Il renversait ensuite totalement cette sorte de poche qui constitue leur corps, si bien que les tentacules, à l'intérieur, se trouvaient paralysés. L'animal, privé de ses sens, devenait inoffensif et immobile cependant que venait au jour et à tous les contacts le plus secret, le plus fragile de lui-même. Rien ne lui était laissé que la faculté de souffrir. Ainsi en fut-il ce jour-là de mon existence; chaque entreprise m'apparaissait inutile, l'agitation dérisoire, le succès vide. Plus particulièrement, j'avais toujours envie d'habiter une belle demeure. Mais je m'y voyais maintenant solitaire, errant à travers des pièces déshabitées et sonores. Je m'étais trompé sur mon attente, sur tous mes souhaits. Je m'étais cru avide de mille objets et je découvrais cette vérité bien simple qu'en nous est la mesure de toutes choses, en nous le bonheur ou la détresse, en nous l'espoir.

Les renseignements que je vous ai livrés sur sa famille, ses premières années, les anecdotes plus ou moins véridiques qu'on se transmettait sur cette époque révolue, je n'eus pas grand mal à les rassembler. Car ma clientèle grossissait, ma situation se fondait de plus en plus largement. J'étais en passe de [55] réussir et

---

[52] site of victory of Bonaparte in Italy over the Austrians where he himself led the attack on the bridge, flag in hand (November 17, 1796)
[53] victory of Napoleon in Slovakia (present-day Czechoslovakia) over the Austrians and Russians (December 2, 1805)   [54] octopuses, big and small
[55] in a fair way to.

d'ici peu d'années je serais considéré comme un personnage dans le canton. Rien ne nous arrive à point,[56] certes. Voici qu'on me débusquait sans cesse de ma solitude au moment où je commençais à m'y complaire. On me forçait au long des routes, à toute heure. Une moisson d'honoraires se levait qu'il suffisait de cueillir sous les coups de chapeau.[57] On me disait même généreux parce que j'avais refusé l'argent de quelques-uns: ceux qui m'avaient parlé des Marnhac. Sans lassitude, j'écoutais ressasser de vieilles histoires où le nom de Florence voltigeait comme une abeille, s'éloignait, s'approchait, et me venait soudain piquer avec douleur et délice. Celle que me raconta le curé d'alors ne m'aurait pas frappé entre toutes les autres sans la réflexion dont il la souligna. Je vous ai dit que les enfants Marnhac étaient élevés surtout par leur grand'mère. Ils l'aimaient beaucoup. Elle a laissé d'ailleurs le souvenir d'une femme de grand sens, de beaucoup de lecture et d'une prestance remarquable. Florence, en entrant dans sa chambre, un matin, pour l'embrasser, comme elle le faisait tous les jours, la trouva déjà froide. Elle n'appela pas. On la découvrit un peu plus tard calmement assise là. Elle ne manifesta nulle douleur, ne pleura pas. Mais lorsqu'on eut posé sur le cercueil une couronne de fleurs, elle la saisit, la jeta sur le plancher et la piétina.[58] Le vieux prêtre avait conclu sentencieusement: «Il y a quelques êtres pour qui vraiment la mort existe.»

Durant l'hiver, je fus prévenu qu'on me demandait de nouveau chez les Marnhac. J'y courus le cœur battant. Le petit père Valette m'accueillit.

— C'est vous qui avez sonné chez moi?

— Oui, monsieur le docteur.

— Et la chambrière ne vous a rien offert?

— Non. Pourquoi?

Il se cacha la bouche de la main pour dissimuler l'odeur de vin qui passait dans son souffle.

— La prochaine fois, attendez-moi. Nous trinquerons.

— Oh! monsieur le docteur! murmura-t-il, onctueux et défiant.

[56] on time, when we most need it   [57] along with the greetings
[58] trampled underfoot.

— Alors, que se passe-t-il aujourd'hui?

— C'est Madame qui est incommodée.

Je la trouvai, en effet, en proie à une fièvre [59] qui la baignait de sueur et l'hébétait. Une partie de la nuit, elle avait déliré, m'apprit son fils qui était installé à son chevet. Florence? Oui, elle s'inquiétait, mais sans se résoudre à quitter sa chambre. Je m'attardai à la rédaction d'une ordonnance, [60] dans l'inavouable espoir qu'on m'oublierait un moment, que je parviendrais, sans attirer l'attention, à gagner le fond du labyrinthe où je l'imaginais enfermée. La disposition des lieux, ici, n'était pourtant pas compliquée. Mme de Marnhac logeait au rez-de-chaussée dont toutes les pièces ouvraient sur le vestibule central. On accédait à l'étage par un unique escalier. Là, je me rappelais avoir entrevu une bifurcation. Mais c'est à force d'y penser [61] que j'avais enchevêtré les voies. Combien de fois étais-je passé et repassé dans la ruelle torse sur laquelle donnait le jardin de l'hôtel! Celui-ci était serré, sur les côtés, par deux immeubles vétustes où je m'étais fourvoyé, grimpant à la sauvette [62] jusqu'à des greniers abandonnés d'où le regard plongerait peut-être par un œil-de-bœuf [63] à l'intérieur de la citadelle. J'en étais ressorti couvert de toiles d'araignées, [64] furtif et déçu. Et voici que je me trouvais dans la place. Je réfléchissais devant ma feuille de papier, cherchant une ruse, une manœuvre. Gonzague était debout en face de moi et, d'un œil circonspect, suivait ma plume qui traçait non pas des mots mais, machinalement, le plan de la maison. Je m'en aperçus et me sentis découvert. Il me semblait qu'on pouvait lire en moi les pensées qui m'agitaient. Plein de trouble, les oreilles bourdonnantes, je me levai. Une servante plantée au seuil de la cuisine m'observait.

— Docteur, quelles prescriptions? . . .

La voix de Gonzague se faisait impérative. Je jetai quelques rapides conseils et m'en allai, escorté par le jeune homme derrière lequel Valette apparut, surpris, sans essayer de nous rejoindre, tant nous marchions vite.

Je passai une nuit entrecoupée de rêves où je me voyais marchant dans un souterrain dont les murs étaient vivants,

[59] feverish [60] writing up of a prescription [61] by thinking about it so much [62] hastily [63] a round or oval gable window [64] spider webs.

faits de pierres flasques et rétractiles,[65] animées chacune d'un mouvement pareil à celui que donne la respiration au flanc des bêtes. A mesure que je progressais, la lumière baissait. J'étendais la main pour me diriger et touchais un pelage sec, hirsute [66] dont j'éprouvais une telle horreur que je m'éveillais.

Le lendemain matin, Valette était chez moi. En vieux domestique avisé, il avait fort bien saisi le sens de ma promesse.

— Monsieur le docteur veut me faire l'honneur de trinquer avec moi?

Loin d'aller à la familiarité, il se guindait. Il ne fut pas surpris que je lui propose quelque argent. Il s'y attendait et savait depuis longtemps qu'un cérémonieux respect allège la complicité et grossit le pourboire.

— Parler à Mademoiselle? Rien de plus facile, dit-il en fixant un coin de plafond, avec l'air absorbé de qui se répète une leçon. Bon, très bien, monsieur. Et ensuite?

— Ensuite? Mais c'est tout.

Il se tourna vers moi, incrédule, puis hocha sa grosse tête chenue. C'était entendu. Il acceptait, tout en regrettant mon manque de confiance. Car visiblement, il était persuadé que je dissimulais mon but véritable. Il licha son porto jusqu'à la dernière goutte en tournant le verre entre ses lèvres gourmandes et me salua.

Le jour même, à l'heure convenue et de la façon la plus aisée, j'avais franchi les barrières que mon imagination édifiait autour de la «dame de mes pensées.» J'étais assis à côté de son lit. S'il est une scène burlesque, c'est bien le réveil de don Quichotte,[67] cette minute où le sire de la Manche reconnaît derrière les géants qu'il affronte des moulins à vent et, derrière sa Dulcinée, une femme ordinaire.

Notez bien que ce rappel littéraire n'est pas de moi. Il me fut suggéré par Mlle de Marnhac lorsqu'à travers mes phrases entrecoupées par l'émotion et les circonlocutions où je me perdais, elle eut compris que je venais la délivrer.

— Cela n'est pas pour me déplaire, ajouta-t-elle après avoir

[65] limp and yielding [66] dry, hairy fur [67] Don Quixote, hero of the famous Spanish novel by Miguel de Cervantes (1547–1616); he chose a peasant girl as his "lady," calling her Dulcinea.

ri. J'aime beaucoup don Quichotte. Je suis même tout à fait de son parti.[68] Nul effort ne lui est nécessaire pour dominer le sort. Il tire tout à lui. Il est le maître des événements et tout lui vient à suffisance, l'amour et les conquêtes. Ceux qui s'empêtrent dans la réalité finissent par sembler sots à côté de lui.

— Est-ce donc vous-même qui avez fermé vos fenêtres sur le monde?

— Moi seule.

— Et vous n'éprouvez pas le besoin de sortir de temps en temps?

— Non. S'il est une frénésie qui me soit toujours restée étrangère, c'est celle de changer de place.

— La solitude ne vous pèse pas?

— Nullement. Regardez (elle me montra tout autour d'elle, sur une étagère, sur les tables, les sièges et jusque sur le tapis, une profusion de livres, des vagues de papier imprimé sur lesquelles marchaient ses chats); je converse à loisir avec les plus grands esprits et si l'un d'eux me fatigue, d'un revers de doigt, je l'interromps.

— Pourtant, la présence des autres . . .

— Si vous saviez ce qu'ils m'ennuient vite et combien je préfère ce qui ne se passe qu'en moi! Je suis la fantaisie de mes pensées avec allégresse alors que les visages m'oppressent et que je succombe dans la société.

— Mais n'y a-t-il pas des sentiments sincères, de ces élans qui confèrent soudain à la vie une couleur intense et nous font résumer en un être, en un sourire, toute la beauté du monde?

Elle ne m'interrompait pas. J'essayai de lui peindre ce qui m'avait envahi le premier jour où je l'avais vue. Je lui confessai mes tourments et mes enfantines démarches. Je fus sur le point de saisir sa main qui pendait mollement devant moi quand je me souvins à temps du garçon qui avait cédé à une telle impulsion et de ce qu'elle lui avait dit. Je me tus.

— Je ne vous empêche certes pas de m'aimer, déclara-t-elle enfin. Je sais que vous avez été bon pour ma mère, vous l'avez

[68] on his side.

soignée et elle aura du plaisir à vous revoir pour vous entretenir de ses maux. Cette maison vous sera donc ouverte.

Elle se pencha, enleva avec précaution un chaton couleur de cendre qui, dressé comme une chimère, [69] griffait sa couverture en essayant de sauter sur le lit. Elle le serra contre son sein, se caressa la joue à sa fourrure tandis que naissait au fond de sa gorge un roulement murmuré, une sorte de confuse expression au-dessous de la parole.

— Vous ne supportez pas les gens, dis-je avec maussaderie, mais vous aimez les bêtes.

— Oui, beaucoup.

— Cela ne vous dérange pas d'avoir autant de chats autour de vous ?

— Nullement. Ils sont beaux.

— Et ils dorment ici ?

— Bien sûr.

Par flatterie, je me levai et distribuai au hasard quelques cajoleries et patelinages à quelques-uns de ces animaux immobiles qui se serraient sur le couvre-pied dont la soie était semée de poils tombés, mais, instinctivement, je relevai mes doigts qui me semblaient enduits d'une substance grasse. Une brusque révolte me saisissait.

— Enfin, mademoiselle, ce n'est pas une vie ! [70]

— Ah !

— Non, non. S'il est une chose que je sois préparé à comprendre, ce serait qu'on s'enferme avec un grand rêve, avec une image, avec le souvenir d'un amour. Mais se replier ainsi sur le vide ... J'ai pu me méprendre. Mon intention n'est pas de forcer vos secrets. Mais, je vous en supplie, dites-moi seulement qu'un nom vous chante au cœur, [71] que vous avez perdu un être cher ou qu'il vous a méconnue. J'en souffrirai, certes, car je vous aime. Mais nulle jalousie ne serait pire pour moi que vous découvrir uniquement attachée à . . .

— A quoi ?

— A des chats !

A peine [72] m'eurent-ils échappé que je regrettai ces mots tant

[69] rampant like a chimera (a fabulous monster)   [70] this is no kind of life
[71] you cherish some name   [72] scarcely.

elle en fut irritée. La bouche mauvaise,[73] elle s'était soulevée puis à moitié agenouillée sur son lit; elle me montra la porte. J'essayai de m'excuser. Elle me cria:

— Allez-vous-en!

Je ne bougeai pas.

— Allez-vous-en! répétait-elle de plus en plus haut, d'une voix qui montait au délire.

Je m'enfuis.

Dès lors, il ne me resta plus que mon métier. Durant une moitié d'année, je suis allé des uns aux autres en clopinant parfois de fatigue, car je n'étais doué que de peu de forces. Je montais à tâtons[74] leurs escaliers noirs et quand ils entrouvraient les draps sales entre lesquels suaient leurs malades, je dissimulais mon écœurement car je m'étais vite aperçu que je ne les aimais pas. Je les écoutais. Je savais par cœur leurs griefs et leurs monotones bavardages. Parfois, je me faisais patient dans l'attente de je ne sais quelle révélation. Beaucoup étaient nés dans la maison où ils souffraient et n'avaient de perspective que d'y mourir. La structure sociale d'une petite ville est assez compliquée. Si l'on s'y passionne, il faut des années pour entrer dans les nuances de hiérarchie, les rivalités d'intérêt, les antipathies, les jalousies et les complicités qui meuvent les individus. Tout cela a son ordre que même les révolutions n'atteignent pas. Mais je n'ai pas réussi à m'y attacher. Fabre[75] à passé sa vie à observer les mœurs des insectes, à voir le scarabée rouler sa boule de fiente ou les files de fourmis transporter des brindilles. C'est d'une telle science, de cette curiosité maniaque que me paraissait relever[76] l'étude d'une telle humanité. Et quand je me souvenais que j'avais ambitionné les honneurs qu'elle donne, le privilège d'entrer dans ses cadres et de la gouverner, je me moquais de moi. Quand j'eus compris que ces gens n'avaient rien à m'apprendre, j'échangeai des ordonnances contre des billets de banque. Ce geste chaque fois me semblait dérisoire, pareil aux jeux des enfants qui découpent de petits papiers et feignent de leur accorder une mystérieuse valeur. On commença à me juger distrait ou distant, ce qui revient au

[73] spitefully [74] groping [75] Fabre, Henri, a famous French entomologist (1823–1915) [76] to pertain to.

CLAUDE BONCOMPAIN

même.[77] Les gens veulent bien payer à condition qu'on s'intéresse à eux, qu'on partage leurs maux à défaut de les soulager.[78] Vous, vous devez réussir. Je remarque que vous savez
prendre cet air attentif qui encourage la confidence et auquel
j'ai cédé à mon tour. Je me suis laissé prendre à ce piège. Tant
pis. C'est un entraînement de parler de soi et j'avoue que cela
me détend après tant d'années de silence et d'isolement. Depuis
combien de temps êtes-vous arrivé dans le pays? Deux ans,
déjà! Vous êtes sympathique, beau garçon. Si, si, cela compte.
Les femmes ont tout de suite l'impression que vous allez les
comprendre—comprendre quoi? à vrai dire—et c'est elles qui
font les réputations. Même les hommes vont à vous volontiers,
j'en suis sûr. Ils apprécient la santé, cette solidité d'allure qui
est la vôtre et qui rassure. En vous serrant la main, ils trouvent
une poigne solide. Ma petite taille, ma boîterie me nuisaient.
A cette époque, j'étais chétif. C'est la vie sédentaire qui m'a
ainsi épaissi. J'avais été un étudiant famélique et honteusement
chaste. Ils ne s'y trompaient pas. Vous continuerez. Peut-être,
comme tant de médecins de campagne, vous relèvera-t-on au
revers d'un fossé, un matin de neige. C'est une façon d'en
sortir, de résoudre l'unique problème qui est de tenir jusqu'au
bout. Vous voyez que j'ai choisi une autre voie. Il me semble
parfois que ce fut un malheur pour moi de mépriser mes
semblables. Chacun de nous connaît des moments pénibles.
Vraiment, mon histoire vous intrigue? Je ne l'ai jamais racontée
et je ne voudrais pas que vous vous en autorisiez pour croire
possible quelque sympathie entre nous. Je tiens à vivre seul,
on a dû vous en informer. J'ai à mon service deux femmes
avares qui ne m'abandonneront pas, trop attachées à me
gruger. Je mesure leur profit si sagement qu'elles ne souhaitent
point ma mort. Au reste, j'exige d'elles fort peu. J'ai rétréci
mes habitudes sachant combien les habitudes nous com-
mandent. Tenez, après que j'eusse été mis à la porte[79] par
Mlle de Marnhac, une des choses qui me coûtèrent le plus, ce
fut d'entendre parler d'elle par ceux de mes clients que j'avais
naguère poussés dans cette voie. Ils croyaient me plaire, me

[77] which comes to the same thing   [78] for want of relief   [79] sent away.

3 6

flatter et s'étonnaient que je les interrompe en leur réclamant tout de go[80] le prix de ma consultation. Car je mettais désormais toute mon application à l'oublier. J'acceptais des invitations. Je dînais en ville chaque soir. Je me prêtais même avec une complaisance perverse aux petites roueries des marieuses professionnelles. Pour un célibataire nanti d'une[81] position sociale, il se trouve dans chaque bourg vingt jeunes filles bien dotées, pas laides et près desquelles on vous offre volontiers une place sur les canapés. J'avais aussi aménagé mon intérieur,[82] organisé des réceptions et j'étais en train de passer les cigares après un déjeuner fort réussi quand on me dérangea. Dans ma salle d'attente, je trouvai Mme de Marnhac. Elle piétinait entre les deux rangées de chaises.

— Oh! monsieur, heureusement j'ai pensé à vous! s'exclama-t-elle.

Elle se frappait le front comme une personne obsédée par une idée. Quand j'essayai de parlementer, d'obtenir quelques éclaircissements, elle s'agrippa à moi et se mit à me tirer au-dehors. Était-elle malade? Non, non. C'était bien pire. Cela ne pouvait pas durer.

— Depuis cinq jours, monsieur, cinq jours. Et personne qui puisse lui faire entendre raison.[83]

— A qui?

— Mais à ma fille. Vous, elle vous écoutera, j'en suis sûre.

Elle était persuadée que je résisterais si elle me révélait la vérité. Et c'était exact. Jamais je ne l'aurais suivie, quitte à me débattre entre ses griffes, à la secouer brutalement pour lui échapper, si pitoyable qu'elle fût avec son chapeau à plumes noires branlant sur le chignon, sa voilette tendue de travers.[84] Je me laissai entraîner. Dans la rue, elle ne me lâcha pas. En arrivant chez elle, elle n'avait plus de souffle.

— Et maintenant, allez-vous m'expliquer . . .

Elle reprit courage, me poussa dans l'escalier. Nous fîmes irruption[85] dans la chambre de sa fille. Je restai là, stupéfait, le cœur battant, tandis que derrière moi elle refermait la porte à

[80] immediately [81] provided with [82] arranged my home [83] make her listen to reason [84] crookedly [85] we burst into.

clé avant de s'abandonner sur un siège où elle haleta à grands coups rauques.[86]

Florence, sans remuer la tête, avait tourné vers moi d'immenses yeux noirs où l'on ne distinguait plus la pupille, des yeux hagards. Rien n'indiquait qu'elle m'eût reconnu. Elle avait tant maigri que la peau tendue sur ses pommettes se soulignait d'ombre au creux des joues, collait aux dents et dessinait deux longs plis sur son cou. La masse de ses cheveux, que j'avais vue répandue comme une soie brillante sur son oreiller, était aujourd'hui ramassée en poignée de mousse.

— Eh bien! parle, à présent, dit sa mère hargneusement.

La fille se rétracta, rentrant la tête[87] entre les épaules avec une expression effrayée qui me bouleversa.

— Florence! appelai-je.

Deux ou trois chats tournaient en rond à mes pieds. Ils ne tenaient pas en place[88] et l'un d'eux se mit à miauler à longs appels monotones si énervants que Mme de Marnhac essaya de l'en empêcher:

— Tais-toi!

Le cri se répéta et ils alternèrent ainsi à de nombreuses reprises:

— Tais-toi!

Elle se baissa, lui allongea un coup léger.[89] La bête contournait le lit quand elle s'arc-bouta, le poil hérissé, et, bondissant sauvagement, fut se cacher sous un siège. Je m'avançai. Un chat mort était renversé, les pattes raides, sur le tapis. Entre les babines, ses crocs apparaissaient ternes et secs.[90] J'eus une nausée. Quelle puanteur on respirait là!

— Bon, dit la vieille dame assise. Vous avez vu?

Mais j'avais un tel besoin d'air que j'approchai de la fenêtre. Comme je tournais l'espagnolette:

— Non, non! cria Florence.

— Pourquoi?

— Non!

Elle levait vers moi ses bras décharnés, dans une supplication

---

[86] gasped hoarsely for breath [87] drew back, bending her head [88] couldn't stay still [89] gave it a light blow [90] between its lips, its teeth appeared dull and dry.

qui, au lieu de me toucher, m'exaspéra. J'avais vu souvent des mélancoliques, des anxieux implorer ainsi qu'on entrât dans leur jeu.

— Écoutez, ou vous allez m'apprendre clairement pourquoi je suis ici ou je m'en vais.

— Mais bien sûr, docteur. Tu vois, ma chérie, tu n'es pas raisonnable. Je vous jure que depuis cinq jours . . .

— Il y a cinq jours que cette charogne pourrit là-dedans?

— Hélas! La pauvre Manette, si affectueuse! Flo y tenait beaucoup. On n'a pas pu la guérir.

— Elle a expiré dans mes bras.

— Et depuis, elle a refusé de s'en séparer.

— Il n'y a qu'à enlever cela et le faire enterrer dans votre jardin.

— Non! je veux le garder.

— Mort?

— Oui.

— N'est-ce pas, docteur, c'est impossible? Je suis de votre avis. J'ai prié Valette de creuser un trou.[91]

— Mère, je vous aurai prévenue . . .

— Oh! docteur, elle nous menace de se jeter par la fenêtre.

J'avais retrouvé la froide lucidité du clinicien. Mes souvenirs et mes émotions passés s'évanouissaient devant cette situation délirante.

— Mademoiselle, vous n'ignorez pas qu'on ne peut conserver un cadavre, et votre entêtement ne changera rien aux lois de la nature. Si la présence de cet animal vous est indispensable, pourquoi ne pas le faire empailler?[92]

— Je l'ai proposé, dit la mère.

— Non. Il était mon ami. Je ne veux pas qu'on l'écorche[93] ainsi.

— Ma foi, les Égyptiens embaumaient les chats. C'est un usage qui s'est perdu. Quant à trouver ici un embaumeur . . .

— Il n'y en a pas, hélas! Je me suis renseignée. Tu vois, ma fille.

— Donc, mademoiselle, mieux vaudrait aérer et faire monter votre domestique pour qu'il ôte . . .

[91] to dig a hole   [92] to stuff   [93] to skin.

— Si vous faites cela, je me tuerai.

Rien de provocant ni de comminatoire[94] n'affaiblissait ce propos. La résolution de la jeune fille s'affirmait d'autant plus redoutable qu'elle donnait maintenant des signes très clairs d'apaisement. Elle avait dû lutter farouchement contre son entourage, supporter des criailleries et des disputes, veiller la nuit comme une effraie[95] auprès d'une proie. Elle s'était butée. Peut-être, au début, n'avait-ce été qu'une fantaisie morbide et provisoire dans laquelle elle s'était ancrée par opposition aux siens.

Elle se détendait. La fixité de son regard s'atténuait. Ses joues retrouvaient quelque couleur et je crus surprendre sur ses lèvres une esquisse de sourire à mon adresse,[96] mais sans que cette impression me rassurât. Car, au lieu d'une manie bizarre, j'entrevoyais dans son esprit un désespoir raisonné. Le plus urgent était de supprimer le prétexte qu'elle avait choisi. Ensuite, pourrais-je l'aider plus efficacement à retrouver le goût de la vie? Je me rappelai qu'à la faculté,[97] lorsqu'on voulait conserver une pièce d'anatomie intéressante, on la plongeait dans un liquide fixateur. Pourquoi, après tout, ne pas faire de même dans ce cas? A peine eus-je émis cette idée:

— Je savais, j'étais sûre que vous découvririez un moyen, dit Mme de Marnhac avec enthousiasme.

Et nous voici aussitôt à la recherche d'un récipient. Nous parcourûmes un certain nombre de pièces, inventoriant le contenu des armoires, examinant chaque recoin. Partout, j'étais frappé par la disposition singulière des meubles. Ici, un coin où l'on appréciait encore un arrangement heureux, décoratif. Ailleurs, un panneau ou deux étaient entièrement dégarnis. On avait enlevé une importante partie du mobilier sans se soucier de combler les vides. Rien n'eût été plus facile, en redistribuant ce qui restait, que d'obtenir un effet agréable, luxueux même, alors qu'on éprouvait une impression pénible, comme à la vue d'une bouche saine où manquerait une demi-rangée de dents.

Enfin, nous découvrîmes un immense vase de cristal. Je l'envoyai remplir de formol.[98] J'eus la précaution également de

---

[94] threatening [95] barn or screech owl [96] intended for me [97] at medical school [98] formaldehyde.

faire couper chez le vitrier une plaque de verre à la dimension du col de notre précieux récipient. Ces apprêts furent terminés très vite par Valette qui me témoignait du zèle.[99]

De retour dans la chambre, je saisis, non sans quelque dégoût, le chat mort. Je le plongeai dans le liquide où il s'enfonça et se mit à tourner lentement, pareil à une monstrueuse bête aquatique, le poil ondulant. Un flambeau, sur la cheminée, portait deux bougies. J'en allumai une et en fis couler la stéarine pour luter le couvercle.[100] Nulle émanation n'était à craindre désormais. Et, ma parole, j'étais assez content de ce bel ouvrage.

— Parfait, parfait! dit Mme de Marnhac. Ma chérie, où désires-tu que l'on mette notre pauvre Manette? Regarde-la.

— Vous pouvez l'emporter.

— Comment?

— Mais oui. Vous la conserverez si vous voulez.

— Voyons, mon enfant, c'est insensé.

— En effet, mère.

La vieille dame s'empara de ce bocal[101] empli d'une extravagante conserve. Elle le serrait contre elle avec grande précaution et maugréait:

— Mais où le placer?

Comme elle nous tournait le dos pour sortir. Florence, épiant ses efforts, rit. Elle rit, silencieusement moqueuse et apitoyée, tout à fait comme si elle eût été étrangère à ce qui venait de se passer. Sa mère disparue, elle reporta vers[102] moi son ironie. J'étais prêt à me fâcher. Le rôle que j'avais joué et ma naïve satisfaction du devoir accompli me paraissaient soudain très ridicules.

— Allons, dit-elle. Approchez-vous.

Elle me tendait la main.

— Vous êtes généreux, sans rancune. Je vous remercie.

J'avais pris sa main dans les miennes. Elle baissa la tête, posa son front sur mon poignet et le releva aussitôt. Du tiroir de sa table de chevet, elle sortit une glace ovale à poignée d'argent, se mira en secouant la tête pour aérer ses cheveux qu'elle entreprit ensuite de peigner. Deux flots noirs enserraient

[99] who helped me zealously   [100] melted wax to seal the lid   [101] glass jar   [102] turned upon.

son visage, le faisaient plus étroit. Elle les releva, les tordit sur la nuque.

— Et maintenant, ouvrez les deux fenêtres. Ce doit être bon de respirer un air pur.

Les ferrures du contrevent étaient rouillées.[103] Je dus forcer pour les faire jouer. Un pan de soleil s'abattit sur cette couche défaite où Florence éblouie ferma les paupières. Sa peau était blanche comme de la craie. Un instant, elle ressembla à une morte juvénile, presque adolescente, épuisée par une longue consomption. Puis son front se barra d'un pli profond. Elle se ranima.

— J'ai chaud, dit-elle à mi-voix en se caressant la gorge, les épaules, à pleines paumes.[104]

Elle s'offrait aux rayons bienfaisants qui pénétraient sa chair triste, avivaient son sang, dissipaient les mauvais frissons et ces malaises de l'âme qui nous gèlent les moelles. Quelle joie est comparable à la plus élémentaire joie de vivre, telle que l'éprouvent ceux qui ont été longtemps plongés dans le froid, l'ombre, la solitude? Elle me la faisait ressentir aussi. J'avais envie de remuer. Je commençai à ranger les livres qui avaient déferlé de toute part.[105] J'en fis des piles régulières. Volontiers, j'aurais mis de l'ordre dans toute la chambre. Ses couvertures étaient froissées. Je les étirai, dérangeant les chats favoris couchés à ses pieds. Je les délogeai doucement d'abord et voici qu'en eux me parurent s'incarner les maléfices nocturnes auxquels j'arrachais Florence, je ne sais quelle réserve de ténèbres, quelle puissance d'étouffement. Je les poussai jusque dans le corridor. J'aurais aimé les pourchasser, les effrayer, les faire retourner à l'obscurité dont ils étaient complices. Je les haïssais. Florence n'avait pas protesté.

— Devinez ce qui manque ici? Des fleurs. Je vous en enverrai.

— Vous partez?

— Non. Je ne sais pas.

— Patientez. Vous verrez quelqu'un de fort surpris.

En effet, quand Mme de Marnhac rentra, elle demeura quelques secondes éberluée comme une personne qui s'est trompée de

[103] the iron bindings of the shutter were rusty   [104] with the open palm of her hand   [105] fallen everywhere.

lieu et doute de ses sens. Sa stupeur était réjouissante. Elle
s'accrut encore lorsque sa fille la pria de faire préparer du thé.

— Du thé?

— Oui, mère. Avec quelques tartines.

— Tu as faim? Tu désires manger?

— Mais oui!

Nous achevâmes ensemble l'après-midi. Notre conversation
restait prudente. Nous évitions toute allusion aux faits de la
journée et au passé. En somme, nous parlâmes surtout de
littérature, des livres qu'elle aimait. J'avais moi-même beaucoup lu. Je découvrais avec étonnement l'étendue de ses connaissances positives. Certains commentaires laissaient percer
aussi l'habitude de l'observation, un jugement lucide et comme
une longue expérience de la vie. Quand le soir vint, notre dialogue se ralentit. Le rouge du ciel où voyageaient des nuages de
feu teintait l'atmosphère dont elle buvait avec délices les
couleurs.

En la quittant, je m'arrêtai chez un jardinier dans l'intention
de lui faire porter un bouquet de fleurs. Il n'avait que des
glaïeuls.[106] J'en choisis une gerbée. Quand nous nous revîmes,
celle-ci encombrait une petite table, mais on eût dit un fagot de
roseaux secs.[107] Les hampes rouillées et leurs longues feuilles
sans sève trempaient dans une eau verdie.

— Me permettez-vous de faire renouveler ces fleurs? Des
roses . . . peut-être?

— Non. Ne faites pas cela. Elles se faneraient aussi.

— Du moins devriez-vous faire jeter celles-ci.

— Peut-être. Mais ne trouvez-vous pas harassant de n'avancer
au fil des jours[108] qu'en repoussant devant nous un flot de
pourriture?[109] Le repousser ou le fuir, ne vaudrait-il pas mieux
s'y accoutumer? Ma sœur Francesca n'a pu tolérer les fétides
effluves de cette maison. Elle est partie pour se faire une vie
hygiénique, aseptique, propre. Pourtant, elle porte sur elle
l'odeur de la pourriture humaine, à certaines époques, chaque
mois, et aussi dans sa bouche où ses dents se carient,[110] dans son
haleine lorsqu'elle a de la fièvre. Je me rappelle un garçon avec

---

[106] gladioli   [107] a bundle of dry reeds   [108] in the stream of time   [109] a
wave of decaying matter   [110] decay.

qui j'avais du plaisir à danser. Sa sueur évoquait je ne sais quelle rancidité moite. Il m'inspirait alors un dégoût inexprimable. Mère prétendait que j'avais le nez trop délicat. Cela vous étonne? Non, n'achetez pas de fleurs.

— Mais, ma chère amie, rien ne vous est-il agréable?

— Ma foi, si. Je suis encore très attachée à certains objets. Les choses anciennes me sont amicales, celles surtout qui sont faites de matières incorruptibles, dont le grain a été enrichi et resserré par les mains qui les ont touchées: les faïences, les ivoires qu'on dirait éternels, les bois précieux embaumés dans leurs essences, tels la marqueterie de violette, le cèdre brut.[111] Je puis, durant des heures, palper un petit sujet de Sèvres,[112] une statuette d'ivoire, polis et comme graissés par les attouchements qu'ils ont reçus, dont ils me rendent la chaleur. A la fin, on a la sensation que ces objets deviennent actifs et vous bougent dans les doigts. Mais rien ne remplace les livres . . .

Elle en revint alors à nos propos antérieurs et l'entretien se maintint dans les limites étroites, impersonnelles des idées. Ainsi en fut-il lors de mes deux ou trois visites suivantes. Quand je me présentai de nouveau, on me signifia qu'elle était sortie. J'en fus à la fois déçu et rassuré. Après quoi, sous des prétextes divers, je fus, à plusieurs reprises, éconduit. Valette avait quitté la place. Je me heurtai à une mégère sourcilleuse,[113] à l'accent campagnard, sanglée d'un tablier de toile grossière,[114] de ces gens frustes qui appliquent sans ménagement les consignes. Je n'insistai pas, légèrement piqué, mais sans que ma confiance en fût entamée, me faisant au contraire un mérite de ma discrète patience. J'attendais une occasion nouvelle de revoir Florence.

Un matin, sortant de chez moi, j'aperçus Mme de Marnhac qui croisait sur le trottoir d'en face. Son aspect m'intrigua. Le désordre de sa toilette s'était accentué. On relevait même sur elle certains des stigmates qui signalent les pauvresses, les femmes qui ont renoncé à tout soin d'elles-mêmes. Ses bas déteints se plissaient sur ses jambes maigres. Elle traînait des

[111] inlaid wood, unpolished cedar   [112] a little figurine from Sèvres, famous for its porcelain   [113] a scowling shrew   [114] girded with a coarse cloth apron.

44

souliers usés, aux talons tournés.[115] Elle m'aborda sans hâte, ôta son gant reprisé et me tendit la main, toujours de la même inimitable manière où survivait la grande dame.

— Docteur, me dit-elle, les lèvres pincées, ravalant un rire glouglouté,[116] si vous saviez ce qu'a encore inventé ma fille! Oh! ça ne lui a pas réussi.[117] Elle est malade comme un chien, c'est bien le cas de le dire. Mais il faut la laisser ainsi. Ça lui apprendra.

— Qu'est-ce qu'elle a?

— Elle souffre vraiment et ce sera une belle leçon pour elle. J'ai tenu à ce que vous le sachiez quand même.

J'insistai, pris d'une terrible inquiétude.

— Eh bien, voilà: elle a réuni toutes les poudres, les pilules, les gouttes[118] qu'on lui avait fournies pour soigner ses bêtes. Et elle les a avalées.

— Mais il y a des poisons là-dedans!

— Justement, justement.

— Voyons, vous êtes folle! Est-ce que vous souhaitez la mort de votre fille?

— Ah! non, docteur; que me dites-vous là?

Sans me soucier d'elle davantage, je courus jusqu'à la place de l'Hôtel-de-Ville. Je cognai à la porte si fort que des voisins apparurent sur le seuil de leur boutique. Ce fut Gonzague qui vint m'ouvrir. Je le bousculai, me précipitai jusqu'à l'escalier au sommet duquel je reprenais haleine quand mon oreille exercée reconnut ce bruit caractéristique de tirage dans une poitrine oppressée[119] qui remplissait le couloir. Florence râlait,[120] la bouche grande ouverte, seule. Les volets étaient rabattus, sa lampe éteinte. Je me heurtai à des corps mous. Les chats avaient reconquis sa chambre. Avant même de faire le jour, je me penchai sur elle. Son cœur ébranlait sa poitrine jusqu'aux épaules. Je ne compris pourquoi qu'après avoir enfin examiné les toxiques qu'elle avait pris, dont les étuis vides s'entassaient sur sa table de chevet. Outre quelques drogues moins meurtrières, je découvris trois flacons de préparation à la digitale.

---

[115] run down at the heels   [116] holding back a gurgling laugh   [117] it made her ill   [118] the powders, pills, and drops   [119] gasping of a breathless chest   [120] had the death rattle.

De cet instant, je ne la quittai plus, luttant de tout mon savoir, de toute ma volonté contre son mal, et me demandant à chaque seconde si son regard perdu me reconnaissait. Vers le soir, elle put parler.

— Je vous sauverai, lui dis-je.

Elle ne réagit pas immédiatement, comme si les paroles ne l'atteignaient qu'après un certain retard, dans cet éloignement où elle se tenait entre la vie et la mort. Ses lèvres remuèrent.

— Personne ne sauve personne, ai-je cru comprendre.

Puis, sortant de son inertie, elle m'appela, s'agrippa à mon bras et je la soulevai. Je la tins longtemps ainsi, comme suspendue au-dessus du vide. Maintenant, elle désirait passionnément vivre. Je lui avouai combien je l'aimais. Elle insistait pour me l'entendre répéter et on eût dit que des forces nouvelles lui venaient à chaque fois que je lui en donnais la certitude.

Elle mourut au milieu de la nuit. Ces coups profonds qui sonnaient dans sa poitrine cessèrent. La chambre fut pleine de silence. On distinguait le piétinement feutré des chats qui me fut aussitôt insupportable. Je ne pouvais me décider ni à m'enfuir ni à rester à côté d'elle.

Incapable de toucher cette chair qui se refroidissait, je lissais machinalement sur le drap ses cheveux souples, en me détournant, en esquissant un recul, mais leur contact me retenait encore près du lit. Je n'arrivais pas à m'en détacher. Si je vous montrais combien ils sont fins, soyeux et bouclés! Je trouvai dans un tiroir de longs ciseaux. A peine pouvais-je fermer le poing sur cet épais écheveau [121] et je le tenais brandi quand je passai devant sa mère pour sortir de la chambre.

Lorsque, les obsèques terminées, que je n'avais pas suivies, je vis entrer Mme de Marnhac dans mon cabinet, j'eus peur. Je croyais savoir ce qu'elle venait me réclamer.

Contournant le bureau derrière lequel j'avais mon siège, elle vint prendre place près de moi, comme dans un salon. Plus pauvresse que jamais, chaussée de souliers à boucles hors d'usage, une aile d'oiseau mitée [122] sur un chapeau de curé, elle avait ressorti, pour me faire honneur ou par fantaisie pure, un

---

[121] hank, lock   [122] a moth-eaten bird's wing.

manchon[123] de chinchilla, une gaine de très précieuse fourrure avec laquelle elle jouait adroitement. Je n'ai jamais vu une femme élégante se servir d'un éventail, mais ce qu'on peut obtenir d'un petit manchon! Comme il s'envolait tout à coup, libérant une main renversée contre le poignet en un angle juste! Comme il retombait lentement sur les genoux pour accoucher d'un petit mouchoir! Cette mimique spontanément coquette avait une grâce si jeune qu'on était déconcerté de découvrir derrière le mouchoir, quand elle eut pleuré, une vieille à dentier,[124] encore enlaidie par les larmes qui blanchissaient les coins de son nez, accentuaient sa moustache. Cet épisode nous fit du bien à tous deux.[125]

Délivrés de notre émotion, elle par sa gesticulation et ses pleurs, moi par le spectacle qu'elle m'avait offert, nous nous trouvâmes sur un pied[126] d'intimité sincère. Pas une fois le nom de Florence ne fut prononcé mais à travers tout ce que nous disions, il apparaissait comme la clé d'un message chiffré par les trous d'une grille. Les aphorismes fleurissaient sur ses lèvres et j'avais l'air de me préoccuper seulement de sa santé. Elle avait maigri. Elle dormait mal.

— Mais, enchaîna-t-elle, on vient toujours à bout de la nuit. C'est le matin qu'il faut faire un choix. Prudents sont ceux qui possèdent un réveille-matin, qui, à son appel, sautent à leur toilette et s'habillent vite. Aussitôt, tout devient facile. Il ne reste plus qu'à continuer. Mais si on prend le temps de songer à quoi l'on va, on ne se lèvera plus. Il n'est que d'attendre.[127] Au bout du compte, la mort vient toujours. Celui qui vit dans la pensée de la mort, ce n'est pas vers la sagesse, vers la perfection qu'il s'avance, mais vers l'indifférence et l'immobilité.

Une quinte de toux[128] l'arrêta. L'oiseau qui avait sautillé au-dessus de sa tête se mit à trembler puis fit un saut. Mme de Marnhac avait baissé la tête. Je ne voyais que le bout de son nez et, sous son menton, un bourrelet gras.

— C'est bête, dit-elle. J'ai pris froid à l'église. Pourquoi chante-t-on si longtemps aux enterrements? Cela m'a paru bien long. Dieu ne me parle plus. D'ailleurs il n'a jamais été très près

[123] a muff   [124] with false teeth   [125] did us both good   [126] on a footing
[127] it's only a matter of waiting   [128] a coughing fit.

de mon oreille. Florence était comme moi. Dommage, dommage. Elle m'a avoué une fois qu'elle le regrettait fort. Quand on croit réellement en Dieu, tout se simplifie. C'est au seuil d'un couvent qu'on aurait coupé ses cheveux. Elle avait tant d'exigence! Bien sûr, la vie tourne dans une orbite étroite, au fil des habitudes.[129] Si le fil se rompt, comment exister?

Sans doute, je vous rapporte assez peu fidèlement ces considérations qu'elle me développa d'une façon plus allusive, plus confuse. Mais de ces dernières phrases je suis certain. Elles me revinrent nettement en mémoire six mois plus tard lorsqu'on eut découvert Mme de Marnhac inanimée. Sa dernière femme de charge,[130] lasse d'attendre ses gages, l'avait quittée. Gonzague s'était laissé convaincre par sa sœur Francesca de venir auprès d'elle mener une vie propre et raisonnable. Et tout le voisinage s'était accoutumé à voir la vieille dame passer chaque jour, les reins cassés,[131] les bras allongés par les cabas gonflés[132] de viande qu'elle rapportait pour ses chats. De toute une semaine, on ne l'avait pas aperçue. On s'inquiéta et le commissaire de police la trouva dans sa cuisine, effondrée sur un siège de jardin, à côté du fourneau. Le bord de sa manche était brûlé. Elle tenait encore une tasse et une cuiller. Ses jambes allongées sur un tabouret étaient couvertes d'énormes ulcères. Pour parvenir jusqu'à elle, on enjamba des jonchées de détritus[133] et quand on la souleva, il tomba de sa robe de chambre une grêle de cafards.[134] Elle hébergeait soixante chats qui, affamés, l'eussent dévorée si, par peur du froid, elle ne s'était enfermée.

Le notaire avait ordre, aussitôt son décès,[135] de me convoquer pour ouvrir en ma présence son testament. Elle me léguait sa commode rouge et m'instituait unique exécuteur testamentaire.[136] Je me fis plaisir aussitôt.[137]

Le temps d'enlever le corps, je fermai à double tour[138] la porte d'entrée. Je gardai dans ma poche l'énorme clé de fer ouvragé qui pesait une demi-livre. Je la tâtais dix fois le jour. On vint m'insulter parce que cette maison maudite était

---

[129] in a flow of habits [130] housekeeper [131] bent double [132] shopping baskets swollen [133] litter of refuse and offal [134] a shower of cockroaches [135] as soon as she died [136] appointed me as sole executor [137] I immediately did what I had wanted to do [138] double-locked.

retentissante de miaulements qui rendaient fou tout le quartier.
On jeta des pierres dans les vasistas. On essaya de forcer les
volets. Je ne cédai pas. Cette symphonie féline, longtemps
exaspérée, tomba decrescendo jusqu'au silence. Après le bruit,
on vint me reprocher l'odeur de mort qui suintait à travers les
murs, tournoyait sur la place, empestait les denrées du
marché.[139] Alors, de nuit,[140] pendant que le bourg dormait en
se pinçant le nez, je revins mettre la clé dans la serrure, je me
jetai comme un nageur à travers cet air dense pour échouer dans
la chambre de Florence. Ah! comme elle savait bien parler de ce
flot de pourriture: «Le repousser ou le fuir, ne vaudrait-il pas
mieux s'y accoutumer?» Je ferais mieux. Je m'y roulai. J'en
aspirai les miasmes par mes narines dilatées, par tous les pores
de ma peau. Je m'en imprégnai telle une éponge. Décidé à tenir
jusqu'à l'aube, l'ankylose[141] et la somnolence me ligotaient
insidieusement. Je me délivrai d'un sursaut, retrouvant toute
neuve la sensation du noir et de la puanteur comme dans un
tombeau. Je pensais à tous ces chats qui m'entouraient et
ressentais une immense satisfaction à me répéter qu'ils étaient
morts, qu'ils ne pouvaient plus rien contre moi.[142]

Un croisillon de jour, enfin, perça les fentes des contrevents.
A mesure que les traits lumineux dessinaient en épure[143] la
perspective de la vie qui s'allongeait devant moi, la fatigue et
la tristesse ensemble m'accablaient. Je rentrai chez moi. Dans la
glace du vestibule s'avança à ma rencontre[144] un homme voûté,
aux cheveux blanchis, qui me repoussa de la main. Je chancelai
contre le mur où je me cognai douloureusement avant de tomber
évanoui.

La faiblesse me livra à la merci de ma portière. Au cours de
mon délire, je parlai assez distinctement et cette femme répéta
chacune de mes paroles à Francesca et Gonzague de Marnhac
qui la soudoyaient.[145] Ils m'intentèrent un long procès[146]
pour lequel je me passionnai, usant jours et nuits à pénétrer
les arcanes de la procédure.[147]

---

[139] tainted the market wares   [140] at night   [141] stiffness of joints
[142] they could no longer hurt me   [143] outlined   [144] to meet me
[145] bribed   [146] brought action against me   [147] the secrets of the law proceedings.

J'obtins gain de cause [148] mais enhardi par mon succès, poussé par ma haine, par cette habitude aussi des puantes anti-chambres d'avoués, je suscitai à mes adversaires d'autres, querelles. Je parvins à les ruiner. Tous leurs biens tombèrent en mes mains. Il m'était intolérable que quiconque pût mettre les pieds [149] désormais dans l'hôtel de Marnhac où moi-même je ne songeais nullement à habiter. Je n'aurais pu y vivre. J'ai obtenu qu'il fût démoli pour agrandir la petite place du marché. Secrètement, j'ai fait brûler tous ses meubles précieux, hormis ceux qu'avait aimés Florence, qui avaient entouré sa solitude, et que vous voyez ici. Au cours de cette lutte implacable, j'avais beaucoup appris sur les moyens que nous laisse la distraction des autres ou leur sottise, pour conquérir l'argent, cette réserve de liberté.

Après la chicane, je me suis appliqué à la finance. N'est-il pas admirable que, ces biens que procure si péniblement le travail, on puisse s'en rendre maître, les grossir à sa guise,[150] rien qu'en choisissant de vendre ou d'acheter chez son banquier? Inutile même de se rendre chez lui. Il suffit d'une lettre. Lorsqu'on a découvert les lois secrètes qui gouvernent les fluctuations et les rythmes des intérêts, selon les paniques des sots ou leurs vains espoirs, il suffit d'un mot choisi à temps: hausse ou baisse, vente ou achat,[151] pour posséder ce qu'on désire. Les mots, toujours les mots. L'univers n'est qu'une fiction docile à quelques maîtresses paroles. Il y a eu des soirs où cette pensée m'enivrait. Jadis, quand je lisais beaucoup de livres, je m'émerveillais qu'un écrivain puisse, avec les signes de l'écriture assemblés selon certain ordre, susciter des images, des créatures, des histoires, des destinées imaginaires qui doublaient la réalité apparente de la vie. Mais qu'est-ce que cet amusement dérisoire à côté du plaisir qu'il y a, avec des mots, à ruiner ou à enrichir, à combler ou à désespérer des personnes bien vivantes? Puis, je me rappelais que Florence était morte et que tout finit par s'anéantir dans la même pourriture. Et cela me rendait sage. Je reprenais le fil de mes petites habitudes. «Si le fil se rompt, comment exister?»

[148] I won the case   [149] set foot in   [150] as one wishes   [151] rise or fall, sale or purchase.

Puisque vous voulez bien m'écouter, je pourrais vous enseigner cependant comment on gagne et comment on perd. J'ai mis au point d'infaillibles méthodes. Mais vous vous impatientez. Si, si, allez: je le vois bien. Comment? Votre chien? Ah! dupe que j'étais, et naïf. Vous avez eu grand tort de m'interrompre.

Ma parole! n'allais-je pas me montrer généreux et vous ouvrir mes secrets dont vous pouviez tirer profit? Oui, oui, je vous le rendrai cet animal, cet aboyeur à longues oreilles, ce sot coureur de lapins. Venez. Non, pas cette porte. Suivez-moi. Attention à la petite marche. Vous tenez la rampe? Descendez lentement. L'escalier est étroit. Ici on y voit plus clair. Tenez, si vous avez une minute, nous allons ouvrir la fenêtre. Le panorama est joli. Mais vous voyez, le jardin est envahi de ce côté par les rosiers sauvages. L'odeur est si forte, en été, qu'elle étourdit. Je n'y viens qu'à l'automne, quand les fleurs et les feuilles sont tombées. Elles fermentent sur la terre d'où monte une senteur légère, âcre. Vous êtes pressé.[152] Pardonnez-moi, je vous retiens. Vous pouvez vous en retourner aisément par là. Je ne vous raccompagnerai pas. Vous n'aurez qu'à suivre le chemin qui va vers la grande allée et de là, vous apercevrez le portail. Mais si, je descends avec vous. Je vais donner de la lumière. Il fait frais. Un vrai souterrain. Avancez, avancez. J'aurais pu vous conduire par l'extérieur plus facilement, c'est d'ailleurs du jardin que j'ai amené le chien. Ah! ne me poussez pas. Pourquoi, pourquoi ne pas m'écouter? Vous auriez dû rentrer vite chez vous. Eh bien! tant pis. Vous l'aurez voulu.[153] Oui, il est mort. Toutes ces bêtes sont mortes. Il y en a.[154] Oh! il y en a. Mais qu'avaient-elles donc à pénétrer[155] chez moi, dans mon jardin, dans ma maison? Sans cesse, je dois me défendre d'elles. A travers les haies, sous les fourrés, elles passent, elles se glissent, elles se cachent, elles me cherchent. Et vous aussi vous êtes venu me surprendre. Vous vouliez me faire parler ... *Vous pleurez!* Vous avez peur! Non? Ce n'est pas cela? Pourquoi? Vous mentez. C'est faux. Est-ce qu'on peut pleurer sur une bête? Sur un chien? Si vous vous moquez

---

[152] in a hurry   [153] it's you who wanted it   [154] there are lots of them
[155] why did they enter.

CLAUDE BONCOMPAIN

de moi, je vous préviens: prenez garde à vous.[156] Dites, dites
que ce n'est pas vrai. Si? Vraiment, vous l'aimiez? Vous
l'aimiez assez pour . . . Je crois que vous me provoquez. Méfiez-
vous. Mais, je veux savoir. J'en ai besoin, comprenez-vous?
Est-ce que l'on peut vraiment aimer les animaux? Pourquoi,
alors, ne pas aimer les fleurs, les hommes, tout ce qui doit finir
et aller à la pourriture? *Mais alors on n'en finirait pas de
souffrir!*[157] Voyez-vous, il restait encore cela à Florence; cette
dernière passion; ses bêtes. Et puis, je crois qu'elle m'a aimé.
Il y a des jours où j'en suis sûr. Et Florence est morte. J'ai
failli en devenir fou. J'ai failli, dis-je . . . Je vois ce que vous
pensez. Mais non, je suis lucide. Je suis le seul à l'être, le seul à
voir le piège qui reste tendu et où tout le monde tombe. Oh! il
y a mille subterfuges, une rose que l'on cueille et qui se fane
aussitôt, une bête qui vous frôle, que l'on caresse, qu'on nourrit,
un être qui vous sourit, dont la voix vous touche le cœur, dont la
présence vous est indispensable. Et vous savez cependant que
tout cela finira, que tout cela un jour sera figé, avant de se
décomposer, de retourner à cette puanteur, à cette boue liquide
que la terre reprend. Oh! j'étais en paix, enfin. J'avais dressé
autour de moi des barrières solides, prêt à me défendre contre
tout ce qui les viendrait franchir. Pourquoi êtes-vous venu? Je
vous en supplie, ne me tentez pas. Allez-vous en, vite. Vous
voyez: il est chargé.[158] Il suffirait que j'appuie un peu sur la
gâchette,[159] une toute petite pression du doigt pour que vous
aussi . . . Reculez un peu. Reculez-vous par là. Attention!
Non! Non! . . . Ah! l'imbécile! Et maintenant il me va falloir
murer[160] ces caves.

QUESTIONS

1. Quels évènements et quels sentiments amènent le narrateur à
    faire enclore son domaine et à ne plus voir personne?
2. Qui est l'interlocuteur invisible à qui s'adresse le narrateur et quel
    rôle joue-t-il dans la nouvelle?

[156] watch out   [157] one would never stop suffering   [158] loaded   [159] the
trigger   [160] to wall up.

5 2

3. Faites un portrait de Madame de Marnhac.
4. Quels incidents nous révèlent la progression de la folie chez Florence?
5. Pourquoi le narrateur s'est-il appliqué à la finance après la mort de Florence?
6. Relevez les détails qui font de cette nouvelle un tableau de mœurs provinciales.
7. Comment Boncompain se sert-il des chats pour créer une atmosphère d'horreur et de macabre?
8. En quoi le dénouement est-il surprenant ou logique d'après ce que vous savez du narrateur?
9. Quels vous semblent être les sentiments de Boncompain envers ses personnages?

Lise Deharme

«Puisque la réalité me repousse, il faut peut-être que je me livre
sans remords, regrets, ni arrière-pensées, au merveilleux,» écrit Lise
Deharme (1902–) dans *Les Années perdues*, son journal des
années de l'occupation allemande. Elle y évoque la présence de ses
amis Aragon, Éluard, Cocteau, témoignant ainsi de ses liens avec les
surréalistes. Elle a collaboré à la publication de *Farouche à quatre
feuilles* avec André Breton, Julien Gracq, et Jean Tardieu, ce qui
confirme cette certaine parenté d'esprit avec le surréalisme. Pourtant,
elle semble être héritière de Mme d'Aulnoy plutôt que de l'écrivain
des *Manifestes*, et ses romans se rapprochent plus de «La Chatte
blanche» et de «L'Oiseau bleu» que de *Nadja*, l'étrange réussite
romanesque d'André Breton.

Lise Deharme préfère à l'univers «réel» de l'homme celui de la
féerie où elle se sent libérée de toute logique ou convention. Elle
cherche à refaire le monde par la poésie qui abolit les limites entre le
rêve et la réalité, créant une atmosphère féerique où peut surgir le
surnaturel. Tout dans le monde est signe visible d'une réalité plus
profonde dont la vérité nous échappe ; tout objet a de la signification ;
à nous de la découvrir. Lise Deharme retrouve la baguette de la fée
qui nous aide à reconnaître «la sensibilité des choses inanimées.»
Tout parle dans ses romans ; plantes et bêtes deviennent les amies
de l'homme, le guident et le conseillent. Les protagonistes se meuvent
dans un monde d'objets insolites dont le langage secret n'est jamais
entièrement révélé, un air de demi-obscurité règne partout, on
n'entrevoit que pénombre dans les salles somptueusement décorées,
parmi les meubles de boiserie précieuse, le long de vieux passages
souterrains, dans les parcs déserts où quelques bassins d'eau morte
reflètent la rare lumière dans les labyrinthes de verdure. Ce royaume

de féerie devient un monde délicieusement enfantin d'oisiveté et de gourmandise, où on peut «suivre une route qui ne mène à rien,» se laisser éblouir par des «objets inutiles,» où on se gave de toutes sortes de «nourritures indigestes,» où on se pare de brocarts, de tulles, de joyaux: «le luxe, ça console de tout, même du malheur.» Dans ce palais de la Chatte Blanche et de la Biche au Bois—«chacun possède un château imaginaire,» dit-elle dans *Le Château de l'horloge*—l'auteur filtre la lumière crue de l'extérieur pour ne laisser entrer que des lueurs tamisées par un amas de mousselines ou par quelques fenêtres magiques couvertes de toiles d'araignée: «au dehors, par la fenêtre protégée, le vrai jour du dehors s'est enfui.»

Si Lise Deharme cherche à créer un univers hermétiquement fermé, c'est pour se découvrir une retraite de solitude. Dans cette atmosphère de serre chaude, elle se sent libre de se poser des questions. Tous ses protagonistes sont à la quête d'un trésor perdu. Ils se meuvent dans un état de rêve, ignorant les lois du temps et du lieu. Ils sont la proie constante de mirages et d'hallucinations et semblent être menés par quelque puissance mystérieuse, à travers un certain nombre d'épreuves nécessaires, vers la possession d'une vision perdue. Comment faire pour retrouver cet esprit élémentaire qui assure à l'homme sa félicité surnaturelle, sinon à travers l'enfance? «Ève, émerveillée, contemplait son enfance qui revenait vers elle, enfouie sous l'eau et les feuilles mortes.» Seuls les enfants possèdent encore cette sorte de sagesse primitive qui sait discerner l'essentiel sous les apparences, et ici le rôle de la femme se joint à celui de l'enfance: la plupart des héroïnes de Lise Deharme sont des femmes-enfants, Ondines et Mélusines, êtres intermédiaires de nature ambiguë qui relèvent à la fois de l'ange et du démon; mais ce sont aussi des êtres mystérieux et sans âge qui ont «l'âme de cent ans,» des femmes souvent «laides mais superbes»; à vrai dire, nous ne les connaissons jamais très bien, car nous ne les apercevons que vaguement, à travers des vapeurs de dentelle et de mousseline. Sorcières, leur rôle est d'aider l'homme à retrouver son identité originelle.

Dans «Comment Retrouver Isabelle,» nous rencontrons les images et les thèmes chers à Lise Deharme. Sa mise-en-scène habituelle y crée un sentiment d'étrangeté et de magie. Des visions hallucinatoires mènent les événements à leur conclusion, et les protagonistes n'ont aucune maîtrise sur leurs propres actes. Des puissances surnaturelles les obligent à se mettre en quête de trésors cachés, des fantômes, apparitions vagues et présences mystérieuses, les guident vers leur destinée: l'enchantement ne cesse qu'à la découverte de l'éternité dans l'union de l'amour et de la mort, et l'inquiétude se guérit seulement au contact de la vérité dans l'image retrouvée. Les ouvrages de Lise Deharme sont: *Insolence* (1946), *La Porte à côté* (1949), *Ève la Blonde* (1952), *Le Château de l'horloge* (1955), *La Comtesse Soir* (1957), *Laissez-moi tranquille* (1959), *Carole* (1961), *Pierre de la Mer morte* (1962).

COMMENT RETROUVER ISABELLE?

La PLUIE tombait sur le quartier Saint-Louis, à Versailles; les petites maisons du Parc aux Cerfs, délabrées[1] par les siècles et l'oubli des plaisirs, offraient, du côté de la rue d'Anjou, leurs vitrines pauvrettes[2] où alternaient les antiquités de vingt ans avec des fleurs modestes et des parapluies d'enfants à tête de bête.[3] Pour le peu d'argent qu'il avait en poche, René Savile cherchait un cadeau pour sa maîtresse dont il n'était pas amoureux, mais, ainsi que le veut C. B., bel et bien idolâtre.[4] Une fleur fixa son choix; puis un parapluie surmonté d'un singe d'argent. Pour la fleur, il acheta chez le brocanteur[5] un vase, orné d'une rose, penché comme le cou d'une femme abandonnée.

La pluie tombait toujours, mais René était jeune et la recevait comme un baiser. «Lorsqu'on appelle le diable, il vient, et on est bien embêté,» dit-il à haute voix. Les mille ennuis inhérents à la vie humaine étaient cause de son péché; car sa maîtresse avait ceci de particulier, qu'elle haïssait l'argent et préférait le poète au ministre, fût-il intègre[6]—simple supposition.

Sur la vieille place du Marché, le plus joli des pavillons du Parc aux Cerfs, entouré d'une crinoline d'étais de bois,[7] semblait

---

[1] dilapidated [2] their poor little store windows [3] children's umbrellas with handles in the form of animal heads [4] whom he worshipped completely. This is a reference to Baudelaire. Lise Deharme seems to share the poet's view that woman is some sort of supernatural creature: «C'est plutôt une divinité, un astre; ... C'est une espèce d'idole, éblouissante, enchanteresse ...» («Le Peintre de la vie moderne»). And, in a letter to Mme Sabatier, Baudelaire said that «Les polissons sont *amoureux*, mais les poètes sont *idolâtres*» [5] second-hand dealer [6] even if he were honest [7] wooden shoring.

prêt à tomber en poussière; les vitres sales de son unique étage reflétaient la solitude, les mystères de toute maison abandonnée. René, planté devant la maison comme un arbre, ne pouvait la quitter du regard.[8] «S'il n'y a pas de fantôme dans cette maison-là, il n'y en a nulle part—ce qui est infiniment probable.»

La fenêtre du premier s'ouvrit avec lenteur, une main blanche se posa sur l'appui—une main seulement, mais elle portait au doigt un serpent d'or que René reconnut, car il signifiait «Éternité.» Bientôt, la main se prolongea d'un bras, puis l'épaule se forma, le cou, le corsage, la taille, à prendre entre deux doigts; le visage surgit comme une fleur d'un vase ... Isabelle la tant aimée[9] se trouvait devant lui. C'étaient bien là ses cheveux d'un blond pâlissant sur les tempes, les ailes de son nez presque trop minces, ses yeux couleur de feuille, sa bouche frémissante lorsqu'il approchait. La robe était celle qu'elle portait lorsqu'il l'avait quittée une heure auparavant: la bleu foncé avec un col blanc.

Comment retrouver Isabelle? Il voulut bondir par l'escalier branlant, absent peut-être, dangereux pour elle; la plaisanterie adorable devenait folie, la maison pouvait s'écrouler, la «Folie» pouvait s'écrouler.

L'image d'Isabelle sanglante, écrasée, souillée de poussière, inconsciente sous son baiser ...

René restait immobile comme un arbre. Isabelle devait l'attendre, s'impatienter:—«Ah! te voilà, Serinoskoff, vous vous êtes bien fait attendre, mon Prince.» Là, dans la fenêtre, Isabelle ne souriait pas; elle semblait triste. Croyait-elle vraiment que René, planté là, devant la fenêtre, tel un arbre, ne l'aimait pas?

Brusquement, il se fit une détente.[10] René retrouvait l'usage de ses membres. Il contourna le petit pavillon. La porte donnait sur la rue. Elle s'ouvrit facilement sous sa poussée. Son image lui apparut dans une glace, au milieu d'un débarras inexprimable: de vieux pneus, des souliers, des journaux, des graines pour les oiseaux. Il eut peur de son image reflétée dans le fond de la maison par un miroir très élevé, posé sur le sol. Il chercha l'escalier. Où donc se cachait l'escalier dans cette pièce

---

[8] could not let it out of his sight   [9] Isabelle the beloved   [10] the tension was relieved.

minuscule, encombrée de saletés repoussantes? Il n'y avait pas d'escalier . . . mais alors, par où Isabelle était-elle montée?

Sa voix à lui résonna dans le silence; de la poussière, des plâtras tombèrent sur sa tête. Il n'y avait que lui dans la maison, et son image dans la glace. Lui, inondé de pluie, bien vivant, mais *seul* . . .

Il retourna vers leur petit appartement qui donnait sur le bassin de Neptune. «Isabelle dit que je suis fou; elle a raison, il faut être fou pour avoir de pareilles hallucinations. J'ai trop pensé au diable, ces jours-ci. Au diable le diable, il faut croire en Dieu lorsqu'on est heureux!»

René s'arrêta pour acheter des cigarettes, puis, pour se remettre,[11] il prit un verre d'alcool dans la salle sombre d'une brasserie qu'Isabelle aimait particulièrement. Robespierre[12] y venait boire. Mais pourquoi René traînait-il ainsi? Auprès d'Isabelle, il boirait un thé de Chine très chaud qui avait goût de fumée. Légèrement étourdi par la chaleur de la pièce, il se leva, ouvrit la porte, mit la main à son front. Allons, il fallait traverser . . . Juste au moment où il mettait le pied sur la chaussée, une voiture américaine l'éblouit de ses phares.[13] Il tomba pour ne plus se relever.

Une heure plus tôt, Isabelle, descendue pour acheter un peu de beurre, avait glissé du trottoir humide sous les roues d'un camion dont le conducteur reculait sans la voir. Dans sa robe bleue sanglante, elle dormait de son dernier sommeil, avec quelque chose qui ressemblait à un sourire sur ses traits défigurés.

LE PALAIS MENDITTE

Dans la nuit du 16 août, le peintre Verona Cagliari fut appelé en hâte par la duchesse Joya Menditte pour faire le portrait de sa mère sur son lit de mort. Verona hésita: la maison passait

[11] in order to calm himself [12] the French lawyer who headed the Revolutionary government; he was overthrown on July 27, 1794, and guillotined. His death marked the end of the era of "the Terror." [13] blinded him with its headlights.

pour hantée,[14] Joya étant une grande charmeuse d'esprits.[15] Les appels téléphoniques se faisant de minute en minute plus pathétiques,[16] elle partit avec un ami pour la Via Giulia, une des rues les plus singulières de Rome.

Le palais Menditte baignait dans le silence et les parfums. La haute stature de Joya l'accueillit au seuil de la chambre mortuaire.[17] Ses cheveux noirs, l'absence de maquillage, rendaient encore plus pâle son beau visage ravagé de douleur; une forêt de gardénias envahissait la chambre de cette morte au Bois Dormant,[18] des tapis au plafond. Verona installa son chevalet.[19] La chaleur était suffocante, des nuées de mouches volaient lourdement. Trois nonnes anglaises vêtues de bleu ciel et de blanc, sautillaient du tableau de Verona au lit de la morte en s'écriant:—«Elle est belle, notre poupée, elle est belle, belle, notre poupée!» frappant gaiement leurs petites mains l'une contre l'autre en signe d'admiration. Revêtue d'une dalmatique d'argent et d'or, recouverte d'un lambeau[20] de cette dentelle qu'on appelle «blonde,» la morte reposait sous une couverture ancienne empesée de métaux précieux et de lourdes broderies. Le lit, du plus pur style portugais, de même que tous les meubles de la chambre, était frangé de gardénias, d'immenses candélabres d'argent veillaient aux quatre coins. La lumière des bougies faisait danser des ombres sur le petit visage couleur de cire, sur les deux longues nattes de cheveux parfaitement rouges qui l'encadraient. Six chiens maltais, d'une admirable propreté, sautaient en gémissant près de la morte, jouaient avec ses longues nattes ressemblant à deux serpents flamboyants, essayaient de ranimer de leurs baisers ce visage glacé. Dans la pièce voisine, le mari, haut en couleur[21] comme un Anglais bien portant,[22] noyait son chagrin dans le whisky.

Quittant l'épaule compatissante d'une amie, Joya glissa vers la chambre suffocante de chaleur et de parfums. De sa main gauche, elle tenait contre ses narines un mouchoir de linon[23]

[14] the house was believed to be haunted   [15] conjurer of spirits   [16] since the calls became more imploring with every minute   [17] the room of the dead woman   [18] allusion to "Sleeping Beauty"   [19] easel   [20] small piece [21] of a ruddy complexion   [22] in good health   [23] lawn.

blanc; d'un geste prompt, l'autre main frappait, à l'aide d'une petite tapette[24] en fer, les mouches qui se posaient sur elle ou bien venaient importuner le dernier sommeil de sa mère. «Encore une!» disait-elle en pleurant. Les mains de la morte étaient réunies par un chapelet[25] de perles d'onyx et d'or. Verona travaillait, chassant parfois les mouches de son pinceau. La peur l'avait quittée, elle devenait elle-même le centre d'un tableau absent de toute réalité humaine. Une chaîne se soudait entre elle et la morte, le reste était néant. De fait,[26] tous les personnages, y compris les petits chiens, moururent dans l'année. Les trois nonnes, après un dernier petit rire, s'étaient endormies. Les chiens rêvaient sur le tapis. Le mari, calmé par l'alcool, Joya calmée par les larmes, reposaient dans la pièce à côté. On entendait le ronflement d'un domestique, venant de l'escalier, les mouches elles-mêmes s'étaient calmées, asphyxiées par les fleurs.

Deux ans plus tard, les héritiers, obsédés par une série de faits incompréhensibles, vendaient le palais Menditte. Verona se trouva être le seul acquéreur. Devenue l'un des plus grands peintres de l'Italie contemporaine, elle avait abandonné toute vie mondaine pour se consacrer à l'homme qu'elle aimait et à quelques rares amis de haute qualité[27] et habiter avec eux.

Le soir de leur installation,[28] Verona, parée[29] comme de coutume, s'examinait dans le grand miroir de sa chambre. Celui-ci se fendit d'un seul coup, comme une robe qui se déchire. On était au cœur de l'hiver, le palais était resté longtemps inhabité, l'atmosphère était surchauffée, il pouvait donc y avoir une explication simple.[30] Lorsqu'on se mit à table, la chaleur de la vodka, celle de l'amitié ranimèrent les joues pâles de Verona impressionnée. Son ami l'enveloppa tendrement d'un grand châle couleur de sang, on mangea beaucoup de choses indigestes, ces nourritures apportent une sorte de sérénité animale. Avec des mots qui n'appartenaient qu'à elle, Verona raconta des histoires; on riait aux éclats.[31] Une vitre se fendit dans leur dos. On tira les rideaux. La sonnette de la porte d'entrée résonnait

[24] flyswatter [25] rosary [26] as a matter of fact [27] a few favored friends [28] on their first evening [29] dressed up [30] so there may have been a simple explanation for it [31] they were bursting with laughter.

incessamment, des amis envoyaient des livres, des bonbons, des objets de toutes sortes pour lui souhaiter la bienvenue dans une maison où ils espéraient bien se rendre un jour. Le dernier cadeau arriva sur le coup de minuit. C'était un buisson de gardénias en fleur. Nulle carte n'accompagnait ce présent. Après le coup de sonnette, on avait ouvert la porte et on l'avait trouvé sur le seuil. Au dehors, il neigeait. Dès qu'il fut à la chaleur, l'arbuste se mit à exhaler une odeur douce et forte presque insupportable. Verona, calme et pensive, se pencha sur les fleurs . . . Là . . . tombé comme un mouchoir d'un corsage, il y avait un lambeau de cette dentelle qu'on appelle «blonde.»

Verona, peintre de l'étrangeté, ne pouvait refuser l'atmosphère qui se créait peu à peu autour d'elle. Très forte d'esprit lucide et bien trempé,[32] elle entra de plain-pied[33] dans l'aventure, attendant de savoir ce qu'on espérait qu'elle fît et ce qu'elle-même était en mesure d'en espérer.[34]

L'ami effleura les touches du piano, un jeune Brésilien fredonnait, accompagné par les sifflements du feu dans la haute cheminée, des chats passaient en se frottant aux jambes, un jeune singe se cachait derrière le velours rouge d'un rideau. Soudain, dans la cuisine, avec un son musical, tous les verres se cassèrent. Le plus vieil ami, grand, fort, nonchalant comme un tigre, se leva. Il prit sa coupe—ses yeux riaient:—«Quelles que soient les personnes qui animent cette fantasmagorie, dit-il, qu'elles soient les bienvenues ici!»[35] Un bruit cristallin tinta . . . un verre invisible venait de heurter le sien.

Le lendemain, tous les vases de la maison s'emplirent de fleurs. Une main blanche, parfaitement visible, posa devant Verona un verre à dents[36] où baignait, à côté de la brosse, la tige d'une rose blanche largement ouverte; des branches de gardénias surgirent des bouteilles de vin de Champagne, d'alcools ou d'eau minérale vides. L'absente voulait prouver sa sympathie aux habitants du palais, mais aussi qu'une chose inconnue continuait de la faire souffrir. C'était triste comme les plaintes d'un chat ou l'appel d'un oiseau nocturne. L'angoisse continuait

---

[32] well tempered [33] completely [34] what she herself could expect from it [35] whoever they are who are inciting this fantasmagoria, they are welcome here [36] toothbrush holder.

par-delà [37] le sommeil du tombeau. Les cauchemars des morts obsèdent les vivants. De longs conciliabules avaient lieu entre Verona et ses amis. Le portrait de la morte pourrait peut-être apporter un éclaircissement dans cette ombre angoissante où ils vivaient. Les tableaux de valeur disparaissent rarement sans laisser d'adresse. Celui-là, malgré les recherches, restait dans un corridor sombre où nulle fenêtre ne s'ouvrait. Verona retrouvait ce sentiment d'union avec la morte qu'elle avait éprouvé en peignant son portrait. L'image de la grande poupée de cire reposant parmi les gardénias, entre ses longues nattes incandescentes, la hantait. Un jour, en se promenant dans un quartier pauvre de Rome, elle aperçut à la vitrine d'un brocanteur un mannequin articulé de bois sombre, comme ceux dont se servent parfois les peintres pour éviter de faire poser un modèle. Celui-ci, fort ancien, était d'une grande beauté. La tête, tristement tombée sur la poitrine, les membres disloqués, il était l'image même de l'abandon. Lorsqu'elle fut entrée dans la boutique, elle s'aperçut que le mannequin était placé sur un grand fauteuil portugais en bon état de conservation.

— «Vous êtes la Cagliari, je vous reconnais pour avoir vu votre photographie dans un journal, dit le marchand, un vieil homme à mitaines [38] dont les paroles sifflaient dans le vide laissé par deux dents absentes. Si ce fauteuil vous convient, je vous le cède à bas prix, car vous me plaisez, et lui ne me plaît point.»

Le cœur du chien de chasse se mit à battre en Verona.

— On y est mal assis?

— Oh! que non! [39] mais chaque nuit, le mannequin tombe et le bruit me réveille.

— Il tombe?

— Oui, en me brisant des objets ... Tenez, hier, toute une pile d'assiettes en cristal; il y a quelques jours, un service à porto. Tantôt ci, tantôt çà. Parfois même les glaces de ma vitrine. J'ai fini par coller du papier.

— Mais le mannequin est plus coupable que le fauteuil? dit Verona en faisant le tour de la boutique. [40]

[37] from beyond   [38] an old man with mittens   [39] not at all   [40] while walking around the store.

— Hé non! Ailleurs, il ne tombe pas. Il vaut 20.000 lires.[41]
Tous les peintres me l'envient. Voulez-vous l'emporter?

— Oui. Voici 10.000 lires. Pendant que vous l'enveloppez
puis-je faire un tour un peu partout?

— Vous êtes chez vous, Signora. Faites-moi un chèque de
15.000 lires au porteur. Je reviens, il ne faut pas qu'elle prenne
froid, notre poupée, il y a des châles là-haut. Amusez-vous . . .
J'en ai pour un bon moment.[42]

Le cœur de Verona continuait de battre d'une façon désor-
donnée. Comme dans un jeu d'enfant, elle se laissait guider par
ses pulsations; tantôt, elles se calmaient, tantôt elles s'em-
ballaient.[43] Malgré une angoisse affreuse. Verona s'obstinait.
Quelque chose était là, il fallait trouver. Deux ou trois fauteuils
portugais, un guidon de bicyclette, une tête de cerf, un plat
ébréché . . . Là, dans l'ombre, il y avait . . . non, le cœur se
calmait. Verona alla vers une petite cour sombre où une mouette
apprivoisée picorait quelques graines, près d'un vieil arbre de
Noël où pendaient encore quelques décorations de papier doré.
Le cœur restait calme. Dans une flaque,[44] une tortue d'eau
mangeait une limace.[45] Un appentis[46] recouvert de papier
goudronné; à l'intérieur, encore des têtes empaillées, des guidons
de bicyclette, un vieux seau d'émail, des boîtes pleines de clous.
Le cœur se remit à battre un peu plus fort. Des caisses, des
caisses, des porte-savons,[47] et puis, là, dans un coin, près d'un
cercueil d'horloge, des bouteilles, des bouteilles toutes cassées;
cela brillait par terre: un tas de pierres précieuses, une petite
poupée sans yeux avec deux nattes de laine rouge, rouge . . .
Contre le mur, un haut bahut portugais en piètre état,[48] les
portes fermées par des planches clouées, sans pieds. Le cœur
du chien de chasse frappait comme un fou dans la poitrine de
Verona. Elle posa la main sur le bahut, la douleur de son côté
gauche devint intolérable. Ce bahut, pourquoi ce bahut? Il
fallait faire quelque chose.

— Monsieur! Monsieur! hurla-t-elle. Brusquement, le cœur,
calmé, lui permit de s'exprimer. Le marchand était accouru.

[41] Italian coins   [42] I shall be busy for quite a while   [43] at one moment
she calmed down, at the next she grew all excited   [44] puddle   [45] slug
[46] lean-to roof   [47] soapdish   [48] in poor condition.

6 3

— Pouvez-vous le faire porter immédiatement chez moi, palais Menditte, avec le reste.

— Mais il est en pièces. Voilà bientôt deux ans que je l'ai et je ne me décide pas à l'ouvrir ni à le faire réparer. Il est tout juste bon à me servir de poulailler.[49] Si on fait sauter les planches qui le maintiennent, il tombera en poussière. Je me demande ce qui a bien pu le mettre dans un état pareil.

— J'y tiens,[50] dit Verona.

— Alors, donnez-moi les 20.000 lires . . . Si . . . Si . . . Signora . . . Tenez, vous aurez les trois fauteuils par-dessus le marché.[51]

— Ce bahut m'est nécessaire pour un tableau. D'où vient-il?

— Je ne sais pas. Il m'a été vendu par un de mes confrères. Les fauteuils aussi. Il a gardé quatre candélabres qu'il croyait être en argent. Tout ça, dans une vente . . . il a acheté le lot pour les avoir. Mais je crois qu'ils sont en fer-blanc.[52]

Verona n'écoutait pas. Son cœur était heureux, calme comme un lac bleu après l'orage. Lorsqu'elle rentra au palais Menditte, son amant surveillait une casserole placée sur un réchaud à alcool.[53]

— A part Stanlo, le chat, le singe, tout le monde s'est enfui, expliqua-t-il avec douceur. La cuisinière, les bonnes en hurlant de terreur, les autres avec un peu moins de précipitation. Les meubles ont changé de place, les objets sautaient comme s'ils avaient été tirés de tous côtés par une folle. Mais, je t'assure, ajouta-t-il avec une sorte d'allégresse incompréhensible, tu auras quand même un bon diner, avec les nourritures indigestes qui ont nos préférences. Le pâtissier les a prises dans son four. Stanlo a rapporté deux kilos de bonbons.

Un froid terrible envahissait les pièces, toutes les vitres étant réduites en poussière. Verona prit la boule de caoutchouc que son amant avait remplie d'eau bouillante, la posa entre ses deux seins. Il s'agissait d'atténdre . . .[54] Vers huit heures du soir, le brocanteur entra, suivi de trois garçons étiques[55] que le poids des meubles ne semblait pas gêner. L'un d'eux portait en

---

[49] it is barely good enough to be used as a chickencoop [50] I am sold on it [51] into the bargain [52] tin [53] alcohol burner [54] it was a matter of waiting it out [55] emaciated.

travers, sur une épaule, le corps inanimé du mannequin de bois noir.

— Sur quel fauteuil faut-il le mettre? demanda Tot.

— Étends-le sur le lit.

Les meubles resplendissaient, comme s'ils avaient été passés au vernis.[56] Lorsque Verona toucha la main de son amant, ce dernier ressentit une secousse si violente qu'il faillit tomber. Il se rattrapa au bahut qu'on avait posé au milieu de la pièce; les deux portes s'ouvrirent, violemment poussées de l'intérieur, planches et clous jonchèrent le sol.[57] Le bahut contenait des livres, quelques vases intacts, c'était tout.

— Tiens! fit Tot, l'une des portes est plus épaisse que l'autre.

Un silence pesa sur la pièce: tout ce bruit pour rien ... Verona semblait anéantie. Le singe jouait avec les livres qui jonchaient le sol; soudain, il bondit sur l'une des portes du bahut branlant, se balança comme un enfant; la porte tomba dans un craquement. Furieux de s'être blessé, le singe arracha avec ses dents des morceaux de bois, des papiers, de longs clous qui, à l'intérieur de la porte, retenaient quelque chose ...

C'était un tableau représentant une femme sur un lit recouvert de brocart; ses deux nattes rouges flambaient près de son pâle visage, six petits chiens maltais dormaient à ses côtés; une forêt de gardénias ...

La vitre du cadre était étoilée,[58] par un clou posé jadis d'une main malhabile, un des éclats s'enfonçait profondément dans la petite tête recouverte d'un lambeau de cette dentelle qu'on nomme «blonde.»

Lorsque Verona Cagliari eut soigné le portrait, le calme revint dans le palais Menditte.

QUESTIONS

1. Quelle est l'atmosphère que crée ce décor du Parc aux Cerfs?
2. Que signifie l'apparition d'Isabelle?

[56] varnished   [57] boards and nails lay scattered about the floor   [58] the glass within the frame was shattered.

3. Qu'est-ce que René découvre dans le vieux pavillon?

4. Que signifie le serpent d'or au doigt d'Isabelle? Expliquez son rôle dans le conte.

5. Quelles sont les deux couleurs qui jouent un rôle dans le conte et quelle est leur signification?

6. Qu'est-ce qui indique que Lise Deharme condamne certains aspects de la vie moderne?

7. Relevez les passages qui manifestent l'humour de l'auteur.

8. Pourquoi les membres de la famille de la duchesse Menditte sont-ils tous morts?

9. Pourquoi Verona éprouve-t-elle un sentiment d'union avec la morte?

10. Pour quelle raison Verona achète-t-elle le Palais Menditte? A votre avis, la raison que l'auteur semble nous indiquer est-elle la vraie?

11. Quelle est l'atmosphère qui se crée peu à peu autour de Verona? Comment réagit-elle à cette atmosphère?

12. Quel est le rapport entre le mannequin articulé et la morte?

13. Pourquoi y a-t-il la poupée aux nattes rouges devant le bahut portugais?

14. Quels sont les «signes» qui réapparaissent le long de l'histoire pour diriger Verona?

15. Pourquoi le tableau est-il resté si longtemps caché?

16. Décrivez le personnage de Verona.

17. Comment s'y prend l'auteur pour introduire le mystère dans le cadre de la vie réelle?

Noël Devaulx

Noël Devaulx est né en 1905 et son nom est surtout devenu familier aux amateurs de littérature délicate et fantastique après la Seconde Grande Guerre. Il est admiré avec ferveur par les lecteurs qui préfèrent au réalisme brutal ou au roman lourdement philosophique une tradition poétique et parfois visionnaire. Le conte qui suit rappelle parfois Mérimée, lui aussi chercheur de vieilles statues et aimant à prêter aux pierres une existence imaginaire. Noël Devaulx préfère les contes et les nouvelles au genre plus laborieux et pesant du roman. Sans nulle morbidité, il semble percevoir en toutes choses la présence de la mort, dotant la vie de tragique. Les titres de ses recueils de nouvelles sont *L'Auberge Parpillon* (Gallimard, 1945), *Le Pressoir mystique* (Éditions du Seuil, 1948), *Sainte-Barbegrise* (Gallimard, 1952). La nouvelle donnée ici, «Euphémisme,» est tirée de *La Dame de Murcie* (Gallimard, 1961).

Ce titre mystérieux d'«Euphémisme» est celui d'une mystérieuse nouvelle. Un amateur de statues à la sensualité trop vive y apprend à ses dépens que les statues vivent aussi.

Il faut admirer l'auteur pour l'art avec lequel il suggère sans insistance le scabreux ou le fantastique: Euphémie lui est présentée dans un salon orné de glaces où tout—et notamment le nombre et les allures de ses compagnes—suggère bien autre chose qu'un boudoir de vieille châtelaine . . .

Inquiétante châtelaine, d'ailleurs, que cette «demi-folle»: ne serait-elle pas quelque peu sorcière? Comment s'expliquer, sinon, la lueur de triomphe que le narrateur lit dans ses yeux le soir fatidique où il vient chercher sa statue? Et qu'elle meure juste après cet enlèvement (fait que le narrateur ne découvrira que beaucoup plus tard) pourrait laisser supposer, entre la statue trop vivante et elle-même, on ne sait trop quel mystérieux échange d'identité . . .

NOËL DEVAULX

Sur les vieux mythes de Pygmalion et du succube, mêlant paganisme et christianisme, Noël Devaulx a construit une nouvelle quelque peu déconcertante, mais fort poétique. Rien n'y est jamais dit: l'auteur se contente de laisser entendre le pire. Le fantastique y gagne beaucoup, ainsi que la poésie: l'un et l'autre aiment le mystère et l'imprécision. Imprécision des faits, non des mots, car Noël Devaulx écrit au contraire dans un langage extrêmement choisi. Sa langue est raffinée, abstraite, difficile. Un certain goût pour la formule précieuse, voire archaïque, en rendra peut-être la lecture quelque peu ardue au lecteur américain. Mais s'il ne se laisse pas rebuter, il admirera sans doute l'élégance et l'humour avec lesquels sont décrits les rapports équivoques du narrateur avec l'idole ensorcelée. C'est ce dosage subtil de l'humour et de l'inquiétude qui fait le charme de cette étrange nouvelle.

EUPHÉMISME

MA PASSION pour les statues était alors en son plein feu. J'occupais dans les Contributions[1] un poste, enviable certes, assuré d'un avenir brillant, mais qui, pour le moment, ne me permettait pas de fréquenter les antiquaires. *[antique dealers]* Et cependant, Dieu sait si je scrutais leurs devantures dans l'espérance de voir se dresser au milieu des cuivres et des faïences une sainte campagnarde, la jupe empesée, les joues rebondies *[plump]*; et là, les mains en abat-jour, je restais en extase, détaillant la coiffure, les colifichets *[trinkets]*, m'attardant—j'étais dans la fraîcheur de l'âge—à la rondeur des hanches, à l'attache *[fastening]* exquise de la gorge. Si bien qu'une figure de sorcière[2] ne manquait jamais de sortir du recoin le plus obscur, et pour m'épargner *[spare]* un marchandage contraire à ma libéralité naturelle, je m'éloignais encore plus anxieux et, s'il se peut, torturé d'un désir encore plus précis et moins supportable.

[1] the Internal Revenue Service   [2] an antique dealer as old and ugly as a witch.

Ces viles entremetteuses reconnaissent du premier coup d'œil l'amateur authentique. A dire vrai, elles ne se survivent que pour lui, et la plupart, si on les confessait, avoueraient une carrière galante dont la boutique d'antiquités est le couronnement raffiné, comme le magasin de modes dans une société moins choisie. Aussi les voyez-vous écumer le pays avec l'acharnement des janissaires et ce serait miracle qu'à dix lieues à la ronde, la Vierge la plus rébarbative subsistât dans la niche d'un oratoire champêtre à moins d'exposer de répugnantes mutilations.

Mais j'avais alors l'avantage de visiter des bourgades retirées où ces trafics honteux n'avaient pu étendre leurs ravages, et il n'était pas rare d'être accueilli par un gracieux minois encore en place sur le pignon d'une auberge ou le dosseret d'une fontaine. Il m'arriva ainsi de découvrir dans une modeste paroisse une famille de statues des plus originales, dont les attitudes contrastées, les proportions bizarres manifestaient un génie rustique qui avait sans doute essaimé dans toute la région.[3] Un Saint-Roch, un Saint-François-Xavier eussent, à eux seuls, mérité une minutieuse analyse, mais je restai muet[4] devant une madone dotée d'une coiffe plate, occupée à lutiner un gros poupon, et surtout une sainte inconnue, à l'étroit dans son corselet et nullement assombrie par le lion affamé qui ne la quittait pas des yeux.

Les costumes, une certaine rondeur dans les gestes, dénotaient le milieu du XVIIᵉ siècle. Ces sujets, habillés d'or fin, reposaient sur un sol noir sans épaisseur, contrastant avec les socles majestueux de la période suivante. J'étais littéralement ensorcelé et mes longues stations à l'église me valurent une réputation de piété dont je ressentais l'équivoque.

Entre-temps, je battais le pays, à l'affût des plus humbles pèlerinages où j'espérais rencontrer des sœurs du même sang. Je surpris un grand nombre de ces chapelles au détour d'un torrent, surplombant le ravin, assorties d'un cimetière grand comme la main. Certaines s'éveillaient une fois l'an, environnées d'une foule paysanne, de constructions précaires, pâtisseries,

---

[3] The works of that sculptor have been scattered all around the village in the nearby countryside.   [4] silent with admiration.

buvettes, boutiques de chapelets et d'images. D'autres s'étaient pour toujours endormies. Et ces dernières m'offraient les chances les plus sérieuses d'assouvir ma passion sans déroger. Aussi n'en laissais-je aucune, qu'elle [5] ne m'eût livré ses derniers secrets. Les sacristies ruinées conservaient des débris d'ornements, des peintures pourries. Hélas! les saintes avaient déserté une retraite aussi démunie, et je rentrais à mon auberge, fourbu, déçu, les cheveux emmêlés de toiles d'araignées, les vêtements souillés par les chauves-souris, mais ne songeant qu'à faire coïncider, le lendemain, dans mon enquête professionnelle, les géographies fiscale et monumentale du terroir. [6]

Trouvais-je, [7] au prix de tant d'efforts, quelque fausse prude de Saint-Sulpice ou l'une de ces austères matrones à toge noire semée d'étoiles dont le Second Empire décora les autels, ces bigotes ne faisaient qu'exaspérer ma soif. Faiblesse insigne, je me reprenais alors à rôder autour de l'église. Un soir, j'avais de nouveau cédé au démon et je me trouvais aux pieds de ma sainte, quand je me sentis tiré par un bras. Ma surprise fut telle que je me levai et perdis l'équilibre dans un fracas de bancs renversés.

Derrière moi se tenait une femme certainement très âgée, mais à qui les artifices les plus éclatants procuraient une jeunesse hideuse: courte et extrêmement forte, elle montrait des épaules largement découvertes, et ses bras, d'une blancheur de lait, sortaient d'une ruche de tulle mauve qui tenait lieu de manches. Sous une chevelure de feu, le visage, dépourvu de toute expression, avait acquis le grain de la pierre, [8] grâce à l'épaisseur du fard, et les paupières violettes demeuraient à demi baissées.

— Pardonnez-moi, me dit-elle rapidement, de troubler votre méditation, mais je crois voir que vous portez à sainte Euphémie un intérêt des plus sérieux, et j'en suis touchée au-delà du possible.

Et comme, éberlué, je réprimais un geste de dénégation:

---

[5] *que* means here *avant que* or *sans que* [6] He tries to conciliate his work for the Internal Revenue Service and his passion for statues by visiting places which have at the same time fiscal problems and old churches and chapels. [7] *trouvais-je: si je trouvais* [8] a grain comparable to that of stone.

— Nullement, nullement, fit-elle avec chaleur, je viens souvent moi-même me recueillir à cet endroit, et là, eh bien ... j'attends aussi, j'espère ... Tantôt la sainte me fait signe comme elle vous faisait à l'instant, tantôt je n'obtiens qu'un sourire, mais il est rare que je la quitte sans un encouragement.

Sur ce, elle s'assit près de moi et me raconta une histoire confuse que je dus subir sans placer un mot. Le ton était châtié, avec une pointe de préciosité [9] qui n'était pas sans charme. La dame avait été de bonne compagnie et bien qu'en maint passage, ses confidences se ressentissent d'une imagination maladive, [10] elles ne manquaient pas d'intérêt, plusieurs de ses nombreux amants ayant tenu leur rôle dans la confusion politique du début du siècle.

Son mari, dont elle avait fait le seigneur du village, avait dissipé au jeu et en beuveries une fortune terrienne appréciable. Les circonstances de sa mort me parurent troublantes, et louche l'obligation où se trouvait la veuve de verser encore aujourd'hui une lourde pension à une ancienne servante. Les détails se sont, je l'avoue, brouillés dans mon souvenir, d'autant plus aisément que j'étais plus sensible au ton général de la confession et à l'extraordinaire spectacle de cette demi-folle, en gants de soirée, étalant sur les bancs noircis d'une église rurale une robe à traîne dont le velours saumon s'ornait de toute une passementerie de brandebourgs et de cordelières à longs glands.

Au surplus, ces chroniques de l'intérêt et de la galanterie se virent radicalement privées de leur attrait quand la vieille dame m'eut avoué sa passion pour sainte Euphémie. Certes, on pouvait trouver à sa faiblesse des raisons de poids: les annales de sa famille se confondaient avec celles de cet antique pèlerinage; le prénom y était de règle; la galerie d'ex-voto [11] qui retraçaient la sollicitude de la vierge martyre pour les siens eût pu tenir lieu de généalogie. Il n'en restait pas moins qu'une sensualité, dont les écarts passés n'avaient pas épuisé la force, nourrissait secrètement les images ambiguës par lesquelles elle tentait de me faire saisir la profondeur de son attachement.

Enfin ses aventures, les histoires de valets complaisants, de

---

[9] a touch of preciosity [10] although a sickly imagination was to be felt in her confidences [11] the gallery of votive tablets.

testaments sollicités, et sa dernière conquête, le psychiatre de qui ses neveux espéraient obtenir son internement, j'oubliai tout ce mélodrame lorsque j'appris incidemment qu'elle possédait plusieurs statues de sainte Euphémie, et nous nous séparâmes, chassés par les dévotes qui venaient au salut,[12] sur ma promesse de lui rendre visite.

Elle avait conservé une maison de garde attenant aux communs du château dont un marchand de draps s'était rendu acquéreur, et là, elle avait accumulé les vestiges de son ancienne splendeur. On n'eût pas imaginé pareil fatras où un œil averti discernait maint objet de prix, mais perdu dans un entassement de meubles rococo, de bronzes, de lampadaires et de pendules. Des plantes vertes et des animaux empaillés tentaient de maintenir une référence à la nature, tandis que, dans le jardinet, j'avais été frappé par les débris de verre jonchant allées et massifs comme si toute la verrerie du château eût été sacrifiée d'un seul coup, au terme d'une ultime orgie.

Une pièce dénotait un réel effort dans la décoration, et c'est là que je fus prié de m'asseoir pendant que l'hôtesse me dévorait des yeux, guettant l'effet de ses aménagements. C'était une sorte de boudoir où se trouvaient sans doute réunies toutes les glaces du château, provoquant d'interminables perspectives autour d'un canapé et d'un fauteuil tendus de velours garance. Un tapis d'Orient, une lampe de mosquée rutilante et un brûle-parfum qui répandait des effluves composés, achevaient de créer un monde clos, d'une niaiserie comique, derrière les volets calfeutrés avec soin. Devant moi paradaient les statues. Elles étaient de taille à peine inférieure à la moyenne des femmes. Chacune avait choisi[13]—l'artifice était évident—l'orientation qui convenait le mieux à son type, à sa corpulence, confiant aux miroirs l'aveu de telle insuffisance, une tache dans l'incarnat des chairs, ou ce pli disgracieux, une main que des jeux dangereux avaient privée de son index . . .

L'une avait un geste enfantin pour relever légèrement la jupe qui découvrait à peine un chausson ouvragé et une cheville

---

[12] the devout women who were entering church for benediction   [13] This implies that the statues are able to make a conscious choice.

exquise. Des autres pensionnaires je n'ai pas gardé un souvenir durable : c'étaient, autant que je puisse dire, des filles saines et robustes, dont les parures soulignaient la vulgarité. Aucune ne se rattachait à la génération baroque de l'église. Je fus immédiatement conquis par la première, et sans retour [14] : lourde effigie de pierre aux cheveux tressés, à la gorge bien prise sous une résille de perles. Le grès avait acquis une patine ocre jaune d'une chaleur inespérée. Les bras étaient pleins, sans excès. La même maturité se voyait dans l'épanouissement des hanches. Mais, j'en conviens, ces perfections le cédaient encore à une singularité autrement suggestive : alors que ses compagnes étaient violemment coloriées et que des plaques d'un rouge grossier éclataient sur un teint marqué par la vie nocturne, celle-ci méprisait les fards et les crayons. Son visage, renonçant aux expressions faciles, s'était entièrement refermé sous un grain de peau qui appelait les lèvres. Seules s'ouvraient les paupières finement ourlées, [15] mais sur des yeux sans iris, et cette cruelle absence attirait le regard, créant dans les profondeurs de l'être un vertige insurmontable. Après cela, les écharpes d'or et de vermillon dont les autres sujets rehaussaient une modestie calculée, n'étaient plus que vains artifices auprès des brocarts qui affublaient la belle, surchargés d'orfrois et de pierreries, mais soigneusement, méticuleusement décolorés.

La vieille dame exultait avec si peu de retenue que je m'arrachai un instant à ma contemplation pour insinuer que cette figure, admirable sans doute, devait provenir d'un retable ou d'un sépulcre et que sa parenté avec sainte Euphémie ne me semblait pas assurée. Du reste, le socle montrait encore des redans [16] dont on pouvait conclure qu'elle était détachée d'un groupe.

Sur quoi mon interlocutrice fut prise d'une grande agitation : « Je pourrais vous répondre, fit-elle non sans aigreur, et je solliciterais à peine les faits, que cette jeune femme m'a été confiée tout enfant et que je l'ai vue s'épanouir chaque jour sous ma tutelle. Mais, vous le concevrez, ces matières sont trop

[14] once and for all   [15] delicately rimmed eyelids   [16] on the base of the statue, one could still see foils.

délicates pour être précisées, et je me contenterai de soumettre à votre discrétion des témoignages dont le nombre et le poids . . .» Elle se leva sans achever sa phrase et, négligeant mes dénégations, passa dans la pièce voisine où je l'entendis froisser rageusement des papiers tandis que je me repentais d'une intervention aussi inopportune.

Les choses s'arrangèrent cependant mieux qu'on eût pu l'espérer: les documents qu'elle me tendait, comptes de régisseurs, inventaires . . . n'avaient nullement trait à sa belle pupille, mais je pris le parti de les étudier avec l'attention d'un chartiste.[17] Au fur et à mesure que j'avançais, je tâchais d'exprimer une conviction de plus en plus ferme, un étonnement joyeux. Un acte de cession de pré, remontant à 1840 et faisant état d'une servitude de passage,[18] me trouva définitivement acquis aux arguments de la partie adverse, à sa grande satisfaction.

Restait l'essentiel et le plus ardu de ma stratégie. Là encore, tout se révéla d'une étrange facilité. J'insinuai à voix basse, et cette fois sincèrement émue, que j'enviais l'heureuse propriétaire de la jeune beauté. Je n'avais pas achevé que la merveille m'appartenait, et je fus au comble de la surprise quand, le moment venu de parler affaires, et alors que je m'inquiétais dans mon for intérieur des conséquences de ma passion, la vieille châtelaine se montra blessée au dernier degré d'une insistance aussi grossière et je vis le moment où, de nouveau, tout était compromis. Le soir tombait lorsque je me retrouvai sur le seuil, piétinant du verre pilé, empêtré dans mes remerciements et annonçant mon retour prochain, accompagné d'une carriole.

Or, j'éprouvai quelque difficulté à trouver un charretier. De plus, si violent que fût mon désir, je dus terminer mes travaux administratifs avant de quitter définitivement la contrée. Une semaine s'était écoulée quand je revins frapper à la porte du

[17] a graduate of the École des Chartes, the famous French School of Paleography, trained in deciphering old charts and documents [18] legal expression meaning that the owner of a piece of land must give right of way to his neighbors.

7 4

pavillon. Le changement dans les traits de ma bienfaitrice m'épouvanta. Sans doute avais-je tardé et n'était-elle plus préparée à recevoir ma visite. Mais l'altération du visage provenait d'autres profondeurs qu'une négligence dans l'artifice. C'était un véritable effondrement et les traces de fard ne faisaient qu'accuser la ruine.

Je ressentis la plus vive répulsion à baiser la main qui me fut tendue: éloignement physique sans doute, mais aussi le soupçon d'avoir passé trop aisément sur des obscurités malsaines. Et quand le charretier, dont le cheval n'avait pu s'aventurer sur les tessons, m'aida à porter la jeune femme enveloppée dans une couverture, je crus discerner dans les yeux de la vieille un éclair de triomphe alors que ses traits ravagés [19]—la chose me parut aussitôt évidente—étaient bien incapables d'exprimer la moindre émotion.

Nous mîmes un peu plus de la nuit pour parvenir à la ville.[20] La voiture était un petit break rustique dont j'avais arrangé les bancs de manière à m'allonger, la tête sur l'un de mes sacs. Près de moi reposait la statue. Les lacis de la route découvraient un chaos rocheux dont les jeux de la lune et des nuages bouleversaient sans cesse la structure. Que [21] le cheval peinât pour reprendre la rampe après un tournant difficile, ou qu'aidé par un frein brutal et criard il retînt le véhicule dans la descente, son extrême lenteur faisait du voyage une reconnaissance minutieuse où l'imagination se permettait les chemins les plus périlleux. Les rares villages, farouchement recoquillés sur leur rocher, laissaient deviner leur économie familière: un clocher à arcades, parfois une tour romane, en marquaient l'ombilic. Quelques platanes, le campanile de la mairie, suffisaient à rétablir par la pensée la vie commune en ce moment paralysée par le sommeil. Une forteresse en ruine, une arche fragile arc-boutée sur l'abîme, soulignaient la monotonie grandiose des gorges.

Le conducteur chantait à pleine voix pour conjurer l'engourdissement, mais l'interminable complainte était pour moi lettre morte [22] et s'accordait avec le bruit du torrent invisible, le

[19] her face lined with wrinkles   [20] It took us a little more than the night to reach the city.   [21] *que ... ou que:* whether ... or   [22] was Greek to me.

NOËL DEVAULX

crissement des roues, le souffle du cheval pour composer la trame sonore à laquelle je sentais ma vie suspendue, et que seuls déchiraient l'appel d'une chouette ou le cri du busard.

Si la magie des profondeurs me sollicitait jusqu'à la nausée, je n'avais d'apaisement que dans un ciel mouvant où les constellations se désagrégeaient sans répit.[23] Un profil de pierre veillait à mes côtés, insensible à ces prestiges nocturnes, et quand je me laissais aller à la torpeur, le nez un peu court et renflé, la douceur du front me surprenaient à chaque réveil.

Sans doute mes impressions se situaient-elles aux frontières du rêve: il m'arrivait de ressentir sur ma poitrine une extrême pesanteur, et j'en conservais l'illusion tenace que ma compagne avait abandonné sur moi un bras alourdi de sommeil. Pour confirmer ces impressions vaines, je trouvais alors la couverture défaite, dégageant l'épaule nue, et, tout en m'accusant d'enfantillage, j'entreprenais de la recouvrir avec d'infinies précautions.

Enfin je m'endormis pour de bon comme le jour se levait, et ne m'éveillai plus que dans les soubresauts et le vacarme des faubourgs.

Je me donnais, à cette époque, tous les dehors d'une vie comblée par la camaraderie, les soirées au café dans les odeurs de pipe froide, et, pour soutenir l'intérêt des cartes, les conseils facétieux des doublures du corps de ballet.[24]

J'avais depuis longtemps dilapidé mon héritage et ma dépense était strictement mesurée. Cependant, je me laissais fréquemment entraîner par un certain besoin d'ostentation, de faste, et j'assumais des charges qui excédaient mes possibilités mais dont je me faisais une obligation sociale. Ainsi, j'étais le seul de ces bons vivants[25] qui possédât un véritable appartement, petit, mais confortable. J'aurais rougi de me soustraire aux conséquences de cette situation et le groupe se réunissait chez moi aussi souvent que nous ressentions l'urgence d'un décor plus intime. Cette habitude, dont le côté flatteur ne me laissait pas insensible, me trouvait d'autant plus démuni que

[23] ceaselessly, without respite   [24] the understudies of the corps de ballet   [25] those jolly good fellows.

7 6

Euphémisme

je préservais jalousement mon célibat de toute mainmise: je
décourageais les demi-vertus[26] qui rêvaient de jouer aux
maîtresses de maison. Je n'avais donc à essuyer que les remontrances d'une femme de ménage,[27] et c'était un faible rempart
contre les exigences de l'amitié.

Toujours est-il que[28] l'installation d'Euphémie (dont je
conservais le nom par paresse) ne se heurtait à aucun privilège.
Je pus choisir la place de la nouvelle venue au terme d'une suite
d'essais et de repentirs sans m'attirer d'autres avanies que de
graves considérations sur les affinités des statues avec la
poussière. Euphémie se tint désormais au fond du vestibule, se
détachant sur un tissu grenat foncé,[29] presque noir, qui, surtout
aux lumières, relevait encore une chair si chaleureuse. A peine
eus-je mis la dernière main[30] à mes dispositions que l'un des
bras qui épousait la taille me parut sensiblement plus infléchi,
et la main plus ouverte que je ne l'eusse pensé. Au même instant
je me remémorai les impressions confuses de ce voyage en tête à
tête, bien entendu pour en sourire à mes propres dépens.[31]

Mon existence assimila sans changement apparent cette
présence si ardemment souhaitée. Il se trouva bien quelques sots
pour risquer ou applaudir une plaisanterie facile, mais j'eus
mainte occasion de vérifier avec plaisir quel effet produisait une
rencontre avec la recluse. Mes charmantes visiteuses en demeuraient saisies, même si la rumeur publique avait défloré la
surprise.

Pour moi, la fraîcheur du premier contact se renouvelait à
chaque retour de mes enquêtes dans les campagnes. Ce sentiment de nouveauté était si vif que je ne pouvais éviter de
rechercher quel infime changement s'était produit en mon
absence: un pli, l'ardillon d'une chaussure, une mèche de
cheveux déplacés. J'attribuais cette impression à une orientation
un peu différente et c'était l'occasion d'amusants conflits avec la
femme de ménage.

Il faut avouer que celle-ci avait depuis peu des sujets plus
graves de querelles. J'avais atteint rarement pareil gâchis dans

[26] the fast girls   [27] a charwoman   [28] the fact remains that   [29] a dark
garnet-red fabric   [30] the finishing touch   [31] to laugh at myself.

7 7

mes horaires et ce n'était là qu'un aspect secondaire d'un désordre plus profond. Dans ce que j'appellerai le cycle de l'âge et du tempérament, je traversais une passe difficile.[32] Je m'abaissais jusqu'à certains établissements dont m'éloignait de coutume un souci de décence, et je dirai, pour user des voiles de la poésie, que je mettais alors la plus sûre allégresse à

> . . . baiser la vile matière,
> la matière au front de taureau.

Les réunions de notre petite société se ressentaient de mes débordements et il nous arrivait de tomber dans l'orgie.

Un jour que je recevais des actrices en tournée[33] en même temps que les fêtards habituels, j'eus le désir de les surprendre, et je visitai les modistes et les couturiers dans le dessein de vêtir Euphémie avec faste et fantaisie. Je dois avouer que ces emplettes m'amusèrent follement. Je poussais à bout les vendeuses par de minutieuses exigences pour le plaisir de m'entendre enfin conseiller d'amener la demoiselle.[34] La lingerie fine, les bas et les faveurs portèrent ma satisfaction à son comble, et je rentrai chargé de tout ce que la femme la plus raffinée eût convoité pour rehausser ses charmes. Je dus modifier moi-même nombre de pièces pour triompher de ces membres rebelles, et dissimuler ensuite les coutures sous de nouveaux arrangements. Je m'interrompais pour courir à la recherche d'un fil de couleur, d'une aiguille . . . Mais je fus si bien pris à mon propre jeu que les difficultés me stimulèrent, loin de décourager mon incompétence et qu'à l'heure dite, ma belle était magnifiquement parée. J'avais trouvé un vaste chapeau dont la vannerie[35] était si légère qu'elle semblait constamment disposée à frémir. La jupe, d'un jaune orangé, éclatant, enveloppait dans ses plis une flore énigmatique. Mes travaux les plus secrets concouraient au chef-d'œuvre et, en me défendant de toute insistance maladroite, j'avais drapé le corsage de façon à laisser entrevoir les dessous délicats.

---

[32] I was passing through a critical period   [33] on tour   [34] The shopgirls tell him to bring "the young lady" with him.   [35] Vannerie means here "straw" rather than "basketwork."

Euphémisme

Vraiment, le succès fut considérable. Je recueillis—et au-delà—les éloges que ma peine avait mérités. J'avais dissimulé le socle de sorte que les pieds paraissaient posés sur le sol, et mes invitées marquèrent de longues hésitations où je trouvai ma meilleure récompense. Et il faut convenir que sous les ailes du grand chapeau, le visage au regard absent empruntait à la lumière, à l'éclat des tissus, une vivacité frappante.

On le conçoit, ma recluse resta le génie de toute la soirée. Elle inspirait sans cesse une ironie charmante à nos marivaudages[36] et, par quelque biais,[37] les galanteries les mieux tournées lui revenaient toujours.

J'avais enlevé les portes entre le salon et l'entrée pour qu'elle pût de sa place présider à nos ébats. Le calcul était bon: la liberté des femmes et la chaleur des vins[38] n'eussent pu à elles seules porter à ce degré les complicités amoureuses. La dernière image que j'en eus avant de sombrer moi-même dans l'oubli, ne pouvait être à cet égard plus satisfaisante: embellie de tant de soins, rehaussée et comme enflammée par sa merveilleuse parure, elle régnait véritablement sur les apparences de la mort.

Aussi, quand à l'aube les derniers invités se furent dérobés dans la confusion, et que je me retrouvai seul, mal dégagé d'un sommeil particulièrement lourd, il me fallut vaincre une frayeur panique: l'effigie qui m'apparaissait dans le demi-jour était entièrement dépouillée. A ses pieds, lambeaux de vêtements, soieries lacérées, débris de paille et de plumes intimement mêlés au désordre, voilà ce qui restait de tant de patience et d'art. Ses doigts retenaient encore des bribes de dentelles.

Il va sans dire que des embarras domestiques m'attendaient à l'issue de[39] cette agréable soirée. Et ce souci, déjà exécrable à lui seul, je dus le subir, associé aux ennuis d'argent qui ne manquèrent pas de sanctionner pareille dépense.

Et puis les malveillants jasaient. Ces ragots, qui m'avaient amusé longtemps et dont l'affabulation revêtait souvent des formes piquantes, me devinrent d'autant plus pénibles que mon

---

[36] refined and witty flirting (as in the plays by Marivaux) [37] some way or other [38] the pleasant glow one experiences when drinking wines [39] after.

7 9

caractère s'aigrissait de [40] traverses plus sérieuses. Mes préoccupations secrètes m'absorbaient au-delà de ce qui est plausible et j'en reconnaissais les mauvais effets sous de menues, mais fréquentes, négligences professionnelles. Un grave avertissement me parvint enfin d'un homme dont la sincérité était assurée. Ce fut dans cet excès d'humiliation que je trouvai l'énergie nécessaire pour rompre un lien dont je ne pouvais plus me dissimuler la force.

Je refis dans la même carriole un voyage déjà ancien, qui m'était cruellement présent par ses circonstances troublantes, mais cette fois je demeurai penché sur le visage de pierre, et les prestiges de la montagne ne purent détourner mon regard. L'image de la vieille folle que j'allais revoir s'interposait dans ma contemplation au point d'en altérer la source. Cet échange ne dénaturait totalement ni les traits ni les formes, et le passage de la beauté à la hideuse vieillesse, de la vie dans sa fraîcheur à la mort atteignait à une confusion insoutenable.

Je n'étais plus bon à grand'chose quand, de nouveau, j'entendis sous mes pas le froissement du verre brisé et que je frappai à la porte. Un paysan m'ouvrit et, un instant, je crus à une méprise tant l'intérieur que j'apercevais était différent. Mais non : la vieille châtelaine était morte. A comparer les dates, ce devait être aussitôt après mon départ. Dans les yeux de l'homme se lisait une méfiance qui décourageait les questions. Je m'enquis ailleurs d'un carrier qui pût, d'un coup de masse, anéantir l'idole. J'aurais peut-être dû assumer moi-même cette tâche, mais le courage m'abandonna à l'épilogue.

Du reste, tout cela est loin. Je suis âgé, marié, père de plusieurs enfants. Il paraît que dans mon sommeil, il m'arrive d'étreindre avec force le bras de ma femme et d'articuler d'une voix angoissée : «Il faut arracher la peau des statues . . .» et autres objurgations dont le sens lui est totalement étranger.

Aussi n'ai-je pas de souci plus secret que d'échapper aux tentations de la mémoire, et me suis-je délivré dans cette espérance. [41]

[40] *de : à cause de* [41] The last sentence means that the narrator hopes to conjure away unpleasant memories by telling them once and for all.

1. Expliquez le titre de cette nouvelle et la raison de l'épigraphe de Littré.
2. Quels avantages l'auteur retire-t-il de son emploi de la première personne du singulier pour un récit de ce genre?
3. Caractérisez l'humour avec lequel le narrateur décrit ses expéditions en quête de saintes de pierre.
4. Comment est décrite la vieille femme qui aborde l'admirateur de Sainte Euphémie? Quel caractère est révélé par son costume et ses manières?
5. Ces statues accumulées chez la vieille dame semblent des personnes réelles. Comment l'auteur s'y prend-il pour produire cet effet?
6. Pourquoi sa propriétaire donne-t-elle sans hésiter la statue à son admirateur?
7. Où le narrateur dispose-t-il la statue après l'avoir transportée? Quel dérangement cette présence mystérieuse apporte-t-elle dans sa vie?
8. Qu'arrive-t-il à la statue que le narrateur avait habillée avec recherche et parée pour sa réception?
9. Qu'est-ce que l'auteur décide de faire en fin de compte avec sa troublante statue?
10. Le dénouement de cette nouvelle vous paraît-il satisfaisant, ou souhaiteriez-vous voir le mystère élucidé davantage?

Pierre Gascar

Huit ans de vie militaire sous toutes ses formes imaginables: caserne, [*barracks*] guerre, camp de prisonniers, deux tentatives d'évasion, camp disciplinaire ... Après cela, il est difficile de ne pas être marqué par l'absurdité du monde, par la sottise possible des hommes, par la brutalité des forces animales qui sont aux aguets [*on the watch*] dans tous les coins de l'univers. C'est ce qui est arrivé à Pierre Gascar, c'est ce que reflète une grande partie de son œuvre.

Né en 1916 à Paris, Pierre Fournier (Gascar sera son pseudonyme d'écrivain) doit, tout jeune, quitter Paris pour s'installer dans une ville du Sud-Ouest où il connaît une vie assez misérable. Cette première phase de sa vie, il l'utilisera dans son roman *La Graine* (1955). De retour à Paris, adolescent puis jeune homme, il est mêlé au monde des petits employés. Ceux-ci, jeunes et heureux d'être jeunes, mais aussi déçus et révoltés, entrent «le cœur vide» dans la guerre de 1939. Cette seconde étape de sa vie, il la transposera dans un autre roman, *L'Herbe des rues* (1956). La deuxième guerre mondiale s'achève, pour Gascar, dans un camp de représailles allemand près de Lvov, en Ukraine; il en est libéré par l'Armée Rouge en 1945. La vie atroce des camps, il nous la racontera dans un long récit intitulé *Le Temps des morts* (1953), et aussi dans la nouvelle «Les Femmes» contenue dans le recueil du même nom (1955). L'après-guerre le voit devenir journaliste, écrivain, reporter.

«Les Chevaux» font partie du recueil de nouvelles intitulé *Les Bêtes* (1953). Et c'est bien de bêtes et de bestialité qu'il s'agit dans cette histoire. Comme ces bêtes, vues par Gascar, ne sont pas les êtres presque humains auxquels nous ont habitués les écrivains animaliers (Rudyard Kipling, Colette, André Demaison, etc. ...), elles constituent un monde prodigieusement éloigné du nôtre,

hostile et menaçant, animé d'une force brute et gigantesque qui nous
échappe et nous attire à la fois. Les chevaux de Gascar sont essentielle-
ment croupes, naseaux, sabots, surgissements d'une matière vivante
qui est capable de souffrir, mais dans des termes différents des nôtres.
Ils forment masse ou s'individualisent pour un instant selon les traite-
ments que les hommes ou les éléments leur font subir. Seulement, et
c'est là le drame qui se déroule dans cette histoire, il y a peut-être
des rapports possibles entre les deux mondes. La violence, d'abord :
il suffit de frapper juste, et la bête reconnaît son maître, dans la
terreur ; et du même coup, l'homme révèle sa propre bestialité. Et
aussi, il y a le vertige, l'envoûtement auquel s'abandonne Peer, notre
héros. Séparé des autres hommes par une distance qu'il a lui-même
en grande partie établie, Peer rencontre les chevaux, est frappé par
leur monstrueuse présence, et s'enfonce dans une sorte de cauchemar
qui est appelé tantôt destin, tantôt folie. En est-il complètement la
proie, ou bien, par son geste final, se libère-t-il comme il libère les
chevaux ? Cette nouvelle pose ainsi, sur la solitude, sur la révolte, sur
la démission ou le salut des hommes, quelques questions qui la
rattachent à bien d'autres œuvres modernes. Mais peut-être plus
que ces questions, c'est, malgré quelques rappels de Kafka, le ton, le
style et la vision de Gascar qui comptent : images tourbillonnantes,
traits d'observation que colorent des réminiscences mythiques ou
oniriques, atmosphère réaliste mais en même temps hautement
fantastique.

L'originalité de Gascar dans *Les Bêtes* lui a valu, au printemps 1953,
le Prix des Critiques, puis, l'automne de la même année, lorsqu'il y
eut ajouté *Le Temps des morts*, le Prix Goncourt.

LES CHEVAUX

U N ORAGE qui n'avait pas encore éclaté et qu'on avait vu
monter de l'est, une heure plus tôt, alors que le jour
finissait, obscurcissait la nuit. Les feuillages que Peer
devinait au-dessus de sa tête s'étaient tus ou ne s'éveillaient
plus qu'à de longs intervalles sous un souffle lent qui parcourait
la campagne comme une gamme,[1] faisait naître un sentiment
presque détaché des réalités terrestres, voisin de l'appréhension

[1] like a musical scale.

de la musique[2] ou du frémissement de l'inspiration. La pensée aussi qu'en cet instant, des milliers d'êtres écoutaient les premiers souffles de l'orage proche, donnait plus de solennité à la présence confuse et soudain soupirante de cette nature docile à son destin—cruel ou bienfaisant—encore couleur de nuit.

Ce doux pays, cet orage ... la guerre était déclarée depuis deux jours et, pendant ces dernières heures d'une vie qui n'avait pas tout à fait encore perdu le visage de la paix, les êtres, un peu sanctifiés par leur surprise, s'attardaient dans un état d'émotion simple et de silence, que bientôt, demain peut-être, remplaceraient la passion des faits et l'instinct du combat.

Peer ne se sentait pas seul au sein de cette nuit; après tant d'orages qu'il avait fait siens, qu'il avait fait se ruer sur sa tour solitaire,[3] il assistait enfin à un orage sur le monde, à un orage vers lequel toutes les faces de ses semblables et toute la face de la terre se tendaient. Seulement, il ne pouvait s'empêcher de penser que, par la suite, cette immense communion ne serait plus amenée que sous des symboles moins purs et demandant moins de passivité.

Il continuait de suivre l'espèce d'esplanade qu'on lui avait indiquée, et au fond de laquelle il distinguait maintenant les raies de lumière de quelque bâtiment aux fenêtres mal obscurcies[4] et, de temps en temps, un fanal,[5] ni près ni loin, au delà des abîmes de nuit devant lesquels les arbres semblaient s'arrêter soudain jusqu'à ce qu'un nouveau soupir ranimât le ruissellement de leur feuillage,[6] partout alentour, comme un gué dont il avait le bruit.[7] Il arriva enfin à l'endroit où finissait la voûte des arbres, traversa une route dont la blancheur le surprit: le ciel venait sans doute de changer. Peer pouvait distinguer une grande baraque[8] qui s'élevait à droite. Il hésita.

Il savait que, maintenant qu'il était arrivé, il devait «fatalement» s'adresser à quelqu'un, se présenter et se livrer aux formalités habituelles; il ne se décidait cependant pas encore, comme si la perspective[9] de ces simples gestes qu'il accomplirait

---

[2] comparable to an intuitive grasp of music   [3] that he had flung up on his tower of solitude   [4] windows not darkened enough   [5] a light   [6] the waterlike rustling of their leaves   [7] like a ford whose noise he could recognize   [8] nondescript wooden building   [9] prospect.

forcément et qu'au demeurant il tenait bien à accomplir, avait effrayé en lui une âme qu'il ne connaissait pas. Une fois cette porte poussée, une fois ce quart d'heure passé en face d'un homme penché sur des papiers, son destin marcherait sous des couleurs nouvelles, sa situation serait nette, son avenir ouvert. Il y comptait bien et non sans un obscur plaisir; seulement, un instinct farouche le retenait, un instant, au bord. Ce qui allait brusquement devenir son passé réclamait un délai: il n'y aurait donc jamais de trêve![10]

Il avait ainsi dépassé l'entrée du baraquement et se trouvait maintenant devant un vaste espace plus sombre au bord duquel, dans un ordre qu'il ne devinait pas, des arbres reprenaient.[11] Depuis quelques instants, à mesure qu'il approchait de ce verger, il percevait une rumeur étrange qui bientôt grandit, devint identifiable et le fit s'arrêter de surprise. Cela s'agitait et bruissait comme une mer qui se serait étendue devant lui. Des souffles profonds, des froissements, des hennissements[12] semblables à des espèces de sanglots, se mêlaient à des bruits de chaînes agitées, tandis qu'à mille endroits un piaffement[13] rapide résonnait sur la terre sèche de l'été et donnait un nom à l'odeur[14] prisonnière sous les arbres, dans la pesante mobilité de l'air.

Les sautes de vent[15] qui devenaient plus fréquentes depuis quelques instants et faisaient courir un soupir dans les feuillages noirs soulevaient chaque fois cette masse confuse, cet élément animal où, sans cela, aurait peut-être fini par s'établir, à défaut du silence, un rythme rassurant de repos. On entendait alors se heurter, à nouveau, plus violemment, d'invisibles corps gigantesques, mille chaînes bruire ainsi que les amarres dans un port houleux,[16] monter des hennissements désespérés, et l'odeur, dispersée, disparaissait un moment. C'était alors une force plus vaste et plus mystérieuse que la présence de cent chevaux qui se cognait ici aux troncs sourds,[17] faisait rouler les cailloux, enfermait sous ces arbres son inexplicable tourment.

Le premier éclair[18] révéla à Peer un mêlement de croupes[19]

[10] respite [11] again there were trees [12] whinnies [13] prancing [14] made the smell recognizable [15] gusts of wind [16] with surging waters [17] tree trunks that muffled the noise [18] lightning [19] rumps.

luisantes, de têtes chevalines, tendues dans cette torsion, ce rejet violent du visage vers l'épaule par lequel les damnés de l'enfer—quand passent le Dante et son guide—expriment leur curiosité désespérée, leur avidité haineuse. Un hennissement plus clair monta, auquel répondit un hennissement plus pur encore qui évoquait la nervosité coursière[20] et, si voisine, la fringance du plaisir amoureux.[21] Le vent qui s'était maintenant levé tout à fait brassait des feuilles[22] et établissait au-dessus de l'enfer chevalin un bruit long et sans faille,[23] une ardeur basse— brasier[24] ou mer—le climat de cette damnation. Des éclairs jetaient leur lumière d'un blanc bleu sur une cohue[25] de chevaux nus. Le tonnerre roula dans le ciel, convoya le vacarme[26] pendant une seconde et, très loin, des chevaux pleurèrent. Des gouttes de pluie commencèrent à tomber. Peer entendit du côté de la première vague de l'orage des hommes crier dans un bruit de galop.

Il revint alors sur ses pas en courant, retrouva la baraque et y pénétra; la lumière l'éblouit et le silence dans lequel il plongea lui rappela soudain la réalité. Un soldat était assis à une table:

— Salut.

Il interrogea Peer du regard:

— B 2?[27] Alors, c'est le sous-off.[28] à côté. Tu échappes de justesse[29] à l'averse.[30]

On l'entendait crépiter maintenant sur la mince toiture. Peer imagina l'affolement qu'elle devait amener parmi les bêtes, puis il se rappela ces chevaux ouvriers[31] laissés attelés sous la pluie, statues cirées à la tête un peu basse. Il se trouvait devant deux sous-officiers penchés sur leurs papiers.

— Ta feuille . . .[32] Tu as deux jours de retard . . . dit celui qui avait pris la feuille verte des mains de Peer sans lui accorder un regard.

Il avait saisi son porte-plume. Peer donnait quelques explications par pure politesse, voyant qu'on n'attachait aucune

---

[20] the nervousness of steeds [21] the spirited surge of sexual pleasure [22] stirred the leaves [23] continuous [24] blazing fire [25] throng [26] accompanied the uproar [27] Peer's classification in the army [28] (slang for *sous-officier*) noncommissioned officer [29] just in time [30] shower [31] work horses [32] your papers.

importance au fait qu'il eût apporté dans son départ pour la guerre la pondération,[33] l'esprit de mesure qui accompagnent l'exécution des grandes affaires bourgeoises.

— D'ailleurs, dit-il, il y a une erreur.

L'autre s'arrêta d'écrire, le regarda une seconde et revint à sa tâche.

— Oui, disait Peer, je n'ai pas été affecté à cette unité.[34] (Il avait fait son temps légal dans les camions.)[35]

L'autre le voyait bien; il faisait «oui» de la tête sans cesser d'écrire. Peer essayait d'expliquer à quoi il attribuait cette erreur, mais, à chaque instant, son discours était interrompu par une brève sonnerie de téléphone qui jetait le sous-officier sur l'appareil pendant au mur. Presque toujours, la main en conque sur le cornet,[36] le regard fixe, il répondait avec empressement, avec joie, comme s'il n'avait jusqu'alors vécu que dans l'attente de cette communication.[37]

— Je vous branche sur[38] le bureau du capitaine, criait-il.

Il manœuvrait des fiches[39] et revenait s'asseoir en faisant entendre un bruit de succion dans ses dents, satisfait. On entendait alors, très loin, tout au fond du bruit de l'averse, une voix grave, pleine de vides et, reprenant, plus grave encore . . . Non! Peer ne comprenait pas qu'on s'obstinât à l'affecter à des unités qui n'étaient pas celles où il était susceptible de rendre des services.

A ces derniers mots, le sous-officier eut un petit geste qui exprimait à la fois l'indifférence et l'agacement. «Il est des phrases qu'un soldat ne doit pas dire: une vieille humilité est requise chez l'homme de troupe,[40] sa valeur lui est dictée et il ne saurait,[41] sans fausser les règles du jeu, en avoir une nette conscience: à ce niveau—ton niveau, Peer—l'esprit de discipline et l'esprit de sacrifice sont soutenus par un constant sentiment d'indignité ou, ce qui est mieux encore, par pas de sentiment du tout.» Le sous-officier ne disait pas cela. Il disait «qu'on verrait plus tard,» qu'on écrirait à tel endroit, qu'en attendant, il serait

---

[33] levelheadedness [34] I have not been attached to this unit [35] He had done his military service driving trucks. [36] holding his hand like a shell around the receiver [37] telephone call [38] I'll connect you with . . . [39] plugs (on a switchboard) [40] private [41] he cannot.

affecté à la huitième section. Sentant l'air définitif que prenait cette incorporation, Peer voulut résister. Ne pouvait-on pas, en considération de sa situation fausse, lui donner une place où il conserverait sa qualité de «subsistant?»[42]

— Est-ce que c'est bientôt fini? demanda avec colère, en relevant la tête, le gradé[43] qui n'avait jusqu'alors rien dit.

— Enfin, Bon Dieu, j'ai droit ... continua Peer.

— Droit, droit, à quoi? cria l'homme en se levant.

Peer sentit que son corps était heureux de se lever, de se détendre dans la colère.

— Il n'y a plus de droits individuels, maintenant. Tu n'as pas encore compris ça?

Et Peer fut obligé de répondre et il ne trouva que des mots maladroits. L'autre sous-officier qui avait repoussé ses papiers fixait sur Peer un œil plein de malignité, en approuvant les paroles de son collègue. Dans la cloison, une porte que Peer n'avait pas remarquée s'ouvrit tout à coup: c'était le capitaine. Il s'arrêta et regarda Peer qui, justement, parlait:

— C'est ça, crie! lui dit-il doucement. Crie plus fort encore! Tu es tellement important. Il n'y a que toi qui compte, n'est-ce pas? Nous t'avions oublié.

Son œil se durcit:

— ... Ecoute (sa voix n'était pas plus forte), j'ai ici peut-être huit cents bêtes, peut-être plus ... J'ai ... mais à quoi bon? ... Punissez cet homme, dit-il en se tournant vers le sous-officier. Vous voyez, pas de fourrage,[44] pas de matériel, pas d'hommes, et «ça» revendique, ça crie; ... ça crie, répéta-t-il encore machinalement.

C'est alors qu'à travers le bruissement de l'averse, Peer entendit une galopade et ces sortes de clameurs happées[45] des gens qui crient dans la course. L'officier s'élança en jurant, courut vers la porte. Le battant demeuré ouvert sur son passage laissa pénétrer un grand souffle frais et la lumière de la pièce rencontra un écran de nuit que griffait une pluie oblique. Peer, les deux sous-officiers et le planton[46] restaient sur le seuil. Un cheval passa tout près, lancé au galop, et se rejeta hors de la

[42] a soldier entitled to the rations of a military unit, even if it is not his own   [43] officer   [44] fodder   [45] snatches of shouts   [46] the orderly.

tache de lumière que les lampes du bureau devaient projeter sur le sol.

— Combien y en a-t-il? cria un sous-officier à un homme qui achevait de courir derrière la bête, ralentissait, les bras levés dans un geste d'impuissance.

Il ne savait pas, toute une cordée,[47] quinze, vingt peut-être. Plus loin, on entendait se poursuivre ce qu'ils imaginaient être des mouvements tournants, signalés par des cris diversement situés qui se désolaient dans l'immensité nocturne et par des bouffées de galop[48]: un carrousel désespéré.

Un bruit de trot s'avança vers eux: «un qui revient.» Les quatre hommes, d'un seul mouvement, coururent former une ligne sous l'averse, disparurent. Peer ne bougea pas. Il les entendit, déjà assez loin, qui effrayaient la bête et la rabattaient sur lui,[49] sans le vouloir. Quelques secondes après, il vit apparaître un cheval à la tête baissée qui s'approcha de la lumière et regarda Peer immobile.

— Va! lui dit-il au fond de lui et il fit claquer sa langue.[50] Échappe-toi!

Justement, un des quatre hommes accourait vers le cheval. La bête secoua sa tête luisante et se lança dans l'ombre.

— Tu ne pouvais pas l'attraper? cria l'homme irrité. Il avait encore son licol! . . .[51]

Peer ne répondit pas et sortit dans la pluie; il sentait que ce soir, l'amitié des hommes lui était refusée, la grâce sans laquelle maintenant il savait qu'il mourrait; il valait mieux remettre à demain tout rapport avec les êtres de son espèce qui, pour leur venue[52] (il avait vécu si isolé jusqu'alors), étaient par malchance les hommes de la guerre. Il se dirigeait parallèlement à l'espace qu'occupaient les bêtes, pensant trouver dans cette direction le bâtiment où les hommes vivaient.

Les mouvements qu'avait amenés la fuite des bêtes, les cris et les bruits de galop qu'on entendait toujours au loin, avaient augmenté le trouble du parc. Peer longeait[53] un abîme hennissant. La nuit était si noire qu'il ne distinguait plus les arbres

---

[47] a whole row of horses roped together   [48] gusts of galloping   [49] headed it off toward him   [50] he clicked his tongue   [51] halter   [52] their first meeting with him   [53] was walking alongside of.

qu'il longeait. Il lui semblait qu'il marchait depuis longtemps déjà lorsque, de surcroît,[54] il dut détourner ses pas afin de ne pas se heurter à d'autres bêtes à l'attache qui lui barraient le chemin. Pas un être. La pluie glissait sur son calot[55] et mouillait ses tempes. Il se disait qu'il devrait retourner au bureau, s'informer de l'endroit où il pouvait loger, demander une lanterne, mais le souvenir de la scène qu'il venait d'avoir avec l'officier, le souvenir de son attitude hostile, lui fit abandonner cette idée.

Il marchait avec précaution, étendant de temps en temps les bras devant lui, à la rencontre des obstacles que son imagination dressait dans l'obscurité. Le terrain détrempé[56] s'enfonçait sous ses pas. Il n'entendit plus, tout à coup, la rumeur des chevaux sur laquelle il se guidait. Il y eut bientôt sous lui une terre labourée dont le frémissement de la pluie, infini, révélait l'étendue. Un grand découragement alors le gagna et, faisant demi-tour,[57] il se hâta vers la présence vivante des chevaux. Il crut ne pas les retrouver, puis il se vit presque au milieu d'eux. A un moment, il toucha une croupe mouillée dans l'ombre; il errait sans pensées.

Plus tard, beaucoup plus tard, alors que, trempé,[58] il s'était appuyé à un arbre, il aperçut la lumière d'une porte qui s'ouvrait. Il y courut, trouva une écurie et des hommes.

— On peut dormir? demanda-t-il, en avisant[59] un tas de paille dans l'entrée.

— Sans doute.

On le questionna, mais il comprit mal les paroles qu'on lui disait et il se coucha sans répondre. On crut qu'il était ivre.

Le lendemain, Peer entra à la huitième section. Il s'était réveillé, frissonnant dans ses vêtements mouillés, au milieu de la cohue des chevaux qu'on menait boire. Renseigné par le palefrenier,[60] il avait trouvé l'emplacement de son unité et s'était installé dans le coin d'une des trois grandes pièces où elle était cantonnée,[61] après avoir parlé à un brigadier[62] qui lui avait

---

[54] in addition   [55] military cap   [56] soppy ground   [57] turning back
[58] soaked   [59] spotting   [60] stableman   [61] quartered   [62] the lowest rank
among noncommissioned officers.

seulement demandé son nom pour des listes. De la paille était étendue sur le plancher, tout le long des cloisons, et quelques hommes dormaient encore, le visage maussade dans la lumière du jour gris, leur vareuse [63] boutonnée à la taille, remontée sous les bras, se gonflant tout autour d'eux et leur donnant une enflure de cadavre. [64]

D'autres, assis à l'orientale, [65] mangeaient presque sans parler, mâchant, avec un regard fixe, le pain des ouvriers, lourds de leur fonction animale et, peut-être, d'un secret désespoir. A leur langue qu'il comprenait à peine, Peer reconnut des hommes du Sud (brutalité légendaire) et, les saluts échangés, il marqua son éloignement. [66] Par les vitres où la pluie incertaine mettait quelques gouttes d'une limpidité azurée, il voyait passer des chevaux que menaient des hommes, chacun d'une façon différente, avec une attitude particulière, dans une image originale, comme si s'étaient déroulées, dans le matin neutre, les figures incohérentes d'un universel cycle chevalin; comme si, hors du temps présent, une vaste imagination dresseuse [67] avait exercé, tantôt avec violence, tantôt avec abandon, son pouvoir plein de formes.

D'une image antique, il y avait un cheval retenu, la tête levée, la bouche tirée par le mors, [68] tandis que son conducteur, les pieds presque joints, la taille creusée [69] et le bras tendu vers le haut, renversait sa tête avec la même fierté silencieuse; puis un cheval des pays plats, l'encolure [70] basse qu'inondait la crinière, [71] précédé par un homme lent, enchaîné à la bride [72]; une jument blanche parfaitement droite avançait sans un heurt à la hauteur [73] de l'homme dont le profil s'apercevait derrière celui de la bête et un vieux symbole les accouplait presque charnellement; un lourd cheval marchait avec tous les mouvements de ses muscles sous la peau, surtout à l'épaule, et secouait sans arrêt sa tête et ses oreilles, comme si ç'avait été réellement difficile de maintenir dans son corps le glissement de toutes ces petites vagues de chair [74]; il y avait des trots qui manquaient de

[63] soldier's blouse   [64] making them look like bloated corpses   [65] sitting cross-legged like Orientals   [66] he made his aversion clear   [67] (comparison of the imagination with a horse tamer)   [68] the bit   [69] with an arched back   [70] neck and withers   [71] mane   [72] bridle   [73] abreast   [74] all those gliding little waves of flesh.

naturel[75] et, enfin, des galops qui étaient de tous les temps, qui appartenaient à toutes les images, parce qu'ils étaient la suprême violence et la suprême évasion, le suprême besoin.

Les hommes s'étaient approchés de la fenêtre.

— Il s'en est encore échappé . . .

— Combien y a-t-il de chevaux? demanda Peer.

— Sept cents, huit cents!

On ne pouvait pas donner un chiffre exact. Il y en avait partout: des gens en amenaient chaque jour. Chaque jour, il en mourait: la plupart manquaient de nourriture, devenaient furieux,[76] rongeaient les cordes qui, à défaut de[77] chaînes, les maintenaient attachés. Des palefreniers s'étaient fait arracher des morceaux de chair au visage, d'autres avaient été tués d'une ruade.[78] Peer expliqua que, pendant la nuit précédente, il s'était égaré dans le parc.

— Quel parc?

On ne voyait pas l'endroit qu'il voulait dire: «des arbres, tant de chevaux dehors, la nuit?» D'ailleurs, l'attention commençait à être attirée par le spectacle qui, depuis quelques instants, mettait de l'animation dans ce cadre de campagne plate où défilaient auparavant ces âmes chevalines en peine.[79] Des hommes avaient enfourché leur monture[80] et galopaient derrière les chevaux fuyards[81]; d'autres, à pied, les bras levés, la bouche distendue par un cri, dressaient, en se mettant en ligne, une barrière aux intervalles démesurés, dérisoires, mais bientôt si mobile et si réelle autour de chacun de ces corps en croix, fous de volonté, que les bêtes faisaient brusquement volte-face[82] et, trouvant alors devant elles leurs poursuivants, dressaient leur tête dans un hennissement désespéré et se laissaient prendre, l'œil ouvert, rouge et blanc. Tenues par le cavalier qui était maintenant contre elles, elles revenaient, entre temps, à petits coups et en secouant la tête sans violence, image du chagrin, d'un rythme brisé. Peu à peu, le tumulte s'apaisait.

— Le nouveau? demanda derrière Peer un gradé qui venait d'entrer dans la chambre.

[75] affected [76] went mad [77] for want of [78] a kick [79] those lost equine souls [80] they had got astride their mounts [81] runaway horses [82] turned right around.

Quand on lui eut signifié l'arrêt[83] qui le condamnait à la garde des écuries jusqu'à ce que sa conduite eût racheté sa faute de la veille, Peer jugea bon de se rapprocher de ceux qui pouvaient lui donner d'utiles conseils. Ils ne lui prêchèrent que la violence et, comme ils le sentaient incapable de l'exercer, ils donnaient à leurs paroles un ton distrait, voisin du mépris.

Peer se retira et se prit à imaginer[84] une ligne de conduite. Il aimait les bêtes: les chevaux particulièrement, avec la vieille histoire de domination virile, d'espace bu, que leurs lignes évoquaient, tenaient une place dans ce cœur qui vivait beaucoup de facilité.[85] Le choc de la guerre, la brusque absence de certains visages, le dépaysement, l'incitaient à une douceur franciscaine[86] qui était toujours l'expression intérieure de ses malheurs, quand il rêvait ses malheurs. Il pensait donc à une domination pacifique, à un pouvoir soudain qui courberait les bêtes et les hommes. Mais bientôt, derrière ses pensées, beaucoup plus forte qu'elles, l'impression le gagnait que, sous l'équivoque des formes et les mille rappels,[87] vivait ici une race animale à laquelle rien ne l'avait jamais lié, comme si la guerre avait amené véritablement un autre règne animal et humain, une damnation permanente jusque dans les formes, l'implacable invasion d'une plastique qui se tenait jusqu'alors là-haut, toute prête.[88] Et il s'en remit au destin.[89] Il attendit la nuit et gagna l'écurie à laquelle on l'avait affecté.

Sous la faible lumière jaune des lampes, à perte de vue,[90] étaient rangés des chevaux en tête-bêche.[91] Des mouvements agitaient cette foule de bêtes mêlées, dans les nuages d'une poussière irritante, sans fin, à la façon des remous épars[92] que produisent des courants invisibles. Mille bruits divers exprimaient l'effort sur place, les brisements des élans, l'énervement bridé; à certains moments, une tête se dressait très haut, puis retombait vite, comme abattue, dans le tourment de cette

---

[83] when he had been notified of the order   [84] began to figure out   [85] this heart that lived a great deal of the time on facile images and feelings   [86] the sweetness of a Franciscan   [87] a thousand reminiscences   [88] as if war had brought with it... the implacable invasion of new forms which, until then, had been waiting, up above, all ready   [89] He left it up to fate.   [90] as far as the eye could see   [91] head to tail   [92] scattered whirlpools.

hydre en gésine.[93] On montra à Peer ce qu'il devait faire. Le détail des gestes comptait peu pour lui: ce qu'il devait faire, c'était d'abord, et presque seulement, pénétrer dans cette effervescence animale où couraient de si brusques inspirations . . .

Pour atteindre la ruelle sur laquelle les museaux se penchaient comme sur une mangeoire,[94] il fallait se frayer un passage[95] entre deux croupes connues pour leur placidité. C'était facile. Les ennuis ne commençaient vraiment que lorsqu'on se trouvait entre ces deux rangées de têtes nerveuses et de sabots agités que de brefs combats ou de lents mouvements d'ensemble confondaient souvent. Le sac d'avoine[96] sous un bras, il s'agissait de frapper devant soi avec le bâton dont l'autre était armé, de façon à amener un recul suffisant de toutes ces têtes à l'œil agrandi. On semait le grain au hasard des sursauts que le combat imprimait au sac béant.[97] Ne jamais s'arrêter. Affolés à la vue du grain qui venait de se répandre, les chevaux se «refermaient»[98] derrière l'homme et ces palefreniers qui n'étaient que violence craignaient follement pour leurs reins,[99] siège de l'agilité et de toutes les puissances viriles. Chacun de leurs gestes conservait la conscience de cette vulnérabilité.

Comme Peer se glissait entre deux chevaux qu'on lui avait indiqués, une vague courut le long de la rangée, pressa les corps les uns contre les autres, et il connut ce lent écrasement entre deux masses vivantes qu'il n'avait jusqu'alors éprouvé que dans ses rêves. Il pouvait respirer cependant; il appuya ses poings et ses coudes sur des côtes que la faim avait fait saillir, il se pencha de tout son poids en avant. Le hasard fit que les bêtes s'écartèrent. Peer tomba dans la ruelle. Alors, il eut peur et comme il se relevait et qu'un cheval avait jeté vers lui sa tête, debout, il frappa de toutes ses forces.

Le bâton vibra douloureusement dans sa main: il avait fait chanceler le monde et il fut soudain guéri de sa peur. Mieux que guéri. Un hennissement aigu monta: la bête avait sauté en arrière, tirant sur la corde où les autres étaient tenues; d'autres

---

[93] this Hydra in labor [94] manger [95] to clear the way for oneself [96] oats [97] depending on the jolts given the opened sack by the struggle [98] closed in [99] they were madly afraid of being kicked in the loins.

9 4

hennissements s'élevèrent; toute la rangée flotta; des sabots battaient l'air où des nuages de poussière sombre montaient. Peer avait repris le sac d'avoine qu'il traînait sur le sol en le laissant tomber de temps en temps pour qu'il se vidât. Un cheval mordit le sac au passage. Peer se retourna, frappa, reprit sa marche, frappa. Il faisait un pas, il frappait; il frappait de fines têtes de chevaux travailleurs qu'une mèche[100] faisait ressembler à d'honnêtes fronts de sacristains[101]; il frappait des naseaux[102] ensanglantés par les coups de la veille; il frappait des chevaux mourants qui regardaient entre leurs pattes de devant, qu'à chaque seconde la terre tirait un peu plus à elle; il frappait aussi des bêtes pleines de feu et de hargne,[103] qui relevaient leurs lèvres sur des dents carrées et coupantes, dénudant leur bouche plus haut que les gencives, jusqu'à découvrir l'architecture rouge et humide des naseaux, ajoutant ainsi à la menace l'image même de la chair vive. Ce n'était plus, alors, ces têtes oblongues de chevaux pacifiques, toutes de patience, de bonté osseuse où s'accrochent des yeux trop gros et clignants de fatigue: c'était ces quatre coups de crayon des vieux dessins asiatiques, ces têtes rejetées et toutes déformées par la force qu'on voyait dans les mêlées[104] anciennes, ces grands creux des orbites[105] où il n'y a plus d'œil, mais une ombre, parce que le noir est une couleur qui va vite, comme la violence et la mort, la brèche de la bouche[106] que fait fleurir et éclater sans éclat le fer affreusement lisse du mors.

Peer frappait, et il ne visait plus. Un dernier coup. Il atteignait le bout de la rangée, son sac était vide depuis longtemps. Un homme le regarda avec étonnement: «Eh bien!» Peer s'assit. Le vacarme continuait dans les autres parties de l'écurie où les palefreniers livraient des combats semblables à celui duquel il sortait. Plusieurs se plaisaient à crier, à psalmodier[107] très fort les rapports qu'ils avaient, en ce moment, avec les bêtes. Ils mêlaient à ces modulations des inventions comiques ou de baroques révélations de leur colère: ils effilaient leur «Hoooo»[108] jusqu'à en faire un sifflement d'oiseau ou le

---

[100] lock of hair   [101] sextons   [102] nostrils (of horses)   [103] vicious temper
[104] confused battles   [105] eye-sockets   [106] the mouth looking like a gaping
cut   [107] to chant   [108] they made their "Whoa" long and shrill.

faisaient exploser dans un éclat de voix terrible. L'impression générale était d'enfer.

Dès lors, la vie de Peer ne comprit plus que[109] de pareilles heures passées dans le vacarme, la colère et le danger et que le temps du sommeil avec de très courts moments de loisir assombris par la pluie continuelle. Les revers effroyables que les armées essuyaient[110] sur le front amenaient une désorganisation générale dont le dépôt, pour quelque retiré qu'il fût,[111] souffrait. Les arrivages[112] de fourrage déjà insignifiants se firent plus rares encore; les nouvelles manquèrent; le ravitaillement[113] des hommes devint difficile.

Réveillé vers la fin de l'après-midi, Peer regardait, appuyé le long d'une fenêtre, les allées et venues de plus en plus lentes qui se poursuivaient à travers le camp. On eût dit que s'effectuait un universel travail d'unification, une lente osmose tendant à une confusion absolue de toutes les couleurs, de toutes les formes et de tous les temps divers. La pluie échafaudait des tons déjà très avancés de grisaille,[114] au-dessus du sol détrempé où, en mille flaques, se reflétait cette clarté compromise; des fumées blanches montaient des bois voisins et estompaient les frondaisons[115]; les chevaux et les hommes, enlisés jusqu'aux chevilles[116] et las de ce soir gris, de ce désordre, n'avançaient qu'avec une extrême lenteur en dépit de l'ondée,[117] gagnés par l'immobilité de ce paysage et comme dangereusement charmés par sa tranquillité pluvieuse; la pluie, la pluie sur les toits, dans les flaques, la pluie sur le drap des vêtements était comme l'action d'abord du calme, la réduction de tous les rythmes, l'infanterie du silence ... «Peer!» De nouveau, c'était l'heure. Dix minutes plus tard, Peer retrouvait la cohue et les coups.

Parfois, comme au début de son service, il faisait encore jour, on l'envoyait aider un moment les hommes de l'équipe d'enfouissement.[118] Combien mourait-il de chevaux, chaque jour? Nul ne le savait. Plusieurs groupes, armés de pelles, dispersés

---

[109] consisted of nothing but   [110] frightful defeats endured by the armies   [111] distant though it was   [112] shipments   [113] food supply   [114] the rain piled up tones of already very dark gray upon gray   [115] blurred the foliage of the trees   [116] in mud up to the ankles   [117] heavy shower   [118] the burying squad.

dans le camp, creusaient des fosses au bord desquelles, amenés
dans des charrettes, basculaient les cadavres avec leurs sabots de
devant relevés avec grâce, leur désespérante mollesse, leur
mouche noire, inlassable comme un esprit, rasant longtemps la
terre meuble [119] qu'on jetait, pelletée par pelletée, [120] sur les
corps. Peer prenait un vrai plaisir à ce travail qui n'avait plus
enfin pour objet une présence remuante, pleine d'instincts et de
passions, de choses incertaines. Il aurait pu demander à y être
définitivement affecté, n'eût été la colère du capitaine qui [121]
le poursuivait à distance. Il fallait se résigner. La nuit venue,
Peer rentrait à l'écurie dont la chaleur, pendant quelques
instants, lui semblait bienfaisante au sortir du froid crépuscule
mouillé.

Les nuits étaient diverses, passés les soins généraux [122] que
tous les palefreniers donnaient ensemble avant les tours de
garde individuels et qui ne comportaient que des accidents
connus, sinon prévisibles. Tantôt ce n'était que l'effervescence
habituelle, tantôt des batailles rapides jetaient le désarroi [123]
dans un coin de l'écurie; d'autres fois, les bêtes se détachaient et
se ruaient dans la foule de leurs semblables. Il fallait alors garder
les issues, [124] cerner la bête [125] qui finissait, pour échapper aux
coups, par se glisser entre deux croupes; on ne devait pas songer
à aller la rattacher au milieu d'un tel désordre : on se contentait
de la surveiller—de les surveiller quand il arrivait qu'elles
fussent plusieurs—le fouet au pied, [126] immobile comme une
sentinelle, avec la dure lumière des lampes dans les yeux et la
lassitude de tout.

L'exaspération s'étendait souvent jusqu'aux hommes que
minaient l'insomnie et la chaleur. [127] Des palefreniers échange-
aient des coups, sans un mot, puis perdaient leur figure de
meurtre et recommençaient à discuter en se passant des gourdes
d'eau-de-vie. Peer était tenu à l'écart. On s'étonnait de la brutalité qu'il manifestait avec les bêtes. Ou plutôt de la nature de

---

[119] skimming . . . the loose ground   [120] shovel after shovel   [121] if the
captain had not been in a state of anger that . . .   [122] once general
care had been given   [123] spread confusion   [124] the exits   [125] to close in
upon the beast   [126] holding his whip like a soldier obeying the command:
"Order arms."   [127] whose health was undermined by insomnia and heat.

cette brutalité. Ses violences avec les bêtes ne dépassaient pas celles de ses camarades mais elles se distinguaient par une sorte de désespoir, de silence absolu qui surprenait ces hommes chez qui la colère relevait [128] toujours un peu d'un certain lyrisme de la force.

Afin de dissimuler ce que les coups qu'il assenait [129] aux chevaux exprimaient de peur profonde, de désarroi, Peer s'était appliqué à gagner la maîtrise de ses gestes, à les empreindre [130] d'un calme redoutable, et il s'était bientôt aperçu qu'en leur donnant cette plus grande dignité, il augmentait leur efficacité, leur justesse. C'était de ces coups d'intellectuel qui font des bleus [131]—chocs d'une force malsaine, servie par une demi-impuissance, lancés avec science et maladresse, avec une panique froide. Cela, il ne le savait pas. Ce qu'il savait aussi c'est que chacun de ses coups le plongeait un peu plus dans un univers grimaçant où les chevaux n'étaient que férocité, les hommes que haine. Il forgeait ses propres démons. Le fouet haut, il dressait, pour des galops longtemps contenus, pour une ruée dont il éprouvait d'avance le caractère final, les images pénibles de ses jours.

Un jour de grande furie, de grande furie chevaline, comme il se trouvait acculé contre une paroi [132] par un cheval à demi fou qui, effrayé de tous côtés, dansait sur place dans des ruades, il saisit un énorme pieu [133] et le lança à la tête de la bête. La bête hennit, courut en secouant la tête: il lui avait crevé un œil. Un sous-officier abattit le cheval et le personnel de l'écurie se tailla d'énormes quartiers de viande. Peer n'en mangea pas et cette délicatesse, au lieu de lui valoir un regain de considération, [134] renforça l'idée que les autres se faisaient de lui: vraiment des nerfs de femme.

Mais il ne s'apercevait plus de ce mépris croissant dont il était environné. La guerre commençait par une véritable débâcle [135] et, privés d'ordres, de cadres, [136] d'effectifs, [137] les officiers du dépôt ne pouvaient plus exiger la continuation d'un

[128] sprang from; was related to [129] the blows he struck [130] to mark them [131] that make one black-and-blue [132] he found himself pushed back against a partition [133] a stake [134] instead of winning back respect for him [135] collapse [136] officers [137] ranks.

service que, d'autre part, le manque de matériel et de ravitaillement rendait de plus en plus difficile. Les litières[138] pour-
rissaient, l'atmosphère des écuries devenait irrespirable, les
bêtes mouraient par dizaines. Vautrés dans la paille, les hommes
buvaient l'alcool que trois cavaliers, aux montures choyées,[139]
ramenaient chaque soir, après avoir abattu quinze lieues, et, la
garde se relâchant, Peer n'était plus obligé de se tenir au milieu
de ses camarades.

La pluie cependant durait toujours et les vents froids du
brusque automne le chassaient de la chambre mal étanche[140]
où il aurait eu le loisir de demeurer plus longuement. Et puis ...
Et puis n'y avait-il pas une force secrète qui le poussait à
s'accrocher à ce pénible service que personne n'exigeait plus?

Il élut bientôt domicile[141] dans une réserve de paille attenant
à l'écurie d'où lui parvenait la chaleur maintenant précieuse des
bêtes. Il devenait moins sensible au bruit et connaissait,[142] dans
l'incessant vacarme, des sommeils démesurés emplis de rêves
difficiles, dont l'écho se prolongeait longtemps après le réveil
qui le rendait à un monde où il retrouvait l'atmosphère un peu
étouffante et la lumière vieillie du monde inconscient.

Cette claustration[143] où il y avait à la fois de l'acagnardisse-
ment et du surmenage,[144] la sous-alimentation et l'influence
surtout de l'air profondément vicié, altéraient peu à peu sa
santé. Il augmentait l'effet moral de cet affaiblissement corporel
par l'abandon des soins de propreté qui lui semblaient maintenant dérisoires. Le miroir lui communiquait ainsi un dégoût
que tout son corps, par mille sensations confuses, sournoisement,
lui suggérait déjà. Et comme si, jusqu'alors, sa simple dignité
extérieure, sa tension artérielle normale, sa modération de
dormeur, avaient été des obstacles, le malheur le toucha. Il est
des chemins inconnus. Un sommeil trop long qui tourne mal, la
fatigue physique qui vous jette au même endroit que le désespoir,
ce ciel pluvieux qui implique toutes les bassesses,[145] et le
malheur arrive, ou éclôt.[146]

[138] litters   [139] whose mounts were especially well treated   [140] watertight
[141] he decided to dwell   [142] experienced   [143] confinement   [144] drifting
into an aimless life, and overwork   [145] that rainy sky which suggests
everything low   [146] blooms.

La ville de Peer fut prise par l'ennemi, après une bataille qui n'y laissa que des ruines et, dans cette ville blafarde,[147] sous ses haillons de fumée,[148] où sont ceux que tu aimes?

Les chevaux dansaient sous les coups, avec leur effrayante maigreur qui, ne recélant pas encore la mort, ne pouvait recéler que la folie. Oh, c'étaient de tout autres chevaux.[149] La famine, les coups de Peer leur donnaient des attitudes de chiens errants, de carcasses vicieuses. Il en mourut un ou deux; puis deux sur deux dans certains coins, mais l'écurie n'était pas encore vide. Il s'en fallait.[150] «Deux sur deux, mon Dieu, deux sur deux!» demandait parfois Peer, couché dans la paille, avec tous les brins de paille[151] qui le piquaient et tous les brins de son malheur.

Les officiers envisageaient[152] cependant une réorganisation, une descente générale vers la vallée où l'on trouvait encore de l'herbe. Il fallait des cadres. On vint dire à Peer qu'il était nommé brigadier.

Le temps n'était plus où une promotion de ce genre, pour aussi commune qu'elle fût, entraînait une amélioration sensible de l'état matériel de celui qui en était l'objet ou, du moins, où elle pouvait le soustraire à ce qu'avaient de plus pénible le service et la promiscuité. Peer demeura sur son tas de paille. Il entendait se manifester le mécontentement de ses camarades qui venaient d'apprendre la nouvelle. Alors que le personnel de l'écurie était déjà insuffisant, transformer l'un d'eux en chef!... Et quel choix!

Peer se leva, alla vers eux et leur dit qu'il continuerait à assurer son service de palefrenier. Pourquoi agissait-il ainsi? Par esprit de solidarité? Non. Il ne connaissait plus depuis longtemps ce climat de pureté virile où vivent de grands mots. Par crainte? Peut-être, et puis parce qu'il ne tenait pas à sortir de cette vie heurtée[153] et basse qui constituait la nuit de son malheur, avec tout ce que la nuit implique d'indolence et, quoi qu'il en soit, de sécurité. Bien qu'il connût par elle, et grâce aussi à une somnolence qui devenait permanente, une sorte d'incon-

[147] pallid [148] rags of smoke [149] the horses had become completely different [150] far from it [151] wisps of straw [152] were considering [153] life of ups and downs.

science, il formait encore des pensées: «Qu'étaient les chevaux et pourquoi frappait-il les chevaux?»

Parfois, pressé par ces questions, il se levait et allait se planter[154] devant la bête la plus proche. Les yeux. Il était tout de suite attiré par les yeux. Instinct profond qu'on retrouve à la fois dans le combat sauvage et dans l'amour. Ici? Ici, il faisait un grand effort; il disait: «Pauvre bête, pauvre bête.» Et les yeux demeuraient une eau calme, et ces mots mouraient bientôt dans son silence. Il ne pouvait s'empêcher de penser que, lorsqu'il frappait, qu'il déchaînait la furie chevaline, le monde ressemblait à quelque chose. Le cheval qui hennit, saute et se cabre,[155] commence à pénétrer dans un ordre social; son malheur à lui, Peer, sa solitude, la guerre, ce cauchemar perpétuel, allait prendre un sens: il ne s'en fallait que d'une ligne.[156] On frappe, on frappe ... et les êtres meurent juste au moment où ces mouvements fous, cette damnation, allaient révéler la vérité du monde où nous gémissons. Il revenait insatisfait: «Brigadier!»

On prenait maintenant l'habitude de l'appeler lorsqu'on ne parvenait pas à avoir raison[157] d'une bête. Non qu'on reconnût sa maîtrise, mais on se plaisait à le voir exercer ses bizarres violences. Il n'osait se soustraire et, d'ailleurs, il doutait que la malignité de ses camarades fût réelle puisqu'il ne la justifiait par aucun échec. Il parlait de moins en moins.

Des semaines passèrent sans que la descente dans la vallée que retardaient tantôt de nouveaux projets, tantôt le mauvais temps, tantôt la perspective de l'arrivée de renforts ou de matériel, ait eu lieu. A l'approche de l'hiver, l'idée semblait en être abandonnée. C'est à cette époque que Peer commença à avoir des rêves.

C'était si classique qu'il s'accusa tout de suite, pensant qu'il était victime de la force de suggestion de certains souvenirs, de certaines légendes moralisatrices du temps de son enfance. Et puis, était-il si extraordinaire que, vivant sans cesse dans la présence et la rumeur des chevaux dont son sommeil même était battu comme par une eau,[158] il connût des songes pleins de

[154] to stand squarely [155] rears [156] it was within a hair's breadth
[157] to overcome [158] by which even his sleep was buffeted as by water.

sabots levés, d'encolures tordues et d'angoisses équestres? Il se perdait souvent parmi d'innombrables bêtes pressées. Il luttait, succombait, était foulé aux pieds.[159] Puis parfois, il sentait brusquement s'évanouir toutes ses souffrances. C'est que, cavalier, il s'élançait alors à travers des espaces déserts où nul vent même ne s'opposait à sa course et ne le privait de l'exaltante impression de légèreté aérienne qui, d'abord, serrait un peu son cœur puis le libérait tout entier . . .

Mais bientôt, les lieux de son tourment revenaient; les histoires de cette arche[160] obstinée à subsister sur l'étendue pacifique des flots se refermaient sur lui et il s'éveillait, gémissant, plein d'hébétude. Ce trot, leit-motiv de ses rêves, cette échappée sur l'espace vers laquelle ils tendaient auraient pu lui apprendre les causes de la rancœur qu'il assouvissait[161] sur les bêtes, lui dire au moins l'un des noms que portait son malheur. Il n'était plus temps.

Dans la lumière de ses yeux, il voyait parfois se mouvoir des taches, et il savait à demi qu'il serait bientôt de ce monde qui l'attirait à lui avec ces gravitations lentes, un peu à la façon dont on fascine le désir d'un enfant en jonglant, d'assez loin, avec le fruit, l'objet que, jusqu'alors, il ne convoitait[162] presque pas.

Il avait considérablement maigri. Il surprenait dans le regard de ses semblables cette curiosité sévère, déjà presque suspicion, que provoquent les gens chez qui couve la démence.[163] Chez les palefreniers, cet air de froide attention devenait tout de suite celui avec lequel ils suivaient les mouvements d'une bête encore jeune. Déjà, Peer commençait à prendre peur, poussé plus fort vers sa perte, par ce trac[164] que déclenchent[165] infailliblement, avec leur visage trop sévère, trop long de science, le médecin des fous et le dresseur de chevaux. L'un d'eux allait s'avancer vers lui et lui tordre un bras et il pleurerait de honte et de faiblesse.

Et l'écurie dansait de plus en plus sur place, s'emplissait de milliers de forces folles bridées. En dépit de l'état de faiblesse dans lequel elles se trouvaient les bêtes étaient tendues à l'extrême. L'amorce sèche d'un coup de fouet claquant en

---

[159] he was trampled   [160] this ark   [161] the rancor he quenched
[162] coveted   [163] in whom insanity is brewing   [164] fright   [165] give rise to.

l'air [166] suffisait maintenant à faire prendre feu à cette masse où se mettaient à voleter des crinières. Là, Peer retrouvait les histoires les plus habituelles de ses rêves. Celui-ci allait-il s'ouvrir à son tour comme il advenait parfois pendant la nuit? Éclore sur un grand ciel libre, hanté de chevauchées [167] infinies, invisibles? Une claire naissance allait-elle couronner les siècles de sombre gestation? [168] Marquer la fin de son tourment?

— Brigadier, la paille est pourrie; brigadier, un cheval s'est cassé la patte; brigadier, un cheval est mort; brigadier . . .

Il y eut une courte période pendant laquelle les hommes se plurent à harceler [169] celui dont ils auraient voulu provoquer la colère contre eux-mêmes. Ainsi espéraient-ils connaître enfin cette demi-folie qui ne se donnait libre cours que sur les bêtes ou dans une solitude muette qui les irritait.

Peer levait lentement la main: geste d'indifférence qui exorcisait l'irréparable geste, peut-être seulement un peu lent, parfois trop longtemps oublié en l'air. Les hommes se lassèrent. D'ailleurs, la tristesse de leur situation leur laissait maintenant peu de cœur pour ces enfantillages. C'était l'hiver. Toute vie s'était réfugiée dans les écuries où, si l'air était irrespirable, la circulation impossible, le repos rendu difficile par la vermine et les rats, les hommes retrouvaient la chaleur et le bruit, la première détendant leurs corps, le second dissipant leur angoisse. Refuge cependant précaire où ils connaissaient, en plus de l'inconfort des lieux, la faim et l'écho répété des nouvelles sinistres.

La neige et le froid avaient ralenti la marche des armées ennemies, mais le Sud, où la plupart des hommes avaient leur famille et leurs biens, était déjà envahi. Enfin, ne pouvait-on pas penser que la région où se trouvait le dépôt serait bientôt menacée? Nul ne savait maintenant si ces faits avaient une réalité pour Peer.

En passant à côté du tas de paille où il avait coutume de rester allongé, on était surpris de rencontrer ses yeux grands ouverts dans l'ombre: fixité qui arrêtait toute question sur les

[166] the sharp snap of the blow of a whip cracking in the air   [167] rides
[168] Was a luminous birth going to crown centuries of dark pregnancy?
[169] to pester.

103

PIERRE GASCAR

lèvres, parce qu'elle était déjà cette immense réponse que chacun porte au fond de soi, pour un jour lointain sans doute, mais fatal. Et l'instant qui devait dénouer[170] tout ce qui, depuis des mois, se tourmentait dans ce pays reculé, monta finalement du fond du ciel.

C'était un jour d'hiver plus clair que ceux qui l'avaient précédé. Vers midi, un vrombissement[171] se fit entendre venant de l'ouest.

D'abord de l'étonnement: il n'était pas passé trois avions depuis le début de la guerre. Puis de l'inquiétude. Les appareils,[172] qu'on distinguait maintenant, marqués aux couleurs ennemies, tournaient dans le ciel, cherchant leur objectif, mais à une vitesse si égale et avec un bruit si uni, qu'ils semblaient être entraînés dans un pur mouvement sidéral.

Puis très loin, derrière les arbres, des explosions ébranlèrent le sol, sans que la paix laborieuse du ciel eût changé. Personne ne le sut, dans le moment même: la colonne d'une compagnie du train,[173] chargée de matériel et de ravitaillement, sautait[174] à cinq kilomètres du camp auquel elle apportait le salut et, avec ses soldats neufs, ses camions modernes, le signe de la première réaction victorieuse du pays, le visage d'une guerre enfin possible. Les avions tournaient toujours.

«A notre tour, maintenant,» pensaient les hommes, et ils ne bougeaient pas, préférant inconsciemment la protection des images de leur vie calme, de leur passé sans histoire, que six mois d'accoutumance avaient emprisonnées entre ces murs, à l'espace libre où ils couraient avec leur destin, avec leurs crochets imprévisibles[175] et leurs instincts contradictoires et où ils seraient tout nus de solitude.

La peur les gagnait cependant et, presque tous ensemble, ils pensèrent à Peer, sans doute parce que ce dernier, avec sa demi-folie qui était à leurs yeux une sorte de dépassement de la raison, appartenait à ce monde occulte où, dans les dix minutes à venir, ils allaient mourir ou vivre, enfin parce qu'il portait un secret, la seule chose qu'on pût en ce

[170] to untangle, resolve [171] hum [172] the airplanes [173] the column of a service company [174] was blown up [175] where they would have to run with their fate and their unforseeable detours.

1 0 4

moment présenter à l'obscure sollicitation ronronnant dans le ciel.[176]

— Brigadier! crièrent-ils avec sérieux cette fois. Peer était sorti. Ils le virent bientôt rentrer en courant:

— Ordre du capitaine! Détacher tous les chevaux, ouvrir toutes les portes. Vite, vite!

Il était calme, plus digne que de coutume.

Les hommes exécutèrent cet ordre qui ne venait de nul capitaine, mais d'une puissance bien autre et qui avait tant souffert jusqu'alors. On coupa à coups de hache les cordes tendues auxquelles étaient reliées les brides de chevaux.

Il y eut d'abord quelques secondes d'hésitation. Les hommes s'étaient plaqués contre les murs.[177] Puis, une des bêtes qui était placée près de la porte maintenant ouverte à grands battants, marcha vers l'air libre, s'ébroua[178] en hennissant ... et ce fut la ruée.[179]

L'ordre avait couru jusqu'à toutes les autres parties du camp. Vers la liberté, se pressaient des colonnes de chevaux si serrées aux sorties que des têtes reposaient sur des croupes voisines, animées par des saccades[180] et par une envie de mordre l'air, comme les petites vagues effrangées qui crêtent les flots.[181]

Le bruit de mille sabots couvrait maintenant les vrombissements perdus dans le ciel: toute la terre haletait[182] dans ce bruit. Un cheval plus isolé ou coutumier des écarts, se mettait parfois à danser sur place, poussé contre une rive invisible, mordait, en l'air, des feuillages mythologiques, puis rentrait dans le courant.

Plus d'individualité, plus de lignes précises. Il n'y avait plus de chevaux maigres, de chevaux boiteux ou aveugles, de chevaux mourants: il n'y avait plus qu'une immense force chevaline, sourcillant[183] d'abord un peu, vue de près, par les mille plis de la peau à l'aine[184] et au cou, puis qui devenait toute lisse et roulait avec un bruit de tonnerre souterrain vers la pureté future des orages passés, des miracles accomplis.

---

[176] the dark request humming in the sky   [177] had flattened themselves against the walls   [178] snorted   [179] the rush   [180] jerks   [181] like the frayed little waves risen as crests above water   [182] was puffing and blowing   [183] wrinkled   [184] groin.

On ne retrouva jamais un cheval. Peer fut porté déserteur [185]
au bout de huit jours d'absence.

QUESTIONS

1. Dans quelle partie de l'Europe se déroule cette histoire? A quel
   moment de la deuxième guerre mondiale?
2. Peer devrait-il se trouver dans ce centre de rassemblement des
   chevaux?
3. Quels sont les détails qui révèlent, dès les premières pages, le
   milieu, l'éducation et le caractère de Peer?
4. Quels sont les procédés par lesquels l'auteur suggère et souligne
   le fait que Peer est différent des autres (officiers et hommes de
   troupe)?
5. Quelle transformation Peer subit-il au cours de cette histoire?
   Quand et de quelle façon commence sa «folie»?
6. Quel genre de contact Peer a-t-il avec les autres hommes?
   Pourquoi ceux-ci font-ils appel à lui lors du bombardement?
7. Pourquoi Peer donne-t-il la liberté aux chevaux? Pourquoi
   déserte-t-il?
8. Comment l'auteur révèle-t-il le fantastique contenu dans le
   réel?
9. Étudiez les allusions et les images qui évoquent un univers
   infernal.
10. «Forme»: ce mot et l'idée qu'il représente sont évidemment de
    première importance dans ce texte. Peer est sensible surtout à
    la «plastique» des chevaux et des choses du monde. Cette vision
    des formes évolue au cours de l'histoire. Examinez-la avec soin,
    et demandez-vous si ce n'est pas là une des clés de la philosophie
    contenue dans ce conte.
11. Le mouvement de ce conte nous conduit d'un chaos infernal à
    la «naissance» d'une sorte de miracle. Qu'est-ce qui «naît»
    finalement?
12. Commentez la structure profonde de ce conte en fonction de ces
    quatre thèmes: la réalité brute des chevaux, tels que Peer les
    voit d'abord; l'échange de violence entre l'homme et la bête;
    les formes que Peer découvre dans les chevaux ou leur impose par
    sa culture, ses rêves et son imagination; la forme finale de la
    masse chevaline telle qu'elle est évoquée dans les derniers
    paragraphes.

[185] was declared a deserter.

Jean Giono

Jean Giono (1895–) est un fils de la Haute Provence, région
montagneuse et encore relativement inviolée par le tourisme bruyant
qui encombre la Riviera. C'est là qu'il a placé la plupart de ses
romans et de ses nouvelles, agrandissant en épopée quasi homérique
la vie simple et les luttes des paysans et des bergers. Il habite encore
à Manosque, non loin d'Aix-en-Provence, sur les contreforts des
Alpes. Il vient d'une famille très humble: son père, cordonnier de
profession, est souvent dépeint avec piété dans les souvenirs d'enfance
de l'auteur, comme un sage: sa mère tenait une blanchisserie. Son
éducation fut sommaire, mais il lisait avec avidité, dès son adolescence, surtout les classiques grecs en traduction que son imagination
juvénile faisait revivre dans le décor de la Provence. Par lui-même,
il acquit un vocabulaire d'une richesse presque déroutante et un
style chaud et sensuel. Il servit comme simple soldat pendant toute la
guerre de 1914–1918, fut le témoin de batailles sanglantes et de scènes
de misère humaine et de courage stoïque qu'il n'oublia plus désormais. Il revint de cette expérience avec des convictions pacifistes et
un ardent amour pour les existences simples et paisibles des paysans
parmi lesquels il avait grandi.

  Dès sa jeunesse, Giono avait composé quelques nouvelles. Puis il
s'essaya à des «récits,» dont *Colline* (1929) et *Regain* (1930) sont les
mieux connus. Il passa ensuite à de longs romans épiques, au souffle
puissant, qui, parmi de longues descriptions de nature, proposent un
message et une règle de vie. Ses chefs-d'œuvre sont, outre sa fervente
autobiographie quelque peu romancée, *Jean le Bleu* (1932), *Le Chant
du monde* (1934) et *Que ma joie demeure* (1935). Ces livres respirent
un paganisme passionné qui, au lieu de condamner la nature et les
instincts comme l'ont fait des écrivains plus religieux que lui, pré-
conise une vie en harmonie avec la nature. La prose de Giono,

sinueuse, poétique, dédaigneuse de toute concision, riche d'évocations concrètes et de vibrantes sensations, est parmi les plus originales du vingtième siècle français.

La seconde Grande Guerre ébranla les rêves pacifistes de Giono et brisa son ambition de jeunesse, qui avait été de convertir ses compatriotes au culte d'une vie idyllique et de la beauté agreste. Après 1945, il changea brusquement sa manière. Il écrivit alors des histoires d'aventure picaresque, d'une plume ironique et alerte qui rappelle souvent Stendhal. Le meilleur de ces romans est *Le Hussard sur le toit* (1952). Le conte fantastique offert ici est un des rares «récits» assez courts écrits par le Giono d'après la Seconde Guerre. Il parut en 1949 dans la revue *La Table ronde*. C'est une adroite tentative pour greffer le surnaturel sur une description précise et concrète du pays des Basses-Alpes, familier à l'auteur. Une apparition mystérieuse— un fantôme peut-être, ou le diable, un Méphistophélès du genre de celui auquel se rend Faust dans le drame gœthéen—arrête à plusieurs reprises un camionneur, exactement au même endroit, sur une route de campagne isolée. Il pleut souvent, mais la pluie ne mouille pas cet étrange personnage, impeccablement vêtu. Tout obéit à son pouvoir magique : le moteur du camion, le chien du conducteur, le train en gare. Cela fascine et remplit de terreur le raconteur de l'histoire, homme simple et droit, dont le bon sens est dérouté. La langue familière, concrète, brutale, les phrases courtes et brusques, l'absence de toute explication ou interprétation de ces étranges visites d'un Méphistophélès sans malfaisance produisent chez le lecteur un effet d'obsession qui paralyse son scepticisme de rationaliste. Il y croit.

Sur Giono, consulter: Christian Michelfelder, *Jean Giono et les religions de la terre*, Gallimard, 1938; Claudine Chonez, *Giono par lui-même*, 1956; Pierre de Boisdeffre, *Giono*, Gallimard, 1965.

FAUST AU VILLAGE

TU ES de campo?[1]
    — Oui.
    — Tu es malade?
— Oui.
— Qu'est-ce que tu as?

[1] (school slang, sometimes written «campos») having a day off, resting.

— Il m'arrive une drôle d'histoire. Assieds-toi un peu là. Tu connais la route d'Albaron?

— Oui.

— L'an dernier je passais là avec le camion. C'était la nuit. Il faisait mauvais. En plein dans les gorges, je vois un type dans mes phares. Il était collé[2] contre le tronc d'un peuplier. Il me fait signe; je m'arrête. Il me dit: «Vous ne pourriez pas me porter jusqu'à la gare de Lus?» Je dis: «Pourquoi pas? Montez.» Je dis: «Vous avez de la chance. A cette heure-ci, en cette saison, sur cette route il ne passe jamais personne.» Il me dit: «Sauf vous.» «Évidemment, je dis, mais c'est un hasard. Mon travail me mène surtout ailleurs. Pour venir ici, il faut vraiment avoir quelque chose à y faire.» Et on s'envoie toutes les gorges.[3] La route était couverte d'eau. On monte, on passe Clostre. Le vent nous prend. Sous bois j'avais peur des arbres. Souvent il en tombe. Et ils balançaient. Enfin, on s'en sort. On prend les lacets du col, on passe, on descend sur Lus. Je le mène à la gare. Il me dit: «Merci et au revoir.»

La semaine d'après je reste par ici. Je fais quelques petits transports pour Peyrot, je vais à Prébois, je vais à Mons, je reste dans les environs. Il faisait beau. Guilloux me dit: «Tu ne me ferais pas un voyage de charpente?»[4] Je lui dis: «Diable!» Il me dit: «C'est pour Saint-Vable. — Pourquoi pas? — Quand? — Jeudi. — Bon. — Tu connais comment on va à Saint-Vable?

— On passe par Valancy, la montagne de Hardel, tu descends sur Revel et après je crois que c'est par Lavien, le flanc du Bonnet de Calvin et des forêts par là-bas derrière. C'est pas ça?

— Si.»

Me voilà parti. Je mets cinq heures mais j'arrive. Ils me disent: «Méfie-toi au retour. Tu es à vide.[5] Ne va pas trop vite. Les virages de la forêt sont assez salauds[6] mais ceux du Bonnet de Calvin, alors ils sont vaches[7]: tous à contre-main.»[8] Tu parles! Le premier intéressé c'est moi et j'avais déjà vu ça à la

---

[2] clinging to   [3] (colloquial) you are not spared a single gorge, or mountain pass   [4] a trip to carry timber   [5] your truck is empty   [6] (slang) dirty, mean   [7] (very colloquial, used as an adjective) real nasty, true swine   [8] sharp turns of the road which force the driver to back up before he can negotiate them.

montée. Aucune envie de me casser la gueule. Et je m'envoie à la papa.[9] Il faisait mauvais. De petites choses laides. Froid d'abord et de la pluie dure. Naturellement, la nuit, et pour comble : brouillard. Avec les phares, à peine si j'y voyais à dix mètres. J'allais au pas. En forêt ça se corse.[10] Le brouillard aveuglait avant d'aborder les virages. Je freine et je me frotte les yeux. J'entends ma portière qui s'ouvre ; j'envoie la main pour la retenir. C'était un bonhomme. Le même ! Exactement le même ! Il monte, il s'assoit à côté de moi, il tire la portière. Il me dit : «Merci, vous êtes gentil.» Je dis : «Vous avez de la chance, je me suis arrêté par hasard. — Je vous ai fait signe. — Je me suis arrêté parce que j'ai été ébloui. — Vous voulez me porter jusqu'à la gare de Lus ? — C'est que cette fois ce n'est pas précisément la route. A chaque tour de roue nous nous en éloignons.» Il dit : «Tant pis. Vous ne passez pas à côté d'une autre gare ? » Si, mais d'abord ça n'est qu'une halte[11] et de toute façon nous y arriverons vers les dix heures. A cette heure-là il n'y a plus de trains. — Il me dit : «Déposez-moi toujours là, on verra.» On fait un vilain voyage. En bas de Lavien, impossible de se rendre compte si on est dans les prés ou sur la route. Mais le bouquet[12] c'est la montagne de Hardel où on navigue avec du coton[13] jusque sous l'essuie-glace. J'en avais plein les bras.[14] Le bonhomme faisait «tsss» entre ses dents d'un air dégoûté. Quand je lui avais parlé de halte, je pensais à la halte du Monétier où on passe après Valancy quand on rejoint la grand-route. J'avais dit dix heures, il en était plus de onze quand on déboucha sur la nationale[15] et je lui dis : «Alors, vous, vous êtes verni.[16] Regardez ce que c'est, ça.» — Quoi ? — Un train tout éclairé en gare de Monétier ! Je pousse sur le champignon.[17] Il me dit : «Doucement les basses,[18] la route est mouillée, ça dérape.» Je dis : «Ça serait couillon[19] de la manquer.» — Ça serait beau-

---

[9] (colloquial and picturesque) I take them slowly, like an old dad. [10] it takes a turn for the worse [11] a small railroad station, at which most trains will not stop [12] what caps all [13] thick fog, like cotton [14] (colloquial, to denote extreme fatigue) with a burden, a boring chore; (here) arduous driving. «J'en ai plein le dos» ou «plein les jambes» is often used [15] *la route nationale*, the highway [16] lucky [17] (literally "the mushroom") the accelerator [18] slow down on the slopes (or, in music) go slow on the bass [19] a very coarse term, used here to mean "silly."

coup plus couillon de se casser la figure. Il a raison. N'empêche qu'à mon avis c'était une occasion unique et il ne fallait pas rater ça. Je le quitte pile[20] devant la baraque, devant un beau train tout neuf. Il me dit: «Merci bien. Au revoir!»

Je pense à lui jusqu'à la maison. Je dors. Je pense à lui en me réveillant. Je me dis: «Voyons, voyons, ça n'a pas l'air de coller,[21] tout ça! Est-ce qu'il n'avait pas sa veste à carreaux comme la première fois? Si. Et, est-ce qu'elle était mouillée? Non. La première fois non plus, d'ailleurs. Bizarre. Ce n'est pas le tronc du peuplier qui pouvait beaucoup l'abriter. Il ne donnait pas l'impression d'être mouillé. En gare de Lus il est descendu, il s'est mis sous la véranda éclairée. Ça avait l'air d'être une belle veste, pas mouillé du tout. Pourtant, il en tombait à seaux.[22] Il n'y a qu'une chose dont je suis certain: ses pantalons. Très jolis. Neufs. Comme quand on te les déplie la première fois.» Je fais chauffer mon café. Je me dis: «C'est un type de quel âge?» Là, alors, aucune idée. J'ai beau essayer de me souvenir. Je ne vois pas. La Ticassoune[23] vient vers deux heures. Je lui dis: «Qu'est-ce que tu veux?» Elle me dit: «Alors quoi? Ça n'est pas le jour? — Quel jour? — Celui du raccommodage. — Ah! bon.» Je lui donne mes bleus.[24] Elle s'installe sur le pas de la porte. Il faisait beau. Vers les quatre heures elle me dit: «Qu'est-ce que tu as? Tu n'as pas fini de tourner?»

Je vais au garage, je mets en marche et je sors avec le camion. Je vais au Monetier. Je dis à Philibert:

— Qu'est-ce que tu fais de beau?

Il me dit: «Rien.»

Je dis: «Le train de cette nuit, qu'est-ce que c'était?

— L'express.

— Feu de Dieu! Et qu'est-ce qu'il foutait là depuis six heures du soir?»

Il me dit: «J'en sais rien. J'ai eu un coup de téléphone.» On m'a dit: «Gardez le 4311 jusqu'à ce qu'on vous dise que la voie

---

[20] (colloquial) exactly, sharp (just opposite the hut, or small building of the station)   [21] it doesn't seem to fit in, to stick, to make sense   [22] it was raining cats and dogs: properly, by pailfuls   [23] the name of the woman who comes to mend his clothes once a week   [24] my blue jeans.

est libre.» Je l'ai gardé. Mais qu'est-ce qui se passait, je ne sais pas. Consigne consigne.[25] A neuf heures du soir j'ai téléphoné à Saint-Martin qui m'a dit: «Tu l'as ton 4311? Oui? Eh! bien, garde-le. Il n'y a rien de changé. Qu'est-ce qu'il y a de cassé? On n'en sait rien. Les ordres viennent de plus haut.»

— Tu l'as gardé combien de temps?

— Jusqu'à onze heures vingt-huit.

Ça correspondait à peu près avec le moment où j'avais déposé le bonhomme. Philibert se souvenait de l'avoir vu monter dans un compartiment de première. Il croyait d'ailleurs que c'était un monsieur qui était descendu pour prendre l'air.— Sans quoi, dit-il, je lui aurais demandé son billet car ici il n'en a pas pris. C'est au moment même où mon type montait sur le marchepied du wagon que le téléphone a sonné et que la gare de Saint-Martin a dit: «Lâche ton 4311, la voie est libre jusqu'à Grenoble.»

Bon. Je rentre. Je mange ma soupe. Je fume une pipe. Je me dis: «Essaye un peu de te rappeler sa binette.»[26] Mais, je ne suis pas physionomiste. Tout ce que je vois c'est: grand et maigre. Quand il est sorti de derrière son tronc de peuplier, la première fois il ne m'a pas arrêté en bougeant sa main. Il a mis carrément son bras en travers de ma route. C'est un monsieur qui en a[27]; et de fameuses. A première vue, c'est sûr.

Passe peut-être un mois. Je ne fais que de petites bricoles,[28] la navette pour le lait jusqu'à Mens aller-retour, et des chargements de tuiles, de la gare de Saint-Maurice à Prébois, pour la coopérative. Un temps superbe.

Un samedi, Pradalier me dit:

— Est-ce que tu ne me ferais pas un voyage?

Je dis: «Diable si! Où donc?»

— A la Favière.

— Si c'est pas trop lourd pourquoi pas?

— Cinq tonnes.

— De quoi?

— Bois de charpente.[29]

---

[25] orders are orders [26] a slang word for face, "his mug" [27] who has plenty of pluck, of sexual vigor [28] odd job, small affairs [29] timber, for framework.

Je lui dis:

— C'est pas un travail d'enfant, ça, hé! Tu connais le chemin. Si tes bois sont trop longs, comment je fais pour tourner dans tous ces virages?

Il me dit:

— Passe par Albaron. Ça tourne moins sec[30] et ça ne monte pas plus.

Je dis:

— Et quand est-ce qu'on fait ça?

— Mardi, ça t'irait?

— D'accord.

Le lundi soir je vais me rendre compte.

Pradalier me dit: «Autant pour les crosses,[31] je suis pas tout à fait prêt.»

— Tu le seras quand?

— Impossible de te le dire.

Je me remets à mon lait et à mes tuiles. Il faisait beau. Là-dessus j'ai l'occasion de faire un petit voyage pépère[32] à la Cluse. Je ne voulais pas manquer de parole à Pradalier. Je lui dis:

— Est-ce que tu as fixé?

Il me répond: «Je ne peux rien te dire. Tout ce que je sais, c'est que ce n'est pas le moment.»

Et je fais mon voyage à la Cluse. De retour, je me remets au lait et aux tuiles. Et Pradalier je n'y pense plus. Un soir à dix, onze heures je dormais; un bruit à ma porte. Qu'est-ce que c'est? C'est Pradalier qui dit: «Ouvre».

— Eh bien! je dis: entre. Qu'est-ce qu'il y a de cassé? Il me dit: «Rien, au contraire, il faut que tu y ailles demain.»

Je dis: «Tu as le feu au cul?»[33] Il me répond: «Oui, et tu devrais venir nous mener le camion. On ferait le chargement cette nuit, tu pourrais partir demain à la première heure.»

---

[30] less sharp [31] (military phrase) once again for the butts (of the guns—not laid down with the required precision in the first drill) [32] a slang word for an old territorial soldier, already a father; hence comfortable, slow-moving, snug [33] a slang and coarse phrase, to mock a person running too fast, as if fleeing to protect his ass from a fire behind him.

Je lui dis: «Alors, toi, tu as de drôles de combines.»[34] Je dormais comme un plomb. Je me lève. Je n'avais pas encore mis mes souliers que mon Pradalier rapplique comme un dératé,[35] et encore autant pour les crosses! Alors, là je lui dis: «Tu vas fort!»

Il me répond: «Qu'est-ce que tu veux? Ce n'est pas ma faute, je t'assure. Je te paierai ton dérangement, mais il faut attendre, ce n'est pas le moment.»

Je dis: «Il n'est pas question de dérangement, tu ne m'as pas dérangé. A peine si j'ai eu le temps d'enfiler[36] mes pantalons, ça va mais, la prochaine fois, que ce soit la bonne.»

Il me le promet. En effet, début septembre il m'appelle.

— Pas de blagues?

— Non non, cette fois c'est sûr. Allons-y.

Je passe donc par Albaron et je monte. Il faisait mauvais. J'arrive. On décharge ma camelote.[37] Je dis:

— Grouillez-vous,[38] les gars. Il s'en faut que je sois chez moi et j'ai pas envie de coucher à la belle étoile!

En fait d'étoiles, qu'est-ce qu'il tombait! Ça pétait[39] du côté de l'Archat, des tonnerres secs et de ces giclées[40] qui t'en foutaient plein la vue.[41] Je me renfourne[42] dans ma cabine et, vas-y Popaul,[43] je te fais cette descente en valse, mon ami! Je traverse Albaron: ils fermaient les bistrots. En avant les gorges, plein tube. J'ai de bons phares, pas de brouillard, rien du tout. Rien que de la pluie, mais alors, en nappe. Je me disais: «Est-ce que tu roules dans le torrent ou sur la route? Et vas-y!»

Je ne pensais pas du tout à l'homme quand . . . je l'ai vu. Sous son peuplier. Le même. Il m'a fait signe. Je me suis arrêté. J'étais soufflé![44]

Il dit: «Bonsoir!» Je dis: «Bonsoir!» Il s'assoit près de moi. Je sens tout de suite l'odeur de sa veste sèche. Je remarque aussi—ce que je n'avais pas remarqué les fois d'avant—il est

---

[34] (from «combinaison») trick, device   [35] (slang) appears running like a fellow out of his mind, to cancel the order   [36] slip on   [37] (colloquial) cheap goods, junk, as that carried by a "camelot" or peddler   [38] (slang) shake up, make haste   [39] (very colloquial) it cracked or popped   [40] spurts of water, showers or squalls   [41] (slang) made you blind   [42] I sink back as into an oven   [43] (colloquial) forward, old chap   [44] (slang) I was stunned.

tête nue. Il n'a pas le moindre bagage. Et il sent, je te le répète, le sec parfait.

Je repars, traverse Clostre, la forêt, le col, la pente, passe aux Lucettes, embranchement de la nationale, je prends à droite, gare de Lus, pile devant la véranda. Je m'arrête. Il descend. Il me dit: «Merci beaucoup, et au revoir!»

Je mets un temps enfin pour revenir ici, mais vide. Je ne me souviens même pas si le passage à niveau [45] était ouvert ou fermé. Je me suis trouvé arrêté le nez sous la porte de mon garage. J'ai garé, rentré chez moi, déshabillé, couché, dormi.

Le lendemain je me réveille. Je dis: «Feu de Dieu!» Il s'agit de voir clair: deux fois au même endroit; sous le même peuplier! Arrive Charras. Je lui dis: «Non, aujourd'hui je suis fatigué. Va voir le fils Raynaud, il pourra sûrement t'arranger avec sa camionnette. Moi, barca!»[46]

Il faut en avoir le cœur net. Il fait un temps superbe. Je calcule mon coup. Je pars en plein soleil. Je passe aux Lucettes. Je monte. Le col. La forêt, Clostre, les gorges. Le peuplier. Reconnaissable entre mille. Pas moyen de me tromper: l'endroit est photographié. Qu'est-ce qu'il a d'extraordinaire ce peuplier? Rien. Je me rends compte, en tout cas, qu'il est incapable d'abriter quelqu'un de la pluie. Comme tous les peupliers mais, en plus, parce qu'il n'est ni touffu, ni gaillard, mais au contraire sur le point de mourir, plus qu'à moitié sec, blanc et noir, presque carbonisé. Une idée me trotte.[47] J'ai planqué[48] mon camion sur le côté de la route. Je suis libre comme l'air. Qui est-ce qui est le plus près d'ici, Clostre ou Albaron? Je vais voir. Je remonte la route sur cent mètres et voilà la borne: Clostre, seize kilomètres; Albaron, dix-huit. Bon. Voilà un point d'éclairci. Il ne vient ni d'Albaron, ni de Clostre. Il faut bien pourtant qu'il vienne de quelque part pour être ici? Je retourne au peuplier. Là, il y a encore quelque chose de très clair. La route et le torrent sont côte à côte. De l'autre côté du torrent, le rocher à pic a une cinquantaine de mètres de haut. De ce

---

[45] the level crossing of the railroad (usually closed with a fence that an employee opens after the train has passed) [46] (slang) nothing doing [47] pursues me, trots into my head [48] (colloquial) I have parked, laid securely.

côté-ci de la route, idem. Albaron est en bas, à un bout des gorges, Clostre là-haut à l'autre bout. Entre les deux, trente-quatre kilomètres de couloir, exactement comme il est ici. D'où est-ce qu'il tombe, ce type-là? Et là-haut, au-dessus des rochers, qu'est-ce que c'est? Encore faudrait-il qu'on ait un truc pour en descendre. Et pour y monter.

A cinq ou six mètres à gauche du peuplier, il y a une faille.[49] Un torrent en descend qui, avec la pluie d'hier, aujourd'hui fait encore de l'esbrouffe.[50] Est-ce que le type descendrait aussi par là? Mais venant d'où? Cette faille est extrêmement sombre en rochers rouges dans lesquels l'eau a creusé des gours,[51] qui doivent être profonds. La faille a à peine un mètre de large et tout embroussaillée.[52] Je ne me pose plus de questions pour savoir comment ce type-là fait pour avoir des pantalons impeccables, une veste sèche, des cheveux secs, en plein orage; s'il descend par là (et même s'il ne descend pas par là; d'autant que je me souviens tout d'un coup qu'il a aussi les souliers propres, cirés, reluisants, même vernis).

C'est midi. Je casse la croûte.[53] Il fait très beau. Le soleil tombe d'aplomb[54] dans les gorges. Je me dis: «Tu cherches des poux sur une tête de marbre. Il doit y avoir à tout ça une explication très simple. Est-ce qu'on est au vingtième siècle oui ou non? Regarde un peu cette faille.»

L'eau a diminué. Ça n'est toujours pas très engageant, malgré tout. A la guerre comme à la guerre,[55] j'y vais. C'est plein de ronces. Ça pue: question de[56] mousses qui pourrissent, sont épaisses, jutent,[57] m'en foutent d'une espèce de glaise plein les doigts car je suis obligé de me glisser à quatre pattes. En tout cas, au sujet des pantalons et même de la veste, impossible de les garder neufs. Ça, ça ne fait aucun doute et, par-dessus le marché, il semble bien que jamais personne n'ait passé par là avant moi. Je m'élève de sept à huit mètres comme ça en

---

[49] a fault (in the geological sense) [50] to show off, to display a dazzling and affected mastery [51] crevices [52] overgrown with bushes [53] I have a bite, a snack (breaking the crusty bread) [54] straight down [55] let's take the bitter with the sweet [56] a colloquial phrase, like «rapport à,» meaning,"it is because of . . ." [57] ooze.

escaladant les cascades et en contournant des gours qui, comme
je le pensais, ont deux à trois mètres de profondeur bien qu'à
peine grands comme des cuviers, et, je vois encore assez loin mais
clair le débouché de la faille sur le haut du rocher. J'en ai tant
fait, qu'allons-y.[58]

J'y arrive. Il m'a fallu plus d'une demi-heure. Et, là-dessus
c'est un plateau. Mon premier geste c'est de tirer ma montre. A
la lumière, on dirait cinq à six heures de l'après-midi. Il n'est
que deux heures. Des buis et des genévriers. Perte de vue jusqu'à
des montagnes au fond que je reconnais: Archiane, les Monts
de Pradets, Javaux et les hauts de Frou. Rien: ni maison, ni
cabane, au contraire. Et c'est frappant! Je fais quelques pas.
Devant la pointe de mes souliers part une avenue. De chaque
côté: des buis, des genévriers. Par terre, quatre doigts d'épaisseur de petites bruyères. Je marche là-dessus sans un bruit. Je
fais une centaine de pas, une autre avenue part sur ma gauche,
une autre sur ma droite, celle que je suivais se sépare en deux que
je vois encore devant moi se séparer en cinq ou six de chaque
côté. J'avance. Je ne vais pas vite. Je regarde bien autour de
moi: des buis, des genévriers, des avenues de bruyères, un parc
de château autour de rien. De quelque côté que je me tourne,
ces avenues partent: c'est tout. Tout est vert sombre.

Je redescends. Je rentre. Je fais ma soupe. Je me couche. Je
n'avais aucune idée. Le lendemain, je m'envoie[59] Saint-Vable.
Temps superbe. Je fais attention à tout. Je demande même à
Lucien comment il est. Inconnu au bataillon.[60] Je pars dans la
montagne. Difficile de savoir à quel endroit je l'ai chargé. Et
tout d'un coup, il n'y a pas de doute: c'est là. De chaque côté
de la route, sur des bruyères de quatre doigts d'épaisseur il y a
des avenues de buis et de genévriers qui vont au diable. C'est
vert sombre.

Vu.

Je rentre. Pendant deux jours je fais mon jardin. Je vais voir

[58] (colloquial form of speech) having gone thus far I can't stop now
[59] colloquial, like «je me tape» used in the same sense, I have to swallow
the drive to Saint-Vable [60] a phrase used in the army, when the name of
someone missing or unknown is called in a roll call.

Charras. Je lui dis: «Qu'est-ce que tu voulais mercredi dernier? Est-ce que le fils Raynaud t'a arrangé?»[61]

Il me dit: «Non, et même ça m'ennuie.»

— Il s'agit de quoi?

— Ma fille est nommée institutrice à Vallier. On est allé voir. C'est au tonnerre de Dieu. Jamais la petite pourra rester seule dans un trou pareil. Alors, sa sœur va avec elle, au début. Et puis, on va s'occuper de la faire changer de poste. Mais, pour le moment il faut y aller. Il faut qu'elles portent au moins deux lits, enfin une table, trois casseroles, une commode, des malles et des valises. C'est pas un chargement pour toi, je le sais. Le fils Raynaud m'a dit: «Moi, vous savez, j'ai de mauvais pneus pour aller là-haut dedans.» Enfin, j'ai compris que ça ne lui disait rien. Je ne t'en parlais plus parce que c'est un peu ridicule de prendre un camion comme le tien pour porter trois fois rien. Je lui dis: «Écoute, je suis un peu patraque,[62] ton truc,[63] c'est un petit truc, si tu veux je te le fais. Tes filles sont déjà là-haut? — Non, elles monteraient avec toi s'il y a de la place dans ta cabine.»

Et nous nous mettons d'accord pour le vingt-huit septembre. En le quittant, je pense tout d'un coup que le vingt-huit est un dimanche. «Tu n'y as pas fait attention, lui non plus.» J'étais là pour le rappeler, puis je me dis: «Laisse, si ça ne fait pas son affaire il te le dira. Toi, que ce soit dimanche ou lundi, ça n'a pas d'importance.»

Charras ne dit rien et nous partons le dimanche. Il faisait mauvais. Obligé de bâcher[64] et on se fourre,[65] les deux filles et moi, dans la cabine. Le voyage va bien; on ne s'en faisait pas[66] tous les trois. Vallier, c'est pas plus mal qu'autre chose: c'est un peu haut, un peu triste, mais les gens sont très serviables. Ils nous aident à décharger le matériel, à le rentrer à l'école et ils font beaucoup de bonnes manières à leur nouvelle institutrice.

---

[61] has fixed your case, has helped you in your problem [62] out of sorts, like a machine out of order [63] your junk, your stuff [64] to cover with a «bâche» or coarse canvas (to protect the goods in an open truck) [65] we squeeze in, we cram ourselves in the covered seats in front [66] a common phrase, «ne pas s'en faire (du mauvais sang),» to take it easy.

Bref, ils nous font manger la soupe: une potée au lard.[67] Et on
sort des bouteilles. La nuit tombe. Le temps était de plus en
plus mauvais. Ils me disent: «Restez ici, demain il fera jour.»
J'accepte. On sort d'autres bouteilles. Et en avant! Entendu que
je dois coucher chez un nommé Firmin, mais mon camion est
dehors et il se mouille. Je dis: «Vous n'avez pas une grange, un
hangar où je pourrais le garer?» Il y a un type qui me dit:
«Si, viens!» Il allume un fanal et on y va. Je dis: «C'est loin?» —
Non, c'est à cinquante mètres. Je monte dans la cabine. Voyons
voir si ça va partir. Je me disais: «Avec ce qui lui est tombé
dessus, qu'est-ce qu'il y aurait d'étonnant que les bougies
soient noyées? Pas du tout: ça part, ça ronfle même.» Le type
au fanal me dit: «Je passe devant, je vais te montrer.» Je ne
sais pas ce qui me prend. Peut-être ce moteur qui ronflait, je
t'assure, d'une façon épatante. Je me mets à la portière et je
l'appelle. Il rapplique. Je dis:

— Écoute, j'ai changé d'idée. Je file.

— Où donc?

— Je rentre.

Il dit: «Ne fais pas une chose comme ça. Regarde ce qui
tombe.»

— Si, si, je rentre.

Il me fait tout entrevoir. Rien à faire. Je dis:

— Remercie tout le monde. Excuse-moi, je suis comme ça,
moi. Je me fais du mauvais sang,[68] tu sais, il faut que je rentre.

Je recule, je braque,[69] je tourne, et, bon vent . . .

Franchement, un tour de couillon![70] Une heure après,
recta,[71] je trouve mon bonhomme. Je vois d'abord, dans mes
phares, une sorte d'avenue qui prend au bord de ma route
genévriers, buis et un petit morceau de tapis de bruyère, tout ça
très propre sous la pluie. Vert sombre. Mon bonhomme est là.
Il me fait signe. Et je ne m'arrête pas! Enfin, pas tout de suite;
je fais peut-être encore vingt mètres. Il arrive. Il dit: «Bonsoir!
Vos freins ne vont pas ce soir?» Je dis: «Non, ils ont besoin

---

[67] a thick soup with bacon or the fat of pig in it, served from a coarse
pot or tureen   [68] I fret for nothing, I worry   [69] I change the direction,
I turn the steering wheel of the car   [70] a nasty trick   [71] just as expected,
punctually.

d'être un peu serrés.» Il s'assoit à côté de moi. Il est toujours sec comme un pendu. Tu vois Vallier? Ce n'est pas précisément la direction de la gare de Lus. Il y a cependant un coin par lequel on peut y aller. Je dis on peut. Tu vois l'embranchement pour Saint-Julien. Là, dans la croisée, il y a un chemin. Pour venir ici tu te détournes de trente kilomètres. J'ai pris ce chemin. Et on a tourné dans des bois et des bois, jusqu'à la gare de Lus.

«Les filles demandent pourquoi tu es parti comme ça l'autre soir, me dit Charras quelques jours après. Et aussi si tu es bien rentré.»

Après ça, je fais deux ou trois voyages là autour pour les uns et les autres. Je me dis: «Minute. Regarde venir. Il doit bien y avoir moyen. Comme ça un mois, un mois et demi. La neige commence à se mettre partout. Il n'y a plus rien à faire en dehors des routes nationales. Arrive Picolet d'Avers. Il a quelque chose de drôle à me demander. Tout de suite ça me fait mauvais effet. Il faut que j'aille chercher un taureau à Montmeyan.» Je lui dis: «Tu as vu le temps qu'il fait?» Il me répond que c'est tout le long sur la grand-route bien libre, que si j'ai peur de ça alors . . . Je n'ai pas peur de ça mais, où on le mettra son taureau? Ce n'est pas des mètres cubes de bois. Il me dit: «J'ai sa boîte, on le rentre dedans. Tu n'as plus qu'à charrier la boîte. C'est facile.» Je lui réponds que, pour lui, tout est facile, mais que pour moi ça n'est pas pareil. Et que son taureau ça ne presse pas. Et il me raconte que c'est une bête primée[72]; enfin, ce taureau il me le fait plus beau que le pape. Mais je tiens bon et je lui dis que ses vaches peuvent encore se passer de pape pendant quelque temps. Il me dit: «C'est pas seulement mes vaches, c'est toutes les vaches.» — Eh bien! toutes les vaches se passeront de pape jusqu'à ce qu'il fasse beau.

Il part. Il n'est pas content. Je me dis: «C'est vrai, ça, on ne peut quand même pas faire passer les vaches avant les chrétiens!» Va te faire foutre qu'à partir de ce moment-là le temps se lève.[73] Ciel clair, soleil, un peu de bise. Il gèle ferme. Je monte jusqu'à la route: elle est sèche et solide comme en été. Je me dis: «Tu as l'air d'un âne. Avec une route comme ça, qu'est-ce

[72] which won a prize, a superior bull   [73] a coarse phrase equivalent to "I'll be damned if just then the weather did not clear up."

que c'est d'aller à Montmeyan?» Je redescends. En redescendant je me dis: «Non, tu auras l'air de ce que tu auras l'air mais tu n'y vas pas. C'est encore un coup dans le genre de ce qui s'est passé pour Pradalier et pour Charras. Ça te lanterne [74] jusqu'au moment précis où tu tombes pile sur le bonhomme. Tiens-toi à ton idée. N'empêche qu'à midi, dans les endroits à l'abri, on dirait l'été.» Je fume ma pipe sur le banc devant ma porte. Je me dis: «Montmeyan, c'est quand même pas le désert. C'est tout le long dans des villages et des champs; ça ne monte pas; il n'y a pas de forêt; on passe à Clelles, on passe à Mens, on passe à Landres qui ne sont plus des villages, presque de petites villes.» Et je me redis: «non, non et non.» Même, j'entreprends quelque chose d'autre tout de suite. Le soir je me répète: «Tu as l'air d'un âne.» Je me redis: «Tant pis. Non.» Je me couche. Je me réveille en pleine nuit. Je me lève. Je ne sais pas pourquoi. Je vais à la fenêtre. Des étoiles, plein. J'ouvre le tiroir de la commode et je prends mon revolver. Mais je me dis: «Et ça ta servirait à quoi? Est-ce que ce type-là t'a fait quelque chose? Absolument rien. Il s'assoit à côté de toi et tu le mènes à la gare de Lus, un point c'est tout. Il est là et il ne dit même rien.» Je replace le revolver. Je me recouche et je me rendors. Le lendemain c'est à se mettre à genoux! [75] Un temps! Tu te souviens? Et ça dure huit jours. Et pendant ces huit jours, tous les jours je me dis au moins cent fois: «Va chercher le taureau de Picolet. — Non! — C'est si facile, va chercher le taureau de Picolet. — Non! — Il fait beau; c'est franc comme l'or [76]; va chercher le taureau. — Non! — Va chercher le taureau; c'est tout le long dans des villages, il n'y a pas de forêt, ni de désert, ni de vert sombre nulle part. — Non et non!» Et puis, je me décide tout d'un coup. Je me dis: «Tu n'as qu'à y aller en plein beau temps et en plein jour. Et tu rentres avant la nuit. Tu pars d'ici à sept heures. Tu es là-bas à dix. Tu pars à onze. Tu rentres à deux heures de l'après-midi. En plein jour. Au soleil.»

Et je téléphone à Picolet. Et je pars le lendemain à sept heures,

[74] colloquial for " it bothers you, obsesses you"   [75] such radiant weather that one might fall to one's knees and offer thanks   [76] (colloquial) it's untarnished, pure; no dilly-dallying about it.

JEAN GIONO

recta. Même à moins le quart, avec un temps dur comme du
ciment. Dégagé de partout, plein d'étoiles vertes. Le soleil ne
pointe pas encore, mais il n'a rien au-dessus de lui. Un ciel
propre comme une pierre de lavoir. Partout des couleurs de
beau temps. Pas un brin de rouge. Net. Je regarde de tous les
côtés. De tous les côtés ça brille. La route est propre comme un
sou. Je mène dur. J'arrive à Montmeyan à neuf heures et demie.
Les types ont été prévenus par téléphone. Ils sont là. Le taureau
est mis en boîte, bouclé, chargé, c'est dix heures et quart. Je
suis en avance de trois quarts d'heure. Un temps de marbre. Je
regarde encore de tous les côtés. C'est formidable. C'est même
plus beau qu'en été. Je pourrais prendre mes aises, mais je suis
gonflé à bloc.[77] Je veux y arriver et je démarre à dix heures
vingt. Pendant les premiers kilomètres je surveille, pour me
rendre compte si mon collègue[78] ne rouspète pas trop là
derrière. Pas du tout. Il en a pris son parti; le pape se laisse
véhiculer. Je passe Landres, je passe Mens, je passe Clelles. Il
est midi. Je suis à treize kilomètres de Clelles et, devant moi je
vois déjà le clocher de Percy, au delà de cinq ou six mamelons
aveuglants de neige quand il y a quelque chose qui foire,[79] et
me voilà en panne. Je descends. Je relève mon capot; je fais
mes trucs. Rien. Est-ce que c'est bien midi? Oui. C'est midi
vingt-cinq. C'est bien le diable s'il ne passe pas une voiture
allant vers Clelles. Je le ferai dire au garage et Martel s'amènera
dare-dare.[80] Ça peut coller.[81] Il y a encore au moins pour
presque quatre heures de jour. J'allume un petit feu de branches
sous le radiateur pour qu'il ne gèle pas et en attendant je me
remets à tripoter[82] là dedans. J'ai naturellement soufflé dans
le gicleur[83] et tâté les bougies.[84] Une heure dix; il ne passe
personne. Le pape ne dit rien. C'est déjà bien. Deux heures et
demie; personne et toujours rien à faire. J'attaque à la mani-
velle.[85] Je suis en nage.[86] Et brusquement un coup de froid me
pince sous les bras. Je relève le nez; qu'est-ce que je vois? Le

[77] (colloquial) like tires inflated to be hard and solid, full of pluck
[78] (ironical) refers to the bull behind him   [79] that goes wrong, trouble in
the motor   [80] posthaste, fast and noisily   [81] that may work, do the trick
[82] mess around, tinker   [83] the carburetor jet   [84] plugs   [85] with the crank
[86] bathed with perspiration.

122

col bouché[87]; un nuage noir qui descend; des nuages noirs qui dépassent la crête de l'Archat, le dos du Ferrand, et qui vont vite, s'amènent. Plus de soleil; une giclée de grésil[88] et, va te faire foutre que voilà la neige, épaisse et bourrasque. Je colle du bois à mon feu,[89] ferme le capot et je grimpe dans la cabine. Ça va mal. Toujours personne. Trois heures un quart. Il y a bien longtemps que je ne vois plus ni clocher du Percy ni rien du tout, pas même les bords de la route. Je n'ai plus que, tout au plus, une demi-heure de jour devant moi. Là-dessus, le pape se met à foutre des coups de talon dans sa baraque et il chante un drôle de cantique. Il s'impatiente. Il n'est pas seul. Je redescends mais je n'ouvre même pas le capot; avec ce qui tombe je ne risque pas d'arranger quoi que ce soit. J'alimente mon feu. Je rentre à l'abri. S'il ne passe personne, je suis là jusqu'à demain. Et il ne passe personne. La nuit tombe. J'allume les phares. Je vais décharger ma batterie. L'autre continue à beugler et à ruer. Je crois même qu'il flanque des coups de tête et, heureusement que, dans sa boîte, il n'a pas de recul,[90] sans quoi, du train où il va, il casserait tout. Alors, à nuit noire, je vois dans mes phares, au-dessus de blanc de la neige, un tout petit peu de vert sombre. Comme le commencement d'une allée de bruyère entre des genévriers et des buis; et voilà mon homme qui arrive par là, nu-tête, avec sa veste à carreaux, son pantalon neuf, ses bottines cirées et pas de bagage. Il vient, il ouvre ma portière, il s'assoit à côté de moi. Il dit: «Sale temps!» Je dis: «Oui.» Il sent le sec. Le pape est sage comme une image. J'appuie sur le démarreur. Ça ronfle. Et nous partons. Je suis allé droit sur la gare de Lus. Ce n'est qu'après que je suis rentré ici.

A partir de là le temps fut mauvais. Souviens-toi. C'est à peine si on se voyait de maison à maison. Chacun chez soi. Il ne fallait plus penser à faire des transports, même à cinquante mètres. Je faisais comme toi et comme tout le monde. Je sortais juste pour aller chercher mon tabac. J'avais le temps de tourner et de retourner toutes choses. Je me dis que, peut-être, un chien

[87] all obscured with clouds, with a threatening storm [88] pellets of snow [89] I add more wood, pile it up close to my fire [90] room at the back to take a jump.

ferait l'affaire. Je vis Auguste Blache et je lui demandai s'il ne voulait pas me vendre un de ses fameux chiens-loups. Je savais qu'il en vendait. Il voulut bien, au contraire. Il me dit même que c'était le moment rêvé. Il en avait un jeune, très fort. Il me dit: «Si tu le prends maintenant il s'attachera à toi.» Je lui dis: «Pourquoi maintenant?» Il dit: «A cause du mauvais temps et du froid. Il restera près du feu et, comme il comprendra que c'est ton feu, il s'attachera à toi.» Oui. Et puis je lui fis de la soupe d'os. Alors, tu comprends, pour ce qui est d'aimer quel-qu'un il m'aimait. Tu connais les chiens de Blache. C'était sûrement le plus beau. Il se tenait planté comme un préfet. Il avait les onglons[91] comme des rasoirs. Une belle tête; il savait rire; des dents de passe-partout.[92] Je lui tapais les muscles du cou: on aurait dit du câble électrique. Il dormait à mes pieds. Il n'y avait que moi pour lui. Nous passons ensemble Noël et l'hiver.

Arrive le printemps. Je me dis: «Maintenant, tu as quelqu'un avec toi. La première occasion qui se présente, je ne cherche pas midi à quatorze heures, je la prends. C'est Pical qui veut que j'aille à Dauban porter trois tonnes de peaux de bœufs à la tannerie. Ça presse parce qu'il a peur que le dégel les pourrisse. Je lui dis: «T'en fais pas, j'y cours.» Il dit: «Il est loin de faire beau.» Je dis: «Il est même près de faire très mauvais, mais, laisse faire, on verra bien!» J'étais fier comme Artaban.[93]

Je fais monter le chien à côté de moi dans la cabine. Je l'avais appelé Pompon. Il s'assoit à la place où le bonhomme s'assoyait. Et nous partons pour Dauban avec notre chargement qui ne sentait pas la violette. Il faisait le temps rêvé pour mon zèbre.[94] La pluie tombait à seaux et même elle était si épaisse que c'était elle, bien plus que le nuage, qui faisait de l'ombre jusqu'à mettre la nuit dans le jour. J'étais bien tranquille. J'allais doucement. Sale coup pour Pompon si on s'était flanqué[95] dans le fossé. Je ne tenais pas à lui faire peur. C'était sa place maintenant, là, à côté de moi, sur le siège de la cabine.

[91] claws   [92] a cross-cut saw   [93] a proverbially proud man, from a proud and boastful character in a seventeenth-century novel, *Cléopâtre*, by La Calprenède   [94] a colloquial phrase meaning the same as «mon bonhomme» or «mon type,» my guy   [95] to tumble into, to crash into the ditch.

J'avais plaisir à voir sa bonne tête si solide, bien dentée, ses bonnes oreilles qui se couchaient nerveusement de joie quand je l'appelais par son nom, ses yeux si affectueux. Il me lécha au moins dix fois les mains, pour son plaisir à lui.

Je n'avais jamais vu un temps plus mauvais. On était emberlificoté[96] dans la pluie comme dans des draps et des couvertures. On n'allait pas plus vite que le pas.[97] On donnait du nez dans des saloperies.[98] Tu usais ton pied à freiner. Ça se débrouillait un peu; tu y voyais encore quelques mètres. Tu les faisais, ça s'emmouscaillait[99] de plus belle. J'ai un essuie-glace à main. D'habitude c'est plus pratique. Là, non. Vingt fois j'ai passé le chiffon par dehors. J'ai finalement trouvé une pomme de terre dans mon coffre à outil. Elle est là pour ça. J'en ai passé sur la vitre et on a pu faire un peu de route. Quand la pluie s'écartait, je voyais le pays sauvage.

On fait ça jusqu'à Dauban où on arrive à trois heures de l'après-midi. Ces trucs où il y a beaucoup d'ouvriers, comme ça, on ne trouve jamais personne. Avant qu'on ait enregistré le poids et la tare,[100] fait le bulletin et déchargé les ballots c'est plus de quatre heures. Mais je n'étais pas impatient et cette fois je regardais la nuit en face. Il faisait d'ailleurs moins mauvais. Il n'y avait plus que de la pluie ordinaire.

On part. Pas d'erreur: c'est tout à fait une nuit pour mon zèbre. Dans mes phares, je vois maintenant un drôle de pays. Il n'y a naturellement pas encore de feuilles aux mélèzes ni aux frênes. Les arbres sont vernis de la tête au pied. L'eau brille dans toutes les branches. C'est comme une toile d'araignée. Dans les tournants j'éclaire la lande ou des pentes de montagnes nues. Des choses vastes. Enfin, je vois des buis, des genévriers vert-sombre. Une avenue de bruyère. Je joue franc-jeu. Je m'arrête. Et le type ne se dégonfle pas. Il arrive. Il n'était pas là quand je me suis arrêté. Maintenant il est là: veste à carreaux, pantalon neuf, souliers vernis, pas de bagages. Je vois la pluie

---

[96] steeped or entangled in (used chiefly for involved speech) [97] «aller au pas,» for horse-drawn carriages, meant slowly, with measured steps [98] (slang or colloquial) garbage, refuse; (here) dirty gusts of wind [99] (dialectical word) it became more and more sunk into nasty soup of rain and fog [100] the tare, the weight of the car and the contents.

tomber sur sa tête nue mais je sais qu'il sent le sec. Et cette fois je vois son visage. Il sourit. Je touche mon chien. Il est toujours assis à côté de moi. Il ne bouge pas.

Le type s'avance, ouvre la portière. Je dis: «Descends, Pompon.» Pompon descend de la banquette et se couche près de mes jambes. Le type s'assoit près de moi. Et nous partons pour la gare de Lus. Il me faut d'ailleurs quitter ma route et prendre à gauche. Je prends à gauche. Pompon ne me gêne pas pour conduire. Il est plutôt couché sur les pieds du type.

Je l'ai déposé à la gare de Lus, comme d'habitude. Mon chien a voulu le suivre. Il a fallu que je descende, que j'attrape Pompon par le collier et que je le fourre de force dans la cabine. Il a failli me mordre. L'homme était arrêté sous le réverbère et nous regardait en train de nous battre. Tout le long, pour venir ici, Pompon est dressé contre la vitre et il geint.[101] Je l'enferme avec moi dans ma chambre. Il se couche contre la porte. Il respire l'air qui passe sous la porte. Il geint toute la nuit. Le matin, il profite de mes allées-venues et il part. Je le vois sauter la haie. Je l'appelle. Il ne répond même pas. Il file ventre à terre[102] vers Lus.

Je l'attends un jour, deux jours, trois jours. Chaque soir je passe une heure à le siffler dans toutes les directions. Je retourne à la gare de Lus. Je demande. On l'a vu puis on ne l'a plus vu. Il me manque.

Je descends à Grenoble. Je vais au garage des Allées. Je dis à Chabot: «Est-ce que tu ne connaîtrais pas un type qui voudrait venir chez moi? Il s'agit de m'aider à conduire le camion. Il faudrait un jeune. Je le nourris, je le loge, je lui donne sa paye. Ce qu'il faudrait, c'est un type qui chôme. Est-ce qu'il n'y en a pas?» Il me dit: «Si. Tu es pressé?

— Oui.

— Quand est-ce que tu remontes?

— Le plus tôt possible. Je n'ai rien à faire ici. Je suis descendu exprès.

— Va casser la croûte et puis reviens. J'aurai peut-être ce qu'il te faut.»

[101] from the verb «geindre,» he moans   [102] racing at full speed.

En effet, il a un jeune bien sympathique. Je lui demande s'il sait conduire les poids lourds. Il me dit oui. On se met d'accord, je l'emmène. Il est bien, il est costaud, placide. Il ne s'en fait pas. Il a l'air tout content d'avoir trouvé une place. A moitié chemin je lui donne le volant. Il conduit jusqu'ici. Impeccable. Prudent et régulier. Il passe les vitesses comme dans de l'huile.

Nous faisons tout de suite bon ménage. La maison lui plaît, le pays lui plaît, le boulot [103] lui plaît. Moi je ne lui déplais pas. C'est un bon bougre, [104] serviable et pas fainéant. Il met la main à la pâte pour tout. Il a même des idées pour cuisiner. Je n'aurais même jamais cru qu'il y ait de petits gars comme ça. Nous faisons pas mal de voyages ensemble. Il fait beau.

Certains soirs même, je chantonne. Quelle différence avec Pompon! Nous parlons, nous partageons le tabac. Il va, il vient, nous jouons aux cartes. Il s'appelle Jules. Je n'aurais jamais cru que la vie à deux soit si agréable.

Nous entamons la période de mauvais temps. Et brusquement un jour je suis prévenu. Les nuages sont bas. La pluie tombe en planches, la bourrasque secoue les arbres et les maisons. Vers les dix heures du matin la porte du jardin bat. Je regarde par la fenêtre. C'est un homme, sous une grande pèlerine [105] et enfoncé jusqu'au menton dans un capuchon, qui arrive. C'est Bienaimé Laveur. Il dit:

— Est-ce que tu ne me ferais pas un voyage?

Je dis naturellement si . . .

— Il s'agit de quoi?

— Il s'agirait d'aller chercher un groupe à Saint-Dizier.

Seulement voilà: il y a le moteur et il y a quatre machines-outils. Il a acheté le tout à un nommé Trémolet qui avait installé une scierie et a fait de mauvaises affaires. On l'a saisi, [106] on l'a mis à la porte et le groupe est dehors, à la pluie. Il souffre. Il faudrait y aller tout de suite. Je dis:

— Tu n'aurais pas pu y penser quand il faisait beau?

Il dit: «Non! quand il faisait beau je n'y pensais pas; j'y pense maintenant.

[103] the job [104] a good guy [105] a hooded cape, often worn by shepherds [106] he went into bankruptcy and his property was seized by order of the court.

127

— Bon, on va aller te chercher ton groupe.

— Est-ce que c'est loin?» me dit Jules.

Je dis: «Non, il faut compter quatre heures en tout, aller-retour.

— Restez là, me dit Jules, j'y vais seul. (J'aime beaucoup ce garçon.) Vous n'avez qu'à me dire où c'est.»

On voit qu'il m'aime bien, que ça lui fait plaisir que je reste à l'abri. Je lui dis: «Prends la carte, je vais te montrer.» Je lui fais voir la route. Elle passe par Albaron et les gorges. J'ai envie de lui dire: là il y a un vieux peuplier . . . mais, naturellement je ne dis rien. Il casse rapidement la croûte et il part vers les midi. Je lui dis: «Tu seras de retour à quatre heures, mettons cinq. J'aime mieux que tu rentres de jour.» Il me répond: «Ne vous en faites pas, patron. Dormez sur vos deux oreilles.»

Je m'en garde bien. Je reste à regarder le temps. Ça n'a jamais été le temps du bonhomme comme aujourd'hui. Si peu que la pluie s'écarte il me semble que je vois genévriers et des buis vert sombre; une avenue de bruyère. C'est le frêne qui est encadré dans ma fenêtre ou bien c'est le châtaignier du coude de la route. Plus de cent fois ce pays vert sombre, ce parc de château autour de rien apparaît. Je guette l'homme. Je crois le voir. C'est un de vous autres qui passez sur la route. C'est Valigrane qui a pris le raccourci [107] dans le pré et qui voyage à travers la pluie. J'essaye de m'intéresser à quelque chose. J'égoutte mes vieux bidons d'huile dans une bassine. L'huile est verte et sombre. Je vois ce pays triste qui domine les gorges. Jules est en train de rouler en bas au fond en ce moment. A-t-il dépassé le peuplier ou pas encore? La pluie s'enrage contre mes vitres. Il me semble que c'est contre mon pare-brise et j'ai envie de manœuvrer l'essuie-glace. Il a dû dépasser le peuplier. Il ne doit pas être loin de la sortie des gorges maintenant. Je continue à égoutter mes vieux bidons. Ça coule à petit fil. Jules ne sait même pas que ce pays vert sombre existe. Il ne pense qu'à conduire. A la crête des rochers, là-haut les genévriers et les buis regardent passer mon camion. Ce n'est pas moi qui suis dedans.

Quatre heures. Je dis: «Et voilà, il va arriver!» Cinq heures! J'ai dit quatre ou cinq heures. Il ne va plus tarder. Il fait presque

[107] short cut.

nuit. Mais qui sait si, de l'autre côté des montagnes, la pluie est aussi épaisse qu'ici? Peut-être qu'il y fait jour plus longtemps? Six heures! Maintenant il fait nuit noire partout. Sept heures! Où est-il? Huit heures! J'entends du bruit sur la route. Je sors: c'est une rafale qui rage dans les branches des châtaigniers. Neuf heures! Je me demande s'il a été arrêté à ma place.

Cette fois c'est lui. Les phares ont éclairé ma fenêtre. Je lui demande ce qu'il a bien pu foutre! il est dix heures un quart. Il me dit que, quand il est arrivé à la scierie, il n'y avait personne. Il ne pouvait pas charger le groupe tout seul. Il a fallu qu'il aille à la ferme à côté; ça a pris du temps. Ils se sont donné un tintouin [108] du diable pour charger ces machines qui, en effet, n'ont pas l'air commode. Je lui dis: «Gare ça,[109] on ira décharger demain. Viens manger ta soupe.»

Il dit: «Tiens, vous n'avez pas allumé la lampe?» Je dis: «Non, je l'allume.» Je mets deux assiettes sur le table. Il dit: «Vous n'avez pas encore mangé?» Je dis non.

Nous commençons à avaler la soupe. Je n'osais pas aborder la question. Je dis: «Tu as fait bon voyage?» Il dit oui.

— Il n'a pas fait trop mauvais temps?

— Comme ici. Il n'a pas fait beau.

— Tes phares marchaient bien?

— Oui. Ils sont un peu bas. Je les redresserai demain.

J'avais mis un jarret de porc [110] salé à bouillir avec des choux et des pommes de terre. Je tire le jarret de la marmite. Je le coupe:

— Tu as faim?

— Oui.

Je lui en donne un bon bout. Il se sert un verre de vin. Je suis obligé de fermer les yeux tellement la couleur du vin est sombre; presque verte.

— Tu n'as pas eu d'ennuis, non? Tu as passé par la route que je t'ai dit?

— Oui.

— Le torrent n'avait pas débordé?

[108] (colloquial) trouble, worry over a heavy job   [109] park all that right here   [110] properly, the bend of the knee or the leg or shin of a pig, used by peasants to give taste to their soup.

— Si, mais pas grand-chose.

— Tu y voyais bien devant toi?

— Très bien, mais les phares sont un peu bas. Il faut un tout petit peu les redresser.

Je me sers de choux et de pommes de terre. Lui aussi. Je dis:

— Et, est-ce que tu n'as pas peur de rouler la nuit?

— Pensez-vous! Et de quoi voulez-vous que j'aie peur? (Je me dis: «Est-ce que ça serait un imbécile?»)

— Il peut arriver des quantités de choses la nuit.

— Il n'arrive jamais que ce qui doit arriver.

A ce moment-là, je trouve dans mon assiette une feuille de chou toute verte; d'un vert sombre.

Je dis:

— Tu n'as rencontré personne sur la route?

— Si, c'est drôle: un type que j'ai connu à Grenoble. Il est employé dans une laiterie. Il sortait juste du bureau de tabac d'Albaron, comme je passais.

— Quand?

— En allant à Saint-Dizier.

— Et en retournant?

— En retournant tout à l'heure j'ai chargé un type qui m'a arrêté sur la route.

— C'est dangereux de prendre des types comme ça la nuit.

— Non. C'était un monsieur. Et avec ce qui tombait on ne pouvait vraiment pas le laisser sous un peuplier.

Le lendemain, tout bien pesé, je dis:

— Jules, je vais te payer deux mois, mais il faut que tu fasses ton baluchon.[111]

— Comment, qu'est-ce que ça veut dire?

— Ça veut dire que tu t'en vas, que tu ne restes pas ici, que tu pars, que tu vas ailleurs.

— Je vais où?

— Où tu voudras.

— Je ne reste plus avec vous?

— Non.

— A cause de quoi?

[111] to pack up your bundle and leave.

— A cause de rien, c'est comme ça.

Nous avons alors des mots parce qu'il dit que je ne sais pas ce que je veux.

— Pourquoi l'as-tu renvoyé? Moi je l'aurais gardé. Il faisait les choses à ta place puisque tu ne pouvais pas te défaire de l'autre . . .

— Pour que tout se passe derrière mon dos? Il serait parti et je serais resté là? Non! Je n'y tiens pas. Il l'aurait rencontré, il l'aurait mené? Non! J'aurais été au courant de tout: quand les temps du bonhomme arrivent, il n'y a pas à s'y tromper. Alors, imagine-toi! Jules serait parti et je serais resté. Je me serais dit: «Maintenant, il allume ses phares, maintenant il roule dans la pluie, maintenant, le bonhomme lui fait signe. Maintenant, Jules s'arrête, maintenant le bonhomme s'assoit près de lui, avec son odeur de veste sèche. Maintenant ils roulent vers la gare de Lus . . . Jamais de la vie! Qu'est-ce que c'est, Jules? C'est rien, Jules! Non.»

Il fait son baluchon et il part. Et moi j'attends. Les beaux jours sont arrivés. Je roule un peu par-ci par-là et même je fais quelques longs voyages pour Pradalier, pour Valigrane, pour Bicaille, dans des coins perdus. Enfin, petit à petit les nuages montent. Pendant toute une semaine le ciel se prend. Et c'est le mauvais temps. Dès le matin, je sais que c'est le temps du bonhomme. Je me dis: «Tu vas voir, sûrement tout à l'heure le Pical, le Letier ou le Valigrane vont venir te dire: est-ce que tu ne me ferais pas un voyage? Et tu diras: Diable, si!» Mais, le jour se passe: il ne vient personne. Je me ronge à rester là. Le lendemain, c'est de plus en plus le temps du bonhomme. Et il ne vient encore personne. Alors, le soir vers quatre heures je sors le camion. Et je pars. Je ne me dis pas: tu vas aller ici ou là, à Albaron ou à Saint-Vale. Je dis: tu vas. Je prends la route. Naturellement, vers les coins perdus. Je passe à Jarrot, à Sagnard, je monte à Caire, j'arrive à Reculet; je vois les trois maisons passer à travers la pluie dans mon pare-brise; je prends un chemin montagnard et je monte en troisième. La forêt. Un coup de vent écarte la pluie. Voilà devant moi les buis et les genévriers et le chemin de bruyère. Tout est vert sombre. Je m'arrête. Personne. Mon phare éclairait loin dans les avenues.

La pluie tombait juste assez pour luire. Je savais qu'il était là.
Je me dis: donne un coup de klaxon. Mais non. Je mets pied à
terre. Je me dis: va le chercher. Et me voilà parti. Je monte, je
monte . . . La forêt, la forêt, la forêt, la forêt, la forêt, dans la
lumière des phares. Et il est là. Il vient vers moi. Je l'attends. Il
passe, je le suis. Je sens l'odeur de sa veste sèche. Il me semble
que j'étais à cent kilomètres de mon camion, mais nous le
trouvons tout de suite. Le bonhomme me laisse alors passer
devant lui. J'entre dans la cabine. Il entre, s'assoit près de moi.
Je tourne dans ce chemin étroit comme sur une place publique,
sans y penser.

Cette fois, nous ne sommes pas partis pour la gare de Lus.
Il m'a dit où il avait à faire et je l'y ai mené. Directement.

QUESTIONS

1. En quel sens le mystérieux personnage qui apparaît dans cette
histoire rappelle-t-il le sujet de Faust? Que signifie le titre?

2. Pourquoi le dialogue en phrases brèves et la prose hachée du
début de cette nouvelle? L'auteur y gagne-t-il en crédibilité?

3. Que gagne, ou que perd, cette nouvelle à la précision géo-
graphique avec laquelle sont mentionnés les lieux qui en forment
le décor?

4. Quel rôle joue la pluie dans cette histoire?

5. Quel effet l'auteur obtient-il par la répétition des voyages
entrepris par le narrateur et des mêmes obsédantes rencontres?

6. Par quels procédés Giono réussit-il à maintenir en haleine la
curiosité du lecteur et à obtenir quelque variété dans un récit
obligé à la monotonie?

7. Pourquoi le narrateur de l'histoire renvoie-t-il son assistant,
lorsqu'il apprend qu'il a vu le mystérieux personnage, lui
aussi?

8. L'auteur n'a pas voulu conclure, ou expliquer ces apparitions
répétées du «Faust.» Pourquoi?

9. Quel effet produit le style de ce passage, riche en argot et en
expressions familières?

10. Giono réussit-il à créer en nous un frisson de peur et d'inquiétude
dans cette histoire, et par quels moyens?

Jacques Guicharnaud

Jacques Guicharnaud, né en 1924, publia en 1946 *Entre chien et loup*, le recueil de nouvelles dont nous avons extrait «Forêt.» Devenu professeur de lettres, M. Guicharnaud est spécialiste d'histoire du théâtre. Son dernier livre, *Molière, une aventure théâtrale*, a été publié en 1964.

L'épisode raconté dans «Forêt» se déroule au cours de l'été 1943. Toute la France était alors occupée par les Allemands. Environ deux millions d'hommes, dont de nombreux cultivateurs, étaient prisonniers en Allemagne. Il fallait cependant nourrir la population française et fournir aux occupants les produits agricoles qu'ils exigeaient.

Le gouvernement de Vichy, qui proclamait d'ailleurs que le salut moral de la nation s'accomplirait par le retour à la terre et aux valeurs paysannes traditionnelles, avait organisé un service rural pour les jeunes étudiants et élèves des lycées qu'on envoyait ainsi travailler l'été dans les fermes. Dans «Forêt,» nous voyons un groupe de garçons qui, s'étant engagés pour travailler aux champs, ont été envoyés, sans qu'on leur eût demandé leur avis, sur un chantier forestier proche de Paris, pour débiter des arbres. Bien qu'aucun d'entre eux ne semble doué d'une conscience politique développée (le milieu bourgeois dont ils sont issus est largement favorable au Maréchal Pétain), ils répugnent à couper du bois qui est destiné aux forces d'occupation, comme la présence d'un inspecteur militaire allemand le prouve. Toutefois, la désapprobation des jeunes gens ne se manifeste que par leur peu d'ardeur au travail et par des chahuts de lycéens.

Les garçons de «Forêt» acceptent leur sort, tout en rechignant. Seul Bruno Parrédaut, le héros de la nouvelle, va se révolter. A la veille de l'anniversaire de ses dix-huit ans, nous le voyons revendiquer

133

sa liberté et couper les ponts: «Forêt» raconte, sans rien sacrifier de l'ambigüité psychologique de l'adolescence, la transformation d'un coup de tête infantile contre l'autorité des adultes en une rebellion dont l'aboutissement politique est prévisible. A la fin de «Forêt,» Bruno, croyant fuir vers la chaude protection familiale à laquelle il est habitué, se transforme en adulte à son insu. Pour échapper au Camp de Blois, où le gouvernement de Vichy envoie les réfractaires de son espèce, il lui faudra probablement choisir de se réfugier dans le maquis. Le rebelle sans cause deviendra Résistant.

L'art de Jacques Guicharnaud consiste à ne rien trancher, à montrer un adolescent désorienté tel qu'il est, au moment de la crise décisive. Le désarroi de Bruno ne transparaît que dans ses répliques, écrites dans une langue parfaitement juste.

FORÊT

I

BRUNO FERMA son livre et le posa à côté de lui.

«J'en ai assez, dit-il, j'ai tellement la flemme[1] que je ne peux pas suivre ce que je lis.»

Il ouvrit les yeux et les referma aussitôt. Le ciel au-dessus de lui était d'un bleu pur, sans nuages.

«Tu devrais te mettre à l'ombre, grogna André sous le tronc d'arbre.

— Ce n'est pas comme ça que tu bruniras, dit Bruno.

— Je suis aussi brun que toi.

— Ça, non, dit Bruno.

— Tu paries?»

Il y eut un bruit de copeaux remués. Bruno s'abrita le visage avec sa main et regarda. André était à côté de lui. Toutes les lignes de son corps bronzé conduisaient à son visage perdu dans le ciel.

«Je n'ai pas le courage de me lever.»

André fit quelques pas.

«Où est passé Grioult? demanda-t-il.

[1] I feel so lazy.

134

Forêt

— Sais pas,» dit Bruno.

On entendait marcher André dans les brindilles. Il s'arrêta. «Il en écrase, le frère,[2] dit-il.

— Où est-il?

— Il est derrière les stères d'éclaté,»[3] dit André à voix basse.

Bruno se leva et s'étira. Il fit tomber les herbes sèches qui s'étaient accrochées à son short.

«Tu as beau être bronzé, dit André, tu as attrapé un sacré coup de soleil.[4] Tu vas peler.»

Bruno regarda sa poitrine. Il y avait une grande tache rouge sur sa peau brune. Il se dirigea vers André.

«Qu'est-ce qu'on pourrait lui faire?» demanda André.

Bruno regarda derrière les stères. Grioult dormait profondément, les bras en croix.

«J'ai de l'eau dans ma gourde,» dit Bruno.

On n'entendait que le chant des criquets. On aurait dit que le chantier était abandonné. Très loin, sur un tronc d'arbre, un type en slip se faisait rôtir au soleil. Bruno retourna près du tronc d'arbre et se mit à quatre pattes. Dans les herbes encore vertes, il y avait les gourdes et les montres-bracelets. Soudain on entendit à l'autre bout du chantier des coups de merlin. Bruno se leva. Par-dessus les arbres couchés, on voyait à la lisière de la forêt un type qui travaillait au merlin. Le merlin s'abattait, le type se relevait; alors seulement on entendait le bruit à la fois sourd et métallique du choc.

«Il a du courage, dit Bruno, qui est-ce?

— Un type de l'autre cantonnement,» dit André.

A gauche et à droite, des têtes apparaissaient au-dessus des troncs.

«C'est qu'on a une visite, dit André. Allez, au travail.»

A la lisière du bois, un groupe s'avançait.

«Il y a le garde, les contremaîtres et puis un type en vert,» dit Bruno.

André qui ramassait une bâche regarda.

«C'est l'Allemand,» dit-il.

Il courut derrière les stères d'éclaté et réveilla Grioult.

[2] the guy is sleeping like a log   [3] the cords of split logs   [4] in spite of your tan, you have a bad sunburn.

135

Grioult apparut derrière les stères, ses cheveux en broussaille sur sa figure ronde et rouge.

«Je suis abruti, dit Grioult.

— Ça ne te change pas, dit André. Vous deux, prenez le passant; moi, j'éclate.»

Il ficha un coin dans un rondin et se mit à taper dessus avec le merlin. Le chantier revivait. On entendait de tous côtés les coups des merlins et le crissement des scies. Au loin, des types chantaient vaguement. Bruno et Grioult prirent le passant et s'installèrent de chaque côté d'un tronc mince déjà entamé.

«Ce n'est pas la peine de se fatiguer avant qu'ils arrivent,» dit Grioult.

Ils se mirent à scier mollement.

«Tu es tout congestionné, dit Bruno.

— C'est le soleil, dit Grioult. Toi, qu'est-ce que tu as pris sur la poitrine![5]

— Ça ne fait rien, je suis déjà bien bronzé. Ça pèlera peut-être un tout petit peu.»

André avait fini son rondin. Il porta les morceaux sur un stère d'éclaté qui n'était pas terminé. Puis il fit rouler un autre rondin et y planta le coin d'acier.

«Je ne sais pas ce que c'est que ce bois-là, dit-il, il s'ouvre tout seul.

— Tant mieux,» dit Bruno.

Sous le soleil le chantier travaillait avec énergie. On entendait de l'autre côté du chemin la voix aiguë du garde forestier.

«Ils approchent,» dit Grioult.

Ils sciaient en fredonnant.

«Tu parles d'une vie,[6] dit Bruno. D'habitude, à cette époque-là, je suis à Dieppe[7] avec, la famille.

— Moi, dit Grioult, je suis dans la Sarthe,[8] chez ma grand'-mère.

— Tu ne pouvais pas dire que tu faisais ton service chez elle?

— Elle a un jardin de trois mètres carrés. Ça n'aurait pas pris.»[9]

---

[5] What a burn on your chest!   [6] what a life!   [7] port on the English channel   [8] district in northwestern France   [9] they wouldn't have swallowed it.

136

Le groupe était en train de contrôler l'équipe voisine. Le garde parlait fort. Les contremaîtres se taisaient. De temps en temps, le soldat allemand jetait un mot bref.

«Qu'est-ce qu'ils vont encore nous dire? dit Bruno. Ça me fait la même chose qu'à un examen.

— Tu es idiot, dit André entre deux coups.

— Et puis je n'ai pas digéré. Regarde.»

Il montra à Grioult son estomac qui ballonnait au-dessus de son short.

On entendit des pas tout proches. Les quatre contremaîtres, le garde et l'Allemand venaient vers eux sur un gros tronc d'arbre couché. Ils s'arrêtèrent en face d'André.

«Ici, c'est Longuet, Grioult et Parrédaut, dit un des contremaîtres.

— Ça va, les gars?» demanda le garde.

Bruno et Grioult s'arrêtèrent de scier.

«Ça va, dit Grioult.

— Vous aurez fait vos cinq stères? demande le contremaître.

— Pas tout à fait, dit André; c'est dur, ce bois-là.»

L'Allemand sauta du tronc d'arbre et mesura la hauteur des stères avec un mètre pliant. Il s'éloigna sans rien dire. Les autres le suivirent. André était appuyé sur le manche de son outil.

«Maintenant, on est tranquille pour trois ou quatre jours, dit-il.

— Les contremaîtres sont chics, dit Grioult. Le coup des cinq stères, ça fait bien.[10] Combien on en aura fait, aujourd'hui?

— Pas plus d'un et demi, dit André. Ça va trop bien pour durer.

— Qu'est-ce que tu veux, ce n'est pas notre métier,» dit Bruno.

Il s'allongea. On entendait la voix criarde du garde s'éloigner. Déjà tout un côté du chantier se taisait. Le type en slip s'était remis sur son tronc d'arbre. Un souffle très léger passa; les cimes de la forêt oscillèrent.

André prit un autre rondin et le mit debout.

[10] that looks good.

«Dites donc, s'écria-t-il, qu'est-ce que c'est que ça?
— Quoi? demanda Grioult.
— C'est un bout d'arbre marqué.»
Bruno se leva d'un bond et courut vers André. Sur la tranche noircie on voyait en creux des lettres et des chiffres.
«C'est l'arbre qu'on est en train de scier; on est frais![11] dit-il.
Grioult alla regarder à l'autre bout du tronc.
«Oui, il est marqué, dit-il.
— Si le garde revient, ça va faire du joli![12] dit André. Il n'y a qu'une solution, le faire disparaître.»
Il prit la hache et déforma le bout marqué.
«Il faut tout couper, dit-il. Vous auriez dû vous en apercevoir, il est droit comme un i.»[13]
Ils se mirent à travailler. Grioult et Bruno sciaient au passant, et André éclatait les rondins au fur et à mesure.[14] Lentement le soleil descendait. Bruno alla chercher sa chemise dans l'herbe et s'en vêtit.
Grioult et André continuèrent à travailler torse nu. Soudain Bruno s'arrêta.
«J'ai mal au ventre, dit-il.
— Tu as attrapé un coup de soleil sur l'estomac, dit Grioult.
— Non, c'est le ventre. Ce sont les patates.»
Il reprit le passant. Quand ils s'arrêtaient, on n'entendait plus rien dans le chantier autour d'eux. Vers 5 heures, quelque part un type se mit à jouer de l'harmonica.
A 6 heures, quand le coup de sifflet retentit à la lisière de la forêt, André éclatait le dernier rondin. Bruno et Grioult l'aidèrent à porter les morceaux.
«Jamais on n'a tant travaillé, dit André. On en a fait à peu près quatre.
— Demain on se reposera,» dit Grioult.
Ils ramassèrent leurs gourdes et leurs montres. Près d'un stère, ils prirent leurs musettes. André et Grioult enroulèrent leur chemise autour de leur taille. Ils rassemblèrent les outils et se les partagèrent. Bruno prit le passant et les deux coins.

[11] we're in for it! [12] there's going to be trouble [13] it's absolutely straight [14] when they were ready.

Forêt

Ils franchirent les troncs d'arbre et les broussailles et arrivèrent au sentier central. Ils rencontrèrent Armi, Gerbier et Marnaud qui remontaient du bas du chantier.

«Vous ne savez pas quels sont les loufoques qui nous ont empêchés de dormir? demanda Armi. Il y a une équipe dans votre coin qui n'a pas arrêté de travailler.»

Il avait noué un foulard jaune en turban autour de sa tête.

«C'était nous, dit André. Sans faire attention, on avait entamé un tronc marqué. On l'a fait disparaître.

— Vous avez eu raison. Ça fait trop d'histoires.» [15]

A mesure qu'ils remontaient vers la forêt, des équipes apparaissaient entre les stères et les entassements de troncs couchés, et se joignaient à eux. Bruno laissa tomber un coin. Il se baissa pour le ramasser.

«La brute! [16] dit-il en se relevant.

— Qu'est-ce qu'il y a? demanda André.

— J'ai mal au ventre,» dit Bruno.

Tout son visage était contracté. Quand ils pénétrèrent sous la forêt, il frissonna. Ils allèrent déposer les outils dans la cabane, et, à travers la haute futaie, ils gagnèrent la route goudronnée. Ils se réunirent en petits groupes plus ou moins nombreux qui partirent au pas [17] en chantant. Les contremaîtres les dépassèrent à bicyclette et disparurent au premier tournant. Bruno marchait avec André, Grioult et Armi. Ils avançaient tous les quatre de front. [18] Ils chantaient la marche des nains. [19] Bruno se tut. D'une main il tenait sa musette, de l'autre il se caressait l'estomac et le ventre. La route était longue et sinueuse à travers les grands arbres. Derrière eux, le soleil glissait de longs rayons roux entre les branches.

Au dîner, Bruno ne mangea rien. Il était assis au bout d'une table, à côté d'André. Il s'appuyait au mur. Il passa toutes ses portions à André et au type qui était en face de lui. Après le dîner, comme il lavait son couvert avec les autres à la fontaine dans la rue, Armi lui prit le bras.

«Tu as une drôle de gueule, [20] dit-il. Tu es jaune comme un Chinois.

[15] causes too much trouble [16] (expression of pain) [17] in step
[18] abreast [19] (the song from Disney's *Snow White*) [20] you look funny.

— J'ai mal au ventre,» dit Bruno.

Il suivit Armi au foyer. Quand ils entrèrent dans le baraquement du foyer,[21] il y avait déjà beaucoup de types. Tout au
bout, sur la petite estrade, l'infirmière derrière son comptoir
distribuait du café. Ils montèrent sur l'estrade et s'installèrent
avec d'autres auprès du poste de T. S. F. Armi voulait écouter
du jazz. Il y avait un type qui voulait à tout prix prendre les
nouvelles. L'infirmière s'approcha.

«C'est bien simple, dit Armi, on va lui demander. Cheftaine,[22]
vous préférez du jazz ou les nouvelles?»

Elle se mit à rire en rejetant son voile en arrière. Tout son
petit visage ridé se plissa.

«Le jazz, c'est plus gai,» dit-elle.

Les types se levèrent en criant: Ah! Celui qui voulait les
nouvelles haussa les épaules, se tassa sur sa chaise et se bourra
une pipe. La cheftaine riait toujours.

«Mais pas trop fort, dit-elle. Il y a des joueurs d'échecs.»

A une table, deux types jouaient aux échecs. Près de la porte,
il y en avait qui faisaient un bridge. La longue baraque commençait à être pleine de fumée. Bruno se leva.

«Au revoir, cheftaine, dit-il.

— Au revoir, mon petit. Dis donc, tu n'as pas bonne mine.[23]

— Ce n'est rien, j'ai un peu de colique.

— Tu veux que je te fasse une infusion?[24]

— Non, ça ira. Merci bien, cheftaine.

— Comment t'appelles-tu?

— Bruno Parrédaut, cheftaine.

— Bonne nuit,» dit-elle.

Il sortit. Il faisait clair de lune. Mais la nuit n'était pas encore
tout à fait tombée. Il traversa la cour de l'hôtel et se trouva
dans la rue. Il se dirigea vers la maison du cantonnement. Il
monta l'escalier à tâtons.[25] Dans la chambre, il alluma l'élec-
tricité. Il déroula sa paillasse,[26] se déshabilla et se glissa dans
son sac de couchage.

Quand il se réveilla, les autres étaient en train de bavarder.
Certains étaient déjà couchés.

---

[21] recreation hut   [22] den mother (term originating in the Cub Scouts)
[23] you look sick   [24] herb tea   [25] groped his way upstairs   [26] unrolled his
mattress.

«Parrédaut qui se réveille, dit Grioult.

— Je suis crevé,[27] dit Bruno.

— Eh bien, dors alors.»

Il se réveilla vers le milieu de la nuit. Tout était éteint. Les autres dormaient. Par la fenêtre entrait le clair de lune. On entendait les grillons. Il sortit de son sac et se leva. Il avait une main sur sa bouche et l'autre sur son ventre. Il sortit de la chambre. Dans le couloir on ne voyait rien. Des types parlaient dans une chambrée. Il ouvrit une porte et chercha à tâtons dans le noir. Brusquement il ouvrit la fenêtre et se pencha. Il se tenait à deux mains au rebord de la croisée et vomissait. Dans la nuit, on entendait tomber les patates sur le pavé de la cour. Quand il eut fini, il resta quelques minutes à la fenêtre, respirant profondément. Puis il retourna se coucher.

A 6 heures, on entendit le coup de sifflet. Les types se levèrent l'un après l'autre. Bruno resta couché.

«Alors, tu te lèves? dit André.

— Ça ne va pas. Dis au toubib[28] de venir.

— Tu es malade?

— Je n'ai pas digéré les patates.

— D'accord, dit André. Mais, tu sais, il n'est pas plus toubib que toi ou moi.

— Je sais, dit Bruno. C'est un ancien infirmier de l'armée.

— Il va te coller de l'ipéka.[29]

— Je crois que ce n'est plus la peine. Mais fais-le venir.

— D'accord,» dit André.

Une fois habillés, les types descendirent. Bruno resta seul dans la chambre. Le jour pâle pénétrait par les fenêtres. On entendait de temps en temps un coq. Un type dans la cour cria:

«Quel est le salaud qui a dégueulé[30] par la fenêtre?»

Bruno ne bougea pas. Il avait croisé les mains derrière la tête et regardait le plafond.

Le soleil éclairait de travers le lit lorsque le toubib entra. Il lui demanda ce qu'il avait. Bruno dit qu'il n'avait pas digéré, qu'il avait vomi et qu'il avait mal au ventre. Le toubib lui fit prendre du bicarbonate et lui dit de ne pas aller au chantier de la journée. Il reviendrait le voir le soir.

---

[27] pooped   [28] doctor   [29] give you an emetic   [30] the pig who puked.

Il était midi passé lorsque Bruno se leva. La maison était vide. Il alla à l'hôtel, traversa la cour et se promena dans le jardin. Il y avait quelques nuages. Il se dirigea vers le fond du jardin et pénétra dans le baraquement du foyer. L'infirmière était seule et écrivait à une table, entre des piles de livres.

«Bonjour, cheftaine,» dit-il.

Elle lui demanda ce qu'il faisait au cantonnement au lieu d'être au chantier avec les autres. Il lui raconta ce qui s'était passé.

«Tu as déjeuné? demanda-t-elle.

— Je ne veux rien.

— Comment t'appelles-tu, déjà?

— Bruno Parrédaut.

— Oui. Tu me l'as dit hier soir.»

Bruno marcha lentement entre les tables. Il s'approcha du piano et toucha deux notes.

«Tu peux jouer, ça ne me gêne pas.

— Je ne sais pas,» dit-il.

Il s'assit près du poste de radio et prit un magazine. Il le lut entièrement. De temps en temps, il levait la tête. A sa table la cheftaine, courbée, écrivait au milieu de ses livres. Dans la baraque l'air était chaud et tranquille. Il posa son magazine. Elle lui souriait par moments.

«Tu vois, dit-elle, je suis en train de vous faire une petite bibliothèque. Je n'ai pas beaucoup de livres, mais c'est un début.

— Vous voulez que je vous aide?

— Si tu veux. Je fais les étiquettes.»

Il se leva et vint s'asseoir en face d'elle. Il prit un porte-plume. Elle lui montra comment elle faisait. Il se mit à écrire.

«Tu te plais, ici? [31] demanda-t-elle.

— Ça dépend, dit-il. En ce moment je suis malade, et ça n'est pas drôle du tout.

— Ce sont les risques du service.

— Je n'ai pas demandé à venir ici.»

Elle sourit.

«Il ne faut pas dire ça.

[31] Do you like it here?

142

— Si, dit-il en écrivant. On nous a dit de nous engager pour aider à rentrer les moissons, et on nous envoie ici nous crever à couper du bois pour les Allemands.

— Vous dites tous ça.

— C'est vrai. Et quand on est arrivé, le barbu, le patron . . .

— Monsieur Variot.

— Oui, il nous a soutenu que c'était pour le carburant national, pour les gazogènes.[32] Quand le soldat allemand est venu nous contrôler, on a compris.

— Nous en sommes tous là.[33]

— Ce qui me dégoûte surtout, c'est la mauvaise foi du barbu. Après, il s'étonne qu'on chahute.»

Elle déboucha un pot de colle et se mit à coller les étiquettes sur les livres. Bruno la regardait, les mains croisées.

«Vous chahutez même un peu trop, et vous ne travaillez pas assez. J'ai entendu dire qu'on allait envoyer des moniteurs des centres de jeunesse . . .»[34]

Bruno prit un livre et le feuilleta. Un gros insecte vint buter en bourdonnant contre le grillage d'une lucarne.

«Tu sais ce qu'ils ont fait, à l'autre cantonnement, cette nuit? dit-elle. Ils ont arrosé un contremaître dans son lit.»

Bruno éclata de rire, elle rit aussi.

«C'est drôle, dit-elle, mais vous allez avoir les moniteurs.

— Je ficherai le camp.[35]

— Veux-tu te taire! A ton âge!

— Quoi, cheftaine? J'ai dix-huit ans dimanche.

— Eh bien, quand on a dix-huit ans, on obéit même si c'est un peu dur.»

Bruno fronça le sourcils.

«Je n'ai jamais voulu venir ici, ce n'est pas mon métier.

— Qu'est-ce que tu fais?

— Je viens d'avoir mon bac.[36] L'année prochaine, je fais mon droit.»[37]

Elle fit une pile de livres et la porta dans le placard. Bruno l'aida à porter les autres.

«Tu vas prendre le thé avec moi. Ça te fera du bien.»

---

[32] charcoal gas replacing gasoline during the war   [33] in the same boat
[34] youth camp counselors   [35] I'll run away   [36] I've just graduated from the lycée   [37] I'll begin studying law.

Elle prépara du thé. Ils le burent au petit comptoir.

«Ce qu'on vous demande ici, dit-elle, c'est de la discipline et du travail.

— Je ne peux pas travailler au-dessus de mes forces, dit-il, et je ne veux pas être traité comme au bagne. Si c'est trop dur, je partirai.

— Tu es ici depuis combien de temps?

— Quinze jours.

— Tu n'as pas pris de permission?[38]

— Non, mais dimanche j'en prends une, c'est mon anniversaire.

— Tu n'en as plus que pour trois semaines.[39] Ce n'est pas long.

— Je voulais bien rentrer la moisson dans une ferme, mais pas faire une sorte de service militaire dans un chantier forestier.

— Allons, allons,» dit-elle.

Elle lui donna une autre tasse de thé.

«Je sais ce que c'est que les enfants, dit-elle. Je suis grand'mère, moi. Et je sais bien qu'un petit stage ici leur ferait du bien. Le grand air, le bûcheronnage, c'est du sport. Et puis, il y a le foyer.

— C'est la seule chose sympathique, dit Bruno. Mais je n'aime pas ça, quand tous les types sont là.

— Tu es un enfant.»

Bruno haussa les épaules et regarda par une lucarne. Le ciel s'était dégagé. Le jardin était plein d'insectes qui tourbillonnaient.

«Tu vas m'aider à préparer le café pour ce soir,» dit la cheftaine.

Quand ils eurent fini, ils entendirent les types qui revenaient en chantant. Quelques-uns entrèrent au foyer et demandèrent à boire. La cheftaine leur donna de la bière. Soudain la porte s'ouvrit.

«Rassemblement dans la cour!» cria un gosse.

Bruno sortit avec les autres. Dans la cour, Variot était monté sur un banc; les types se rassemblèrent autour de lui. Il se lissait la barbe. Derrière lui, se tenaient les contremaîtres et le

[38] leave   [39] only three weeks to go.

144

chef de camp. Variot fit l'appel. Tout le monde était là. Il déclara qu'il avait appris avec beaucoup de surprise l'histoire du contremaître arrosé, qu'il était mécontent du travail, qu'il y avait trop de chahut, qu'en un mot ça n'allait pas du tout et qu'il avait fait venir quatre moniteurs des chantiers de jeunesse, non pas comme sanction, mais simplement pour rétablir l'ordre, et qu'alors tout irait mieux à la fois pour lui et pour les jeunes gens engagés. Il descendit de son banc au milieu des murmures. Bruno retourna aussitôt au foyer. L'infirmière était en train de mettre sa cape.

«Ça y est, dit-il. Les moniteurs vont arriver.

— Ça ne sera pas terrible, dit-elle.

— Je l'espère. Sinon, je sais bien que je plaquerai tout.[40]

Elle le prit par le bras.

«Il ne faut pas,» dit-elle.

Il se dégagea.

«Un vrai gosse. Tu dînes ce soir?

— Non, je ne veux pas me charger.[41]

— Si tu as faim, il y a des gâteaux secs dans l'armoire. Veux-tu garder le foyer pendant que je vais dîner?

— Si vous voulez, répondit Bruno.

— Tu es un gentil garçon, au fond.»

Elle sortit. Bruno monta sur l'estrade et alluma le poste de radio. Il prit les nouvelles. Il s'assit et croisa les bras. On entendait la rumeur des types qui dînaient. Bruno chercha un autre poste. Il trouva du jazz. Puis il se leva, ouvrit l'armoire et prit la boîte à gâteaux. Il revint s'asseoir et la boîte sur les genoux, il se mit à manger en écoutant la musique.

I I

Les moniteurs arrivèrent le vendredi soir. Pendant le dîner la porte du réfectoire s'ouvrit et Variot entra en se lissant la barbe. Derrière lui entrèrent quatre jeunes hommes gigantesques. Ils avaient tous une culotte de cheval, mais l'un d'eux avait un

---

[40] I'll chuck everything   [41] get bloated.

blouson à fermeture éclair, un autre une veste marron et les deux autres un gros pull-over.⁴² Ils allèrent jusqu'au fond de la salle. Variot fit faire le silence et dit que c'étaient les quatres moniteurs annoncés, et qu'il espérait que les jeunes gens et eux feraient bon ménage.⁴³ Puis un moniteur s'avança.

«Les gars, dit-il, on n'est pas venus pour vous emmerder . . .⁴⁴

— Ça commence bien, murmura Bruno à André.

— Vous n'avez pas l'habitude du travail d'équipe, alors ça cloche un peu, ça vous met de mauvaise humeur⁴⁵ et vous chahutez. On est là pour vous apprendre ce que c'est que l'esprit d'équipe. Alors il faut nous considérer comme des copains qui ont plus d'expérience, et pas comme des gardes-chiourmes.»

Il ouvrit encore la bouche, puis il fit un geste de la main et recula.

Celui qui avait une veste s'avança à son tour.

«D'abord, dit-il, demain comme les autres jours, rassemblement à 7 heures, ici dans la cour. Seulement, il faut qu'il y ait de l'ordre. Alors débrouillez-vous pour⁴⁶ nommer dans chaque équipe de trois un chef d'équipe. Demain matin les chefs d'équipe se rangeront en cercle autour de nous; derrière chaque chef, les deux coéquipiers. Tout ça pour éviter que les rassemblements fassent trop de bordel.⁴⁷

Ils sortirent avec Variot en disant:

«A demain, les gars!»

Quand la porte fut refermée, tous les types se mirent à hurler.

«Ils sont costauds, dit Grioult.

— Oui, dit Bruno, ils ont choisi des casseurs.⁴⁸

— Tout ce que j'y vois de plus clair, dit André, c'est qu'ils vont nous coller un régime militaire à fond.⁴⁹

— Tu crois?

— La preuve!⁵⁰

— En tout cas, dit Bruno, c'est toi le chef d'équipe.

---

⁴² riding breeches . . . zippered wind breaker ... brown jacket . . . bulky sweater ⁴³ get along fine ⁴⁴ we haven't come to bug you ⁴⁵ there is friction, and that puts you in a foul mood ⁴⁶ find a way to ⁴⁷ the formations from being a real mess ⁴⁸ tough guys ⁴⁹ strict military discipline ⁵⁰ you heard what they said!

146

— D'accord,» dit André.

Après le dîner, Bruno accompagna André au foyer. Les moniteurs étaient attablés avec les contremaîtres et le chef de camp. La cheftaine leur servait du café. Elle retourna à son comptoir. Bruno se dirigea vers elle et posa son quart[51] sur le comptoir.

«Bonjour, cheftaine; je pourrais avoir du café, s'il vous plaît?» La cheftaine le servit.

«Alors, vous avez vu vos moniteurs? demanda-t-elle.

— Les quatre types, là? Oui, on les a vus. Ils les ont choisis de taille.[52]

— Ils n'ont pas l'air bien méchant.»

Bruno but son café à petites gorgées. Il se retourna et s'appuya au comptoir. La salle ressemblait à un bateau renversé. Par les lucarnes on voyait le coucher du soleil. Autour des tables fleuries, les types fumaient en jouant aux cartes et aux échecs. Dans un angle près de la porte, deux types faisaient un ping-pong. Un type jouait du piano. Mais le bruit des voix était trop fort pour qu'on l'entendît. Près du poste de radio, quelques-uns écoutaient les nouvelles. L'un d'eux était torse nu. La cheftaine l'appela.

«Eh là-bas, mets ta chemise, toi!

— Cheftaine, j'ai trop chaud, dit le type.

— Le froid tombe vite. Tu vas prendre mal.[53]

— Bien, cheftaine,» dit-il mollement.

Il dénoua sa chemise enroulée autour de sa taille et s'en vêtit. Les moniteurs s'étaient levés et sortaient avec les contremaîtres et le chef de camp.

«Demain, le vrai bagne commence, dit Bruno.

— Mais qu'est-ce qui se passe là-dedans? dit la cheftaine en appuyant son doigt sur le front de Bruno.

— Il se passe, dit Bruno, que le service rural se transforme en travail forcé.

— C'est l'époque qui veut ça.[54]

— Moi, je ne veux pas. Quand je pense aux affiches du métro.[55] «Étudiants, aidez les paysans de France à rentrer les

[51] mug [52] big [53] you'll catch cold [54] it's in keeping with the times
[55] Paris subway.

moissons!» Quand on saura ce qui se passe en réalité, ça fera du vilain.[56] C'est plus que jamais l'époque du mensonge.[57]

— Tu m'ennuies, dit la cheftaine. Tu es une sale petite tête brûlée[58] par le soleil et par de mauvaises idées. Va t'asseoir.»

Il la regardait. Elle se mit à rire. Il sourit et alla s'asseoir près d'André qui jouait aux cartes avec un type de l'autre cantonnement. André gagnait. Il avait l'air très content. Soudain Bruno se retourna. L'infirmière était derrière lui.

«Tu ne joues pas, toi?

— Je regarde.

— Tu veux jouer aux dames[59] avec moi?

— Si vous voulez,» répondit Bruno.

Elle alla chercher un jeu de dames dans l'armoire. Ils s'assirent à une table près du comptoir. Ils se mirent à jouer.

«Il fait bon ce soir, dit-elle. Vraiment le soir, ici, c'est merveilleux.

— Oui, dit Bruno. Mais l'après-midi, sur le chantier, quand ça tape[60] et qu'il n'y a pas un pouce d'ombre, je vous jure que ce n'est pas drôle.

— La forêt est belle tout autour.

— Peut-être, dit Bruno.

— Dimanche, qu'est-ce que tu as fait? Tu ne t'es pas promené?

— Si, j'ai fait un tour en forêt avec Armi et Longuet. Pour passer les vacances ce serait épatant.[61] Mais il y a le chantier.

— Vous êtes allés loin?

— Non, on s'est promené. On a été jusqu'au Rond-Point aux Biches.[62]

— C'est très joli, par là.

— Ce n'est pas mal.

— Dimanche prochain, c'est ton anniversaire et tu vas chez toi?

— Heureusement, j'étouffe ici.

— Tu verras, après, ça passera vite.[63]

---

[56] there's going to be a stink [57] ironic allusion to Pétain's denunciation of the "lies" of socialism and liberalism [58] dirty little hothead [59] checkers [60] it is sizzling hot [61] swell [62] Does' Junction [63] it will soon be over.

— Nous ne sommes encore qu'à la moitié du stage, cheftaine, je ne sais pas si je pourrai rester jusqu'au bout.

— Il faut savoir être un homme, dit-elle.

— Vous avez raison. Et justement des hommes ne se laisseraient pas faire [64] comme nous.

— Au lieu de bavarder, tu ferais mieux de faire attention. Je te prends ta dame [65] si tu fais ça.»

La cheftaine gagna. Elle se leva pour aller servir deux types qui attendaient au comptoir avec leurs quarts.

Bruno sortit. La lune venait de se lever. Il y avait quelques étoiles. Au-dessus de la ligne sombre de la forêt on voyait monter la brume dans les dernières lueurs rouges du soleil. Bruno s'avança lentement sur la route de Senlis. [66] De tous côtés on entendait les grillons. De temps en temps s'élevait le sifflement d'un crapaud. Sur les bords de la route, les grands arbres se dressaient jusqu'au ciel. Les profondeurs de la forêt s'emplissaient de brouillard. Bruno fit encore quelques pas. Puis il rebroussa chemin [67] et rentra se coucher.

Le lendemain matin, après le petit déjeuner, le coup de sifflet du rassemblement retentit. Dans la cour les moniteurs, les contremaîtres et le chef de camp attendaient. Variot regardait par une fenêtre du premier étage. Les chefs d'équipe se rangeaient en cercle, les autres se placèrent derrière eux.

Un des moniteurs à pull-over sortit un papier de sa poche.

«Il vous est rappelé, dit-il, que le rassemblement est à 7 heures précises, ici même. A 8 heures vous devez être sur le chantier au travail. Vous devez travailler jusqu'à midi et attendre le coup de sifflet pour vous réunir à la cabane. Vous avez deux heures pour déjeuner et vous reposer. Le travail reprend à 2 heures et dure jusqu'à 6 heures. Il est défendu de se trouver au cantonnement entre 7 heures du matin et 7 heures du soir, sous aucun prétexte. Il est défendu de chanter au réfectoire, de quitter le chantier avant le coup de sifflet, de fumer sur le chantier, d'y apporter des livres ou des jeux de cartes. Chaque chef d'équipe est responsable de ses hommes. Ce soir, nous organiserons les chambrées. Le rendement minimum

[64] would not give in so easily   [65] king   [66] town about 25 miles northeast of Paris   [67] turn back.

est un stère et demi par tête de pipe.[68] Si ce rendement n'est pas fourni, on vous gardera jusqu'à ce que vous ayez monté le nombre de stères demandé. Maintenant vous allez partir pour le chantier, sans désordre et groupés. Nous ne voulons pas voir sur la route une caravane de cinq cents mètres. A 8 heures tout le monde doit être au travail, rompez!»

Les moniteurs, les contremaîtres et le chef de camp sortirent du cercle. De la fenêtre du premier étage on entendit la voix de Variot.

«Je n'ai rien à ajouter, dit-il. Je vous rappelle seulement les sanctions selon la gravité des fautes : heures supplémentaires, suppression des permissions, prolongation du service, allant de huit jours à six mois. J'espère que nous n'aurons pas à les appliquer. Bon courage, jeunes gens!»

Il fit un signe de la main et disparut. Bruno éclata de rire.

«Quelle bande de cons!»[69] dit-il.

Il ramassa son couvert sur un banc et l'enferma dans sa musette. Ils sortirent de l'hôtel et prirent la route du chantier. Bruno, André et Grioult étaient presque en tête. Les types discutaient. Les contremaîtres étaient partis en avant à bicyclette. Les moniteurs à vélo allaient et venaient le long du groupe.

«Ça me rappelle Chéri-Bibi,[70] dit Bruno.

— Il y a de ça, dit André. On a vraiment l'impression d'être escortés comme des forçats.

— Si encore ils réorganisaient la cuisine en même temps,» dit un type derrière.

Ils rirent.

«Oui, dit Bruno, ça va vraiment mal. Moi, je n'aime pas ça. Il y a des moments où je me sens complètement perdu.

— Heureusement qu'on est nombreux, dit Grioult.

— Oui, mais on ne s'en sert pas.»

Trois des moniteurs étaient partis en avant. Il ne restait que le moniteur au blouson qui roulait tout doucement à côté d'eux.

«Dépêchez-vous un peu,» dit-il.

[68] minimum production is one and a half cubic meters per head
[69] bunch of creeps   [70] fictional convict.

Les types murmurèrent. Puis des petits groupes se formèrent et ils partirent au pas en chantant. On était arrivé au cimetière et la route s'enfonçait dans la forêt. Le moniteur démarra brusquement et vint se placer devant eux, au milieu de la route. Il descendit de son vélo.

«Halte!» cria-t-il en levant le bras.

Les types s'arrêtèrent devant lui. Les retardataires vinrent se joindre à eux et s'arrêtèrent aussi.

«Je vous rappelle, dit le moniteur, qu'il est défendu de marcher au pas et de chanter. Les Allemands l'interdisent.

— On a toujours fait comme ça depuis qu'on est ici, cria un type.

— Oui, et bien ça va changer, dit le moniteur. Allez, en route, et affolez un peu![71]

Il remonta sur son vélo. Bruno qui était au premier rang dit:

«Vous n'êtes pas logiques. Vous voulez nous militariser et vous supprimez le seul truc militaire que nous fassions de nous-mêmes.»

Le moniteur se retourna.

«Pas de discussion, dit-il. Grouillez-vous.[72] Il faut être à 8 heures sur la coupe.»

Les types étaient massés au milieu de la route.

«C'est gai! dit André.

— On aura l'impression de suivre un enterrement, dit un type.

— Alors, un train d'enterrement,»[73] dit Bruno.

Il s'avança très lentement sur la route. Les autres se mirent à rire et le suivirent tout doucement. Le moniteur les attendait un peu plus loin. Les types marchaient avec lenteur, sans dire un mot. Il les regarda passer. Il serrait les dents. Il avait pâli.

«On va un peu trop vite, dit Bruno; ralentissons encore.»

Ils ralentirent. Quelques-uns chuchotaient. Le moniteur ne disait rien. Mais on voyait ses narines se gonfler, il était obligé de faire des zigzags pour ne pas les dépasser. Derrière eux, le soleil du matin laissait filtrer des rayons pâles à travers les feuilles.

[71] get a move on   [72] make it snappy   [73] funeral step.

«C'est amusant de faire la grève, dit Grioult.

— Le tout, c'est de ne pas se laisser faire,»[74] murmura André.

Le moniteur regarda sa montre.

«Vous ne pourriez pas aller un peu plus vite? demanda-t-il avec un faux sourire.

— Non,» dit froidement un type.

Le moniteur regarda brusquement tous les types. Ils marchaient encore plus lentement.

«Ça va, dit-il. Mais ne vous en faites pas, on vous aura.»[75]

Ils avançaient sous la voûte des arbres. On entendait les oiseaux. Devant, sur la route, des lambeaux de brume se dissipaient. Soudain, trois types se détachèrent du groupe et partirent en avant.

«Salauds!»[76] cria quelqu'un.

Les types ne se retournèrent pas et se mirent à courir. Ils disparurent au tournant de la route.

«Qui est-ce? demanda André.

— Des types du bas du chantier. Je ne les connais pas bien,» dit Grioult.

Le moniteur roulait à côté d'eux sans rien dire. Le soleil commençait à taper à travers les branches.

«Quelle heure est-il? demanda Armi.

— Neuf heures dix.

— On a encore le temps.»

Un type toucha l'épaule de Bruno.

«On ne fait rien de la matinée. Fais passer.[77]

— Tu parles,»[78] dit Bruno.

Il se pencha sur l'épaule du type qui était devant lui.

«Grève générale toute la matinée, dit-il.

— D'accord, dit le type. Et puis on va s'amuser un peu.»

Il descendit dans le fossé. Il y avait de grandes ombelles blanches. Il se mit à les cueillir. Les autres le regardaient en riant. Il sortit du fossé avec une énorme gerbe de fleurs. Il courut en tête du groupe et se mit à gambader en répandant les fleurs sur la route.

---

[74] the main thing is not to let them kick us around   [75] but don't worry, we'll teach you   [76] bastards!   [77] pass it on   [78] you bet.

Il était près de 10 heures quand ils arrivèrent au chantier. Le moniteur bavarda à voix basse avec les autres. Les types prirent leurs outils, et toujours sans se presser se répandirent sur la coupe. Le silence régna dans le chantier toute la matinée, sauf dans la partie basse où l'équipe des lâcheurs n'arrêta pas de travailler.

«On pourra dire qu'on a fait la grève sur le tas,[79] dit Armi.

— Oui, dit Bruno.

— Ils vont peut-être prendre des sanctions.

— Peut-être, dit Bruno. Moi je vais à Paris ce soir; j'ai demandé une permission. On va voir ce qu'ils vont nous dire à la cabane. Si ça se gâte,[80] je ne rentre pas lundi.»

Quand ils arrivèrent à la cabane, la camionnette était déjà là avec les marmites. Ils s'assirent par petits groupes sur les feuilles mortes et se mirent à manger les patates. Quand on leur servit la viande, Bruno poussa un cri:

«Il y a un asticot dedans!» dit-il.

André regarda dans la gamelle de Bruno.

«Non, dit-il, c'est une guêpe.

— Moi je te dis que c'est un asticot. Seulement il est jaune parce qu'il est bien cuit.»

Il jeta le morceau dans un fourré et s'allongea.

«J'en ai marre.[81] Heureusement que ce soir je serai à Paris.»

Au moment où on leur servait la confiture, les moniteurs sortirent de la cabane. Le moniteur en blouson s'avança au milieu des types assis.

«Voilà, dit-il, c'est au sujet de l'incident de ce matin. Cet incident est très grave et très regrettable. Nous avons pensé un moment à mettre Paris au courant.[82] Ça vous aurait fait doubler votre stage, ou peut-être on vous aurait envoyés au camp disciplinaire de Blois.[83] Mais nous avons préféré que ça se passe entre nous,[84] en accord avec M. Variot. Alors nous allons oublier ce qui s'est passé. Cela tient à ce que nous ne nous sommes pas compris. On est ici pour vous aider, et pas pour vous dresser, vous le savez bien. Il s'agit de s'entendre. Reprenez le travail cet après-midi, et il n'en sera plus question.»

[79] sit-down strike [80] things get rough [81] I'm fed up [82] inform the authorities in Paris [83] town in the Loire Valley [84] keep it to ourselves.

Des types applaudirent.

«Ils croient nous avoir comme ça, dit Bruno.

— S'ils nous fichent la paix,[85] ça ira, dit André.

— Tu crois ça? C'est une manœuvre pour nous avoir, tout simplement.»

L'après-midi, il y avait du vent et il faisait un peu moins chaud sur le chantier. On entendait les merlins heurter les coins. Par instants le vent apportait le grincement rythmé d'un passant. Bruno escalada quelques troncs abattus les uns sur les autres et se tint debout au sommet de l'amoncellement, le corps dans le soleil, André et Grioult sciaient une grosse branche.

«Il y a des rondins qui t'attendent! cria André.

— Vous êtes tous des lâcheurs,[86] repondit Bruno. Ils doivent se frotter les mains, les autres; ils vous ont bien eus.»[87]

Il s'assit à califourchon sur un tronc et avec son couteau il fit sauter les morceaux d'écorce. Il regarda le chantier. On voyait les types torse nu en plein travail. Les moniteurs étaient en train de discuter avec une équipe.

«Ils vont venir nous voir,» dit Bruno en sautant sur le sol. Il prit la petite scie et entama une branche mince.

On entendit le pas des moniteurs sur un tronc. André et Grioult sciaient avec ardeur.

«Ça va les gars? demanda un des moniteurs.

— Ça va,» répondit André.

Ils descendirent du tronc et s'approchèrent d'eux. Le moniteur en veste compta les stères.

«C'est tout ce que vous avez fait depuis que vous êtes là?

— Oui, dit Bruno.

— Vous charriez un peu.[88] C'est quelle équipe?

— N° 12: Longuet, Parrédaut et Grioult, répondit André.

— On ne tient pas compte du passé, mais à l'avenir, il faut faire vos quatre stères et demi par jour.

— On fera ce qu'on pourra, dit Bruno.

— Vous pouvez faire plus. Il y a des hommes qui font leur dix stères chacun.

— Ce sont des bûcherons de métier, dit Bruno.

[85] leave us alone   [86] you're all quitters   [87] they sure tricked you
[88] you're going too far.

1 5 4

— Vous devriez avoir à cœur[89] de rivaliser avec eux et de leur montrer que même chez les étudiants il y a des costauds.

— Ce genre de compétition ne m'amuse pas du tout, dit Bruno.

— Ça suffit, dit le moniteur. Assez discuté pour aujourd'hui.

— Et si ça me plaît, à moi?» dit Bruno en posant sa scie.

Les moniteurs se regardèrent.

«Tu t'appelles comment?

— Parrédaut.

— Qu'est-ce que tu fais?

— Je viens d'avoir mon bac. J'entre au Droit l'année prochaine.

«Tu es un type intelligent?»

Bruno haussa les épaules.

— Tu as à te plaindre? demanda le moniteur.

— Oui, dit Bruno.

— De quoi? Vous n'êtres pas mal, ici?

— Si, dit Bruno.

— Vous bouffez bien . . .

— Écoutez, dit Bruno. On bouffe beaucoup, mais c'est infect. Il y a des asticots dans la viande et les patates nagent dans l'eau sale.

— On va réorganiser les cuisines.

— Et puis . . .

— Et puis quoi?»

André s'avança. Il essayait de rire.

«Et puis ça manque de filles, dit-il.

— Ça, mon vieux, il y a un bordel à Chailly.[90] Le dimanche, vous êtes libres.

— Ce n'est pas ça, dit Bruno, mais on s'est engagé pour rentrer les moissons et pas pour faire ce boulot-là.

— Ça revient au même.

— Non, dit Bruno. On se fiche de nous.[91] Il aurait fallu que vous entendiez le discours du barbu, quand on est arrivé. Ça puait la mauvaise foi.

— Tu commences à exagérer, dit un des moniteurs.

[89] pride yourself in   [90] the neighboring town   [91] they're taking us for a ride.

— Non, dit Bruno. On nous a eus avec des affiches patriotiques et de belles phrases. Nous, on se défend en ne fichant rien.

— Ça va, Bruno,» dit André.

Les moniteurs se tenaient devant Bruno. Ils se regardaient de temps en temps.

«Tu seras bien obligé de travailler, dit l'un d'eux. Tu sais qu'il y a des sanctions?

— Je voudrais bien voir ça!

— Écoute; ferme-la,[92] prends ta scie et travaille.»

Bruno mit les mains dans les poches de son short.

«Dis donc, dit le moniteur à la veste, tu as fini de te payer notre tête?[93]

— Je n'aime pas qu'on me traite comme ça.

— Prends ta scie et travaille.

— Non,» dit Bruno en s'asseyant sur un billot.

Il avait le soleil en pleine figure. Les moniteurs s'approchèrent.

«Tu ne veux rien foutre?[94]

— Non.

— Tu as une permission pour dimanche?

— Oui.

— Eh bien, tu peux être tranquille; j'en ai maté de plus durs que toi, mon vieux.»[95]

Bruno sortit ses mains de ses poches et croisa les bras.

«Demain, tu restes ici, et on s'expliquera.[96] C'est Parrédaut?

— Oui.

— On t'aura.

— On verra,» dit Bruno.

Les moniteurs s'éloignèrent en parlant à voix basse.

«Tu as tort de discuter comme ça, dit André.

— Ils ne peuvent rien contre nous, dit Bruno; leurs sanctions, c'est de la blague.[97] S'ils m'enlèvent ma permission, je m'en vais quand même ce soir. On m'attend à Paris. C'est mon anniversaire.»

A 6 heures après le coup de sifflet, ils vinrent déposer leurs

[92] shut up! [93] enough of that kind of stuff [94] to do any work [95] don't worry, fellow; I've dealt with tougher guys than you [96] we'll have a little talk [97] all bunk.

outils à la cabane. Certains types avaient sur le dos un sac de montagne. Les moniteurs les firent ranger en cercle autour d'eux et distribuèrent les permissions. Dès qu'ils les avaient reçues, les types descendaient sur la route et prenaient la direction de Chailly. D'autres se hâtaient vers le cantonnement. Le moniteur appela: «Parrédaut?»

Bruno s'avança:

«Au fait, c'est vrai,[98] dit le moniteur, elle est supprimée.»

Les types regardèrent Bruno. Il baissa la tête et rentra dans le rang.

Dès qu'il fut arrivé au cantonnement, Bruno traversa l'hôtel et se rendit au foyer. La cheftaine était seule.

«Tu n'es pas encore prêt? dit-elle.

— Non, dit-il.

— Tu pars ce soir?

— Ils m'ont fait sauter[99] ma permission.»

Il s'assit à une table, d'autres types entrèrent et demandèrent de la bière. La cheftaine les servit.

«Ils m'attendent, dit Bruno; c'est mon anniversaire.»

Ses yeux rougirent et se gonflèrent de larmes. La cheftaine descendit de l'estrade et lui mit la main sur l'épaule.

«Tu leur as dit que c'était ton anniversaire?

— Non.»

Elle chassa une guêpe qui tapotait contre la vitre de la lucarne.

«Qu'est-ce que tu as fait?

— Je leur ai dit ce que j'avais sur le cœur.[100]

— Ce n'est peut-être pas bien grave.»

Il se prit la tête dans ses mains. Il soupira. Elle lui tira les cheveux pour lui faire relever la tête.

«Tu pleures?

— Oh non, dit-il. Je m'en fiche.[101] Je fous le camp[102] quand même.

— Ne fais pas cette bêtise, dit-elle, en lui donnant une petite gifle. Écoute, tu vas aller trouver Variot. Tu vas lui expliquer.

— Vous croyez?

[98] incidentally, I nearly forgot   [99] canceled   [100] gave them a piece of my mind   [101] I don't care   [102] I'm leaving.

1 5 7

— Ce n'est pas une prison, ici,» dit-elle.

Il se leva en souriant.

«Vous êtes chic, cheftaine, dit-il.

— Dépêche-toi et viens me dire comment ça s'est passé.»

Il sortit en courant. Sur la route il dépassa les types en complet veston [103] qui partaient pour Saint-Luc-le-Château.

III

Après le dîner la cheftaine revint au foyer. Quelques types attendaient déjà devant la porte. Elle ouvrit la porte; ils entrèrent et se mirent à jouer au ping-pong. La cheftaine monta sur l'estrade et passa derrière son comptoir. Elle se servit un quart de café. Les types arrivaient par petite groupes.

«Il y a beaucoup de permissionnaires? demanda-t-elle à l'un d'eux.

— La moitié à peu près. Ils sont tous partis après le travail.»

Elle leur servait du café dans leurs quarts. Quelques-uns achetaient des gâteaux.

Elle regardait souvent vers l'entrée. La salle était moins pleine que d'habitude. Un type s'était mis au piano et jouait une vague étude de Chopin.

Grioult entra. Il bavarda avec quelques types, puis vint au comptoir demander du café.

«Tu ne sais pas si Parrédaut est parti? demanda-t-elle.

— Je viens de le quitter. Il était dans la chambrée, il faisait son sac.

— Alors on lui a redonné sa permission?

— Oui, sans doute.»

Le type avait quitté le piano. La cheftaine ouvrit le poste de T. S. F. et prit un air de jazz. Elle revint au comptoir continua à distribuer du café. Puis elle descendit dans la salle en bavardant à droite et à gauche. La nuit était tombée lorsque le chef de camp entra.

«Il vous est rappelé, cria-t-il, que le couvre-feu est à minuit. Toutes les chambrées doivent être couchées à cette heure-là.

---

[103] in city clothes.

— Discipline, discipline,» dit la cheftaine en riant.

Le chef de camp se fit servir un café.

«C'est plus calme, dit-elle, il y a beaucoup de permissionnaires.

— Oui, pourtant ils ont été un peu fort,[104] ce matin.

— Oui, j'ai appris ça.»

Le chef buvait son café en regardant la salle.

«Il n'y a pas eu du tout de sanction?

— Si, dit-il. Un type qui a refusé de travailler. Il est venu nous trouver tout à l'heure au centre. Paraît que c'était son anniversaire demain. Vous pensez si Variot lui a passé quelque chose.[105]

— Ah oui? dit-elle.

— Le gosse, il en pleurait. Ça ne leur fait pas de mal, un petit savon[106] de temps en temps.

— Vous auriez peut-être pu le laisser partir . . .

— Cheftaine, vous êtes trop sensible.»

Elle rit sans le regarder.

«Et s'il partait tout de même?

— Il n'y couperait pas[107] du camp de discipline.»

Elle baissa la tête et appuya ses deux mains sur le comptoir. Puis brusquement elle se redressa.

«Oh chef, j'avais oublié. J'ai malade à voir dans le pays. Vous voudrez bien fermer le foyer pour moi?

— D'accord, cheftaine.»

Elle prit sa cape et sortit en hâte. Il y avait quelques nuages qui laissaient voir des plaques d'étoiles. Elle traversa l'hôtel et remonta vers le cantonnement. Elle ouvrit une porte du rez-de-chaussée. Un type lisait, allongé sur sa paillasse.

«Tu sais où couche Parrédaut? demanda-t-elle.

— C'est au premier,[108] dit-il, chambrée 9.»

Elle alluma sa lampe électrique et monta l'escalier. Elle éclaira toutes les portes et pénétra dans la chambre 9. Elle alluma. La chambre était vide. Elle regarda les noms au-dessus des lits. Au-dessus de celui de Parrédaut, sur l'étagère, il n'y avait que la gourde et le couvert. Elle éteignit et descendit. Dans la rue, elle s'arrêta un instant. Elle fit quelques pas vers

[104] went a little too far   [105] bawled him out   [106] a little dressing down
[107] he would be sure to be sent to   [108] second floor.

Saint-Luc-le-Château, puis revint vers l'hôtel. Deux types se promenaient en bavardant sur la route de Chailly.

«Vous ne savez pas où est Parrédaut?

— Si, justement, on l'a rencontré sur la route. Il a dit qu'il allait prendre son train à Saint-Luc-le-Château.

— Par là?

— Oui, il est idiot: il dit que c'est plus court par l'allée des Suisses.»

La cheftaine s'enveloppa dans sa cape et partit sur la route. Le long du cimetière on entendait les crapauds. En pénétrant sous la forêt, elle frissonna. Il faisait très sombre. Le goudron luisait un peu. Il y avait des grillons dans les fossés. Des corbeaux croassèrent et s'envolèrent avec un battement d'ailes sonore. Entre les branches, on voyait de temps en temps une étoile. La route fit un coude.[109]

La cheftaine s'arrêta.

«Parrédaut!» cria-t-elle.

Au-dessus de sa tête il y eut un bruit de feuilles et un oiseau s'envola.

Elle continua. Par moments le vent passait dans les hautes branches. Devant elle, il y avait du brouillard sur la route. Elle se mit à courir.

Elle s'arrêta au carrefour de la route et de l'allée des Suisses.

«Parrédaut!»

Elle se mit à courir dans l'allée. Son voile volait derrière elle. Au-dessus de l'allée les arbres faisaient voûte. Le vent soufflait assez fort. La cheftaine s'arrêta et porta le main à sa poitrine en haletant. Un coup de vent s'engouffra dans sa cape et la gonfla autour d'elle. Elle la rabattit et se remit à courir. Tout autour d'elle s'étendait la haute forêt brumeuse. On entendait le bruit du vent dans les cimes. Quelque chose détala dans les feuilles mortes sur le bord du sentier. Elle s'arrêta encore et appela:

«Parrédaut!»

Puis elle continua sa route en marchant. Elle regardait tout autour d'elle.

[109] a turn.

«Parrédaut! c'est moi! Réponds!»

Elle essaya de courir encore, puis s'arrêta et se remit à marcher. Une allée coupait l'allée des Suisses. On voyait le ciel noir aux deux bouts. Elle appela de chaque côté.

«Parrédaut! Parrédaut!»

Puis elle continua sur l'allée des Suisses. L'allée montait. On voyait des étoiles entre les arbres. Elle trébucha. Quand elle fut arrivée au sommet de la côte, elle s'arrêta. Devant elle s'étendait un morceau de la forêt baignée de brume. A chaque coup de vent, la brume se déchirait. Dans le creux on voyait le val aux Biches et la cabane du Rond-Point.

«Parrédaut!» cria-t-elle.

Un cri d'oiseaux retentit très loin.

«Parrédaut!»

Quelque chose parut bouger à la porte de la cabane.

Elle alluma sa lampe électrique et l'agita au-dessus de sa tête.

«Parrédaut, reviens!»

Elle fit quelques pas sur la pente et s'arrêta. Puis elle descendit dans le val en courant. Elle s'arrêta devant le trou noir de la porte.

«Parrédaut, dit-elle, c'est moi. Il faut que tu reviennes.»

On entendait un bruit de paille à l'intérieur. Elle alluma sa lampe et la serra fortement. Elle la dirigea vers le fond de la cabane. Dans un coin, brusquement, le faisceau éclaira Bruno. Il secoua la tête à droite et à gauche et se cacha le visage dans les mains.

«Laissez-moi, hurla-t-il, laissez-moi!»

Elle s'approcha.

«Éteignez votre lampe! hurla-t-il. Vous me faites mal!»

Elle dirigea sa lampe sur elle-même.

«Parrédaut, c'est moi.

— Laissez-moi, fichez-moi la paix.[110]

— Il faut revenir, Parrédaut. Tu sais bien qu'il n'y a plus de train à cette heure-ci.

— Laissez-moi tranquille, cheftaine,» dit-il d'une voix suppliante.

[110] don't bother me.

161

Elle vint s'asseoir sur la paille à côté de lui.

«Il faut rentrer.»

Elle essaya de lui prendre la main. Il la retira.

«Ils vous ont envoyée pour me ramener? murmura-t-il.

— Comment peux-tu dire cela?

— C'est bien des trucs à eux.[111] Ils ne m'auront pas comme ça.»

Elle lui saisit brusquement la main. Entre les doigts de la cheftaine la main de Bruno tremblait.

«Tu te trompes, dit-elle. Il ne faut pas que tu partes. Ils t'enverraient au camp de Blois.

— Je m'en fous,[112] dit-il. Je veux être à Paris demain.

— Tu voulais passer la nuit ici?

— Non, dit-il au bout d'un moment.

— Qu'est-ce que tu faisais dans la cabane?»

Il essaya de retirer sa main. Mais la cheftaine la tenait solidement.

«J'ai cru qu'on me poursuivait,» dit-il.

Une faible clarté pénétrait par la porte. On distinguait un peu dans la nuit les grands troncs lisses. Un chat-huant jeta son cri.

«Oui, dit-il, j'ai eu peur. Je vous ai entendue m'appeler. J'ai cru que vous vous étiez tous lancés à ma poursuite. Je me suis caché dans les fourrés. C'était plein de bêtes. Alors je suis entré dans la cabane. Je voulais me cacher sous la paille.

— Tu n'es qu'un enfant, dit-elle.

— C'est grand, la forêt,» dit-il.

Elle allongea ses jambes dans la paille. Elle desserra un peu les doigts. La main de Bruno était tranquille et ne bougeait pas.

«Mes petits-enfants, dit-elle, qui sont plus jeunes que toi, n'ont plus peur la nuit.

— Je n'ai pas peur la nuit, mais je ne veux pas qu'on me rattrape.

— Tu vas rentrer avec moi, dit-elle.

— Non, dit-il. Je veux être à Paris demain. Ils m'attendaient ce soir. C'est mon anniversaire. J'ai toujours passé mon anniversaire avec eux.

[111] the kind of stuff they would pull   [112] I don't give a damn.

— Vous êtes nombreux?

— Non, dit-il. Il y aura papa, maman et moi, c'est tout.

— Écoute, dit-elle, tu vas rentrer avec moi.

— Non.

— Si, tu vas rentrer avec moi. Demain matin, tu leur enverras un télégramme; un long télégramme, je le paierai si tu veux, et tu leur expliqueras. Et puis, ton anniversaire, vous le fêterez dimanche prochain.

— Non, dit-il. C'est idiot ce que vous dites là.

— Il faut que tu rentres ce soir. Il faut que tu sois à l'appel demain matin.

— Je vais partir et jamais plus je ne reviendrai. On nous a menti. Je suis libre.»

Brutalement il dégagea sa main.

«Rentre au moins pour cette nuit.

— Pourquoi faire? Je vais à Saint-Luc-le-Château. Je trouverai bien un hôtel ou une grange. Demain matin, je prendrai le premier train.»

On entendit un bruit de paille froissée. Sa silhouette dressée se découpa sur la vague lueur de la porte. La cheftaine se leva aussi.

«Parrédaut, il faut que tu rentres. C'est très grave ce que tu vas faire là. C'est comme si tu désertais.»

Elle avait une drôle de voix.

«Je ne suis pas un soldat. J'ai dix-huit ans demain.

— Ils vont t'envoyer au camp disciplinaire.

— A Paris, je vais me débrouiller pour y couper.[113] Ils ne peuvent pas avoir raison.

— Ils iront te chercher. Il faut que tu reviennes avec moi.»

Bruno ramassa son sac et le fixa sur ses épaules. Il sortit de la cabane. Il leva la tête et respira profondément. Elle lui mit la main sur l'épaule. Il ne bougeait pas et regardait droit devant lui le chemin qui s'enfonçait dans le val.

«Vous êtes gentille d'être venue bavarder, cheftaine; maintenant je n'ai plus peur du tout.»

Elle se tenait à côté de lui, enveloppée dans sa cape.

[113] I'll find a way out of that.

JACQUES GUICHARNAUD

«Reviens, dit-elle. Reviens, pour moi.

— Non.»

Il se pencha, la prit par les épaules et l'embrassa sur les deux joues.

«Vous devez faire une grand'mère épatante,» dit-il.

Elle ne bougea pas. Il lui fit un signe de la main et partit sur le sentier qui longeait le val.

«Parrédaut, dit-elle, rentre avec moi, ils vont t'envoyer à Blois.»

Sa silhouette s'estompait dans la nuit. On vit qu'il faisait un grand geste du bras. Puis il se remit en marche. Bientôt on ne le vit plus, mais on entendait encore son pas régulier.

La cheftaine enroula son voile autour de son cou et serra sa cape contre elle.[114] Tout autour la forêt était calme. On n'entendait plus que le vent dans les feuilles. Elle regarda encore le chemin qui suivait le val, puis elle se retourna et lentement remonta la côte.

QUESTIONS

I

1. Quelle sorte d'atmosphère est-elle évoquée par les actions et la conversation des garçons au début de «Forêt»?
2. Pourquoi sont-ils obligés de travailler sans arrêt jusqu'à six heures?
3. De quelle sorte de malaise Bruno souffre-t-il?
4. Quel est l'emploi du temps de Bruno le lendemain?
5. Qu'est-ce qui prouve, d'après Bruno, la mauvaise foi du «barbu»?
6. Qu'est-ce que la cheftaine annonce à Bruno? Quelle est la réaction de celui-ci?
7. Qu'est-ce que Variot annonce dans son discours?

II

8. Pourquoi les garçons craignent-ils une modification de l'organisation du chantier?
9. Quelles différences y a-t-il entre le point de vue de la cheftaine et celui de Bruno? Que représentent ces différences?

[114] French nurses wear a long veil and a cape.

164

10. Qu'est-ce qui cristallise la révolte de Bruno et déclanche la grève? Pourquoi?
11. Quels sont les traits enfantins de la révolte de Bruno?
12. Bruno a-t-il raison de ne pas vouloir reprendre le travail?

III

13. Quels éléments enfantins et quels éléments adultes distinguez-vous dans l'attitude de Bruno devant la cheftaine?
14. Pourquoi Bruno dit-il à la cheftaine: «Vous devez faire une grand'mère épatante.»
15. Imaginez les sentiments de la cheftaine quand elle voit Bruno s'éloigner.
16. Comment la tension psychologique et les conflits moraux de la période de l'occupation sont ils évoqués dans «Forêt»?

Eugène Ionesco

Le monde tel que nous le voyons dans les romans et dans les pièces d'Eugène Ionesco (1912–   ) est notre monde vu à travers des verres surréalistes et «kafkaësques.» Pris séparément, les événements qui le composent n'ont rien de bien extraordinaire bien que parfois ils semblent vouloir évoquer trop exclusivement une page de faits divers. Mais quand ces événements se trouvent réunis en d'étranges mariages et en de bizarres rencontres, c'est sous forme de cauchemar et d'horreur menaçante que nous est rendu notre soi-disant monde de tous les jours. Et ces diverses terreurs sont particulièrement troublantes car elles débutent d'une manière si innocente: une leçon particulière devient le prélude à un meurtre; les conversations les plus banales sont des écrans de mots cachant les pires actions; une campagne pour une réforme devient d'une manière inattendue une acceptation de l'activité contre laquelle on avait entrepris la campagne; un homme essaie de mourir avec un semblant de dignité mais il en est empêché par les chamailleries des personnes présentes; un écrivain devine l'anti-monde et en vient à regretter son imprudence.

Eugène Ionesco serait le dernier à soutenir que sa représentation du monde est conforme à la vérité chronologique, par contre il serait le premier à dire que la réalité chronologique est un épais nuage cotonneux qui déforme, quand il ne cache pas, les fondements et les enchevêtrements d'une réalité plus vraie, c'est à dire d'une réalité faite de désordre et de contradictions qui, l'auteur le dit, sont l'essence du monde dans lequel nous vivons. Quand la maison du piéton s'écroule dans l'histoire ci-dessous, le lecteur croira peut-être que l'absurde est en train de gagner des victoires injustifiées. L'auteur répond à cela que non seulement l'absurde triomphe en ce monde mais qu'il vient de devenir un lieu commun et que c'est ce qui le rend si troublant. La destruction de milliers de gens et de nombreuses villes, la faim que les deux tiers de l'humanité endurent, la banalité qui transpire des conversations journalières sont des absurdités pires que l'écroulement imprévu d'une maison causé par un bombardement absurde. Afin d'avoir prise sur un monde devenu si docilement accoutumé à de pareils scandales, l'artiste n'a d'autre recours que le choc dramatique; et comme il ne peut confronter son public avec sa folie insensée, il l'expose à une folie que lui-même a *conçue.*

Mais ceci est le moindre des soucis de Ionesco, le problème plus élevé sur lequel il médite constamment est celui de la signification et du but de la condition humaine. *Qu'est-ce que l'homme?* est la simple et austère question qu'il pose maintes et maintes fois à travers ses œuvres. Les principes suivants lui servent de point de départ: l'homme est un mélange d'espoirs et de déceptions; il est un réservoir d'optimisme dans un monde résolument pessimiste; l'univers semble flatter ses visions et ses perceptions pour, en fin de compte, les contrarier. Le plus grand mystère à son sujet est celui sur lequel le romancier américain, William Faulkner, a inlassablement écrit: L'homme souffre avec patience acceptant les coups, acceptant d'être malmené; et d'une manière paradoxale toujours prêt à espérer et à se risquer une autre fois.

Dans le monde de Ionesco, cet homme est Bérenger, qui dans cette histoire n'est pas nommé, bien qu'il le soit dans la version théâtrale. Bérenger est une espèce de Monsieur Tout-le-monde; mais ironiquement il est «tout le monde» dans un monde qui n'a plus de sens. Puisqu'on ne peut dire qu'un autre monde existe au-delà de *ce* monde, il n'a aucune consolation raisonnable à opposer aux absurdités de ce dernier—si ce n'est sa curiosité et son optimisme indomptables. Le problème du *Piéton de l'air* ainsi que son âpreté et sa causticité se trouvent dans la tension entre le pessimisme et l'optimisme. Bérenger ne peut se persuader qu'un tel autre monde, un anti-monde, n'existe pas afin de prouver que les aspirations de l'homme, les objets de sa vision intuitive doivent être continuellement reformés pour s'adapter à un monde de solides inadéquats et irritants qui alourdissent l'homme quand il désire le plus s'envoler.

Eugène Ionesco est de père roumain et de mère française. Il a fait ses études en France et a vécu seulement très peu de temps à Bucarest. C'est avec un succès croissant que ses pièces sont jouées à travers le monde. A New York, en 1964 le Théâtre de France sous la direction de Jean-Louis Barrault a donné une représentation théâtrale du *Piéton de l'air*. De nombreuses études ont paru sur lui, notamment le petit livre de Richard N. Coe, à Londres, en 1961, et Ionesco a lui-même précisé ses vues sur le théâtre dans un recueil d'articles, *Notes et Contrenotes* (1962).

LE PIÉTON DE L'AIR

E N ABANDONNANT le théâtre, ne pensâtes-vous pas ne plus devoir écrire pour le cinéma?

Cet été-là, je me trouvais à la campagne, en Angleterre, pour y finir une œuvre littéraire, dans le Comté de Gloucester, où j'habitais une maisonnette préfabriquée au milieu d'un champ herbeux, située sur la très verte hauteur dominant la vallée, dans laquelle, entre deux grandes collines boisées,[1] coulait un petit fleuve navigable, lorsque je reçus une lettre avec la question ci-dessus, que je ne comprenais guère, d'un jeune journaliste à l'enquête duquel[2] j'avais promis de répondre.

J'avais abandonné le théâtre, en effet, quelques années auparavant, dans un mouvement de dépit provoqué par la méchanceté de certains de mes critiques et l'aveuglement obstiné des autres. Cependant, je continuais d'écrire des scénarios et des dialogues de cinéma.

Je relus la question en me demandant, pourquoi, mon Dieu, il fallait que je n'écrivisse pas pour le cinéma si je n'écrivais plus pour le théâtre? De quels faux problèmes voulait-on charger ma conscience, et dans quel but? Dans l'intérêt de qui? Voulait-on m'empêcher de parler? de m'exprimer? J'étais déjà suffisamment anxieux de nature, moi-même, pour que l'on ne me créât plus de nouveaux scrupules.

La question d'ailleurs était mal formulée, la phrase, obscure. Voyons, le fait d'écrire pour le cinéma après avoir renoncé à écrire pour le théâtre constituait-il vraiment une trahison, comme le petit reporter avait l'air de l'insinuer? C'était idiot.

A la vingtième ou la trentième lecture: «En abandonnant le théâtre, ne pensâtes-vous pas ne plus devoir écrire pour le cinéma?» la lumière se fit dans mon cerveau. Il manquait un

---

[1] wooded   [2] to whose inquiry.

«que» ... c'était bien simple: entre le verbe «écrire» et la préposition «pour.» En l'introduisant dans le texte, tout s'éclairait: «En abandonnant le théâtre, ne pensâtes-vous pas ne plus devoir écrire *que* pour le cinéma?» ... Ce qui était tout à fait explicable car n'écrivant plus pour le théâtre mais écrivant pour le cinéma, il se pouvait fort bien que je n'eusse plus la possibilité de consacrer mon activité d'écrivain à autre chose qu'au cinéma; ce dernier[3] vous accapare entièrement, les gens de la profession le savent. D'autre part, le cinéma vous permettant de gagner largement votre vie, on peut se demander pourquoi se casser la tête à écrire, par exemple, des romans ou des essais que personne n'achète?

Un simple lapsus du reporter, qui avait rédigé sa phrase trop rapidement, m'avait donc causé un trouble superflu. Ce n'avait donc été qu'un lapsus, heureusement, car je n'aime pas que l'on m'accuse d'opportunisme, de complaisance, de cupidité ou de manque de fidélité. J'aime vivre confortablement, mais sans excès, et sans pour cela faire de concessions. Je peux même également renoncer à des entreprises fructueuses, lorsque mon honneur, comme ce fut le cas, pour moi, au théâtre, est froissé. Mais n'avais-je pas donné, aux critiques, une importance exagérée? Peut-être ...

Je me levai, comme pour mettre un terme à mes pensées. Je regardai par la fenêtre ce champ, avec des maisons blanches dans le lointain, le précipice à droite, et j'eus envie de marcher dans l'herbe fraîche sous le ciel si bleu de ce mois de juin anglais, lorsque juste au moment où j'arrivai sur le seuil de la porte, un avion allemand de bombardement, sans doute le dernier rescapé de la guerre, lâcha une bombe qui tomba juste sur mon toit. Ma maison s'effondra. Par miracle, je sortis indemne d'entre les ruines fumantes.

Dehors, ma femme et ma fille étaient là qui m'attendaient en contemplant le paysage, la ville dans le lointain, les enfants vêtus de blanc et de rouge qui jouaient au croquet, la vallée qui s'étendait à leurs pieds. Elles venaient, comme tous les dimanches, de Londres, pour me rendre visite sur le lieu de mon travail.

---

[3] *le cinéma.*

«Comme elle est belle, cette prairie, me dit ma femme, et comme il peut faire doux dans ce pays.

— Tu as vu ce qui vient de m'arriver? lui dis-je.

— Je te l'avais bien dit. Tu aurais dû être plus prudent.

— Ce n'est pas ma faute, lui répondis-je, un peu énervé, que pouvais-je faire?

— Tu aurais dû acheter une maison plus solide, non pas cette cabane en carton-mâché qui s'écroule au moindre projectile. C'est ennuyeux pour tes cahiers.

— Regarde le joli chapeau de maman,» dit ma fille.

Ma femme avait un petit chapeau rose qui lui allait fort bien, un tailleur bleu ciel, d'une coupe assez classique, une rose épinglée sur le revers [4] et un sac de cuir noir qui n'était pas dans le ton. J'en fis la remarque.

«Je ne peux pas m'acheter tout à la fois, dit-elle, c'est trop cher. Mais j'ai vu un beau sac, à la devanture d'un magasin à Piccadilly, de couleur très claire, je ne puis en préciser la nuance, avec des fleurs qui bougeaient, se fermaient, s'ouvraient, se refermaient comme de vraies fleurs, c'étaient peut-être de vraies fleurs, ou des mains d'éventail?» [5]

Ma fille avait sa robe rose du dimanche, des souliers blancs; la lumière de ses yeux verts et gris avaient toujours cette même douceur, cette même douceur enfantine qui contraste un peu avec son profil assez sévère. Je les embrassai toutes les deux, les pris par la main et nous allâmes nous asseoir, sur le banc, face au ravin.

— Comme le temps est lumineux, dis-je, comme le temps est lumineux. En bas, sur la voie ferrée qui longeait le fleuve étroit, un train passait, tout petit, avec sa locomotive rouge, aux cris aigus malgré leur faiblesse, car cela venait de loin, de tout en bas. C'est un train comme cela que j'aurais voulu avoir dans mon enfance et dont plus personne ne voudra, dorénavant, car les enfants d'aujourd'hui ne peuvent plus désirer que des fusées. Il y a aussi des jouets qui sont désuets, il y en a de plus en plus, des jouets académiques, des jouets d'archives qui ne peuvent plus amuser que les vieux érudits et qu'on ne peut plus comprendre qu'à travers de fallacieuses reconstitutions historiques.

[4] pinned on the lapel   [5] wings of a fan.

«Tu sais, me dit ma femme, je suis très troublée par le rêve que j'ai fait cette nuit. Mon père vivait, il avait ressuscité. Il venait à peine de mourir ... Non, je me trompe, on avait cru seulement qu'il était mort, en fait, il ne l'avait pas été, mais on avait averti les pompes funèbres [6] et l'on s'apercevait maintenant que mon père était vivant, jeune, avec ses longs cheveux, son large front; il était seulement un peu amaigri parce qu'il arrivait de la guerre. Son frère, le docteur, mon oncle, l'avait précédé de quelques secondes pour nous annoncer la nouvelle avec ménagement. [7] La joie aussi peut tuer, une trop grande joie, comme celle-ci, une trop grande surprise. Seulement, ce qui était ennuyeux, c'est qu'il fallait téléphoner aux pompes funèbres pour décommander l'enterrement. Les pompes funèbres allaient se fâcher, bien sûr, cela ne leur était jamais arrivé. Les pompes funèbres allaient nous demander des dommages et intérêts. c'était certain, les journaux en parleraient, peut-être, c'était bien embêtant. Que va-t-on dire de nous? Enfin, pourra-t-on éviter un procès? Il faut consulter un avocat, dit mon oncle en évitant de regarder mon père, le cas est sans précédent, au Tribunal de Commerce. La Cour de Cassation [8] devra établir une nouvelle jurisprudence.» Puis, ma femme, se tournant vers moi:

«Que penses-tu de ce rêve?

— C'est un rêve, rien qu'un rêve. Cela signifie simplement que tu aimais beaucoup ton père, que tu voudrais bien qu'il fût vivant et que tu te rends compte tout de même qu'il y a quelques difficultés à ce que cela soit possible. Ne te laisse pas troubler par tes rêves, regarde plutôt cette herbe, regarde, en face, les bois de l'autre côté de la vallée, tourne-toi et regarde plutôt les murs blancs des premières maisons de la ville qui ont l'air de se dissoudre dans la lumière, regarde ce ciel, contente-toi de cette lumière.»

Juste à ce moment, un homme surgit, passa devant nous, vêtu à l'ancienne mode, avec des favoris blancs: il nous frôla presque en passant devant nous, sans s'excuser, ce qui est rare chez un Anglais. Ma fille en fut outrée:

[6] funeral directors, undertakers   [7] carefully, with discretion   [8] Court of Appeals, highest court in France.

«Tu as vu, il n'est pas poli, ce monsieur.

— Quel monsieur?» demanda ma femme.

Ma femme ne l'avait point vu. Ma fille et moi-même eûmes beau lui assurer que nous l'avions vu passer, très près, avec sa pipe, dont la fumée retombait au lieu de s'élever; elle n'en crut pas un mot, affirma que nous avions des hallucinations.

«Oui et non, expliquai-je, oui et non, tandis que l'homme disparaissait brusquement au-dessus de la vallée, comme s'il avait fondu dans l'air.

— Il est tombé, s'exclama ma fille.

— Pas du tout. «Tombé» est une façon de parler. Mais lui, il continue sa route. Nous ne pouvons plus le suivre. C'est un être qui n'est pas de chez nous et qui nous côtoie cependant. Il est de l'anti-monde, il est passé de l'autre côté du mur invisible et cependant pas transparent. J'aperçois ce monsieur de temps à autre, le matin, il doit faire sa promenade quotidienne à la même heure, sans doute à un endroit où il y a une faille dans son anti-monde, un défaut quelconque, un trou par lequel on l'aperçoit sans qu'il s'en doute, un «no man's land,» un entre-deux-mondes.[9] Il ne nous voit certainement pas, c'est la raison pour laquelle il ne s'est pas excusé en passant devant nous. De toute façon, on ne peut prendre en considération son existence. Ce ne peut être une relation.

— Qu'est-ce que l'anti-monde?» demanda ma fille.

J'essayai d'expliquer qu'il y avait un nombre indéterminé d'univers, imbriqués les uns dans les autres[10] et qui, pourtant, ne se gênaient pas l'un l'autre, se superposaient ou même s'interpénétraient sans se toucher, qu'ils pouvaient même coexister dans exactement le même espace. Difficile à imaginer, pourtant il en est ainsi. Apercevoir un habitant de l'un de ces mondes était une chose exceptionnelle qui devait être due à on ne sait quelle erreur d'aiguillage. On a constaté que les miroirs, en Irlande, ou dans les îles écossaises, reflètent souvent, grâce à une propriété encore inconnue, des silhouettes, des paysages qui ne sont pas ceux de notre monde. Une certaine qualité de

[9] midworld, a world between this world and the anti-world   [10] one overlapping the other.

172

l'air ou de l'eau permet cela, sans doute, car si on emporte ces miroirs en Amérique ou en Belgique ou même simplement sur un bateau français, les images n'apparaissent plus. Pour avoir des explications plus précises, il faudrait en demander à un homme de science. Moi, je suis incapable d'en dire plus, avouai-je à ma fille. D'ailleurs le personnage de tout à l'heure est inconcevablement différent de la façon dont nous pouvons le voir. Comment est-il réellement? Et même dans le cas où il serait un habitant de l'univers le plus semblable au nôtre, il ne peut avoir réellement les cheveux blancs, mais noirs, car ce n'est que son image négative que nous pouvons apercevoir. Et s'il nous paraît vieux, c'est peut-être qu'il est jeune. Et que veut dire «réellement» ou «vraiment?» Restons-en à notre monde, dis-je à ma fille, tu es encore trop petite pour comprendre tout cela. Ne nous posons plus trop de questions. Le dimanche n'est pas fait pour philosopher.

Mais ma fille a la passion de s'instruire.

«Ce monsieur est-il ce que l'on appelle un revenant?»

— La croyance populaire, dis-je, prétend que lorsque les gens meurent, ils vont dans l'anti-monde. Il y a des faits qui semblent confirmer cette croyance. Dès qu'une personne est mise en bière, son cadavre disparaît. C'est ce qui explique la légèreté des cercueils. Que deviennent les corps? Il n'y a pas de revenants. Ceux qui partent s'incrustent définitivement, c'est encore une façon de parler, dans l'anti-monde, avec des anti-têtes, des anti-membres, des anti-vêtements, des anti-sentiments. Si on peut en apercevoir un, ce n'est que par hasard, comme le monsieur de tout à l'heure ou le pseudo-monsieur qui n'a fait que passer; s'il n'y a donc pas de revenants, il peut y avoir, par contre, des passants, des repassants qui traversent un petit bout de notre univers, par mégarde, et sans s'en apercevoir, pour quelques seconds. Peut-être que nous-mêmes nous passons chez eux. Nous n'en sommes pas conscients. Et comment leur apparaissons-nous?

— Ces passants ne sont que des images nées de la fantaisie des vents, déclara ma femme.

— Mais non, mais non, le négatif de notre univers existe. Et il y a des preuves, ou plutôt des indices, des preuves de langage. Ainsi l'expression «un monde à l'envers»[11] vient de là, bien que la plupart des gens ignorent son origine. Peut-être pourrait-on avoir une vague idée de ce monde quand on voit les tours d'un château se reflétant dans l'eau, une mouche la tête en bas au plafond, une écriture de droite à gauche et de bas en haut; un anagramme, un jongleur, un acrobate, ou la lumière du soleil qui se réfracte, se brise, se désintègre en une poussière de couleurs, traversant un prisme de cristal pour se reconstituer, quelques mètres plus loin, sur un mur, sur un écran, sur un visage, claire, blanche, unie . . . et à l'envers. Heureusement que le centre de notre monde ne heurte pas celui de l'anti-monde car à ce moment il y aurait désintégration et anéantissement réciproque et peut-être, pensent les pessimistes, anéantissement de tous les univers; cela finira peut-être comme ça, tout sera à recommencer.»

Ma femme me regarda. Elle me reprocha gentiment de trop boire, ce qui m'empêchait de travailler, prétendait-elle. Cela m'inspirait tout au plus, disait-elle, de la fausse littérature dont je venais de lui donner un exemple.

«Laisse-le donc, dit ma fille, laisse-le donc. Il est bien libre.

— Au lieu que tu divagues, marchons plutôt dans l'herbe, conclut ma femme. L'herbe rafraîchit les idées.»

Je pris par la main les deux êtres chers qui m'encadraient. Ma fille est déjà plus grande que ma femme que nous plaisantons souvent pour sa toute petite taille.

Nous devions être amusants à voir tous les trois, tournant le dos à la ville blanche, longeant lentement le sentier en bordure du précipice.

A notre droite, roses, fleuries, gaies, quelques ruines, une colonne, des arcades s'élevaient, vacillantes, comme si elles réapprenaient à se tenir debout. Derrière moi ma bicoque n'était déjà plus. Même ses débris avaient disparu: aspirés, sans doute, par la pompe du néant.

Comme nous avons besoin de tout concrétiser, je me suis toujours imaginé le néant comme une sorte de petite fosse, ou

[11] a world turned about.

174

comme le creux d'un dé, où cependant il entre beaucoup plus de
choses que dans les boîtes ou espaces incommensurables de
l'univers visible.

Je continuais de penser: ces palais défunts, dont témoignent
les ruines, seront entièrement dissous, bien sûr. Mais peut-être,
peut-être, après avoir traversé le néant, qui est plus petit que
la petitesse puisqu'il n'a pas de dimensions, seront-ils recons-
truits, restaurés, de l'autre côté, à l'envers certes, puisque c'est
de l'autre côté. La reconstruction a probablement déjà commencé, les pierres qui sont encore ici le sentent, c'est pour cela
qu'elles sont triomphantes malgré leur détérioration provisoire.
La frontière du néant est imperceptible, on peut facilement
l'enjamber. Et dire qu'il y a des gens qui l'imaginent comme un
vide énorme, noir, un vide sans fond: mais le néant n'est ni noir,
ni blanc, et pour qu'il soit sans fond, il lui en faudrait des
champs et des champs et des champs d'espace.

«Où êtes-vous, cher ami, me demanda ma femme, dans le
néant ou au-delà? Je vous parle, vous ne répondez pas.

— Comment fais-tu pour t'introduire dans mes pensées
secrètes?

— Je t'écoutais. Je suis attentive, moi.

— Je ne réfléchissais pourtant pas à voix haute. Je n'ai
même pas remué les lèvres.

— On n'a qu'à te regarder pour deviner tout ce que tu penses,
dit ma fille. On n'a qu'à te regarder, tu as une figure si expressive.
Tu aurais dû te faire acteur de cinéma, ou mime, ou singe.»

La discussion aurait pu devenir irritante. Ma fille avait un
énorme bouquet de pâquerettes,[12] vivantes et frémissantes, dans
les bras. Elle en mit une à ma boutonnière. Et cela me désarma.
Je ne résiste pas aux gestes tendres.

Nous continuâmes notre route et nous étions très détendus.
Je sentis naître en moi une indicible allégresse: une de ces
joies oubliées, et pourtant bien connues, dont on se souvient
lorsqu'elles vous reviennent, que vous retrouvez comme une
chose qui vous appartient de toute éternité, que l'on perd tous
les jours et qui, cependant, ne se perd jamais. Cette allégresse

---

[12] daisies.

est physique, concrète, localisée, si bien qu'on peut la situer exactement entre le plexus où elle naît et les épaules qu'elle atteint après avoir gonflé les poumons d'un air plus subtil que l'air. Ses vapeurs vous montent dans la bouche, pénètrent les narines, arrivent au cerveau. Divine griserie. Elle vous enivre de certitude.[13]

«De quelle certitude? demanda ma femme.

— De certitude, répondis-je, de certitude, de je ne sais quelle certitude.

— Alors ce n'est pas une certitude, puisque c'est une certitude incertaine et indéfinie. La certitude est caractérisée par la précision.

— Pour moi, pour moi, une certitude limitée n'en est plus une puisqu'elle a des frontières et puisqu'elle est menacée par ce qui la nie. D'ailleurs, rien n'est plus imprécis que la précision. Qu'est-ce que cela veut dire, la précision?

— Tu parles un langage très particulier. Tu es seul à te comprendre. Et encore!

Moi, je le comprends, dit la petite.

— Tu n'as pas de chance,» lui répondit ma femme.

Soudain, je pus m'expliquer la raison de cette joie qui montait en moi et me rendait si léger que je m'étais mis, tout d'un coup, à courir, sans me rendre compte de ce que je faisais. A un détour, j'aperçus le pont d'argent, éblouissant dans le soleil, au-dessus de l'abîme, reliant ses deux bords, un vaisseau en forme d'arche, aérien, comme suspendu très haut au-dessus de la rivière, de la voie ferrée qui la longeait, des bateaux, des maisons, des arbres, des pentes, des collines, des terminus du train à crémaillère [14] et des téléphériques, chevauchant les cimes lumineuses.

«Où vas-tu? Attends-nous!» cria-t-on dans mon dos.

Puis, apercevant, elles aussi, le pont, mes deux petites bonnes femmes s'écrièrent, étonnées, incrédules, heureuses:

«Oh! comme c'est beau!»

Elles vinrent près de moi, je les pris par les épaules, nous

[13] [the joy] makes you drunk with assurance   [14] cog railways.

regardâmes. L'arche d'argent reflétait et renvoyait, en la décuplant,[15] la lumière du soleil et l'éclat du ciel.

Des familles anglaises étaient là, en habits de dimanche, qui regardaient, comme nous, émerveillées, ce pont qu'elles pouvaient cependant voir tous les jours mais qu'elles ne regardaient que les jours de fêtes. C'est toujours cela. En France, on ne le regarderait jamais, bien que l'on prétende que les Français sont les plus grands badauds du monde. En Amérique aussi, il y a des ponts immenses: les Américains les traversent les yeux fermés, c'est pour cela d'ailleurs qu'il y a tellement d'accidents, qu'ils tombent. En Australie aussi, en Russie, il y en a. Mais on ne les voit pas car on ne s'intéresse pas aux ponts: seulement à ce à quoi ils servent. Cela fait que le pont n'existe plus. Il n'y a plus que ce qui n'est pas lui. La conscience de l'utilité est destructrice.

«Destructrice de quoi?» demanda avec ironie ma femme, pourtant sensible à la beauté du pont: mais elle garde une oreille vigilante, même dans ses moments d'émerveillement. Nous nous mêlâmes aux Anglais, près de l'arche, sur laquelle passaient, à toute vitesse, des petites voitures qui recevaient la lumière dans les vitres de leurs portières pour nous la renvoyer en mille morceaux multicolores comme des feux de diamants auto-mobiles.

«Tu vois, dis-je à ma fille, toi qui apprends la physique, tu vois, ce sont là les fameuses particules lumineuses que les savants appellent photons.

— C'est vrai?

— Tu vas la rendre encore plus sotte qu'elle n'est. Elle te prend au sérieux.

— Oh maman, je sais bien qu'il plaisante.

— Quand ne plaisante-t-il pas? Puis, se tournant vers moi: En somme, il vaut mieux que tu plaisantes. Quand tu ne dis pas de bêtises, c'est que tu es triste.

— Oh, tu es triste souvent? Pourquoi t'arrive-t-il d'être triste? demanda ma fille, pleine de compassion. Cela me

---

[15] making it ten times brighter.

177

rend triste que tu sois triste, dit-elle, serrant ma main et la caressant.

— Je suis triste quand je pense que les années s'en vont comme des sacs que l'on retourne vides, triste quand je pense que nous nous séparerons les uns des autres et chacun de soi-même. Mais la tristesse est une heure creuse. Aujourd'hui, le bonheur me remplit, la joie me gonfle.»

Je sautillais, tout en disant cela, faisais de grands gestes avec mes bras comme avec des ailes.

«Attention, dit ma femme en sortant un face-à-main [16] pour se donner une contenance, attention, on te regarde.» [17]

En effet, des groupes d'Anglais me contemplaient, plus calmement étonnés que sévères, jugeant toutefois mon exubérance un peu trop méridionale pour leur latitude.

Je ne pouvais plus contenir ma gaieté folle. Elle débordait, m'emportait, me transportait, me soulevait de terre. Je m'aperçus que mes pieds avaient quitté le sol; mes semelles effleuraient la tête des brins d'herbe de la pelouse.

Les Anglais n'avaient encore rien remarqué. Il leur semblait, simplement, que je marchais plus vite, ou, puisque j'avais l'air de glisser, que j'imitais, par jeu, la façon d'avancer des skieurs, des patineurs. Il devait aussi leur sembler que j'avais un peu grandi mais, comme je suis de taille moyenne, y ajouter six ou sept centimètres, cela ne devait pas leur paraître visible ou extraordinaire, à eux, qui sont grands d'habitude.

Pourtant ma fille s'écria:

«C'est drôle. Papa marche au-dessus de la pelouse.

— Tu es folle,» lui dit ma femme.

Puis, comme je m'étais élevé encore un peu plus, elle put distinguer, avec son face-à-main, l'écart qui s'était agrandi entre l'herbe et mes pieds. Elle dut se rendre à l'évidence.

«Cela n'est pas convenable, voyons, finis, qu'est-ce que cela veut dire, Herbert!»

(C'est ainsi qu'elle m'appelle lorsqu'elle me voit faire des choses qu'elle juge répréhensibles.)

Moi, j'irradiais, à la fois soulevé et submergé par la joie. Je

---

[16] lorgnette   [17] people are watching you.

Le Piéton de l'Air

marchais au-dessus de la terre, bien sûr; j'aurais pu aussi bien croire que je glissais dans l'eau, sur le fond de l'océan, car l'air, ce matin, avait une densité aquatique, le ciel bleu, une profondeur marine.

J'avais, tout à coup, retrouvé le moyen de voler.[18] Comment avais-je pu en oublier le procédé, si simple pourtant, enfantin? Voler est un besoin indispensable à l'homme, c'est une fonction aussi naturelle que la respiration. Tout le monde peut, doit, sait voler en réalité. C'est une faculté innée. Pourtant, tout le monde oublie. C'est ce qui fait que nous nous sentons malheureux. C'est pire que si nous étions privés de nourriture. La plupart du temps, non seulement les gens ne savent plus comment faire pour voler mais ils ignorent qu'ils sont malheureux de ne pas voler. Ils ressentent leur malheur sans le connaître. De là vient notre misère. Que dirait-on si on oubliait de nager, de marcher, ou simplement de rester debout, ou de s'asseoir? Il faut réapprendre l'envol. Ou plutôt, il faut se souvenir. Moi, si, la plupart du temps et comme la plupart des gens, je ne sais plus m'envoler, je garde, au moins, la conscience qu'il m'est indispensable de le faire et je sais de l'absence de quelle chose je souffre. On peut m'objecter que si l'on invente des avions, des fusées, des engins inter-spatiaux, c'est, de toute évidence, parce que l'humanité a bien conscience que voler est dans sa nature et qu'elle tâche de répondre à ce besoin. Mais est-ce que le paralytique marche dans son fauteuil à roulettes?[19] Pas du tout, on le pousse. Cela n'a rien à voir avec la marche. L'automobiliste marche-t-il? Non, il roule, enfermé dans sa boîte. L'aviateur ne vole pas plus que ne marche le paralytique dans sa poussette ou l'automobiliste dans sa voiture. Il y a, maintenant, des dispositifs individuels de vol que l'on s'attache autour du corps comme des bouées de sauvetage. Cela permet certainement de bondir par-dessus les routes, les jardins, les ruisseaux, les buissons, les maisons basses, comme un criquet. Pour l'envol, cet appareil n'est même pas ce qu'est le vélomoteur à l'homme rampant.

Non. Il faut voler par ses propres moyens, par des moyens

---

[18] recovered the means of flying   [19] wheel chair.

179

EUGÈNE IONESCO

naturels comme cela se faisait jadis. C'est tout simplement une
habitude à reprendre.

Peut-être que c'est la paresse qui nous a fait perdre l'habitude,
le sens du vol. S'il nous faut des engins pour voler, cela n'est pas
naturel. On appelle cela du progrès, mais ça n'est pas du progrès
que de marcher avec des béquilles.[20] Bientôt, si l'on n'y prend
garde, nous oublierons aussi de marcher. D'ailleurs cela commence, on peut facilement s'en apercevoir. Nous perdons tous
nos pouvoirs. Voyez, il n'y a plus sur les routes que des autos.
Les piétons sont devenus rares; ceux qui restent sont méprisés.
Bientôt, ils vont disparaître. Moi, je veux rester un piéton de
terre et un piéton de l'air; je veux marcher dans les herbes, je
veux marcher dans les airs, sans avoir recours à une mécanique
artificielle.

«Comment fais-tu? Apprends-moi, demanda ma fille.

— Il ne pourra pas aller plus haut, répliqua ma femme.

— Mais si, dis-je, mais si, c'est tout à fait facile, il faut vouloir,
un vouloir qui est aussi pouvoir.[21] Il faut avoir confiance. C'est
quand on n'a plus confiance, c'est quand on n'y croit plus que
l'on retombe, ou plutôt que l'on redescend. Car il est à remarquer
que l'on ne retombe jamais brutalement comme une pierre.
C'est la preuve, une preuve de plus, que voler est une chose
naturelle. Lorsqu'on se trouve, en plein vol, au-dessus du
plateau, on n'a, évidemment, jamais peur, tandis qu'on peut
avoir peur en avion, aussi bien que dans un téléphérique.
Toutefois, il peut arriver que l'on s'étonne de survoler les cimes,
la cathédrale, les toits; si l'on s'étonne outre mesure, si l'on pense
qu'il est anormal de se maintenir dans les airs sans hélice et
sans ailes, la foi s'ébranle, on perd de l'altitude, on descend, mais
pas plus vite qu'en ascenseur. Parfois, par un effort de volonté,
on peut rebondir, remonter, comme si on lâchait du lest; mais
pas pour longtemps. Il suffit d'une toute petite faille de la
volonté pour que la chute, ou la glissade vers le bas, s'amorce.
Que de fois, retrouvant, en moi-même, le secret, ne me suis-je
pas dit, en m'élançant dans les airs: «Je sais maintenant pour
toujours, je n'oublierai plus, je n'oublierai plus comme je ne
peux pas oublier de pouvoir entendre et voir.»

[20] crutches   [21] a will that is a way.

180

Je retombais cependant, comme un ballon d'enfant qui se dégonfle petit à petit.

Mais maintenant, je n'oublie plus. Cette fois, je ferai très attention. Je noterai dans ma mémoire les mouvements du cœur et du corps, je les inscrirai sur mon carnet, je les reproduirai quand je voudrai.

Irrésistible, l'envie soudainement me prit d'aller prendre l'air ou plutôt d'être pris par l'air, de monter beaucoup plus haut, de survoler la vallée, d'aller voir ce qu'il y avait, dans d'autres vallées, au-delà des collines d'en face. Mes pieds touchaient le sol, de nouveau, mais loin de perdre mon élan, je me retenais avec peine de bondir, comme un cheval impatient qui piaffe.[22] J'appuyai du bout du pied, sur la terre; c'étaient de très légères poussées qui me faisaient doucement m'élever de cinquante centimètres, d'un mètre, de cinquante centimètres.

«Comment fais-tu? demanda la petite.

— C'est très facile. Je vais t'apprendre. Tu vas voir. C'est un jeu. Tu sais aller à bicyclette; évidemment, la bicyclette n'est qu'on engin mais puisqu'on a pris la mauvaise habitude des machines, profitons tout de même de ce qu'elles peuvent nous faire connaître, par analogie. Elles remplacent l'homme et ses fonctions, retrouvons la fonction authentique à travers ses copies. Tu t'imagines que tu es sur une bicyclette. Regarde: tu fais marcher tes jambes comme pour mettre des roues en mouvement. Des roues qu'on ne voit pas. Tiens-toi toute droite, comme sur une selle, les mains en avant, comme sur un guidon.[23] Au bout de sept ou huit tours de pédales, tu sentiras que tu démarres doucement et tu te retrouveras à la hauteur de la cheminée, puis plus haut encore, plus haut. Tu sais déjà aller à bicyclette. C'est pareil pour l'envol. Exactement le même équilibre à retrouver, pas un autre, pas un autre. Comme ceci.»

Je faisais les mouvements indiqués. Autour de moi, en cercle, les Anglais me regardaient.

«Il y a un autre procédé, un peu moins mécanique, pour ceux qui n'aiment pas les machines rampantes, roulantes ou volantes, même si elles sont irréelles. C'est un procédé gymnastique, plus

[22] paws the ground [23] handlebar.

181

naturel. Tu sautes en l'air, le plus haut que tu peux, en levant les bras. Au lieu de te laisser retomber, tu t'accroches à une branche imaginaire, comme l'on fait pour grimper à un arbre. Tu te soulèves par la force des poignets et tu attrapes une autre branche, un peu plus haut. Et de branche fictive en branche fictive, tu grimpes. Tu peux monter tant que tu veux, car l'arbre imaginaire est de la hauteur que tu veux ou que tu peux. Il est même infini, si tu le veux et tu peux ne t'arrêter jamais. En effet, au début, c'est très dur et très fatigant. Mais plus on grimpe, plus c'est facile de grimper. Il y a une force qui vous pousse, on ne sent plus du tout son poids. Une main suffit pour l'escalade, un doigt, puis seulement le désir. C'est là que se vérifie l'expression: «vouloir, c'est pouvoir.»

Mais il y a un danger d'avoir trop voulu, d'avoir détruit la résistance naturelle de l'air qui s'oppose sagement à votre montée: il n'y a plus de force descentionnelle[24] et, pris par l'ivresse des hauteurs analogue à celle des profondeurs, on peut disparaître.

En somme, il ne faut s'attaquer à aucune force naturelle; il ne faut pas y résister non plus.

«Je peux vous prendre chacune sous un bras, si vous ne voulez pas voler vous-mêmes, dis-je à ma fille, hésitante, à ma femme, effrayée.

— Tu ne vas pas nous emmener de force,» s'écria ma femme tandis que, soudainement, repoussant du pied la terre un peu trop fort, je prenais mon envol, presque malgré moi. J'étais probablement aspiré par un de ces mouvements ascendants de l'atmosphère car je montais très vite. Puis, atteignant les eaux calmes de l'air, je ralentis et obliquai. Je volai parallèlement à l'arche, mais bien au-dessus. Plus besoin de faire de mouvements compliqués; je bougeais à peine une main ou l'autre. Je me dirigeai vers la colline d'en face, silencieusement; le regard suffisait qui m'orientait dans la direction voulue.

J'étais très haut, à mi-chemin entre les deux collines, lorsque je m'arrêtai pour contempler. Je regardai les quatre coins de l'horizon que je dominais.

---

[24] force that brings you down.

Et je vis. Je vis tout. Alors, ce fut la détresse, le désespoir. «Impossible,» pensai-je, «impossible. Et pourtant, si.» Je tournai sur moi-même, comme une toupie au ralenti,[25] en répétant: «Mon Dieu, ce n'est pas possible. Non, non, je ne me trompe pas, ce ne sont pas des images de rêve, la réalité est atroce.» J'aurais pu rester là-haut tant que j'aurais voulu. Mais à quoi bon, puisque seul le désastre nous attend.

Lentement, tristement, je redescendis comme on descend des marches invisibles. Je frôlai la cime d'un arbre, arrachai machinalement une feuille que je lâchai et qui retomba en voltigeant.

Ma femme, ma fille, les gens m'attendaient. J'arrivai au-dessus de leurs têtes, touchai l'herbe, la terre.

«Comment avez-vous fait?

— Mais j'ai volé.

— Ce n'est pas vrai, dit un Anglais, on vous a bien regardé, vous marchiez sur une arche invisible, sur du solide. Et si l'arche est invisible, c'est parce qu'elle n'est qu'une solidification de l'air. Tout le monde pourrait en faire autant. Il suffit de nous indiquer son emplacement exact.

— Il n'y a pas d'autre arche. Je volais, tout simplement, je vous assure, je volais.

— De toute façon, votre exploit n'a rien d'extraordinaire. Le cerf-volant[26] fait la même chose. Quant à nous, nous pouvons arriver de l'autre côté en quelques secondes, en auto, par le pont, ou dans nos avions, dans nos fusées. A vous, il vous a fallu[27] vingt bonnes minutes pour faire seulement la moitié du trajet: c'est trop long, cela demande trop de temps. Nous ne brevetons pas votre système.

— Qu'est-ce que tu as? Tu devrais être fier. Tu n'as pas l'air content, me dit ma femme. Qu'as-tu donc vu de l'autre côté?

— Au bas de la colline d'en face, dans l'autre vallée, de grands portails sur lesquels était écrit le mot «Paradis» en lettres lumineuses, comme à Battersea.[28] Derrière les portails, à ciel ouvert, l'enfer. Des sauterelles géantes rongeaient les crânes des imprudents qui étaient entrés. A la place, on leur mettait des

[25] a top that is slowing down [26] kite [27] you've needed [28] park in London.

183

têtes d'oies, des têtes de renards, des têtes de guenons. Plus loin encore, les truies régnaient, sur des archanges vaincus, sur des anges déchus: elles en avaient fait des gardes-chiourme [29] et des bourreaux. Conduits par eux, des colonnes innombrables de gens chantaient des hymnes à la gloire des truies. Des milliers et des milliers d'autres apprenaient l'optimisme sous la menace des poignards et on parvenait à les faire rire aux éclats quand ils étaient fouettés, quand on les massacrait. «C'est bien fait pour nous, disaient ils, c'est bien fait pour nous.» Je montai plus haut pour voir ce qui se passait en direction des autres points cardinaux et, arrivé à l'arête du toit invisible que je touchai du front et où se rejoignent l'espace et le temps, je regardai à droite, à gauche, derrière, devant, des bombes immenses, tirées par je ne sais qui, venant on ne sait d'où, creusaient des gouffres sans fond sur des plaines depuis déjà longtemps ravagées et désertes. Et puis, et puis, la glace succédant au feu, le feu succédant à la glace, un désert de glace, un désert de feu s'acharnant l'un contre l'autre et venant vers nous.

— Dis-le aux gens, dis-leur vite ce que tu as vu.

— Personne ne me croira et même si on me croyait . . .

— Alors, qu'est-ce que tu attends? Prends-nous chacune sous un bras, puisque tu as prouvé que tu pouvais le faire, et envole-nous.

— Où aller?

— Envole-nous, plus loin que l'autre côté, plus loin que les enfers.

— Hélas, je ne peux pas, mes chéries. Après, il n'y a plus rien.

— Comment rien?

— Rien. Que les abîmes illimités. Que les abîmes.»

Tête basse, avec la peur et la désolation dans nos cœurs, nous nous dirigeâmes vers la ville. Le soir commençait à tomber. Des coups de pétards [30] se faisaient entendre, suivis de brèves lueurs rouges. Ce n'était rien encore que la fête, une sorte de 14 juillet anglais.

[29] warders of gangs of convicts [30] explosions (from a cannon or fireworks).

184

Le Piéton de l'Air

QUESTIONS

1. Quel rapport y-a-t-il entre les pages du début et l'action centrale de ce conte?
2. Quelle signification peut-on accorder au monsieur qui vient de l'autre monde? Pourquoi ne vient-il que le matin?
3. Le vocabulaire de cette histoire nous fournit les éléments pour une analyse des tensions et de l'ironie qui sont caractéristiques du point de vue du piéton. En prêtant attention aux mots comme «néant,» «anéantissement,» «allégresse,» «rien,» «tristesse,» «bêtise,» etc., exposez ce point de vue.
4. Souvent dans ce conte le piéton et sa femme semblent représenter des attitudes foncièrement différentes vis-à-vis de la réalité. Quels sont certains détails de cette opposition? A qui faut-il donner raison?
5. Que veut dire le piéton quand il parle des avions et des automobiles comme des bornes imposées à la liberté de l'homme? Est-il du même avis à la fin de son aventure?
6. Le piéton nous annonce juste avant de s'envoler que s'il ne faut s'attaquer à aucune force naturelle, il ne faut pas y résister non plus? Que veut-il dire?
7. Nous apprenons à la fin de cette histoire que «la réalité est atroce,» jugement qui semble contredire l'enthousiasme initial du piéton. Comment expliquer ce changement?
8. Étudiez les personnages de cette histoire du point de vue de leur attitude envers le piéton.

Françoise Mallet-Joris

Née en Belgique en 1930, Françoise Mallet-Joris est, avec Simone de Beauvoir, Marguerite Duras et Nathalie Sarraute, parmi les remarquables femmes-écrivains dont le talent s'est révélé après la deuxième guerre mondiale. Après des études à Anvers, à Bruxelles, aux États-Unis et en Sorbonne, Mlle Mallet-Joris publia son premier roman, *Le Rempart des béguines* (1951), alors qu'elle avait à peine vingt ans. Le livre surprit, choqua même, mais il affirmait incontestablement un talent littéraire de premier ordre, et il est peut-être resté son œuvre la plus réussie.

La Chambre rouge (1955), dont le sujet est plus scandaleux encore que celui du *Rempart des béguines*, déçut par son cynisme flamboyant. On parlait d'influence de Laclos et du marquis de Sade. Mais bientôt d'autres romans, parmi lesquels *Mensonges* (1956), que le critique Émile Henriot proclama un «livre admirable,» révélèrent d'autres aspects du talent littéraire de Françoise Mallet-Joris. Avec *Les Personnages* elle donnait un roman historico-psychologique; dans *L'Empire céleste* elle créait une œuvre dans la tradition unanimiste. Partout elle explore le problème de l'apparence et de la réalité. Et ses couleurs rappellent souvent, par leur éclat et leur qualité charnelle, les œuvres des peintres flamands.

«Le Souterrain» est tiré d'une collection de nouvelles, *Cordélia* (Julliard, 1956). Dans une interview accordée peu de temps après la publication de ce volume, Mlle Mallet-Joris expliquait qu'avant de commencer des romans, elle s'était exercée dans la nouvelle. «J'aime beaucoup ce genre-là. La technique doit y être précise.» Et elle regrettait que ce genre n'eût pas en France la place qu'il devrait avoir.

La précision de la nouvelle tient en partie au besoin de concentration et de condensation. Le roman, au souffle plus long et au temps

1 8 6

plus élastique, peut se permettre les sinuosités, les digressions, les complexités; la nouvelle doit, avec plus de rigueur, maintenir une unité de ton et de matière. Le travail de l'artisan y est plus évident et plus nécessaire. Dans «Le Souterrain,» Mlle Mallet-Joris raconte l'histoire assez banale d'un week-end que des personnages relativement insignifiants passent à la campagne. Mais derrière l'apparente trivialité de la narration, l'auteur réussit à maintenir une unité de ton et de thème. Avec humour, avec quelque distance par rapport à ses personnages, mais aussi avec une réelle sympathie, elle développe l'image touchante d'adultes ayant gardé la naïveté, les caprices, la vulnérabilité et les rêves de l'enfance. Car ces personnages, parfois irritants, souvent ridicules, mais aussi profondément «humains,» sont restés de grands enfants. Ils ont peur de la solitude, peur de l'ennui, peur de l'obscurité, peur des cauchemars. Et comme nous tous, ils ont besoin de protection, besoin surtout de compagnons de jeux.

LE SOUTERRAIN

POURQUOI, mais pourquoi est-ce que personne ne s'occupe de moi? songeait Fanny avec détresse. Blottie dans un coin de la voiture, les pieds glacés, obligée de se taire, elle se sentait plus malheureuse qu'elle ne l'avait jamais été. Le sac de bonbons était vide; le paysage était triste; Luc faisait semblant de ne pas la remarquer, vexé sans doute qu'elle l'eût repoussé tout à l'heure. Nathalie dormait: elle dormait toujours en voiture. Et sur le siège avant, conduisant, le beau-frère de Luc n'était que trop disposé à faire bénéficier Fanny de ses plaisanteries stupides et de sa jovialité inopportune. «C'est trop injuste!» pensa-t-elle avec irritation. Et dire qu'elle s'était tant réjouie d'aller passer ce week-end avec eux! L'hiver, la campagne, tout cela était nouveau, la distrairait, lui ferait oublier l'absence de Philippe. Lui non plus n'avait pas été très gentil pour elle: partir en tournée si loin sans l'emmener, sous prétexte qu'un mois ou deux passeraient vite, et qu'ils auraient tant de plaisir à se retrouver. Mais enfin Philippe était son mari, ce n'était pas la même chose.

Elle jeta un regard de côté vers Luc, qui regardait toujours droit devant lui et semblait porter un grand intérêt à la route qui se déroulait sous leurs yeux. Il n'aurait pas dû bouder ainsi; un homme qui vous fait la cour, qui n'a encore obtenu qu'un baiser, n'a pas le droit, vraiment pas le droit de vous laisser seule à vous morfondre dans un coin, parce que vous l'avez repoussé un peu vivement.

— J'ai si froid aux pieds, Luc, murmura-t-elle sur un ton pitoyable.

— Voulez-vous le plaid?

Il le lui passa, avec froideur. C'était un comble![1] Elle détourna la tête, près des larmes. Quelques heures auparavant, dans le petit appartement de Luc et Nathalie, ils étaient restés seuls un instant. Luc s'était approché sans hâte, l'avait prise par la taille, regardée un moment, puis embrassée sur les lèvres, doucement, sans appuyer. Le cœur de Fanny battit un peu plus vite à ce souvenir encore vivant. Cette façon qu'avait Luc de prendre son temps, d'être maître de lui . . . Oh! ce qu'elle avait ressenti pendant qu'il approchait doucement ses lèvres, c'était . . . c'était divin. Ce tressaillement soudain, cette chair de poule, cette peur, ce désir . . . Oui, le premier baiser d'un homme, c'était vraiment merveilleux. Après, cela devenait de moins en moins émouvant, jusqu'à l'écœurement complet, jusqu'à ce qu'il fallût absolument, pour retrouver du goût à la vie, donner un autre premier baiser. «Les hommes sont tous les mêmes, pensa Fanny, sauf Philippe, naturellement.» Oui, sauf Philippe. Parce que, quand il l'embrassait, elle pouvait toujours s'imaginer qu'il était quelqu'un d'autre, un séducteur pervers ou un amoureux donnant un dernier baiser à celle qu'il va quitter pour toujours, ou Othello, ou Jules César . . .

Elle n'était jamais seule avec lui, comme on est seule avec les hommes. Elle avait tant rêvé de lui pour l'avoir vu au théâtre,[2] au cinéma, avant de le rencontrer et de l'épouser, que ce n'était pas lui, Philippe, qu'elle connaissait, pour qui elle préparait le petit déjeuner, avec qui elle faisait l'amour, mais une série de personnages dont elle avait rêvé, tous les héros de roman et de théâtre, tous les héros aussi des histoires qu'elle se racontait à

---

[1] That was the last straw! [2] as a result of having seen him in plays.

elle-même. Elle ne connaissait pas le vrai Philippe. Elle ne demandait pas à le connaître. «Je l'aimerai toujours,» pensait-elle. Elle se sentit encore plus malheureuse. Philippe, sa voix sonore, ses belles mains, sa façon de s'étirer le matin, en montrant ses dents si blanches . . . Non, il ne fallait pas y penser. C'était Luc qui était assis à côté d'elle, Luc qui n'avait pas trente-huit ans mais vingt-six. Luc qui n'avait pas un large visage tanné, marqué de rides photogéniques, mais un mince et fin museau de renard. Luc qui n'était pas un acteur célèbre, mais un jeune avocat stagiaire[3] «du plus bel avenir.» Si seulement il cessait de bouder! Tout cela, au fond, était la faute du beau-frère. Si ce petit homme prétentieux et maniéré n'était pas entré au moment où Luc allait l'embrasser une seconde fois, s'il n'avait pas insisté, de cette ridicule voix grêle, pour «se rendre utile» en portant les valises de Fanny et en ne la quittant pas d'une semelle, s'il n'avait pas conduit de cette façon extravagante, risquant à tout moment d'écraser de vieilles dames affolées, s'il ne s'était pas aperçu à plusieurs kilomètres de Paris qu'il avait oublié chez lui des papiers importants, ce qui les avaient obligés à faire un détour considérable, Luc aurait peut-être pensé davantage à faire la cour à Fanny, et moins à récriminer à voix basse contre la sœur de Nathalie, qui avait épousé cet idiot, contre le grand-père de Nathalie, qui lui confiait la garde de son domaine, et contre Nathalie elle-même qui avait estimé plus pratique d'accompagner Richard en voiture plutôt que de prendre le train.

Ces conversations ennuyaient Fanny, l'ennuyaient à tel point que, lorsque Luc s'était arrêté de parler de domaine, de gérance, de baux et de mille choses aussi agaçantes (parce que sa femme s'était endormie) et qu'il avait esquissé un geste vers sa taille, elle l'avait repoussé avec colère. Ce serait trop facile vraiment si on avait le droit d'ennuyer les gens pendant des heures, et s'il suffisait ensuite de faire un geste pour les trouver à sa disposition! Elle ne céderait que s'il insistait. Mais il n'avait pas insisté; il s'était vexé stupidement. Et elle était là, les pieds glacés, regardant le paysage, dans cette voiture qui l'emmenait

[3] law clerk.

189

vers le Limousin, où elle avait accepté de passer trois jours. Pourquoi? Oh! pourquoi? Elle ne pouvait pas supporter plus longtemps cette solitude; elle ne voulait pas être malheureuse. Cela ne lui était jamais arrivé; il y avait toujours eu quelqu'un pour l'en empêcher, sa mère, son père, Nathalie elle-même qui avant son mariage était son «amie de cœur,» et elles allaient ensemble, chaque fois que Fanny était déprimée, au cinéma ou dans les expositions de blanc[4] acheter de la lingerie. Puis elle s'était mariée et elle n'avait plus eu d'amies de cœur, elle n'en avait plus besoin, Philippe ne la quittait jamais; ils allaient ensemble dans les magasins, elle l'attendait dans sa loge en lisant des romans policiers, ils dormaient ensemble, Fanny était heureuse, elle détestait dormir seule. Et il était parti, depuis quinze jours déjà, la laissant toute seule. Qu'était-ce encore qu'il avait dit? Ah! oui, que ces «choses-là» n'avaient pour lui aucune importance. Il savait que Fanny avait eu des amants avant son mariage, cela lui était bien égal, et la fidélité lui paraissait un préjugé ridicule: Fanny ne cesserait pas de l'aimer pour autant,[5] n'est-ce pas? Elle n'avait pas pensé à user tout de suite de cette indulgence. Elle avait cru d'abord qu'il lui suffirait de retourner chez elle, près de sa mère, dans la maison où tout le monde s'occuperait d'elle, trouverait son chagrin si légitime, si intéressant . . . Mais ce n'était plus du tout la même chose, la gentillesse de sa mère, ses offres de lui acheter des chapeaux, et son père si distrait qu'il confondait toujours ses deux filles, et sa sœur Dominique qui réclamait une partie de l'attention et parlait sans arrêt de ses «prétendants,» maman interdisant que le mot flirt soit prononcé dans la maison . . . Et puis il fallait dormir seule, ce qui était bien désagréable, et elle avait toujours si froid depuis le départ de Philippe qu'elle dormait avec un pull-over, ce qui était antihygiénique.

Toutes ces récriminations lui revenaient dans la tête tandis qu'elle regardait le visage boudeur de Luc, et Nathalie appuyée sur lui de tout son grand et beau corps, Nathalie endormie, Nathalie qui autrefois se serait dévouée à la consoler, avec laquelle elle aurait pu avoir une conversation passionnante sur

[4] linen sale   [5] just for this.

leur garde-robe, ou leur désir de garde-robe, leurs soupirants ou leur désir de soupirants, ou toute autre chose réconfortante et résolument féminine. Mais, depuis son mariage, Nathalie était beaucoup moins réconfortante. Elle parlait volontiers d'art et de culture, et prenait des airs mondains absolument hors de propos. Fanny en était là de ses réflexions, tout en frictionnant furtivement ses pieds déchaussés, quand le beau-frère s'était retourné et, souriant de toute sa stupide figure de pleine lune:

— Eh bien! ça va, petite veuve?

C'en était trop: cette stupide plaisanterie, au moment où elle était triste, abandonnée de tous ... Elle éclata en sanglots, des larmes inondèrent son joli visage chiffonné, enfantin. L'espace de trois secondes, elle pleura sans calcul et sans coquetterie. Mais Luc se tournant vers elle, elle déplissa le nez, laissa couler ses dernières larmes sur un visage soudain lissé, poli, photogénique. L'effet fut immédiat; Luc lui entoura les épaules de son bras, se pencha vers elle, tendre, empressé, sans plus traces de bouderie.

— Fanny! Ne pleurez pas, voyons; Richard voulait plaisanter!

Le beau-frère balbutiait des excuses embarrassées, que personne n'écoutait.

— Vous êtes assez couverte? Remontez donc un peu ce plaid ...

La main de Luc se glissait doucement sous le plaid, lui caressait le genou, remontait jusqu'à la cuisse, y demeurait immobile. Une émotion plus vive se mêlait à la douceur encore proche des larmes; Fanny s'abandonna contre les coussins, détendue.

Elle pensa avec délices à toutes les caresses à venir, à toutes les émotions pas encore éprouvées. Elle fondait beaucoup d'espoir sur Luc. Le plus délicieux était sa lenteur à se décider: tout était bien plus agréable ainsi. Il n'était pas de ces hommes qui, deux minutes après le premier baiser, vous donnent rendez-vous à l'hôtel. Depuis quinze jours qu'elle était seule, il ne lui avait donné que ce baiser furtif, cette étreinte rapide interrompue par le néfaste beau-frère, bien qu'elle eût compris dès le début qu'il se proposait bien de la consoler. Elle le

191

regarda sans tendresse, mais avec un œil satisfait de ménagère qui voit durer plus longtemps qu'elle ne s'y attendait une boîte de sucre ou un chiffon. Ce séjour à la campagne, sans doute, serait décisif: il avait beaucoup insisté pour qu'elle vînt. L'émotion s'épuisait, qu'elle avait ressenti de sentir cette main posée sur sa cuisse. Il n'y avait plus qu'à attendre l'arrivée. Elle ferma les yeux.

Ils arrivèrent à Valbonne à la nuit tombée. Il faisait de plus en plus froid. Grelottants, ils quittèrent la voiture, dans l'ombre massive de cette maison biscornue, bâtie sous Napoléon III, qu'on appelait dans le pays «le château.» Quel soulagement d'entrer enfin dans la grande cuisine chaude! Le beau-frère s'affairait fort inutilement devant les valises, Nathalie embrassait sur les deux joues une vieille servante en tablier bleu. Fanny s'était précipitée vers le fourneau pour y réchauffer ses mains glacées, et Luc faisait mine d'avoir eu, lui aussi, très froid. La table était mise au milieu de la cuisine. «Pourvu qu'il y ait de la soupe chaude,» pensait Fanny. D'habitude elle détestait la soupe, mais aujourd'hui ... Elle qui avait prétendu, au départ de Paris, qu'elle n'avait jamais froid, tout cela pour laisser son manteau dans le coffre, faire admirer à Luc sa taille fine, et qu'elle était plus jolie que Nathalie, en pantalon ... Elle espéra qu'on mangerait bientôt. Mais le beau-frère accaparait la servante.

— Dites-moi avant tout, ma bonne Delphine, si Jules a conclu l'affaire avec Poirier. Ces veaux étaient très avantageux, je ne voudrais pas que ... Ah! c'est fait? Mais le baquet que nous avons promis à la femme de Moron, il y a pensé? Il y a aussi cette histoire de fûts, que je veux tirer au clair immédiatement, je ...

La servante écoutait, répondait sans chaleur.

— Dieu, que Richard est agaçant! murmura Luc entre ses dents. Regardez-moi ces airs de châtelain!

En effet, depuis qu'il avait quitté la voiture, le petit homme semblait marcher d'un pas plus large, ses gestes s'efforçaient à la virilité, sa voix grêle affectait une jovialité bonhomme qui sonnait faux. Il entraîna la servante hors de la cuisine, dans un apparent tourbillon d'activité.

— Il va encore tenir la pauvre Delphine éveillée jusqu'à des heures indues, commenta Luc en haussant les épaules. Enfin, si ça l'amuse ... Allons! A table! Venez, Fanny, manger vous réchauffera.

La soupe fumait doucement, posée sur la porte rabattue du four. Nathalie apportait du beurre, du jambon fumé, une salade. La table, en l'honneur des arrivants, était couverte d'une grande nappe blanche, soigneusement reprisée par endroits, mais qui avait été, avant de nombreux lavages, damassée. Tout cela datait, comme les verres de cristal dans lesquels on versait le vin du pays, du temps de la splendeur de Valbonne.

— Que c'est beau ici! dit Fanny avec une sincère admiration.

Elle n'était jamais venue à Valbonne, et quand Nathalie lui parlait de la propriété de ses grands-parents, elle imaginait une petite villa avec un bout de jardin, comme ses propres parents en avaient une à Arcachon.

— Oh! ne t'imagine pas que nous sommes de riches châtelains! dit Nathalie avec une pointe de regret. Tout ce qu'il y a à Valbonne appartient à mes grands-parents qui se ruinent à l'entretenir, et nous permettent simplement de venir y passer quelques jours, de temps en temps, quand ils sont absents. D'ailleurs, je pense qu'après leur mort, le domaine sera vendu.

— Et ce sera tant mieux, dit Luc sèchement.

Que le grand-père de Nathalie, qui vivait la plus grande partie de l'année à Tunis, eût confié cette propriété de trois cents hectares à un imbécile prétentieux comme Richard, ce petit ingénieur raté,[6] l'exaspérait. Non qu'il eût jamais désiré exercer cette charge lui-même. Il avait, Dieu merci, mieux à faire. Mais ayant épousé les deux sœurs Lescures, Richard et lui n'avaient-ils pas les mêmes droits? Fanny n'écoutait pas. Luc et Nathalie l'encadraient, ils s'étaient assis tous trois l'un à côté de l'autre et elle s'en sentait réconfortée. Il faisait bon dans l'immense cuisine dallée, toute pareille aux cuisines qu'on voit dans les grammaires anglaises, *The old kitchen was warm and hospitable.* Dans la grammaire anglaise, il y aurait eu ces étagères faisant le tour de la pièce, il y aurait eu ce grand

[6] this little failure of an engineer.

fourneau à l'intérieur duquel craquaient des bûches, cette haute pendule émaillée avec son balancier soleil, cette vaste table servie, ces hautes fenêtres donnant sur une obscurité qui était celle d'un parc, ces murs de céramiques ornés tout en haut, près des grosses poutres marron, d'une bande de fleurs en relief, jaunes et vertes, un peu stylisées, d'un charmant mauvais goût. Mais, pensait Fanny, être vraiment assise dans cette cuisine, sentir ses pieds se réchauffer peu à peu, boire le mauvais vin dans les beaux verres, goûter le jambon fumé, rose comme il peut l'être sur les réclames, et par-dessus tout, dans la pièce tout embaumée par l'omelette que Nathalie faisait cuire, entendre la voix réconfortante d'un homme qui vous demande si vos pieds sont réchauffés, si vous voulez encore un peu de vin, si le potage vous a fait du bien, ça, c'était vraiment ce qu'il lui fallait, exactement ce qu'elle avait désiré de ce séjour à la campagne. Elle pourrait même repenser avec plaisir à ce froid, à cette solitude de la voiture, maintenant que le vin s'était glissé en elle, irradiant la chaleur et l'oubli, maintenant que cette voix sonore ne cessait de la questionner, et que Nathalie même, qui apportait l'omelette, s'inquiétait avec sollicitude de savoir si elle ne s'était pas enrhumée.

— J'ai peur que Fanny n'ait bien froid dans sa chambre, dit Luc quand ils eurent fini.

— Oh! j'avais téléphoné qu'on allume le poêle, dit Nathalie.

Elle pelait une orange avec couteau et fourchette; avant son mariage, elle pelait toujours les oranges avec les doigts, pensa Fanny. Mais peut-être ne serait-il pas gentil de le faire remarquer? Elle pela elle-même son orange avec les doigts pour voir si Luc lui ferait une remarque. Mais il ne dit rien. Peut-être il admirait ses mains; elle savait qu'elle avait de toutes petites mains, très blanches, jolies, même quand elle avait les ongles sales. Ses ongles étaient si petits!

— Vous avez vraiment des ongles de poupée! dit justement Luc.

Elle sourit, contente. Oui, tout irait bien, elle le sentait.

Ce fut le moment que choisit le beau-frère pour entrer, toujours aussi actif en apparence. Il tenait sa serviette gonflée sous le bras, et, de l'autre, il faisait sans arrêt des gestes désordonnés destinés sans doute à exprimer les soucis et le travail que demandait la gestion du domaine.

— Richard, dit Luc d'un ton las, ne pourrais-tu cesser un moment de t'agiter et venir manger tranquillement?

— Je venais justement voir si vous m'aviez laissé quelque chose! Comment, vous avez déjà fini? C'est vrai que j'ai été obligé de discuter un tas de choses avec Delphine. Cette bonne Delphine!

Il s'assit enfin, posa sa serviette à côté de lui et commença à manger sa soupe refroidie. Comble de l'horreur, il mangeait bruyamment, avec un grand bruit de mâchoires et d'aspiration, buvait beaucoup de vin et posait son couteau sur la nappe, sans se soucier de la tacher. Fanny se demanda si c'était par mauvaise éducation, ou par une affectation de débraillé campagnard.[7] Elle penchait plutôt pour le second cas.[8] Elle-même avait eu de ces jeux quand elle était enfant. Mais que cela était ridicule, venant de ce petit homme sans âge! Elle remarqua seulement à ce moment-là qu'il avait la tête entièrement rasée, comme un officier allemand.

— Si nous allions nous coucher? proposa Nathalie. Cela ne vous ennuie pas que nous vous laissions seul, Richard?

— Pas du tout, dit-il d'un ton tout de même un peu déçu.

Mais tout de suite après, il reprit son air important:

— J'ai tant de choses à résoudre, ici! J'y penserai en mangeant.

— Bonsoir, monsieur, dit poliment Fanny.

Au lieu de répondre, il la regarda fixement.

— Aimez-vous la patinoire? dit-il enfin d'un air grave.

Fanny jeta vers Luc un regard de détresse.

— Ne faites pas attention, dit-il en haussant les épaules. Mon beau-frère est parfois un peu distrait . . .

— Pas du tout! repartit l'autre en éclatant de rire. Je voulais dire que si Mademoiselle . . . pardon, Madame, aime la patinoire, elle pourra sûrement patiner dans sa chambre. Il fait un froid!

Et il feignit de frissonner, avant d'éclater d'un gros rire ravi.

— Venez, Fanny, dit Luc en lui prenant la main pour

[7] through an affectation of careless country manners [8] She was rather inclined to believe the latter.

l'entraîner vers l'escalier. Il n'a pas un sens très sûr de la plaisanterie.

Et ils sortirent dignement, laissant derrière eux le visage rond un peu dépité. Fanny étouffa un rire subit. Mais en arrivant à l'escalier: «Il n'a peut-être pas menti,» songea-t-elle.

Dans la cage d'escalier, il faisait un froid atroce.

— Je vais te conduire dans ta chambre, chérie, dit Nathalie d'un grand air de châtelaine.

De chaque côté de l'escalier s'ouvrait un couloir qui semblait donner sur des dizaines de chambres.

— Mon Dieu, que c'est grand! murmura Fanny.

— Mais c'est bien plus grand que ça, ma pauvre Fanny. Nous sommes montés par le petit escalier. Quand tu auras vu la grande entrée et les chambres de maîtres, car nous logeons dans les chambres d'amis, qui sont moins grandes, et la salle à manger . . . tu te sentiras terriblement perdue! Luc, si tu allais fermer les volets de notre chambre? Cela ne sert à rien de s'éterniser sur ce palier.

Ainsi congédié, Luc ne put faire autrement que de dire à Fanny un bonsoir très officiel.

— Viens, chérie.

Fanny dut suivre, par le couloir de gauche, tandis que Luc s'en allait dans une chambre immédiatement à droite.

— J'ai bien peur que ta chambre ne soit un peu vaste pour une aussi petite personne, dit Nathalie tout en ouvrant la porte. Mais c'est la seule où il y ait un poêle, avec la nôtre . . .

En effet, la chambre était grande. Elle était même immense.

— Elle est presque aussi grande à elle toute seule que notre appartement! s'écria Fanny avec désolation. J'aurai l'impression d'avoir été abandonnée dans un désert . . .

— Mais non, mais non, dit Nathalie de ce ton maternel et rassurant qui était si agaçant parfois chez elle. Tu vas t'endormir tout de suite, et demain matin tu prendras ton petit déjeuner dans notre chambre.

Elle embrassa Fanny sur le front et sortit.

Mais Fanny n'était pas réconfortée du tout. Un tout petit poêle brûlait dans une cheminée, non loin de la porte, et n'était évidemment pas suffisant pour chauffer même un tiers de l'énorme pièce. Non loin de la cheminée, un monument en acajou sculpté, amplement orné de couronnes, d'amours et d'initiales, avait dû abriter les amours des ancêtres de Nathalie, mais engloutirait sans nul doute dans un matelas glacé le petit corps de Fanny. A l'autre bout de la chambre, loin derrière un désert de parquet poli, il y avait la fenêtre qui devait ouvrir sur un balcon, et de chaque côté de la fenêtre, les inévitables portraits de famille: un monsieur gras avec un gilet bleu, une dame au long nez encadré d'anglaises.[9]

Un petit piano qui ressemblait à un clavecin, et une énorme armoire faite de volutes et de courbes, beau morceau d'ébénisterie, étaient les seuls îlots visibles dans cet océan de froid. Debout tout contre le poêle, Fanny commença à se déshabiller, grelottante. Dire qu'elle avait pris sa jolie chemise de nuit en nylon, en espérant que Luc l'apercevrait, au lieu de son pyjama de flanelle bleue, si chaud . . . Elle serait encore obligée de dormir avec un pull-over, et elle n'en avait qu'un, et le lendemain matin, elle aurait transpiré; elle faillit pleurer, s'arrêta de justesse à la pensée que personne n'était là pour essuyer ses larmes et se glissa dans le lit. C'était bien comme elle l'avait pensé: les draps étaient humides, froids, intolérables. Une fois dans le lit, elle ne put se résoudre à en sortir le bras pour éteindre la lampe de chevet; un bon moment, elle resta les yeux fixés sur la soie déchirée, vieux rose, de l'abat-jour. Les murs étaient couverts d'un papier à fleurs et à oiseaux, mais des fleurs et des oiseaux à la taille de la chambre, énormes, effrayants. Les becs jaunes notamment de ces oiseaux, des becs recourbés, grands comme une main, avaient l'air si méchant! Elle allait en rêver. Son corps commençait lentement, très lentement, à se réchauffer. Mais sûrement ses pieds resteraient froids jusqu'à ce qu'elle s'endormît, jusqu'à demain matin, peut-être . . . Oh! comme elle aurait voulu y être, à ce matin où elle se réveillerait toute réchauffée dans un creux du matelas qui serait comme un nid, dont elle aurait toutes les peines du monde à sortir.

Sentant qu'elle commençait à s'engourdir, elle sortit le bras

[9] long spiral curls.

197

des couvertures pour éteindre la lampe, quand on frappa doucement, très doucement, à la porte.

— Entrez, dit-elle tout bas.

La porte s'ouvrit et Luc entra, en robe de chambre bordeaux, tenant sur son cœur une bouteille. Elle se mit à rire; il était si comique avec sa bouteille; ses cheveux si bien peignés d'ordinaire faisaient une touffe derrière la tête, son long nez était exactement celui de la dame sur le portait de famille, bien qu'elle fût la grand-mère ou la grand-tante de Nathalie, et non la sienne . . . Mais elle riait aussi de plaisir, parce que, ce soir-là tout au moins, elle ne s'endormirait pas sans avoir été embrassée par un homme.

— Vous ne dormiez pas encore? Que vous avez l'air petite dans ce monument, Fanny! J'ai pensé tout à coup qu'une bouteille d'eau chaude vous ferait peut-être plaisir, et je suis descendu à la cuisine vous en faire une.

— Oh! Luc!

Elle était ravie; elle lui fit son plus radieux, son plus naïf sourire, celui des cadeaux de Noël, celui qui faisait dire à son père et à Philippe: «Quelle enfant elle est restée!»

— Luc, c'est ce qui pouvait me faire le plus de plaisir! J'étais arrivée à me réchauffer à peu près, mais mes pieds sont de vrais glaçons.

— Alors, j'ai vraiment été bien inspiré, dit-il en s'approchant du lit.

Fanny émergea à demi des couvertures, mais s'y replongea aussitôt, se souvenant qu'elle exposait aux yeux de Luc son tricot marron et non le haut vaporeux de sa chemise de nuit. «Si seulement j'avais pu prévoir . . .» Luc glissa la bouteille dans le lit en lui effleurant les genoux.

— Voilà. Ça va mieux?

Sa voix était tendre, comme s'il parlait à un enfant malade. Elle adorait que les hommes lui parlassent comme à un enfant; pas les femmes, pas Nathalie surtout, qui employait volontiers à son égard un ton protecteur, parce qu'elle la dominait par sa haute taille. Mais les hommes, oui; c'était si agréable de se sentir faible, et protégée, et grondée parfois, gentiment.

— Oui, un peu mieux.

— Un peu seulement? Je vais vous réchauffer les pieds, moi.
Et il prit les petits pieds dans ses mains, les frotta, les
embrassa ...

— Oh! il ne faut pas m'embrasser les pieds! dit-elle.

— Pourquoi?

— Ça ne se fait pas ... Ce n'est pas convenable ...

Il se mit à rire.

— Ce n'est pas convenable? Qu'est-ce qu'il faut embrasser
pour être convenable? La joue? ...

— Mm ...

Il l'embrassa sur la joue, d'un baiser qui vite glissa.

— La bouche?

Elle n'eut pas le temps de répondre; il l'embrassait longuement, avidement, encore et encore, jusqu'à ce qu'elle se sentît
toute étourdie.

— Luc ... J'ai froid ... soupira-t-elle.

Elle était toute découverte jusqu'aux pieds; sa chemise
transparente laissait deviner son corps à partir de la taille.
«Heureusement que je n'ai qu'un pull-over,» pensa-t-elle.
Après tout, elle avait bien fait de ne pas emporter le vieux
pyjama de flanelle. Luc n'aurait pas aimé du tout ce pyjama;
son mari l'aimait, mais cela ne voulait rien dire. Elle savait que
Luc voulait toujours que Nathalie eût de très jolies chemises de
nuit. C'était cela qui était si commode quand on décidait de
faire de l'effet sur le mari d'une amie: on connaissait déjà ses
goûts. Mais décidément, il faisait trop froid.

— Luc ... froid ... dit-elle encore plus languissamment.

— Oui, chérie ...

Elle entendit un bruit, ses pantoufles qui tombaient sans
doute, et il ramena la couverture sur eux deux. Il la serrait
contre lui, non pas à l'étouffer, comme Philippe, mais doucement; il lui caressait les épaules, sa caresse descendait le long
de sa poitrine ... Elle frémissait tout entière. Ah! qu'il ne se
hâtât pas trop! Que ce ne soit pas trop vite cette ruée brutale
qui ne vous laisse pas le temps de respirer, qui vous fait mal, qui
vous salit, qui vous oblige à vous lever dans le froid pendant
qu'un homme qui croit avoir acquis le droit de vous tutoyer salit
les draps avec sa cigarette ... Mais Luc ne paraissait pas être

199

de cette espèce. Il ne ruait pas, il se contentait de l'embrasser,
de la caresser, de lui murmurer des compliments . . .

Oh! que c'était doux, cette place retrouvée contre l'épaule de
l'homme, le nez dans son cou, les bras repliés sur sa poitrine . . .
Comme elle aurait voulu s'endormir ainsi . . . Mais les hommes ne
vous laissent jamais vous endormir avant . . . Luc ne devait pas
faire exception à cette règle. En effet, il la secouait tendrement.

— Tu dors, chérie?

Ah! il la tutoyait déjà.

— Non.

— Il faut que je retourne dans ma chambre. Nathalie
n'aurait qu'à s'éveiller . . .

— Ah! bon, dit-elle, plus soulagée que déçue.

Elle avait chaud maintenant, elle se sentait si bien . . .
Dommage pourtant qu'il ne pût pas rester dormir avec elle . . .
Il interpréta autrement son soupir.

— Demain, chérie. Demain, Nat va en ville avec Richard.
Nous aurons plus de temps. Ce sera mieux, tu ne crois pas?

—Oui, dit-elle.

Il l'embrassa encore une fois avant de sortir du lit, la borda.[10]

— Dors bien. Fanny gentille.

Oui, elle dormirait bien, apaisée maintenant. Elle le regarda
s'en aller. Il avait de vilaines pantoufles. Un cadeau de Nathalie,
peut-être, qui faisait volontiers des cadeaux utiles. Elles devaient
s'appeler les «pantoufles du docteur François,» ou quelque chose
comme ça. Elle bâilla. Bien dormir . . . Du remords? Non, pas
encore. En aurait-elle seulement? Bien sûr, ce serait la première
fois qu'elle tromperait Philippe. Avant le mariage, elle avait eu
des amants: beaucoup d'amants. Devant tous ces jeunes gens
qui la courtisaient, lui disaient des paroles gentilles, l'emme-
naient au théâtre et dans les restaurants trop chers pour leur
bourse, elle se sentait comme un enfant dans une confiserie,
auquel on aurait dit que c'est très méchant de manger des
bonbons, mais qu'on aurait laissé seul. «Je vais encore en
manger un, un seul. Celui-ci. Non, celui-là . . . Encore un . . .
Oh! que c'est mal! Mais si je n'en mange qu'un seul de plus . . .
le dernier!» Et ce n'était jamais le dernier.

[10] tucked her in.

Elle avait trop envie d'être embrassée, d'être câlinée, d'être emmenée au cinéma, d'avoir des rendez-vous, des coups de téléphone, des émotions. Philippe avait très bien compris cela; il avait trop d'expérience pour se formaliser beaucoup de n'être pas le premier[11] dans la vie de Fanny. D'ailleurs, n'avait-elle pas toujours rêvé de lui? Et quel couronnement à tous ses rêves que le mariage! Il y avait eu des musiques d'orgue, une robe blanche et son père avait dit à Philippe d'une voix tremblante: «Des jeunes filles comme Fanny, vous n'en trouverez plus d'autre dans le monde moderne! Non, mon garçon, plus d'autre! C'est la dernière!» Ce qui n'était guère aimable pour son autre fille Dominique qui n'avait que seize ans à cette époque et traversait une crise mystique—mais papa avait toujours été un peu distrait. Et voilà. Deux ans de mariage. Elle ne l'avait jamais trompé. Pourquoi l'aurait-elle fait? Elle n'était plus jamais seule, cela lui suffisait. Et puis, tromper son mari, c'était tout de même autre chose que de prendre un amant. C'était beaucoup plus vilain. N'empêche qu'elle allait le faire. Peut-être. Il pouvait se passer tant de choses d'ici demain. Nathalie pouvait tomber malade, le beau-frère décider qu'après tout il n'irait pas à la ville, elle-même avoir très mal au ventre et pas la moindre envie de se laisser lutiner . . .[12] Bien sûr, si cela se passait, elle serait terriblement déçue. Mais il était agréable, au moment de s'endormir, de n'être sûre de rien. Elle songea à faire une petite prière, histoire de se racheter un peu.[13] Puis elle y renonça: après tout, elle n'avait pas encore trompé son mari. Il serait indécent de s'en excuser par avance. Comme si elle s'excusait de ne pouvoir assister à une réception où elle ne serait pas invitée. A cette pensée, elle rit un peu, déjà aux trois quarts endormie.

Elle s'éveilla avec une sensation de bonheur et de bien-être incompréhensible. Il y avait du soleil dans la chambre. Encouragée par ce soleil, elle bondit hors du lit, jeta son manteau sur ses épaules et courut à sa fenêtre. Sous ses yeux, elle voyait le parc dérouler ses courbes douces, s'étageant sur plusieurs

[11] to take much offense at not being the first   [12] to let herself be played with   [13] just so as to redeem herself a bit.

plans comme un tableau ancien. Au premier plan, la terrasse de la maison, bordée d'une balustrade de pierre blanche, finement détachée dans l'atmosphère bleuâtre; puis la pelouse descendant jusqu'à une minuscule pièce d'eau entourée de saules taillés bizarrement; puis un repli de terrain que dominaient d'autres saules, puis une autre prairie, puis un ruisseau dans un creux, et de prairie en ruisseau, on arrivait à la colline qui bornait l'horizon, toute baignée dans la même atmosphère dorée et bleuâtre. L'herbe de la pelouse semblait légèrement givrée, mais le soleil formait peu à peu les brins blancs et durcis, et tout le paysage s'attendrissait dans une douceur mouillée. Le poêle s'était éteint pendant la nuit, et dans la chambre il faisait plus froid que jamais; mais Fanny, tout heureuse de penser à ce que ce jour allait lui offrir d'émotions, de campagne, de nouveauté, ne se recoucha pas et courut dans la salle de bains se faire couler un bain brûlant. Quel bon signe que ce beau temps! Il aurait pu pleuvoir, neiger même; c'est si affreux, le mauvais temps à la campagne! On reste dans une maison glaciale, on écrit des lettres, on envoie des cartes postales, on se sent mal à l'aise dans ses vêtements, et parfois, comble d'horreur, on joue à des jeux idiots. Elle rit toute seule dans son bain en pensant que, sûrement, le beau-frère inventerait les jeux les plus stupides; peut-être voudrait-il jouer aux charades et se barbouillerait-il le menton de charbon pour figurer Charlemagne ...

Si Philippe était là, il en aurait sûrement pour une demi-heure à lui raconter tous les jeux stupides qu'inventerait le beau-frère. Philippe savait si bien parler des gens! Il lui donnait toujours l'impression d'être entourée d'êtres extraordinaires, comiques ou affreux. Jamais d'êtres ordinaires et profondément ennuyeux, comme lorsqu'elle était seule elle avait tendance à les voir. Voilà ce que c'était que le soleil sur une jolie campagne: elle arrivait même à penser à Philippe sans le petit pincement au cœur habituel. Ou alors est-ce que c'était à cause de Luc? Le remède s'avérait efficace. Elle se mit à chanter dans son bain: «*Sweet ... and lovely ...,*» puis elle se reprit en songeant qu'on pouvait l'entendre. Ce genre de chanson anglaise n'était pas du tout poétique, pas du tout; il fallait chanter quelque chose de plus adapté aux circonstances. Elle essaya: «*La belle se pro-*

mène ... au fond de son jardin ...» Puis *«La fleur de mai y est éclose ...»* Mais elle n'avait pas vraiment envie de chanter des choses poétiques. Elle avait envie de chanter *Sweet and lovely.* Elle l'entonna à demi-voix tout en sortant de l'eau et en se frottant vigoureusement; son corps fumait dans la salle de bains glaciale. Elle s'habilla sans lambiner, chose inusitée; se demanda si Luc et Nathalie dormaient. Peut-être seraient-ils fâchés d'être dérangés? Elle traversa doucement le palier, alla jusqu'à la porte. Une voix grêle, hélas! trop connue, retentissait derrière la cloison:

— Alors, j'ai dit au père Jules: «Poirier est retors, mais je sais comment le prendre ...»

De tout ce qu'elle possédait d'altruisme, Fanny plaignit ses amis. Elle entra. La chambre était beaucoup plus petite que la sienne, entièrement lambrissée de chêne, et très confortablement chauffée par un gros, gros poêle. Près de ce poêle, Richard, le beau-frère, était installé dans un fauteuil de cuir, les jambes croisées, la tête appuyée au dossier, l'air important. Il portait un costume visiblement composé avec le plus grand soin pour paraître campagnard; ses guêtres un peu usées, son pantalon de velours serré aux mollets, sa grosse veste de tricot, et jusqu'au geste avec lequel il bourrait sa pipe, formaient comme la parfaite panoplie du *gentleman farmer* pour théâtre de province. Et jusqu'à sa pose qui avait quelque chose de voulu, d'apprêté et de si comique! En voyant entrer Fanny, le *gentleman farmer* se leva, la main tendue.

— Salut, jeune dame! Vous êtes presque aussi matinale que moi! Regardez-moi ces paresseux, et dire qu'ils sont mariés depuis deux ans! Lève-toi, Roméo, voici l'alouette!

Luc et Nathalie étaient encore couchés, en effet. Luc semblait encore à moitié endormi, blotti sous un énorme édredon dont on ne voyait dépasser qu'une mèche de cheveux ébouriffés. Nathalie était assise dans son lit, avec l'air de tenir salon, une petite liseuse bleue jetée sur ses épaules, que Fanny reconnut— c'était un cadeau de mariage—et un foulard jaune et bordeaux drapé autour de ses longs cheveux noirs.

— Bonjour, ma Fanny. Déjà levée! Moi qui croyais que tu prendrais ton petit déjeuner au lit!

2 0 3

— Eh bien! non, tu vois. Il fait tellement beau qu'on ne se sent pas le droit de rester endormi . . .

Fanny jouissait pleinement de l'agréable sensation de se sentir propre, levée et habillée pendant que d'autres étaient encore plongés dans la moiteur du lit. Mais elle aurait voulu que Luc sortît un peu la tête de sous son grotesque édredon pour l'apercevoir. C'était une véritable insulte de la part d'un homme auquel on avait accordé tant de faveurs, de ne pas même se donner la peine de lever la tête pour apercevoir cette Fanny toute neuve, toute propre, qui avait noué un foulard vert inédit sur le pull marron à peine froissé par la nuit, Fanny dont les courts cheveux cendrés avaient été savamment ébouriffés, qui n'avait pas mis de rouge à lèvres, mais avait rosi délicatement ses joues toujours un peu pâles, et qui venait de se parfumer avec le parfum choisi pour ce week-end spécialement, et spécialement pour Luc, et qu'elle avait si soigneusement emballé dans de la ouate. Tout cela serait peine perdue à cause de ce misérable qui n'aspirait qu'à faire la grasse matinée? [14] C'était trop fort vraiment! Que pouvait lui faire l'admiration éventuelle d'un homme comme le beau-frère, qui, avec une galanterie prétentieuse, lui disait qu'elle avait l'air—Dieu sait pourquoi— d'une dryade. Lui aussi voulait faire agreste, [15] mais ne réussissait qu'à paraître empêtré tant dans ses compliments que dans son étrange costume.

Et que pouvait lui faire la gentillesse de Nathalie qui déclarait de cet air mondain dont elle ne pouvait se défaire:

— Chérie, tu es ravissante aujourd'hui. Je me fais honte, être encore au lit avec un fichu sur la tête . . .

— Et Luc, dit Fanny d'une voix claire, est-ce qu'il n'a pas honte, lui aussi?

Nathalie souleva d'un geste précautionneux l'édredon et la triste vérité apparut. Décoiffé de façon hideuse, la crâne transparaissant au travers des cheveux trop fins, le nez plus long que jamais, le visage strié par les plis de l'oreiller, les bras enserrant la couverture comme un enfant, Luc dormait. Ecœurée, Fanny se tourna vers le *gentleman farmer* qui ayant réussi à allumer sa

[14] because of this imbecile whose only aim was to remain in bed all morning   [15] play at being rustic.

pipe la fumait d'un air placide, que démentaient pourtant ses yeux bleus effarés.

— Ne pourrions-nous pas déjeuner?

— Mais certainement! s'écria Nathalie, coupant la parole à l'infortuné qui ôtait sa pipe de sa bouche pour répondre. Descends dans la cuisine avec Richard. Je vous suis dans un instant.

Ils sortirent, laissant le couple à son intimité.

— Je trouve Luc bien laid quand il dort, dit Fanny d'un ton ingénu, non qu'elle voulût le moins du monde séduire le beau-frère.

Mais après tout, c'était un homme et elle voulait se faire apprécier. Il parut ravi qu'on lui adressât la parole avec un semblant de complicité.

— Affreux! s'écria-t-il avec enthousiasme.

Ils entrèrent dans la cuisine. La pièce était vide mais il y avait du café dans une immense cafetière, et du lait dans une casserole où plongeait une écumoire.

— Vous ne pourriez imaginer toutes les choses que j'ai à faire ici, dit-il en s'asseyant. Si encore Luc voulait m'aider un peu! Mais pas du tout. Il critique, il conseille, il ne fait rien. C'est un vrai supplice . . .

— Mais si cela vous ennuie tant, pourquoi le faites-vous? dit Fanny sans y attacher la moindre importance, mais d'un ton gracieux.

— Il faut bien que quelqu'un le fasse: Luc s'y refuse absolument, et pourtant ce serait tellement plus gentil de faire cela ensemble, en famille! Je suis surchargé de besogne.

L'air suffisant dont il disait cela faisait penser qu'il ne le regrettait pas tant que cela, songea Fanny. D'ailleurs, tous les hommes adoraient se donner de l'importance. Sinon, pourquoi compliqueraient-ils toujours tellement la vie, exagéreraient-ils tellement la difficulté de tout ce qu'ils faisaient? Philippe, par exemple, pourquoi aurait-il accepté d'aller faire cette tournée dans un pays de sauvages, alors qu'il avait assez d'argent pour vivre, une femme qui l'a-do-rait, un joli appartement, une bonne et un frigidaire? Tout cela pour se donner de l'importance et pouvoir dire en rentrant, comme ce beau-frère aux yeux ronds:

«Vous ne pouvez imaginer comme je suis surchargé de besogne!»
Néanmoins, elle sourit au beau-frère, dit: «Ah?» et se beurra
une tartine. Elle n'aimait jamais le pain fait à la campagne; il
lui semblait plus amer que le pain qu'on achetait tout fait,
et ... Le faible encouragement de son sourire semblait avoir
poussé le beau-frère aux confidences, car il se pencha vers elle et
lui chuchota mystérieusement:

— Mais je ne fais pas que m'ennuyer, j'ai mes consolations,
je ...

Mais comme à cet instant Nathalie entrait, il mit rapidement
un doigt sur ses lèvres. Elle fut sur le point de hausser les
épaules. Mais ce pauvre garçon ne devait avoir d'autre plaisir
sur la terre que de faire de ces innocents petits mystères; elle se
demanda si ce «secret» avait quelque chose à voir avec ce que
Luc disait toujours: que son beau-frère essayait de le supplanter
dans les bonnes grâces de M. Lescures, le riche grand-père. Ce
serait amusant de le découvrir et d'amener à Luc la preuve que
ce lourdaud à l'air innocent [16] n'était autre qu'un habile filou, le
même qui avait déjà dérobé les bijoux de la Begum; voilà une
aventure passionnante, beaucoup plus passionnante que celle
de se donner à un monsieur prématurément chauve et qui porte
de vilaines pantoufles beiges.

Mais il y avait peu, très peu d'espoir pour que le beau-frère
fût un habile filou; évidemment, un filou pouvait être laid, il
pouvait avoir la tête ronde, les cheveux rasés de cette manière
absurde, les yeux ronds et d'un bleu-bébé, il pouvait même à
la rigueur être ingénieur et marcher sous son manteau comme
sous une cloche à fromage, mais jamais, jamais, dans aucun des
livres que Fanny lisait avec passion (*La Nuit fatale*, *L'Assassin
aux Mains de Femme*, voire *Tintin au Pays de l'Or noir*), jamais
un assassin ou un bandit présentant le moindre intérêt n'avait
eu ce sourire gauche et ingénu, ces gestes maladroits, cette
assurance factice, cette voix prétentieuse, s'émiettant en bal-
butiements et en petites toux,[17] rapidement, sous le regard
glacial de Nathalie et de Luc. Il fallait renoncer à l'espoir d'une
aventure policière. L'aventure sentimentale devait suffire.

[16] this clumsy fellow with his innocent look   [17] disintegrating into
stammerings and into little coughs.

Du reste, Luc entrait, habillé d'une chemise très blanche et d'un costume gris très soigné—par une affectation inverse de celle du beau-frère, il s'habillait toujours davantage à la campagne— coiffé, ses minces cheveux clairs ramenés en arrière de façon fort seyante,[18] visiblement content de lui et du monde, et Fanny eut un remords de l'avoir si mal jugé. Après tout, il était plutôt joli garçon, mince, un visage spirituel, des yeux durs qui pouvaient devenir tendres ... «Moi-même, je suis peut-être horriblement laide quand je dors ...,» se dit-elle, sans en rien croire. Le premier regard de Luc fut pour elle, et elle se sentit tout animée par ce qu'il contenait d'admiration. Par les hautes fenêtres de la cuisine, le soleil pénétrait dans la pièce, brillait sur la grande cafetière, sur les couteaux, sur le miel limpide. Le beau-frère se leva.

— Eh bien! je vais m'occuper un peu des nouvelles poules. Tu devrais venir voir ça, Luc, des Sussex magnifiques ...

— Mais tu es là pour ça, Richard, dit doucement Luc en se beurrant une tartine d'un geste élégant.

Fanny trouva qu'il allait tout de même un peu fort[19]; mais l'autre disparut sans demander son reste.

La matinée se passa agréablement. Le soleil brillait toujours sur les sous-bois du parc, les arbres nus s'égouttaient en petites mares argentées, une buée humide montait et donnait à l'air cette odeur fade et douce des anciennes pluies. Le parc était aussi une réserve, et un daim s'approcha à quelques pas d'eux, au grand ravissement de Fanny qui n'en avait jamais vu d'aussi près. Il y eut des oiseaux passant très vite au-dessus d'eux dont on ne voyait que l'ombre; il y eut des cris vifs et mélancoliques d'autres oiseaux qui partaient presque sous vos pas, près de l'étang à l'odeur pourrie; il y eut un garde-chasse taciturne et respectueux, tout à fait dans la tradition, qui guettait la première bécassine. Il y eut la visite chez une vieille paysanne qui embrassa Nathalie sur les deux joues et se plaignit amèrement de «M. Richard qui n'avait pas de tête,» et Fanny remarqua que ces paysans, qui ressemblaient fort peu à ceux qu'elle avait vus au cinéma, étant infiniment moins ridés et moins loquaces,

[18] in a very becoming manner [19] that he was going a little bit too far after all.

préféraient de beaucoup la réserve, la façon de parler élégante et le beau costume de Luc, aux efforts du beau-frère pour avoir l'air «couleur locale.» Elle eut un peu pitié de lui; quelqu'un n'aurait-il pas pu l'avertir qu'il n'était nullement nécessaire de prendre, à peine arrivé à Valbonne, cet air débraillé? Qu'il était parfaitement superflu d'appeler les négociants du pays «le père Untel . . .,» alors que les paysans eux-mêmes disaient «Monsieur?» Mais, somme toute, elle était contente de constater cette supériorité chez l'homme qui lui faisait la cour.

Il y eut encore des visites où il fallut boire un affreux alcool douceâtre, il y eut des mains furtivement pressées pendant que Nathalie restait en arrière ou courait en avant. Enfin, ils revinrent vers midi; ses faux créneaux se découpant sur le ciel bleu, le «Château» les attendait, vaste et noir.

— Delphine m'a demandé si nous déjeunerions dans la salle à manger, dit Nathalie comme ils atteignaient la terrasse. J'ai dit que nous nous contenterions de la cuisine, tu es bien d'accord, chéri? La salle à manger est bien trop grande pour quatre, et il est inutile d'essayer de la chauffer, nous n'y arriverons jamais . . .

— Très bien, très bien, dit Luc. A quelle heure comptes-tu partir pour Limoges?

— Richard a prétendu qu'il partirait à deux heures précises, mais tu sais bien que cela signifie vers trois heures.

Fanny eut envie de lui demander à quelle heure elle rentrerait, mais elle n'osa pas. Elle admira le ton détaché de Luc comme il disait: «Tu as beaucoup de choses à faire là-bas?» Ils entrèrent dans la cuisine; il y faisait chaud. Une odeur appétissante régnait.

— Il faut que je voie Mme Raburet, dit Nathalie en enlevant précautionneusement ses souliers tachés de boue. Elle m'a promis qu'elle nous trouverait une bonne, ravie d'aller à Paris, bonne cuisinière, douce, économe, enfin, un véritable diamant de vertu.

— Et au bout de huit jours, ton diamant se fera enlever par un marchand de frites,[20] dit Luc. Comme Elisa. Je ne vois pas pourquoi tu ne prends pas tes bonnes à Paris, comme tout le monde.

[20] your jewel of a maid will be snatched away by a common grocer (literally: by a merchant of fried potatoes).

Fanny trouva ce reproche ingrat. Après tout, c'était à ce goût de Nathalie pour les bonnes limousines—disait-on limousines?—qu'ils devaient un après-midi tranquille. Elle pensa à la chambre aux oiseaux, que le soleil devait avoir réchauffée, à l'immense lit, au paysage mouillé vu par la fenêtre, à l'après-midi paresseux et tiède; elle sourit à Nathalie avec gratitude.

— Moi, je trouve que Nat a parfaitement raison, dit-elle. Ce n'est pas parce que vous êtes mal tombés une fois . . .[21] A Paris, c'est chaque fois qu'on est mal tombé.

— Je vois que vous appréciez déjà le Limousin, dit une voix joviale et trop connue derrière eux. C'est bien, cela, petite madame! Si vous veniez avec nous cet après-midi? Vous pourriez voir le musée de céramiques à Limoges. C'est un très beau musée, très intéressant . . .

Luc essaya de couper court.

— Tu ne sais donc pas, Richard, que depuis les romans de Paul Bourget, on ne dit plus «petite madame?»

L'autre se tut, déconcerté. Mais Nathalie:

— Mais c'est vrai, chérie. Oh! tu devrais venir. Je suis sûre que cela te plairait, ces porcelaines. Il y en a de très jolies, avec des fleurs et des chinoiseries. On pourrait se retrouver après, pour le thé . . .

Luc sentit une vague colère l'envahir. Nathalie faisait cette proposition en toute innocence; il le savait. Elle n'était pas jalouse et, du reste, ne soupçonnait pas qu'il y eût une raison de l'être. Il lui disait toujours du bien de Fanny, suprême habileté: sans qu'il mentît, elle était persuadée que Fanny ne l'attirait pas le moins du monde. N'empêche que cette invitation était une maladresse; exactement ce qu'il aurait fallu pour lui faire désirer Fanny si la chose n'était déjà faite. «Oh! les femmes, même les plus parfaites! songea-t-il. Elles trouvent toujours un moyen de se rendre insupportables!» Comment se tirer de là? Il était difficile à Fanny de refuser sans faire entendre clairement qu'elle entendait rester avec lui . . .

Il pouvait évidemment lui offrir de l'accompagner au musée, et prendre une chambre d'hôtel; mais c'était justement ce qu'il avait voulu éviter en venant à Valbonne: que cette liaison commençât dans un cadre sordide, dans cet ensemble de caissière

[21] you had hard luck once.

complice, d'ascenseur malodorant, de chambre où flotterait encore un parfum bon marché, où l'eau chaude manquerait, où la fenêtre donnerait sur une cour sombre et sonore, qui amènerait jusqu'à la chambre le fidèle écho d'un monsieur au premier en train de se moucher et de cracher voluptueusement. Il y avait toujours des gens en train de cracher dans la cour des maisons meublées. Sans compter qu'à Limoges,[22] le papier de la chambre serait sûrement à gros hortensias bleus et or et lui ôterait toute envie de faire l'amour; les draps seraient rugueux, et on aurait toutes les chances en sortant de rencontrer une vieille dame qui aurait fait sauter Nathalie sur ses genoux et qui se ferait un devoir de raconter à toute la ville l'infortune de «la pauvre jeune dame.»

Toutes ces réflexions le traversèrent en quelques secondes, mais il avait à peine eu le temps de froncer les sourcils que déjà la fraîche voix enfantine de Fanny:

— Oh! non . . . J'aime mieux rester avec Luc!

C'était gagné. Nathalie et le beau-frère éclatèrent de rire en même temps. Impossible d'imaginer que Fanny pût penser à lui autrement que comme à un ami; cette intonation était parfaite. Brave Fanny, va.[23] Il se demanda si elle se rendait compte de son habileté. Probablement non; les femmes faisaient ces choses-là d'instinct, sans s'en rendre compte. C'est pourquoi les hommes leur étaient tellement supérieurs, naturellement; Luc aimait assez à se considérer comme un modèle de rouerie, une sorte de marquis Régence, de héros des *Liaisons dangereuses*,[24] mais avec plus de cœur, naturellement, plus de sensibilité. Ainsi Fanny: bien sûr, il se rendait compte que leur liaison ne durerait pas une heure après le retour de son mari. Mais il acceptait sans cynisme ce rôle de remplaçant. Tant que cela durerait, il aurait de l'affection pour elle, voire[25] de la tendresse. Après, il ne serait pas en peine de la remplacer . . . Il sourit avec complaisance à sa propre image d'homme qui sait profiter de la vie, et ils se mirent à table.

---

[22] without mentioning that in Limoges [23] Dear Fanny, old girl.
[24] *rouerie:* rakishness. *Régence:* that period (1715–1723) is famous for its elegant debauches. *Les Liaisons dangereuses:* Laclos' novel (1782) about immoral and sophisticated seducers [25] even.

Le menu était campagnard: omelette aux pommes de terre, viande bouillie, tarte aux pommes. Luc mangea peu. «Ne pas s'alourdir de nourriture superflue, surtout la première fois. Il s'agit de faire bonne impression, sans quoi je crois que cette chère Fanny ne serait pas incapable de chercher une autre consolation.» Le repas fut silencieux; Nathalie était un peu grisée par le grand air, Fanny engourdie par la chaleur, et le beau-frère, las sans doute de se faire rabrouer, mangeait dans un sombre silence, oubliant de faire du bruit. Au café, il se retira pour régler une dernière affaire avant le départ.

— Je reviens dans un quart d'heure. Vous serez prête, Nathalie?

— Je serai sûrement prête avant que vous ne veniez me chercher, Richard, répondit-elle avec un sourire.

Il sortit. Chacun s'alanguissait devant le café.

— Quelle belle journée! dit Nathalie. C'est un vrai miracle d'avoir tout ce soleil, alors qu'à Paris il fait si gris.

Luc approuva de la tête. Une sorte de fébrilité naissait de cette attente. Pourvu qu'il n'arrivât rien, qu'un pneu ne crevât pas devant la grille, que Mme Raburet, la placeuse, ne téléphonât pas qu'il vaudrait mieux attendre à demain pour voir la nouvelle bonne ... Sous la table, inconsciemment, il se déchiquetait l'ongle de la main gauche. On a beau avoir vingt-six ans, une belle confiance dans l'avenir, et la conviction qu'à côté de vous Valmont n'est qu'un enfant, il y a des moments où la nervosité prend le dessus. Ainsi cette affaire Valette où son patron l'avait envoyé plaider à sa place ...

Mais qu'est-ce que l'affaire Valette avait à voir avec Fanny? Il tenta sans succès de repousser ce désagréable souvenir à l'arrière-plan. Cela pouvait arriver à tout le monde de bafouiller, absolument à tout le monde. Les plus grands avocats, dans leurs débuts ... Ils en faisaient le thème d'amusantes anecdotes lors du banquet anniversaire de leurs cinquante ans de barreau. Fanny, toute à [26] ses rêves de chambre tiède, de douce pénombre, souriait sans s'en rendre compte; il en fut agacé. Quel calme! Elle attendait, sans la moindre inquiétude, que Nathalie sortît.

[26] surrendering completely to.

Elle ne se déchiquetait pas l'ongle, elle. Elle souriait. Elle ne pensait pas à l'affaire Valette; elle n'avait aucune affaire Valette dans sa vie. Elle n'avait qu'à attendre calmement les hommages, à les accepter d'un air de condescendance. Jamais non plus elle ne serait repoussée, avec un rire ironique, comme lui avec Maggy ... Mais qu'est-ce qui lui prenait à ne penser qu'à des choses désagréables? Maggy, l'affaire Valette ... C'était la faute de Nathalie, aussi. Pourquoi n'allait-elle pas s'habiller?

— Tu ne vas pas te changer, Nathalie?

Il aurait beaucoup mieux fait de profiter de l'occasion qui s'offrait la veille; mais là encore, il avait voulu se faire regretter, réserver ses plaisirs ... C'était idiot. Si Fanny était déjà sa maîtresse, il ne serait pas là à s'inquiéter comme un imbécile. Il pourrait se dire avec sang-froid: «Si Richard est en retard, s'il y a un pneu crevé, si Nathalie décide de rester ici, ce ne sera jamais qu'un après-midi perdu; au pire, je la retrouverai à Paris ...» Tandis que si jamais ils quittaient Valbonne sans que Fanny fût devenue sa maîtresse, ce serait une telle honte, une telle déception ... Inenvisageable. D'ailleurs, Nathalie se levait.

— Richard est toujours tellement en retard ... Mais tu as raison, si jamais il était à l'heure, il triompherait toute sa vie durant.

Au moment de sortir, elle s'arrêta:

— Luc, tu devrais montrer à Fanny les vieux livres de grand-père, tu sais, l'*Histoire du Costume* ... Elle qui aime les livres d'images, je suis sûre qu'elle passerait un bon après-midi.

— C'est une idée, cela, dit Luc, enchanté.

Il transporterait deux ou trois des gros volumes reliés dans la chambre de Fanny, cela leur fournirait le meilleur prétexte du monde à rester enfermés ensemble, et même à s'étendre sur le lit. Nathalie sortie, il saisit la main de Fanny.

— Ah! oui, Fanny, vous aimez les livres d'images?

— Je les adore ... dit-elle d'une voix languissante qui semblait vouloir dire autre chose.

Il étendit la main, et doucement, il passa les doigts sur ses lèvres, un geste qu'il trouvait aussi très Régence. Elle rosit légèrement, baissa les yeux.

212

— Chérie . . . murmura-t-il.

Le souvenir de l'affaire Valette était bien loin.

Richard entra.

— Où est Nathalie?

— Elle finit de s'habiller. Mais tu n'es pas prêt toi-même?

— Mon marchand de bois vient de me téléphoner qu'il ne pouvait rien me dire avant demain. Alors, je venais dire à Nat que si elle ne tient pas à aller à Limoges toute seule, je pourrais donner un coup de fil à la mère Raburet pour la décommander[27] et que je vous emmènerais tous les quatre faire une bonne balade[28] pour profiter du beau temps. Qu'est-ce que vous en dites?

Fanny ne dit rien. Arrachée brusquement à ses rêves de chambres chaudes, de caresses légères comme des plumes, de tendres paroles murmurées, elle n'avait pas très bien entendu et levait vers leur jovial bourreau des yeux étonnés de somnambule. Mais Luc avait compris; d'un geste convulsif, il acheva d'arracher la rognure d'ongle de sa main gauche.

— Très bonne idée, murmura-t-il, incapable de réagir.

Il avait complètement perdu la tête; le trou noir . . . Si au moins il pouvait trouver une réplique cinglante, quelque chose qui ferait rire Fanny aux dépens de ce malencontreux gêneur . . . Mais non; tout ce qu'il pouvait faire était de répéter d'une voix étranglée:

— Bonne idée . . . bonne idée . . .

Et l'autre, qui sans s'apercevoir de rien, continuait, se dandinant, ravi de son idée:

— J'ai pensé tout de suite que ça serait si amusant d'emmener Madame au château Féret; toutes les femmes adorent les ruines, je crois, et la promenade est si belle! Puis on pourra prendre un solide goûter chez la mère Pignard, qui fait du si bon chocolat; ce serait un vrai après-midi de vacances. Qu'est-ce que tu en penses, Luc?

Ce qu'il en pensait? Il en pensait que Richard était une brute dépourvue du moindre tact, un dangereux imbécile qui, pour comble, allait les mener au château Féret, à ses chères ruines, sur

---

[27] to cancel the appointment with her   [28] to go for a nice ride.

lesquelles il disserterait en les abrutissant d'ennui pendant des heures, et il faudrait monter la butte qui menait au château en accrochant son pantalon aux ronces et en glissant peut-être, se rendant ainsi ridicule aux yeux d'une femme qui n'était même pas sa maîtresse . . . Il pensait tout cela, le jeune avocat d'avenir, le roué de la Régence. Mais tout ce qu'il arrivait à sortir, c'était:

— Tu crois? Tu crois?

— Eh bien! puisque nous sommes d'accord, je vais appeler Nathalie, dit le beau-frère.

Il se dirigea vers la porte et cria dans l'escalier:

— Nathalie?

Une voix lointaine répondit:

— Oui-i-i! J'arrive!

— Toujours les mêmes, les femmes. Il faut toujours qu'elles se remettent un peu de poudre au dernier moment, fit Richard avec bonne humeur. Je vais prendre mon manteau, ou plutôt mon blouson, pour l'escalade.

Il sortit. Fanny ne disait rien, mais il sembla à Luc qu'elle lui lançait un coup d'œil de reproche. De reproche! C'était un comble! Qu'est-ce qu'il pouvait y faire si le ciel l'avait flanqué d'un imbécile de beau-frère?[29] Qu'est-ce qu'il pouvait y faire si le marchand de bois ne pouvait se prononcer avant demain? Est-ce qu'il pouvait dire à Richard: «Tu me rendrais service en emmenant ma femme à Limoges parce que je veux coucher avec Fanny?» Non, n'est-ce pas? Alors, pourquoi le regardait-elle ainsi? «Oh! se dit-il avec un désespoir nerveux. Un jour, j'étranglerai Richard . . .» Il se sentit presque soulagé quand l'autre rentra, en même temps que Nathalie qui arrivait par l'autre porte.

— Tout est changé, ma chère, dit Richard. Nous n'allons plus à Limoges. Mon marchand de bois n'aura vu les coupes que demain, et j'ai donné un coup de fil[30] à votre Raburet.

— Ah? fit Nathalie sans s'émouvoir. Qu'est-ce que nous faisons, alors?

— J'ai proposé de vous emmener tous dans la voiture et de

[29] if fate inflicted on him an idiot of a brother-in-law   [30] I telephoned.

214

faire un tour du côté du château Féret. Luc trouve que c'est une bonne idée.

— Ah! votre château Féret! dit Nathalie avec le sourire d'une personne qui salue au passage l'évocation d'une innocente manie. Est-ce que vous ne pourriez pas y aller tout seul? Nous resterions ici bien au chaud à regarder des images . . .

— Mais puisque Luc a dit . . . commença l'autre.

Et sa figure plissée était exactement celle d'un enfant qui va pleurer.

— Vous avez tout à fait raison, intervint Fanny. Moi, en tout cas, je vous accompagne. Je vais chercher mon manteau.

Elle sortit en coup de vent,[31] toute secouée de rage. Non, elle ne passerait pas l'après-midi entre Luc et Nathalie, à regretter ce qui ne se passerait pas. Non, elle ne resterait pas là à se laisser furtivement serrer la main par ce Luc qui n'avait rien trouvé pour échapper à cette corvée. Et qu'on ne lui dise pas qu'il n'y avait rien à faire! Les hommes, quand ils voulaient, trouvaient toujours quelque chose. Philippe aurait trouvé, lui. Luc paraissait déçu. C'était bien fait, vraiment bien fait. Elle allait le désespérer, le réduire à rien, ne plus le regarder. Ils auraient l'après-midi du lendemain? Mais qu'est-ce que cela voulait dire, le lendemain, quand c'était *aujourd'hui*, aujourd'hui précisément et seulement aujourd'hui, qu'elle avait envie d'être seule avec Luc. Qu'elle avait eu envie, tout au moins. Car, à présent, il n'était plus pour elle que poussière. A moins, naturellement, qu'il ne fît quelque chose de très intelligent durant la promenade, de très audacieux, qui la ferait frémir . . .

Mais elle n'allait pas le lui faciliter, ça, non. Et pour commencer, elle allait se montrer très aimable avec le beau-frère. Très, très aimable; histoire de montrer[32] à Luc qu'il ne fallait être sûr de rien dans la vie. Elle rentra dans la cuisine, un air de bataille sur son petit visage blanc de joli Pierrot.

— Vous venez, Richard? dit-elle de son ton le plus charmeur.

Il la suivit en prenant des airs vainqueurs. Sans son manteau trop grand, il paraissait moins ridicule, presque normal. Évidemment, ces cheveux rasés, les yeux craintifs n'avaient rien de bien

[31] in a huff [32] just to show.

séduisant. Mais tant pis! Dans la voiture, elle s'assit à côté de lui.

— A l'arrière, je me sens toujours un peu malade.

— Mais vous auriez dû venir à côté de moi pendant le voyage!

— Je déteste être assise à côté de gens que je ne connais pas ... Maintenant, nous nous connaissons ...

Lui, sous ce ton coquet, frétillait, roulait de plus en plus vite, prenait des tournants sans klaxonner, étalait avec orgueil ses connaissances du pays. Il ne s'occupait de la propriété que depuis quatre ans, mais déjà il connaissait tout sur le bout du doigt. Le pays fourmillait de souvenirs historiques et de vieilles légendes. Fanny avait-elle jamais entendu parler du château Féret, but de leur promenade? ... Non? ... Mais c'était une ruine remarquable qui avait été habitée depuis le ixe siècle jusqu'au xviiie par des bandits; les gens du pays disaient même par des sorciers. Et il y avait eu une bataille entre des bandits qui occupaient alors le château et des sorciers qui essayaient de les déloger. Une nuit, il s'était élevé de toutes parts, dans les bois qui entouraient alors le château, de tels hululements, de telles plaintes comme d'enfants égorgés, de cris si étranges qui faisaient imaginer des bêtes fabuleuses, que les bandits, épouvantés, s'étaient rendus sans combattre, et que le château avait été longtemps habité par les sorciers; ils devaient surtout leur réputation au fait qu'ils entretenaient des chevaux et des chiens à l'intérieur du château, sans jamais sortir pour les faire boire; tout le pays croyait qu'il s'agissait de chiens et de chevaux fantômes, alors qu'en réalité, les sorciers avaient creusé des souterrains qui allaient jusqu'à la rivière, et qu'ils faisaient boire leurs bêtes à l'abri de sortes d'entonnoirs.

Fanny écoutait sans ennui, et même avec un intérêt grandissant; elle adorait les histoires de fantômes, de sorciers, de souterrains.

— Et naturellement le château est hanté? dit-elle avec espoir.

— Non, mais il est tout de même très impressionnant. Tenez, nous voici arrivés à la courbe de la route d'où on l'aperçoit. Penchez-vous ...

Lui-même se pencha, négligeant complètement le volant et

216

la route en épingle à cheveux. Il affectait d'ailleurs depuis qu'il conduisait une allure dégagée et sportive, il affectait de prendre très court les virages, de pousser à fond la voiture sur la vieille route pierreuse, avec des mines de pilote pendant les quarante-huit heures du Mans.[33]

— Richard! dit la voix exaspérée de Luc.

Il se retourna complètement:

— Quoi?

— Ça t'ennuierait beaucoup de regarder de temps en temps la route, au lieu de tourner de tous côtés comme une girouette?

Confus, Richard reprit une position normale; mais la voix ingénue de Fanny disait:

— Vous avez peur, Luc? Pourtant, il ne nous est encore rien arrivé; moi, je trouve Richard très adroit.

— Là, qu'est-ce que je vous disais, triompha l'autre sans modestie.

— Oh! très bien! Si vous aimez les émotions ... dit Luc d'un ton de dignité offensée, qu'il sentit lui-même être du plus parfait ridicule.

Il s'enfonçait de plus en plus irrémédiablement dans un rôle de rabat-joie; mais à qui la faute? Ces histoires de sorciers et de vieux château, il les avait déjà entendues des dizaines de fois. Richard ne voulait-il pas chaque été les entraîner à se glisser dans des crevasses, au risque de faire ébouler une tour entière du château, pour voir si ce n'était pas l'entrée d'un souterrain? Et Fanny qui paraissait goûter ces balivernes, qui secouait ses cheveux cendrés avec coquetterie, qui souriait délicieusement à cet imbécile ... Elle ne devait pas l'écouter, sans doute. Non seulement ce que racontait Richard était dépourvu d'intérêt, mais encore sa façon de raconter était si morne, dépourvue du moindre grain d'humour ... Il éternua tout à coup bruyamment.

— Chéri? Tu as pris froid? s'informait Nathalie avec sollicitude.

— Ça, ce serait le comble, dit-il, rageur.

On approchait de la butte, haute d'une vingtaine de mètres,

---

[33] this refers to the famous automobile races held in Le Mans.

passablement abrupte et couverte d'arbrisseaux enchevêtrés, sur laquelle s'élevait le château Féret. Il restait debout trois des tours d'angles, plusieurs murs, une bonne partie du chemin de ronde,[34] et çà et là, suspendus dans le vide, des bouts de murs horizontaux, loggias inaccessibles, entortillées de lierre.

— Il est très beau, dit Fanny sincèrement.

Elle aurait trouvé très beau n'importe quel vieux château autrefois habité par des sorciers. Mais Richard prit un air modeste, comme s'il en était l'architecte. Ils traversèrent un petit passage à niveau, arrêtèrent la voiture avant le pont de bois qui enjambait la rivière.

— Voilà, dit Richard. En avant pour l'escalade du château. N'ayez pas peur, madame. Je connais bien la montée et je vous mènerai par les endroits les plus faciles.

— Mais je n'ai pas peur, dit-elle en souriant. J'adore grimper.

Elle se réjouissait beaucoup de voir Luc, avec son beau pantalon gris, escalader la montagne boueuse. Elle était sûre, dans l'état de mauvaise humeur où il était, de le voir glisser, tomber peut-être, et se promettait un vif plaisir de lui tendre la main. Aussi la déçut-il beaucoup en déclarant :

— Moi qui déteste ça, je resterai ici avec Nat. Nous allons dire un petit bonjour à la garde-barrière, marcher un peu, boire un verre chez Pignard, et vous nous rejoindrez là quand vous en aurez assez de gambader.

Il y avait un peu d'ironie dans sa voix et Fanny le sentit. Évidemment, cette escalade, peut-être fatigante après tout, serait beaucoup moins gaie sans lui ; si ce n'était pour l'ennuyer, elle ne tenait pas outre mesure à la compagnie du beau-frère. Et quel plaisir pouvait-elle éprouver à «gambader» si Luc n'était pas là pour admirer sa légèreté et lui en faire compliment ? Mais elle fit contre mauvaise fortune bon cœur.

— On y va, Richard ? Et puisque nous allons grimper ensemble, je crois vraiment que vous pourriez m'appeler Fanny . . .

Ils s'éloignèrent ensemble, elle, s'efforçant à une allure énergique, lui trottinant, comme d'habitude. Luc et Nathalie restèrent sur la route.

---

[34] the walk along the ramparts.

— C'est curieux, dit Nathalie en toute innocence, nous considérons toujours Richard comme un idiot, et puis, tu vois, il a l'air de plaire beaucoup à Fanny.

— Mais Fanny est une sotte, dit Luc, en s'efforçant au ton objectif. Une très jolie petite sotte, mais une sotte quand même. Si, au lieu d'être une mince petite personne blonde, elle était un gros monsieur à moustaches, elle serait absolument insupportable.

Nathalie éclata de rire; mais remarquant aussitôt l'irritation de son mari, elle réprima cet éclat, sentit le besoin de changer de conversation, et dit affectueusement, en lui prenant le bras :

— Chéri, allons dire bonjour à Mme Pignard. Elle sera tellement contente de te voir sans Richard, qu'elle déteste, qu'elle nous paiera sûrement un verre . . .

Luc condescendit à sourire.

Le beau-frère et Fanny avaient commencé l'ascension de la butte qui ne paraissait pas aussi aisée qu'elle l'avait cru tout d'abord. Les ronces s'accrochaient aux pantalons, les branches des arbrisseaux vous balayaient la figure quand elles ne s'accrochaient pas à vos cheveux, et la boue était gluante et singulièrement traître; une ou deux fois, il la rattrapa de justesse. Lui, si empoté sur terre, avec ses petits gestes prétentieux, paraissait tout à fait dans son élément sur cette butte glissante, et progressait par petits bonds, comiques encore mais singulièrement efficaces. Le château se rapprochait, et c'était tout de même assez passionnant; les murs qui restaient debout étaient encore très hauts, d'une dizaine de mètres environ; et Fanny dont l'enfance avait été pleine de rêves de châteaux en ruines et de trésors cachés, mais qui n'en avait jamais vu, subit les branches, les ronces et la boue avec ce qu'elle considérait comme un véritable stoïcisme.

Un peu avant d'arriver au pied des murailles, elle éprouva tout de même le besoin de reprendre haleine.

— Richard, si on s'arrêtait un peu?

— Mais bien sûr. Tenez, là sur ces pierres.

Elle s'assit sur ce qui paraissait être un petit mur de pierre dépassant bizarrement de la terre molle de la butte.

FRANÇOISE MALLET-JORIS

— Vous grimpez mieux que Nathalie, dit le beau-frère d'un air grave.

— Vous, vous grimpez merveilleusement!

L'enthousiasme de Fanny n'était pas feint. Sûrement Luc n'aurait pas escaladé ce tas de terre molle et glissante, n'aurait pas écarté ces broussailles singulièrement denses, n'aurait pas trouvé la saillie solide où poser le pied, avec l'habileté et l'assurance de Richard.

— Oh! moi, je suis équipé pour ça, dit-il.

Et, de fait, son costume paraissait là beaucoup moins ridicule; après tout, s'il aimait grimper, il avait bien raison de s'habiller en conséquence. Fanny se sentait pleine d'indulgence pour cet homme qui avait mis à sa portée[35] ce vieux rêve de petite fille. Qu'importait après cela sa tête ronde, sa voix affectée, et ces absurdes yeux bleus d'enfant? Qu'importait qu'il gérât mal le domaine ou fût, comme disait Luc, «un raté?»[36] Elle se sentait même disposée à un petit bout de conversation admirative, un peu coquette; ce ne serait pas désagréable d'être complimentée par lui, assis tous deux sur ce mur de pierre, dans le soleil qui brillait à travers ce fin réseau de branches. Mais Richard ne semblait pas enclin le moins du monde à la conversation galante. Il tournait autour du petit mur en s'accrochant aux branches et d'un air profond, il considérait le petit mur, puis levait la tête vers le château qu'il considérait à son tour, fronçait les sourcils, revenait au petit mur. Ses yeux ridiculement bleus n'étaient plus effarés, mais méditatifs et sérieux.

— Dites-moi, Fanny, à votre avis, combien de mètres y a-t-il d'ici à la tour d'angle gauche?

Elle leva la tête, surprise.

— Mais il n'y a pas de tour à gauche.

— Mais non, bien sûr, c'est la tour écroulée, mais d'ici à ce tas de pierres que vous voyez là-bas?

— Cinq ou six mètres . . .

— C'est bien ce que je pensais, murmura-t-il.

—Mais, enfin, Richard, qu'est-ce que vous faites? murmura-t-elle plaintivement.

[35] who put within her reach   [36] a failure.

220

Si lui aussi se mettait à être méchant, à ne plus s'occuper d'elle, c'était un comble. Mais il revint s'asseoir près d'elle, le visage grave.

— Fanny, est-ce que vous pouvez garder un secret?

— Mais bien sûr, dit-elle, ravie.

— Je vois que vous êtes une gentille personne, que vous aimez les vieilles choses, alors je vais vous dire une partie de mon secret.

— Une partie seulement?

— Je vous dirai le reste après, si je vois que cela vous intéresse. Voilà. Il y a deux ans que je cherche quelque chose dans ces ruines: je cherche l'entrée du souterrain.

— Oh! dit-elle, enchantée.

Cela, c'était merveilleux. C'était bien plus intéressant que tout, que cette stupide aventure avec Luc, que le plaisir même de l'ennuyer, que l'histoire policière aussi où le beau-frère serait un dangereux bandit démasqué par elle. Un souterrain, mais c'était plus intéressant que tout.

— Vous aimez les souterrains? demanda-t-il, une lueur d'inquiétude dans l'œil.

— Oh! oui, je les adore!

— C'est vraiment une chance que nous nous soyons rencontrés, alors, dit-il très sérieusement. Moi, c'est ma passion. J'en ai découvert un dans le jardin d'une paysanne. Figurez-vous qu'en plantant des navets, elle donne un simple coup de bêche dans un coin qui n'avait pas encore été cultivé, et voilà que sous l'herbe, il y avait un trou de cinq mètres. Naturellement, je suis entré dedans, c'était bel et bien un couloir, l'entrée d'un souterrain, peut-être celui de ce château-ci—imaginez cela!—et figurez-vous qu'elle n'a jamais voulu que je fasse des fouilles dans son jardin.

— Oh! Fanny était indignée.

— Et une autre fois, en Normandie, j'étais là quand on a découvert un souterrain. Un paysan labourait tranquillement, voilà tout à coup un des bœufs qui s'engloutit dans un trou. On a eu tout le mal du monde à l'en retirer. Un paysan raconte ça dans un cabaret où j'étais . . .

Il rougit légèrement en disant cela, et Fanny se rappela

qu'entre autres choses, Luc reprochait à son beau-frère d'être sans cesse fourré dans les cabarets du pays à pérorer . . .[37]

— . . . J'y cours. C'était un souterrain, un superbe souterrain bâti en pierre, avec des portes—des portes, Fanny!—et qui menait à six kilomètres plus loin . . .

Il rêva un instant, avant de poursuivre, tout exalté, les joues rouges et Fanny remarqua combien il avait l'air d'un drôle de petit garçon vieilli et un peu nain.

— Eh bien! sous la tour d'angle, il devait y avoir des souterrains menant à la rivière par lesquels les sorciers menaient boire leurs bêtes. Tout cela est maintenant comblé, plein de terre et de racines d'arbres vraisemblablement. Toute la butte n'est qu'une couche de terre pas très épaisse—vous sentez bien comme elle se détache facilement sous les pieds—sur une couche de pierre. Il y a des murs là-dessous, ce que j'espère trouver, ce serait par exemple une bouche d'aération[38] du souterrain, par laquelle je pourrais me glisser et trouver une entrée.

— Mais c'est très dangereux, cela, Richard . . .

— Oh! vous savez, quand on est vraiment passionné par quelque chose . . . Ça ne vous paraît pas trop idiot?

— Oh! pas du tout!

— Luc et Nathalie, naturellement, je n'ai pas tout à fait pu leur cacher cette histoire. J'ai fait semblant de prendre les choses à la blague[39]; ils se seraient trop moqués de moi. Mais je m'en occupe très sérieusement. Je consulte les archives de Limoges, et même j'ai fait examiner une carte de la région et une vue d'avion du château par plusieurs radiesthésistes,[40] et ils m'ont tous, vous m'entendez, tous dit la même chose: le souterrain part de dessous la tour d'angle, et à cinq ou six mètres, il y a une bouche d'aération, et plus bas, à onze mètres, il y en a une autre. Mais c'est terriblement difficile à trouver, parce que, naturellement, ils ne peuvent pas indiquer l'endroit précis, et que depuis tant d'années, la terre a dû s'accumuler . . .

Il recommençait à tourner autour du pan de mur.

---

[37] to be constantly hanging out in bars, busy holding forth [38] vent
[39] to make a joke of it [40] specialists in detecting electromagnetic radiations.

— Tenez, il y a un trou, là. Probablement rien du tout, mais j'examine tous les trous, absolument tous, je suis sûr que je finirai par trouver . . .

Il se jeta à plat ventre devant l'anfractuosité, sans souci de la boue, et, en se tordant le cou sous un angle bizarre, réussit à entrer la tête dans un trou de rocher. Il en ressortit passablement écorché et boueux, mais les yeux brillants.

— C'est peut-être intéressant, dit-il, mais je ne peux pas voir si c'est profond. Comme nous venions avec Nat et Luc, je pensais qu'ils grimperaient aussi et je n'ai pas voulu prendre mon matériel.

— Quel matériel?

— Une lampe très puissante pour voir si les trous sont profonds, et puis une pioche; je prends aussi en général une corde, pour le cas où il faudrait descendre tout droit dans un trou profond . . .

— Cela vous est déjà arrivé?

— Non, avoua-t-il.

— Cela ne fait rien, dit gentiment Fanny. C'est très bien tout de même.

Oui, c'était très bien. Elle voyait dans son imagination de longs souterrains aboutissant à des grottes pleines de trésors; c'était merveilleusement palpitant, même si dans la réalité cela se bornait à s'écorcher la tête dans un trou.

— On ne peut rien faire de sérieux, aujourd'hui, décida l'amateur de souterrains. Il vaut mieux continuer à monter jusqu'au château.

Elle obéit, un peu déçue. Elle aurait voulu continuer à chercher l'entrée du souterrain; mais puisque c'était impossible sans matériel . . .

— Richard, il faudra revenir demain, avec la lampe, et tout? . . . Peut-être qu'à nous deux, nous aurons plus de chance?

Il acquiesça, ravi d'avoir enfin trouvé une âme sœur.

— Comme vous êtes très mince, vous pourrez peut-être vous glisser dans le trou?

— Oui, peut-être.

Tout était possible, toutes les aventures pouvaient arriver

223

demain, quand, pour la première fois de sa vie, Fanny chercherait l'entrée d'un vrai souterrain, une pioche et une lampe à la main.

Ils arrivèrent enfin en haut de la butte, dans les murailles du château. A l'intérieur des murs, il n'y avait que des herbes folles, et, de-ci, de-là, de la terre dépassait le sommet d'une colonne ou d'une porte ensevelie.

— Il y a au moins un étage de comblé, dit Richard. Le souterrain doit donc être à vingt mètres au-dessous de nous, et très difficile à trouver. Mais les radiesthésistes m'ont dit qu'il y avait des ouvertures pas très loin de la surface. Du reste, je vous montrerai le dossier ce soir.

Du haut du château, la vue était superbe sur la douce campagne vallonnée; le soleil avait entièrement fondu le givre et les prairies mouillées fumaient doucement.

Tout à coup, Fanny s'écria:

— Oh! Richard, est-ce que ce ne sont pas Luc et Nat là-bas?

Ces deux petits gnomes qui allaient de long en large sur la route, c'était bien eux en effet. Luc faisait de grands gestes, singulièrement ridicules vus de si haut.

— Je croyais qu'ils devaient nous attendre au café?

— Ils ont dû s'impatienter. Il regarda sa montre.

— Mon Dieu, déjà cinq heures! Luc doit être furieux, lui qui déteste attendre. Il faut redescendre tout de suite.

— Mais on reviendra demain, Richard? Avec la lampe?

— S'il fait beau. S'il pleut, ce ne sera pas possible. Mais vous savez, il y a deux ans que je cherche sans avoir rien trouvé. Il faut beaucoup de patience.

— Ça ne fait rien, dit-elle avec confiance. On finit toujours par trouver. Et il fera beau.

— Très bien. Vous me porterez peut-être bonheur. J'ai une idée: si on partait dès demain matin, et qu'on fasse un pique-nique dans le château, avec un feu de bois?

— Ce sera . . .

Elle ne trouva pas de mots pour exprimer son contentement, et battit des mains. Décidément Richard était génial. Comme elle se serait ennuyée s'il n'avait pas été là! Ils redescendirent le plus rapidement possible, lui la portant presque par endroits, avec une habileté singulière chez un homme qui à terre paraissait si maladroit.

Ils arrivèrent tout hors d'haleine, décoiffés et riant sur la route. Luc et Nathalie les attendaient, l'air frigorifié.

— Voilà vingt minutes que nous attendons, dit Luc avec acrimonie.

— Mais qu'est-ce que vous vous êtes fait à la joue, mon pauvre Richard? demanda Nathalie.

— J'ai mis la tête dans un trou.

— C'est amusant, vraiment. Pendant que nous t'attendons dans le froid, tu t'amuses à mettre la tête dans des trous. Ah! C'est drôle.

— Mon Dieu, que vous êtes grognon, Luc, dit Fanny. Nous nous sommes amusés et nous avons oublié l'heure, voilà tout. Pourquoi n'êtes-vous pas entrés dans la voiture?

— Pourquoi? Parce que Richard avait eu la bonne idée de fermer la voiture à clef et d'emporter la clef là-haut.

— Oh! Vous n'aviez qu'à retourner au café . . . dit l'amateur de souterrains en ouvrant la voiture.

Merci! Pour être obligés de boire encore une fois l'horrible liqueur que Mme Pignard offre à ses amis? Je préfère crever.[41]

— Je ne vois pas pourquoi vous êtes ainsi mécontent de tout, dit Fanny en se réinstallant à l'avant,[42] à côté de Richard. Moi, je n'ai pas eu froid une seconde.

Le retour fut silencieux, le repas fut silencieux. Luc rageait d'avoir dû attendre dans le froid, d'avoir vu Fanny se moquer de lui, d'avoir vu son beau-frère triomphant. Évidemment, tout cela n'était de la part de Fanny que du dépit, mais tout de même, elle exagérait. De plus, il avait pris froid, et les éternuements qui lui échappaient de temps à autre nuisaient beaucoup à l'effet qu'il espérait produire sur Fanny par un sourire ironique et amer. Fanny et le beau-frère, fatigués et affamés par l'exercice, mangeaient en silence. Nathalie commençait à s'inquiéter de la mauvaise humeur de son mari; serait-il allé s'éprendre de Fanny, simplement parce qu'elle s'intéressait à Richard? Ce serait vraiment trop stupide!

[41] I prefer to die (slang)   [42] settling again in the front seat.

Pauvre Luc! Elle le plaignait tendrement. Sûrement il devait se sentir blessé jusqu'au fond de l'âme de voir que, de Richard et de lui, c'était Richard qu'une femme trouvait le plus intéressant. Il n'y avait aucun doute là-dessus, il y avait entre Richard et Fanny une sorte d'entente tacite. Nathalie savait comme ce genre d'échec rendait Luc malheureux, lui qui avait l'air si ironique, si maître de lui, était si facilement désarçonné au fond! Si sensible à des détails absurdes! Elle savait très bien, par exemple, que s'il l'avait épousée, c'était, plus que par amour, parce qu'il était secrètement flatté de posséder au vu et su de tous, une fille dont la beauté avait été rendue célèbre par plus d'un tableau, en quelque sorte officialisée, et qui l'impressionnait, lui mince et sans beauté, par son allure de Junon.

— Tu es préoccupé, mon chéri. Tu penses au procès Bougenot?

Elle cherchait à lui donner de l'importance, à impressionner Fanny. Si elle continuait à caqueter ainsi avec Richard, Luc était capable de s'imaginer qu'il en était sérieusement amoureux.

— Oui, répondit-il, saisissant l'occasion au vol.[43] C'est un cas qui fera jurisprudence. Je dois une grande reconnaissance à maître Salel qui me l'a procuré.

— Il faut qu'il ait bien confiance en toi, dit Nathalie.

Mais ce touchant duo conjugal fut prodigué en pure perte.

«Qui pourrait mettre en balance, même une seconde, un jeune avocat, voire un grand avocat, avec un chercheur de souterrains? Personne, n'est-ce pas?» pensait Fanny.

Après dîner Richard vint dans sa chambre chargé de chemises[44] de toutes les couleurs, et ils examinèrent ensemble ce que la chronique disait des antécédents du château Féret, ce que les radiesthésistes avaient dit, ce que les vieux du pays racontaient. Richard avait noté chaque témoignage avec le plus grand soin, d'une petite écriture nette et appliquée. Quand il lui montra les lettres des radiesthésistes consultés, la seconde partie du secret se découvrit: il était question dans ces lettres, non seulement d'un souterrain, mais d'or, d'un trésor mystérieux qui devait se trouver enseveli dans le souterrain, à une vingtaine de mètres de profondeur, quelque part du côté de la tour d'angle nord-ouest.

[43] taking advantage of the opening   [44] folders.

— Naturellement, dit Richard d'un air raisonnable, très
«ingénieur,» je ne crois pas aveuglément à ces histoires de
trésor. D'ailleurs je m'intéresse au souterrain, pas au trésor.
Mais tout de même, il faut reconnaître qu'il y a dans ces
affirmations, toutes les mêmes, quelque chose d'impressionnant.

Fanny le reconnut volontiers. Elle était assise dans son
immense lit, tout entourée de cartes, de photos, de chemises
multicolores, de notes, et elle regardait avec respect les lettres
des radiesthésistes. Trois d'entre elles étaient écrites avec soin
sur du beau papier glacé; c'était à se demander s'il existait
quelque part une Papeterie des Radiesthésistes. La quatrième
était un chiffon de papier quadrillé, plein de fautes d'ortho-
graphe et de petits croquis tracés avec application.

— Celui-là, c'est un radiesthésiste de village, n'est-ce pas?
dit Fanny.

Richard acquiesça.

— Ils sont parfois meilleurs encore que les grands ... C'est
une question de don, n'est-ce pas? Je songe d'ailleurs à en faire
venir un sur place.[45] Mais je voudrais éviter les racontars; il
faudrait que je le fasse passer pour un marchand de bestiaux ou
quelque chose de ce genre.

La soirée se passa en projets; Richard bavardait sans arrêt,
les yeux brillants d'exaltation, gesticulant, discutant des hypo-
thèses, lancé à fond[46] dans le rôle de l'amateur de souterrains.
Fanny s'en rendait compte, mais cette affectation la trouvait à
présent plus indulgente. C'était un travers bien innocent, bien
puéril, que cette façon d'être. Richard était bien, comme elle
l'avait pensé sur la montagne, une sorte d'enfant vieilli; cet
homme de trente et quelques années cachait, sous ses travestis-
sements successifs—chauffeur intrépide, châtelain rustique,
romanesque découvreur de souterrain—une enfance jamais
éclose, grotesque comme les choses naines, mais non sans grâce,
dont Fanny se sentait complice et peut-être obscurément
parente. Vers onze heures, quand Luc vint obligeamment porter
à Fanny une bouteille d'eau chaude, il la trouva encore avec
Richard. Ayant noué autour de son alliance l'un de ses cheveux
blonds, elle essayait sur la carte de voir si «elle avait le don.»

[45] to call one in   [46] having thrown himself completely into.

— Merci beaucoup, Luc, vous êtes bien aimable, dit-elle sans lever la tête.

Il sortit sans un mot, bouillant d'indignation dans sa robe de chambre bordeaux. Mais Fanny ne s'en aperçut pas.

Le jour suivant se leva gris, maussade, non point froid, mais humide et brumeux. Les prairies joliment étagées, les saules, les étangs miniatures paraissaient beaucoup moins séduisants que la veille, le poêle était éteint, la chambre était glaciale. Fanny se rendormit deux fois en croyant que le jour n'était pas levé. Mais quand elle se leva, vers neuf heures et demie, une grande inquiétude l'envahit; le brouillard ne se levait pas, il s'épaississait au contraire, et l'on n'y voyait pas à dix mètres. Elle s'habilla rapidement, sans penser à souffrir du froid qui régnait, uniquement préoccupée du temps; toute la nuit elle avait rêvé pendule, souterrains, trésors. Comme elle allait sortir de sa chambre, on frappa. Richard, l'air penaud dans son costume de *gentleman-farmer*, entra.

— Est-ce que . . . dirent-ils en même temps.

Et ils se mirent à rire.

— Eh bien! dit Richard. Qu'en pensez-vous?

— Oh! Richard! Si on y allait tout de même?

— C'est bien ce que je pensais. Mais je n'aurais pas voulu vous forcer. Quelque chose me dit que nous aurons de la chance. Je cours demander à Delphine de nous faire des tartines . . . Couvrez-vous bien, il ne fera pas chaud. Mais nous ferons un petit feu là-haut, à midi.

Il s'en fut, sautillant presque dans son allégresse, comme un petit chien expansif. Fanny s'en fut emprunter un pull-over à Nathalie.[47]

— Comment? Vous avez l'intention de remettre ça?[48] dit Nathalie, si stupéfaite qu'elle en oubliait sa distinction. Et moi alors? Et Limoges? Et Madame Raburet et le marchand de bois?

— Tu ne peux pas y aller toute seule à Limoges? demanda Fanny d'un ton suppliant.

[47] Fanny went to borrow a sweater from Nathalie [48] the intention of doing it again.

Nathalie était si convaincante quand elle se mettait à parler raison; elle arriverait peut-être à convaincre Richard de rester. Oh! cela, ce serait terrible. Cette journée à l'intérieur, dans cette horrible brume jaunâtre, et rester seule avec Luc qui sûrement devait se croire le droit de lui faire des remontrances ... Le souvenir inopportun de ce qu'elle avait tant désiré hier vint la taquiner un moment, mais elle le repoussa avec énergie. D'abord hier, il y avait du soleil; cela changeait tout.

— Nat, je t'en prie, cela ne pourrait pas s'arranger autrement? Puisqu'on part demain, tu devrais bien me laisser m'amuser un peu.

Nathalie réfléchit, se résigna.

— Oh! évidemment on pourrait passer demain matin avant de partir pour prendre la nouvelle bonne. Je téléphonerai à Mme Raburet pour qu'elle se tienne prête ...

— Merci, merci beaucoup! s'écria Fanny.

Et elle s'élança vers la porte, non sans avoir ri sous cape de voir Luc qui, blotti sous son édredon, faisait semblant de dormir.

— Eh bien! qu'est-ce qu'ils ont dit? demanda Richard.

Il beurrait des tartines d'un air anxieux.

— Luc n'a rien dit, il dormait. Nathalie a dit qu'elle s'arrangerait, que vous prendriez la nouvelle bonne en partant demain matin.

— Très bien. Nathalie est une fille épatante. Je ferai venir ce marchand de bois demain matin très tôt.

Il achevait de beurrer les tartines, et les enveloppait dans du papier brun, avec un énorme morceau de fromage.

— Nous sommes très mal vus,[49] chuchota-t-il avec un air de complicité. Delphine a bel et bien[50] refusé de faire les tartines pour moi; nous n'avions qu'à aller déjeuner chez la mère Pignard, dit-elle. Comme si nous allions descendre de là-haut pour aller déjeuner. Ridicule!

— Vous avez bien tous les instruments? demanda-t-elle, chuchotant à son tour.

Elle avait encore un peu peur que quelque chose empêchât l'expédition.

---

[49] they don't think much of us   [50] quite, altogether.

— Oui, dans mon coffre. Buvez un peu de café; il faut être en pleine forme. Vous avez tout ce qu'il faut aussi?

— Oh! J'ai oublié d'emprunter un pull à Nathalie!

— Ça ne fait rien. C'est moi qui vous en prêterai un. Cela vaut mieux, si nous avons à ramper ... Finissez de déjeuner pendant ce temps.

Le pull-over était immense, et lui donnait l'air d'un sac; mais elle en fut ravie. Cela symbolisait le sérieux de leur recherche. Ils partirent sans dire adieu; Fanny se souciait peu de revoir Luc et Nathalie, de subir la désapprobation de l'un et la curiosité amusée de l'autre; quant à l'auguste Delphine, sans doute pour marquer sa désapprobation, elle ne se montra pas dans la cuisine.

Quand ils arrivèrent au château Féret, la brume s'était un peu levée. Mais l'air restait humide, et le vent agitait le réseau d'arbrisseaux qui entourait la butte. Richard avait sorti de la voiture une lampe, une corde, une pioche, et supplément imprévu, un levier.

— Si vous pouviez porter la lampe, dit-il.

Fanny prit la lampe avec résolution. Elle se sentait prête à descendre dans des gouffres.

— Prête, Fanny?

— Oui, dit-elle d'une voix claire.

Elle imaginait sa photo en première page d'un journal: *La jeune femme qui a découvert le trésor du château Féret*; elle lisait le reportage émouvant que publiaient tous les quotidiens, avec d'énormes manchettes.

Elle répondit: «Oui, prête!» d'une voix claire. Pouvait-on imaginer qu'une heure plus tard, elle allait se trouver lancée dans la plus dangereuse et la plus passionnante des aventures?

— Je crois, dit Richard, que le mieux à faire serait de retourner à l'endroit où nous nous trouvions hier, et de voir si ce trou a un intérêt quelconque. Ensuite, nous pourrions retourner à un endroit où j'ai commencé à déblayer un peu, et continuer la besogne.

— Est-ce qu'on ne vous dérange jamais?

— Oh! le château n'intéresse personne, pas même son propriétaire, un M. Maizard qui m'a autorisé à faire des fouilles.

Je ne lui ai pas parlé du trésor, naturellement. J'ai parlé de colonnes, de chapiteaux à déblayer; comme si je m'intéressais à l'art!

Fanny approuva chaudement le fait qu'il ne s'intéressât pas à l'art. La montée commença, plus pénible que la veille à cause du terrain glissant, qui se détachait sous les pieds et ne laissait d'autre alternative que celle de tomber ou de s'accrocher aux ronces piquantes qui vous déchiraient les mains. De temps en temps, Richard la portait quelques mètres, mais la corde et les outils le gênaient beaucoup. Enfin, ils arrivèrent au petit mur. Fanny aurait bien voulu s'asseoir un moment, mais sans perdre une seconde, Richard se précipitait devant le «trou,» une excavation haute d'une cinquantaine de centimètres et large de trente centimètres environ, dans laquelle il introduisait la lampe.

— Vous voyez quelque chose, Richard?

La voix étouffée de Richard lui parvint, au fond du trou.

— Très intéressant! dit-il.

Il ressortit son visage sali.

— Il y a une déclivité à droite mais je ne puis pas voir jusqu'où elle va, dit-il, haletant d'émotion. Il faudrait que je puisse passer les épaules, elles sont trop larges. Voulez-vous essayer?

Devant l'obstacle, Fanny hésitait. Il est très agréable de s'imaginer soi-même descendant romanesquement dans un gouffre. Mais quand il s'agit de passer la tête dans un trou, un simple trou noir et étroit, cela devient terriblement difficile. Elle s'approcha cependant, s'agenouilla sur les herbes mouillées et la boue, pencha la tête vers le trou.

— Mais Richard, ce n'est pas possible! Le trou est trop petit!

Il se mit à rire.

— Il faut mettre la tête de côté, voyons. Ma tête, qui est plus grosse que la vôtre, y passe bien . . .

Elle s'allongea sur le flanc, introduisit avec répugnance la tête dans la fente rocheuse. Ce qu'elle vit fut une petite caverne qui s'élargissait un peu au-dessus de sa tête, et dans laquelle, accroupie, elle eût pu tenir tout entière.

A gauche, une sorte de petit couloir en pente était au bout

231

d'un mètre environ bloqué par un éboulis. A droite, une fente aussi semblait s'élargir et disparaissait dans l'obscurité.

— Il faudrait tourner la lampe pour que je voie, cria-t-elle.

Richard lui répondit quelque chose qu'elle n'entendit pas très bien. Elle ressortit la tête avec un grand soulagement.

— Il faudrait tourner la lampe, répéta-t-elle.

Quelle joie d'être enfin à l'air libre! Cette impression d'être emprisonnée dans la fente, l'odeur de la pierre mouillée, cette demi-obscurité, tout cela était affreux et pas du tout romanesque. Richard lui essuya le front avec un grand mouchoir à carreaux qu'il tira de sa poche.

— Alors? Vous avez vu quelque chose?

— Ça a l'air de descendre, mais c'est trop noir.

— Il faut que vous entriez vos épaules, voyons! En vous tenant sur le côté, vous pourriez même arriver à y entrer tout entière.

Tout entière! Tout entière dans ce trou? Et si elle n'arrivait pas à en ressortir? Et si les pierres s'éboulaient sur sa tête? Elle avait toujours entendu dire que c'était très dangereux, ces histoires de fouilles qu'on faisait sans le matériel nécessaire.

— Oh! non, ce n'est pas possible . . . dit-elle en frissonnant.

Il se méprit sur l'objection.

— Comment, pas possible? Mais si, je vous l'assure. Tenez, remettez-vous en biais, je vais vous pousser. Vous effacerez bien la poitrine et le tour est joué.[51]

— Attendez, attendez une seconde, balbutia-t-elle sans savoir ce qu'elle disait.

Elle en était sûre maintenant; elle allait y rester, rester prisonnière dans ce trou, étouffer, sa poitrine prise entre deux parois de pierre . . . Lui ne voyait rien de cet effroi, tout à sa découverte.[52]

— Vous avez peur de vous salir les cheveux, hein? dit-il d'un air malin. Je vous passe mon foulard, tenez.

Habilement, il lui noua son foulard rouge autour de la tête, le serra bien fort par deux petits nœuds.

— Là . . . Vous êtes bien protégée maintenant. Vous voyez

[51] and the trick is done   [52] completely absorbed by his discovery.

Le Souterrain

comme je suis habile: et Luc qui dit que je ne suis bon à rien. Un vrai coiffeur! . . . Vous y allez?

Serrant les dents, Fanny s'allongea à nouveau sur le banc. Il la saisit fermement par le milieu du corps, et avec une grande habileté, l'introduisit, comme il aurait fait d'un outil, dans la fente. Elle y était jusqu'à mi-corps maintenant; elle y était, paralysée de terreur et d'affolement subit; elle avait eu beau gonfler sa poitrine, l'habileté de Richard avait eu raison de cet obstacle,[53] et elle était là, les bras collés au corps, dans une fente de la montagne, prisonnière de la pierre, la poitrine oppressée, dans un air qu'elle imaginait d'instant en instant raréfié. Elle ne songea pas une seconde à regarder sur la droite le couloir qui était peut-être l'entrée du souterrain; elle n'avait jamais imaginé un souterrain si étroit, si dangereux. Elle avait rêvé de couloirs assez hauts pour qu'on y pût marcher, de portes secrètes s'ouvrant soudain toutes seules au flanc de la butte, de descentes vertigineuses mais qui ne passeraient pas dans l'obscurité. Elle se mit soudain à hurler. Son compagnon, au dehors, ne comprenant pas ce qui se passait, essayait de la ramener vers lui comme il l'avait poussée, mais elle résistait sans le vouloir, joignant les mains, oubliant d'effacer la poitrine dans un paroxysme de terreur. Enfin, non sans écorchures il réussit à extraire de l'ouverture ce petit animal terrifié qui criait toujours.

— Mais qu'est-ce qu'il y a? Mais qu'est-ce qu'il y a? répétait-il sans comprendre.

Il pensait qu'elle avait dû voir une grosse araignée à deux doigts de son visage. Le foulard était resté accroché quelque part dans la fente rocheuse; les cheveux cendrés maculés de boue pendaient devant le visage terrifié.

Au bout d'un instant, elle cessa de crier et se mit à pleurer à gros sanglots d'enfant.

— Mais qu'est-ce qu'il y a? répétait toujours le petit homme.

De son mouchoir à carreaux, il lui essuya doucement les yeux, le visage. Enfin Fanny reprit ses esprits, encore tremblante, mais assez lucide déjà pour se demander ce qu'elle allait lui dire. Quelle dégringolade[54] depuis le moment où elle s'était vue, au

[53] had won over this obstacle [54] What a comedown!

2 3 3

pied de la montagne, photographiée par des reporters enthousiastes! Elle songea à lui dire qu'elle avait été prise d'un point de côté[55]; qu'elle avait vu une bête; qu'elle avait cru voir un trou et tomber ... Mais il était capable d'insister pour qu'elle rentrât dans le trou, et cela, cela elle ne pourrait le supporter. A cette seule idée, ses yeux se remplissaient de larmes à nouveau. Elle avoua honteusement, cherchant par un réflexe instinctif son épaule, pour s'y cacher.

— J'ai si peur ...

— Peur de quoi? demanda-t-il doucement.

Comment pouvait-il être aussi stupide? Il ne comprenait donc rien?

— Peur du trou ...

— Il y a un autre trou?

— Mais non! s'écria-t-elle en colère, se dressant comme un petit serpent, et résistant avec peine au désir de le gifler. Mais non, il n'y a pas d'autre trou! C'est de celui-là que j'ai eu peur, voilà tout.

— Mais pourquoi? Pourquoi? demanda-t-il encore, stupidement incompréhensif.

C'était trop fort. Avec un immense soulagement, et de toutes ses forces, elle gifla cette joue ronde de bébé.

— Oh! dit-il seulement.

Il était si comique ainsi, dans sa stupéfaction naïve, les yeux arrondis, la bouche entrouverte, qu'elle éclata de rire. Et au bout de quelques instants, il rit aussi.

— Je vous demande pardon ... dit-elle enfin, sans arriver à prendre un air confus. Je vous demande pardon, mais je n'ai pas pu résister ... C'était si honteux d'avoir peur, vous comprenez ... et il n'y avait rien à expliquer ...

Il comprenait. Il hocha la tête. Au fond, cette gifle était une sorte d'excuse que Fanny lui présentait pour son infériorité; il pouvait donc l'admettre.

— Je comprends très bien, dit-il d'un air un tantinet[56] protecteur. Tout le monde ne peut pas supporter d'avoir la tête dans un trou. Venez voir mes fouilles, cela vaudra mieux.

Ils allèrent voir les «fouilles.» C'étaient des pans de murs, que

[55] pain in the side   [56] a trifle, the least bit.

Richard avait mis à nu, et qu'il montrait avec de grands airs d'importance. Là, un peu sur la droite, il devait y avoir une entrée du souterrain. Mais il n'avait pas encore réussi à la trouver. Un jour il avait découvert un couloir qui descendait, mais que barraient des éboulis à quatre ou cinq mètres de l'entrée. Et on risquait d'être enseveli vivant en essayant de déblayer. Néanmoins, un de ces jours, il n'était pas dit qu'il ne tenterait pas la chose ... Il sembla bien à Fanny que Richard se grisait un peu de paroles. Bien sûr, il avait consulté des radiesthésistes; bien sûr il osait, lui, introduire la tête dans des trous; mais à part cela, son activité se bornait, semblait-il, à rêver souterrains et à fréquenter assidûment les cabarets de la région pour recueillir des témoignages.

Elle se demanda si lui aussi, quand il escaladait la montagne, quand il introduisait sa lanterne dans chaque trou, ne pensait pas à de grosses manchettes dans les journaux: *Un ingénieur obstiné découvre le trésor du château Féret*; peut-être imaginait-il aussi sa photo en première page, peut-être voyait-il aussi se dérouler dans sa tête des bandes illustrées, du genre de *Superman*, ou de *Dick Tracy* dont il était le héros ... Remise de sa peur, elle s'amusait à nouveau de voir dans les yeux de son compagnon ce mirage enfantin. Maintenant, non seulement il était le hardi pionnier qui escalade la montagne bravant les dangers et les intempéries mais encore le protecteur intrépide et auréolé de prestige d'une timide compagne. Et Fanny jouait volontiers ce rôle charmant et effarouché, aussi volontiers qu'elle avait assumé celui d'intrépide amazone. Mais l'heure avançait et le temps empirait; la brume qui s'était levée un instant retombait à présent en pluie fine; le vent qui se levait agitait les arbrisseaux fins comme des cheveux qui couvraient la montagne.

— Qu'est-ce qu'on va faire? murmura Fanny, inquiète.

Elle sentait bien que le jeu perdait de son agrément sous la pluie battante. Richard, plus Superman que jamais, la rassura.

— Nous allons monter là-haut, et nous abriter dans l'une des tours de guet.[57] Vous verrez comme le paysage est vaste vu de là-haut; je vous allumerai un feu de bois, ce sera merveilleux.

[57] watchtowers.

Elle suivit, docile, et bien qu'elle sourît intérieurement du ton d'importance qu'il prenait, elle ne s'en sentait pas moins rassurée. Après tout, les hommes étaient des êtres pleins de ressources . . .

Ils grimpèrent assez aisément jusqu'au sommet du château; du chemin de ronde il demeurait une partie couverte, sorte de petit couloir dominant le paysage déjà balayé par la pluie; ils se réfugièrent là. Richard avait ramassé sur sa route des branches mortes. Ils furent atrocement enfumés par le feu qu'il alluma ainsi. Mais Fanny riait toujours, enchantée de cette vaste perspective de champs vallonnés, de rivières striées de pluie, enchantée de la fumée, du romanesque feu de bois, des tartines que Richard tira considérablement écrasées de sa poche et qu'ils firent rôtir sur le feu en les rendant pratiquement immangeables. Puis comme la pluie tombait, ils se racontèrent ce qu'ils feraient s'ils découvraient le trésor. Richard était d'avis d'en distribuer une partie à tous les paysans qui l'avaient aidé de leur témoignage. Il trouverait là l'occasion d'un nouveau rôle, celui du généreux châtelain faisant le bien autour de lui, et salué partout dans le pays. Il ferait également déblayer les ruines du château Féret, ferait faire des restaurations et rachèterait le château à son actuel propriétaire. Il viendrait s'y établir et y finirait ses jours, béni dans toute la contrée.

Fanny était d'avis que tout cela était bel et bon,[58] mais qu'il fallait songer avant de faire toutes ces dépenses à transporter l'or hors du château sans alerter personne. Il faudrait venir de nuit, avec des manteaux couleur muraille, et de grands sacs. Mais si l'on se cachait pour prendre l'or, personne ne saurait qu'il avait découvert le trésor, objecta Richard, et il avouait qu'il ne serait pas fâché d'avoir un peu de publicité, ne serait-ce que pour narguer son beau-frère qui l'avait toujours considéré comme un imbécile. Fanny concevait[59] cet argument; mais c'était bien ennuyeux de donner la moitié du trésor à l'État. Elle lui raconta comment lorsqu'elle avait sept ans elle rêvait de percer un souterrain dans les Tuileries; Richard rétorqua que ses rêves seraient bientôt réalisés si l'on perçait un tunnel pour

---

[58] all very fine   [59] understood.

les automobiles comme il en avait été question; et elle rit, bien que la plaisanterie fût passablement stupide. Mais quelle importance cela avait-il? Ils étaient là, bien abrités dans cette sorte de petite chambre haute de près de quarante mètres au-dessus de la plaine; du lierre et des plantes grimpantes pendaient partout autour de cette loggia; ils se tenaient de part et d'autre d'un feu qui à présent fumait moins; ils se racontaient des bêtises et mangeaient du pain carbonisé. Pouvait-on imaginer rien de plus délicieux? Et bientôt il y eut encore un miracle; le soleil brilla, timidement d'abord, puis plus assuré, faisant scintiller les prairies mouillées, les petites rivières, les rares maisons posées çà et là sur les divers plans du paysage, et jusqu'aux arbrisseaux pleins de gouttelettes enfilées sur les branches comme des colliers.

Le temps coulait sans bruit, comme une eau tranquille et égale, reflétant des mirages dorés, des diamants dans des paniers, de petites portes secrètes, des fêtes, des tentures rouges dans un château restauré par miracle. La voix grêle de Richard s'exaltait en décrivant ces fastes inouïs, et Fanny secouait ses cheveux cendrés avec de grands rires charmés. Pourtant il fallait partir; partir, quitter ce lieu de féerie pour le château Napoléon III, quitter cette chambre suspendue entourée de lierre pour une vraie chambre, avec de vrais rideaux au lieu de ces ramures vertes, aux murs recouverts de papier au lieu de ces pierres irrégulières et pleines d'ombre, avec un ridicule petit poêle ventru au lieu de ce feu de branches. Il fallait cesser d'être Robinson, Superman, les sauvages guettant l'ennemi qui s'avance dans la plaine, les explorateurs à deux doigts du but qui se reposent avant l'assaut final. Il fallait redevenir ces personnages grotesques, de grandes personnes qui ont joué à être des enfants, le temps d'un pique-nique, et qui reviennent au logis en échangeant des propos mondains.

Fanny quitta le chemin de ronde le cœur lourd. Il n'y avait plus moyen d'enchanter la descente d'aucune histoire; Richard devait le sentir, car il ne parlait pas. La lanterne sourde pesait lourdement au bras de Fanny et lui paraissait un peu ridicule. L'enchantement était fini. Ils avaient mangé là-haut, ils avaient longuement parlé, ils s'étaient même adossés contre le mur, demi-allongés, et le cœur de Fanny avait battu; tout cela était d'un charme inexprimable, et tout cela était fini.

Elle sentait grandir en elle une tristesse d'enfant, cette tristesse des dimanches après-midi, quand chaque minute vous rapproche de la nuit, du lundi détesté où il faudra encore aller s'enfermer à l'école et laisser passer toute une semaine dans la demi-somnolence des grandes classes blanches, insuffisamment éclairées. Il n'y aurait pas de classe demain; il n'y aurait que le retour en automobile avec Luc et Nathalie, qui peut-être se moqueraient un peu d'elle et de son enthousiasme pour les ruines, le retour avec ce compagnon d'aventure, d'une aventure déjà terminée ... Comme s'il répondait à sa pensée, il dit sans se retourner vers elle:

— Si nous descendions par la gauche? il y a là une butte de forme bizarre dont je ne serais pas étonné qu'elle contînt des tombeaux, des dolmens peut-être ... Je sais bien que ce n'est pas la région, mais on fait des découvertes plus surprenantes ...

Sa voix sonnait faux dans l'air triste et tiède de cette fin d'après-midi. Lui non plus ne croyait plus au trésor, plus pour l'instant tout au moins; il avait atteint au début de la journée un paroxysme d'enthousiasme non encore éprouvé; il avait été si sûr que quelque chose se passerait, puisqu'il avait trouvé quelqu'un qui s'intéressait à son histoire ... Mais rien ne s'était passé, et il redescendait plus triste que jamais, plus découragé qu'il ne l'avait jamais été. Non seulement, comme chaque fois qu'il gravissait la montagne, il avait rêvé de trésor, de découvertes, de revanche soudaine sur Luc, sur les paysans qui ne l'aimaient pas, sur le sort même qui l'avait fait petit ingénieur ridicule, mais encore il avait pour la première fois été compris, été accompagné, et sa désillusion, qu'il eût aisément oubliée, s'aggravait de tout le poids de celle de Fanny. Ce fut sans le moindre plaisir, en quelque sorte par acquit de conscience,[60] qu'il fit un détour pour passer, au pied de la butte, par une petite éminence d'aspect bizarre, dont il aimait la forme de poisson couché. Fanny le suivait, lasse et silencieuse. Il fit un effort désespéré pour animer la conversation.

[60] for his conscience's sake.

— On voit bien à la forme du sol qu'il y a des pierres couchées tout de suite sous la terre, n'est-ce pas?

Il donna un coup de pioche dans la terre, devant lui, mais la pioche s'enfonça dans la terre avec un bruit mou et ne sembla pas rencontrer de pierres.

— Mais non, dit Fanny avec une indifférence qui était presque de la mauvaise humeur. Vous voyez bien que c'est mou.

Et elle donna un coup de pied méprisant à l'endroit où avait frappé la pioche. Un coup de pied qui en effet rencontra une terre molle, une terre si molle qu'elle céda, et que Fanny, le pied disparaissant soudain dans un trou, tomba en avant, le nez dans l'herbe et la cheville horriblement tordue.

— Ah! cria-t-elle, éperdue.

Richard se précipita à son secours, la releva.

— Un miracle, Fanny! Un miracle! s'écria-t-il, sa figure ronde illuminée par la joie. Un trou qui se creuse sous vos pieds, comme pour les bœufs! Vite, creusons!

— Quoi? Quels bœufs? balbutiait Fanny encore tout étourdie et qui ne comprenait pas la cause de sa chute.

Mais déjà Richard avait saisi la pioche et attaquait l'herbe autour du trou par lequel avait passé la jambe de Fanny.

L'herbe et la terre volaient en grosses mottes, découvrant une sorte de trou rond, de tunnel creusé dans la pierre, assez large pour laisser passer un homme, et dont on n'apercevait pas le fond. Le trou dégagé, Richard s'arrêta et le contempla un instant.

— Oh! Fanny, c'est merveilleux! C'est la première fois que cela m'arrive . . . Je descends, Fanny. Tenez le bout de la corde. Si quelque chose se passe vous n'aurez qu'à aller prévenir la garde-barrière, la petite maison là-bas, vous voyez? Elle appellera du secours; ne vous effrayez pas.

Elle ne s'effrayait pas. Le rose était revenu à ses joues, ses yeux brillaient à nouveau, son cœur battait plus fort.

— Oui, Richard, faites attention, Richard. Oui, je tiens la corde. Oui, j'irai prévenir la garde-barrière en cas d'accident. Oui . . .

Elle ne pensait pas à ce qu'elle disait, hypnotisée par ce trou qui venait de s'ouvrir sous ses pieds, par ce miracle qui éclatait comme un signe. Un signe mystérieux: elle ne savait pas ce qu'il signifiait, mais un signe tout de même; peut-être cela voulait-il simplement dire que rien n'était fini, contrairement à ce qu'elle avait cru, que les trésors existaient, que les enchantements pouvaient durer.

Richard, non sans solennité, avait entouré sa ceinture de la corde. Il commença à s'introduire dans ce puits, se retenant sur les côtés des pieds et des mains aux rares saillies. Il sembla glisser sur un mètre, et elle entendit, pas très bas au-dessous d'eux, comme un bruit de chute. Puis la voix de Richard retentit:

— Fanny?

— Oui, dit-elle, la voix étranglée par l'émotion.

— Penchez-vous sur le trou et jetez-moi la lampe. Oui, jetez-la.

Elle obéit, entendit la lampe tomber en se heurtant aux parois, puis au fond du trou, à trois ou quatre mètres, elle vit la figure illuminée de Richard.

— Il faut absolument que vous descendiez, Fanny. Laissez-vous glisser, je vous attraperai.

— Mais, pour remonter?

— Je vous hisserai sur mes épaules! dit la voix un peu impatientée. Je vous assure que cela en vaut la peine. Allons, laissez-vous glisser!

Une vision de grotte merveilleuse emplie de trésors dompta la peur de Fanny. Résolument, elle s'assit sur le bord du trou, et y introduisit les jambes.

— Il n'y a qu'à vous laisser glisser, insista la voix. Il y a peut-être trois mètres de profondeur, voilà tout ...

Elle ferma les yeux et se laissa aller, durement éraflée par la muraille de pierre, se cogna la tête une fois, et tomba sur les épaules de Richard qui la retint de justesse[61] et la posa, tremblante, sur le sol. Elle ne rouvrit les yeux que comme il la secouait frénétiquement.

— Regardez, mais regardez, Fanny!

Ils se trouvaient dans une petite salle, sorte de grotte, voûtée en rond, descendant un peu sur la droite, fermée sur la gauche

[61] who barely caught her.

par un véritable petit mur, et n'ayant pour issue apparente que le tunnel au-dessus de leurs têtes, par lequel on apercevait un trou rond de ciel.

— N'est-ce pas merveilleux? murmura Richard. Nous avous enfin découvert quelque chose ... C'est peut-être une oubliette, il y avait des dépendances du château sur ce tertre ... Peut-être le souterrain donnait ici,[62] ou peut-être ...

Il continuait ses suppositions, mais Fanny le savait, pour lui comme pour elle, cela n'avait aucune importance. Qu'importait ce qu'ils avaient trouvé? Ils étaient là, arrivés par miracle dans une grotte sous la terre, une grotte semblable aux dessins des livres d'enfants et des mauvais romans d'aventure: cela se suffisait à soi-même ... Avec sa lanterne, Richard éclairait les moindres recoins de la petite salle. Enfin, il se tourna vers elle:

— J'étais sûr que vous me porteriez bonheur, dit-il, douce-ment. Oh! Fanny, vous ne pouvez pas imaginer ce que cela représente pour moi ... Vous savez, je n'ai pas beaucoup de chance en général avec mes idées; j'avais inventé une machine à fourrage, et les paysans n'en ont pas voulu, et puis il paraît qu'elle existait déjà, en plus perfectionné. Et mon travail à Paris est si peu intéressant, et personne ne m'est reconnaissant du mal que je me donne pour le domaine, et ces comptes sont si difficiles, et je m'entends mal avec ma femme, et ...

Il se tut, comme étouffé par tous ces griefs qui lui venaient à la fois, et il promena encore son regard de tous les côtés de la grotte, comme pour s'assurer qu'elle était bien là.

— Et voilà que c'était fini aussi des souterrains, vous n'aviez plus confiance en moi, n'est-ce pas? Et moi aussi, j'étais si découragé, quand cela nous arrive ...

Encore et encore, il regardait autour de lui, et de la main il toucha un moment la paroi de pierre. Puis il baissa les yeux vers les cheveux cendrés, le visage écorché qui souriait dans un émerveillement pareil au sien.

— Oh! Fanny, est-ce que je peux vous embrasser?

La gorge serrée, elle ne put qu'acquiescer d'un geste. Alors, il se baissa vers elle, et il l'embrassa sur la joue.

[62] came out here.

Ce dernier soir passé à Valbonne, Fanny ferma à clef la porte de sa chambre. Luc n'y entrerait pas, si l'envie le prenait d'une dernière tentative.

Au fond d'un trou qui n'était peut-être qu'un ancien caveau de cimetière, il l'avait tenue dans ses bras, ce petit ingénieur un peu prétentieux, un peu candide, un raté comme disait Luc, et peut-être un imbécile. Fanny avait tremblé, avec au fond d'elle-même une immense envie de rire et de pleurer. Non, elle n'était pas éprise de lui. Lui non plus, ce soir, n'entrerait pas dans sa chambre. Tout devait finir pour eux avec ce baiser sur la joue, échangé par deux enfants qui ne se rencontreraient plus. La présence du Richard de demain ne pourrait que rompre l'enchantement de ce miracle soudain réalisé, sortant tout droit des livres d'enfant, des jeux oubliés, des histoires qu'on se raconte le soir, et que le sommeil interrompt. Dans ces histoires, elle avait toujours été seule, ou bien avec un compagnon sans visage. Bon gré mal gré, ce compagnon aurait dorénavant la tête rasée, le visage rond, les yeux effarés de Richard.

Ce fut à ce moment que saisie d'un vertige, et d'un remords qu'elle n'attendait plus, elle se dit tout à coup: «Mon Dieu, mais j'ai trompé Philippe!»

QUESTIONS

1. Commentez la dernière phrase de la nouvelle.
2. Comment pourrait-on définir les sentiments de Fanny pour Luc, et ceux de Luc pour Fanny?
3. Pourquoi Fanny est-elle contente d'aller visiter le château?
4. Tracez le portrait psychologique de Fanny. Servez-vous d'illustrations précises.
5. Discutez l'humour de cette nouvelle.
6. Comment Richard se transforme-t-il aux yeux de Fanny, et quel est le sens de cette transformation?
7. Quel est le charme particulier du pique-nique dans l'une des tours de guet?
8. Que savons-nous sur Philippe, et quel est son rôle dans cette nouvelle?

André Maurois

André Maurois (1895–   ), de son vrai nom Émile Herzog, appartient
à une famille de fabricants de draps alsaciens qui, au lendemain de la
guerre de 1870, avaient quitté l'Alsace annexée par l'Allemagne pour
s'établir à Elbeuf près de Rouen.

Après de brillantes études secondaires au lycée de Rouen il pensait
entrer à l'École Normale Supérieure, devenir professeur et écrire,
mais Alain, qui avait été son professeur de philosophie et exerçait sur
lui comme sur tous ses élèves une profonde influence, le persuada
d'entrer d'abord dans l'entreprise familiale pour apprendre à
connaître les hommes et le monde en faisant son apprentissage
d'industriel.

Il venait d'épouser sa première femme quand la guerre de 1914
éclata. Il fut affecté comme agent de liaison auprès de l'armée anglaise.
De ses conversations avec les officiers britanniques, il tira deux livres
pleins d'humour, *Les Silences du Colonel Bramble* et *Les Discours du
Colonel O'Grady*, qui établirent d'emblée sa réputation d'écrivain et
de spécialiste du caractère anglais.

Veuf quelques années après la fin de la première guerre mondiale, il
quitta Elbeuf et l'industrie textile, se remaria, s'installa définitivement à Paris, consacrant désormais tout son temps à son métier
d'écrivain et aux soins d'un domaine que sa deuxième femme
possédait dans le Périgord. En 1928 il fut invité à faire une série de
conférences à l'Université de Cambridge, en Angleterre, puis en 1930
à l'Université de Princeton et de 1939 à 1946 en plusieurs endroits
des États-Unis, notamment à Boston et à l'Université de Kansas
City, Missouri.

Il avait été élu membre de l'Académie Française en 1939.

André Maurois a écrit, outre ses deux livres «anglais,» des nouvelles,
des romans: *Ni ange, ni bête, Bernard Quesnay, Climats, Le Cercle de*

famille, L'Instinct du bonheur; des histoires pour enfants; des essais de critique; des ouvrages historiques. Il passe pour avoir renouvelé le genre de la biographie qui semble avoir été sa préoccupation la plus constante et sa contribution la plus valable. Il a essayé d'évoquer des vies d'écrivains dans *Ariel ou la vie de Shelley, Byron, Lélia ou la vie de George Sand*, de personnages historiques comme dans *La Vie de Disraeli, Lyautey, Adrienne ou la vie de Madame de La Fayette*, de savants comme dans *La Vie de Sir Alexander Fleming*, ou même la sienne propre dans un petit livre intitulé *Portrait d'un ami qui s'appelait moi*. Une de ses nouvelles s'appelle «Biographie.»

André Maurois a toujours été attiré par la nouvelle. Ses premiers essais d'écrivain, qu'il renonça à publier, furent des nouvelles. Il admire celles de Kipling, de Mérimée, de Tchekov, de Katherine Mansfield, et d'Hemingway. Ce qui l'intéresse dans la nouvelle, c'est «avant tout une *situation* et une péripétie assez brusque, qui soit comme un retournement.»

Il vise à l'impartialité. Il a une grande prédilection pour le dialogue qui permet d'opposer deux points de vue sans nécessairement donner la préférence à l'un ou à l'autre. Plusieurs de ses nouvelles sont dialoguées. Dans celle qui suit, il obtient le même effet de détachement grâce au dialogue par lettres. Il arrive ainsi à rester complètement en dehors de son histoire. «Pas l'ombre d'un jugement. Les personnages sont comme suspendus dans un vide absolu.»

Grand admirateur de Stendhal, il lui a emprunté «le goût des épigraphes, précieuses, à la fois pour plonger brusquement le début d'un chapitre dans le climat souhaité, et pour créer un mystère, tant par leur étrangeté que par l'apparente dissonance qu'elles introduisent dans le récit.» Le choix du titre de cette nouvelle relève de ce goût.

Les entrées en matière sont abruptes, les phrases généralement courtes, fortement ponctuées par de nombreuses virgules dont certaines précèdent la conjonction *et* («... tu m'expliquais ce qu'il fallait faire, et ce qu'il ne fallait pas dire, et les manies ...»; «... deux mille lettres d'amour, et de haine ...») caractéristique du style de l'auteur plutôt que de celui de ses personnages.

ARIANE, MA SŒUR . . .[1]

A Robert Poumier

Thérèse à Jérôme

Evreux,[2] *le 7 octobre 1932.*

J'AI LU ton livre . . . Oui, moi aussi, comme toutes les autres . . . Rassure-toi; je l'ai trouvé beau . . . Il me semble que, si j'étais toi, je me demanderais: «L'a-t-elle trouvé juste? A-t-elle souffert en le lisant?» Mais tu ne te poses même pas ces questions, N'es-tu pas certain d'avoir été plus qu'équitable, magnanime? . . . Quel ton pour parler de notre mariage?

Dans mon ardeur à poursuivre une femme imaginaire, compagne de travail autant qu'amoureuse, j'avais négligé d'observer en Thérèse la femme réelle. Les premiers jours de vie commune devaient me révéler un être à la fois prévisible et surprenant. J'étais un homme du peuple et un artiste; je rencontrais en Thérèse une grande bourgeoise. De sa classe, elle avait les vertus et les faiblesses. Ma femme était fidèle, modeste, intelligente même à sa manière. Mais on ne pouvait, hélas! imaginer personne moins faite pour partager une vie de lutte et d'apostolat spirituel . . .

En es-tu sûr, Jérôme? Et fut-ce à une vie «d'apostolat spirituel» que tu m'associas lorsque, cédant à tes prières, je consentis, malgré les conseils de mes parents, à t'épouser? Tout de même, Jérôme, ce que j'avais fait alors était assez

---

[1] «Ariane, ma sœur . . .» is a quotation from Racine's *Phèdre :*

«Ariane, ma sœur, de quel amour blessée,
Vous mourûtes aux bords où vous fûtes laissée.» (lines 253–254.)

Ariadne, daughter of Minos and Pasiphaë and sister of Phaedra, helped Theseus to get out of the labyrinth after killing the Minotaur. She fled with Theseus, but he later abandoned her on the island of Naxos to marry Phaedra.   [2] Evreux is a town of 20,000 inhabitants about halfway between Paris and Rouen.

courageux. Tu étais, pour le public, un inconnu. Tes idées politiques effrayaient et exaspéraient les miens. Je quittais une maison riche, une famille unie, pour mener avec toi une vie difficile. Ai-je protesté quand, un an plus tard, tu me déclaras que tu ne pouvais travailler à Paris et m'entraînas vers ta maison de province, dans un pays désert et dur, avec une petite bonne terrifiée, la seule créature plus déshéritée que moi-même que j'aie rencontrée en ce temps-là? J'ai tout supporté, tout accepté. Longtemps même j'ai feint d'être heureuse.

Mais quelle femme pourrait être heureuse avec toi? Je ris parfois, amèrement, quand les journaux parlent de ta force, de courage moral. Ta force! . . . Je n'ai jamais rencontré, Jérôme, un être plus faible que toi. Jamais. Aucun. Je l'écris sans haine. Le temps de la rancune est passé et, depuis que je ne te vois plus, j'ai retrouvé le calme. Mais il est bon que tu le saches. Cette perpétuelle anxiété, cette crainte nerveuse du monde, ce morbide besoin d'éloges, cette naïve terreur de la maladie et de la mort, non, ce n'est pas là de la force, bien que les réactions que provoquent ces troubles (et qui sont tes romans), en donnent l'illusion à tes disciples.

Fort? Comment le serais-tu, toi si vulnérable que l'échec d'un livre te rend malade, et si vain que le moindre éloge d'un sot te fait aussitôt douter de sa sottise? Il est vrai que, deux ou trois fois dans ta vie, tu as combattu pour des idées. Mais c'était après de patients calculs et parce que tu ne doutais plus de leur triomphe. En un de tes rares moments de confiance, tu m'as fait jadis un aveu que ta prudence dut aussitôt regretter, mais que ma rancune a soigneusement engrangé:

«Plus un écrivain vieillit,» m'as-tu dit, «plus ses opinions doivent être avancées. C'est le seul moyen de conserver avec soi les adolescents.»

Pauvres jeunes hommes! Ils n'imaginaient guère, quand ils s'enivraient, avec une naïve passion, de tes *Messages*, l'artificielle ferveur et le méticuleux machiavélisme avec lesquels tu les avais composés.

Ni fort, ni viril . . . Oui, il faut aussi dire cela, si cruel que cela puisse paraître.[3] Tu ne fus jamais un amant, cher Jérôme.

[3] no matter how cruel it may sound.

Après notre divorce, j'ai trouvé l'amour physique; j'ai appris à goûter sa paix, sa plénitude, et les belles nuits où une femme s'endort, comblée, aux bras d'un homme vigoureux. Tant que j'ai vécu avec toi, je n'ai connu de l'amour que de tristes simulacres, de pitoyables parodies. Je ne soupçonnais pas ma disgrâce; j'étais jeune, assez ignorante; quand tu me disais qu'un artiste doit être ménager de ses élans, je te croyais. Au moins aurais-je voulu dormir près de toi; je souhaitais la chaleur d'un corps, un peu de tendresse, un peu de pitié. Mais tu fuyais mes bras, mon lit, jusqu'à ma chambre. Tu ne soupçonnais même pas ma détresse.

Tu ne vivais que pour toi, pour ce bruit autour de ton nom, pour cette curieuse émotion qu'excitait chez tes lectrices un personnage qui, tu le savais pourtant, n'était pas toi. Trois lignes hostiles dans un journal t'inquiétaient bien plus que les souffrances d'une femme qui t'aimait. Si je t'ai vu quelquefois occupé de moi, c'était les jours où des hommes politiques, des écrivains dont l'opinion t'importait, t'avaient promis de venir prendre un repas chez nous. Alors tu souhaitais me voir brillante. La veille de ces visites, tu parlais longuement avec moi; tu ne m'opposais plus le travail sacré; tu m'expliquais ce qu'il fallait, et ce qu'il ne fallait pas dire, et les manies vénérables de tel critique puissant, et les gourmandises du tribun. Tu voulais ces jours-là que notre maison parût pauvre, parce que telle était ta doctrine, et que notre chère fût savoureuse, parce que les grandes hommes sont des hommes.

Te souviens-tu, Jérôme, du temps où tu as commencé à gagner de l'argent, beaucoup d'argent? Tu en étais à la fois très heureux parce que tu es au fond du cœur un petit paysan français, affamé de terres, et un peu gêné parce que tes idées s'accommodaient mal de la richesse. Ah! que j'ai été alors amusée par les transparentes rouéries auxquelles avait recours ton avidité pour rassurer ta conscience: «Je donne presque tout au parti,» disais-tu. Moi qui voyait les comptes, je savais ce que tu gardais. Quelquefois je te glissais avec une apparente candeur:

«Mais tu deviens très riche, Jérôme! . . .»

Tu soupirais:

ANDRÉ MAUROIS

«Je déteste ce régime . . . Hélas! Tant qu'il existe, il faut bien s'y adapter.»

Malheureusement, la mode étant de le combattre, plus tu l'attaquais, plus tu t'enrichissais. C'était un très cruel destin. Pauvre Jérôme! D'ailleurs il faut reconnaître que ton orthodoxie devenait impeccable dès qu'il s'agissait de moi. Il m'est arrivé, quand je t'ai vu millionnaire, d'avoir, comme toutes les femmes privées d'amour, envie de luxe, de fourrures, de bijoux. J'avoue que tu m'as toujours opposé la plus vertueuse résistance :

«Un manteau de vison!» disais-tu. «Un collier de ·perles! Toi! Y penses-tu! Ne devines-tu pas tout ce que diraient mes ennemis si ma femme devenait semblable à ces bourgeoises dont les portraits satiriques m'ont rendu célèbre?»

Oui. Je le devinais. Je comprenais que la femme de Jérôme Vence ne devait pas être soupçonnée. Je mesurais l'indécence de mes vœux. Il était vrai que tu avais, toi, pour hochets, des valeurs et des terres. Mais les comptes en banque sont invisibles tandis que les diamants brillent au soleil. Tu avais raison, Jérôme, comme toujours.

Encore une fois j'ai tout accepté, tout, et même ce dernier livre. J'entends autour de moi louer la hardiesse de tes opinions, ta bonté (tu es un des êtres les plus vraiment méchants que j'aie connus), ta générosité à mon égard. Je ne réponds rien. Parfois j'approuve: «Oui,» dis-je, «il m'a bien traitée, je n'ai aucun sujet de plainte.» Ai-je raison de te faire la part si belle?[4] Est-il sage de laisser grandir et se répandre cette flatteuse légende dont tu es le héros? Faut-il tolérer que des jeunes gens acceptent comme maître un homme que je connais et qui n'est pas un homme? Il m'arrive de me le demander. Mais je ne fais rien. Je n'écrirai même pas à mon tour un mémoire justificatif. A quoi bon? Tu m'as donné le dégoût des mots. Adieu, Jérôme.

Jérôme à Thérèse

Paris, le 15 octobre 1932.

Tu as voulu, comme au temps où tu vivais avec moi, me faire du mal . . . Sois heureuse; tu y as réussi . . . Tu ne te connais pas,

---

[4] in being so generous in my flattering understanding of you.

248

Thérèse . . . Tu te crois une victime; tu es une tortionnaire . . .
J'ai mis longtemps, moi aussi, à te comprendre. Je t'acceptais
pour ce que tu prétendais être : femme douce et toujours sacrifiée. C'est peu à peu que j'ai découvert ta fringale de drames, ta
cruauté, ta perfidie. Parce que, dans ta jeunesse, tu as été
humiliée par des parents maladroits, tu demandes à la vie des
revanches. Tu les prends sur ceux qui ont le malheur de t'aimer.
Quand je t'ai rencontrée, je croyais en moi; tu as voulu m'enlever
cette confiance; tu t'es attaquée à mon esprit, à ma doctrine, à
mon corps. Tu m'as rendu ridicule à mes propres yeux. Aujourd'hui encore, délivré de toi, je ne puis me rappeler sans
honte les secrètes blessures que m'infligea ta franchise.

De quel œil implacable tu me regardais! «Tu es petit,» me
disais-tu, «tout petit.» C'était vrai. J'étais de petite taille et,
comme la plupart des sédentaires, j'avais plus de graisse que de
muscles. Était-ce un crime? Ou même une faute? Je voyais
clairement qu'à tes yeux c'était au moins un ridicule. L'amour
exige de l'abandon, de la confiance. Deux êtres laissent tomber,
avec leurs vêtements, leurs craintes, leurs susceptibilités, leurs
pudeurs. Étendu près de toi, je me sentais jugé par une ennemie
qui, ne perdant jamais le contrôle de ses sens, m'observait avec
une froide lucidité. Comment aurais-je été un bon amant pour
une femme que je redoutais? Comment serais-je devenu à tes
côtés ce que doit être le mâle dans l'amour : un être d'instinct et
d'audace, quand je ne trouvais, chez ma partenaire, que
contrainte et pruderie? Tu me reproches d'avoir fui ton lit.
Es-tu sûre de ne pas m'en avoir chassé?

«*Tout de même,*» écris-tu, «*ce que j'avais fait en t'épousant
était courageux . . .*» Mais n'as-tu pas toujours su que je
triompherais assez vite de l'obscurité? Tu m'avais choisi,
Thérèse, parce que tu avais trouvé en moi quelque chose de
réel, de vivant, qui n'était pas commun chez les tiens. Peut-être
aussi parce que tu m'avais senti vulnérable et que blesser est ton
plus vif, ton seul plaisir . . . J'ai grand-peine à me souvenir de
l'homme que j'étais au temps où je t'ai connue. Un homme assez
rare, me semble-t-il, qui avait foi en ses idées, en son génie . . .
Cet homme, tu as tout fait pour le tuer. Alors que je me croyais
heureux, tu m'as assassiné de pitié. Quelle chose étrange! Tu
m'avais épousé pour ma force et c'est contre cette force que tu

t'es acharnée. Mais il ne faut chercher en tes actions rien de logique, ni de conscient. Tu es, comme tant de femmes, une malheureuse, esclave de tes organes et de tes nerfs, faussée par un drame d'adolescence, et furieuse de son échec. Tant que tu as vécu avec tes parents, c'est sur eux que s'est acharnée cette haine diffuse qui est en toi; depuis le jour où je suis devenu ton seul compagnon, c'est moi que tu as persécuté.

«Fureur toute neuve,» diras-tu. «Réquisitoire improvisé pour répondre à ma lettre! ...»

Et tu montreras triomphalement mon livre, ce passage surtout que tu as si soigneusement noté: «*Ma femme était fidèle, modeste, intelligente ...*» Garde-toi, Thérèse, de croire sans réserves à ce témoignage trop indulgent. Puisque tu me forces en mes dernières défenses, puisque tu me contrains à employer toutes les armes, j'avouerai que cette phrase fut un mensonge. Un mensonge conscient. J'ai voulu paraître généreux. J'ai eu tort. Toute hypocrisie gâte une œuvre d'art. J'aurais dû décrire avec une impitoyable dureté le monstre que tu es, le mal que tu m'as fait.

«*Fidèle?* ...» J'ai su, bien avant de te quitter que tu avais cessé de l'être. Mais pourquoi l'aurais-je écrit dans un texte public? Pourquoi t'aurais-je donné, à mes dépens, le prestige de l'inconstance? «*Modeste?* ...» Tu as un orgueil infernal et le désir de dominer, d'éblouir, explique la plupart de tes actions. «*Intelligente?* ...» Oui, beaucoup de gens pensent maintenant que tu es intelligente. Et en effet tu l'es devenue. Mais sais-tu pourquoi? Parce que je t'ai modelée. Parce que durant vingt années, tu as reçu de moi tout ce qui te manquait: des idées, des connaissances, un vocabulaire. Aujourd'hui même, après cette longue séparation, tu vis du souffle que tu m'as pris et cette lettre, par laquelle tu pensais m'achever, c'est à moi encore qu'elle doit ce qu'elle a de vigueur.[5]

Vanité? Non, fierté. J'ai besoin de me répéter que je crois en moi pour me délivrer de tes maléfices. Je ne veux pas reprendre ta lettre point par point. Ce serait jouer ton propre jeu que de m'infliger ces inutiles souffrances. Encore un mot pourtant. «*Je ris amèrement,*» dis-tu, «*quand les journaux parlent de ta*

[5] whatever vigor it has.

force . . . Je n'ai jamais rencontré un homme plus faible que toi.»
Tu sais très bien, Thérèse, que tu m'attaques là sur deux plans
différents que tu affectes de confondre. Tu n'en as pas le droit.
Ce que fut mon caractère, dans mes rapports avec toi, ne regarde
que nous. Je crois maintenant comme toi que, dans cette lutte,
je fus trop faible. C'était par pitié, mais la pitié n'est pas toujours
pure de lâcheté. Seulement tu feins aussi de ne pas savoir qu'un
homme peut être faible dans la vie temporelle et créer pourtant
une œuvre forte. Et même que, bien souvent, c'est parce qu'il
fut faible dans sa vie que son œuvre est robuste. Ce que les
jeunes hommes voient dans mon œuvre, sois assurée, Thérèse,
que cela s'y trouve. Et à y mieux réfléchir,[6] si tu m'as fait
beaucoup souffrir, peut-être de ces souffrances devrais-je,
apaisé, te rendre grâces. Je dois à ta haine fidèle une part
immense de ce que je puis être.

Tu es, toi, avant tout, une destructrice. C'est la forme qu'a
prise en toi la rancune. Parce que tu n'es pas heureuse, tu hais
le bonheur. Parce que tu n'est pas sensuelle, tu méprises la
volupté. Le dépit fait de toi une observatrice pénétrante et
passionnée. Comme ces rayons qui décèlent, dans une énorme
pièce de fer, la paille qui en menace la solidité, tu vas droit, dans
un être humain, à son point faible. Tu vois la paille dans toutes
les vertus. C'est un don remarquable, Thérèse, mais c'est aussi
un don maudit. Car tu oublies que les vertus sont des réalités et
que les poutres de fer résistent au temps. Ces faiblesses que tu
montres en moi si cruellement, elles existent, je le sais; tu as vu
clair, avec une singulière acuité. Mais elles existent noyées dans
une masse si lourde et si résistante qu'aucune force humaine ne
pourrait la briser. Toi-même, tu y as échoué et à ton règne
néfaste mon œuvre et mon âme ont survécu.

«*Quelle femme,*» écris-tu, «*pourrait être heureuse avec toi?*»
Je veux que tu saches que, moi aussi, depuis notre divorce, j'ai
trouvé l'amour. Avec une épouse simple et bonne, je connais
enfin la paix. Je devine ton sourire: «Oui, mais elle? . . .» Si tu
voyais Nadine un seul instant, tu ne douterais plus de son
bonheur. Toutes les femmes n'ont pas besoin, comme toi, de
tuer pour vivre. Qui détruis-tu maintenant?

[6] when one gives it a second thought.

ANDRÉ MAUROIS

Nadine à Thérèse

Paris, le 2 février 1937.

Vous serez peut-être surprise, Madame, en recevant une lettre de moi. La légende nous veut ennemies. J'ignore quels sont là-dessus vos sentiments. Pour mon compte, non seulement je ne vous hais pas, mais j'éprouve plutôt à votre égard une involontaire sympathie. Si vous avez jadis, au moment de votre divorce, été pendant quelques mois l'Adversaire, celle qu'il eût fallu à tout prix chasser du cœur de l'homme que j'avais choisi, vous êtes devenue très vite, après mon mariage, comme une compagne invisible. Les femmes de Barbe-Bleu se rencontrent sans doute, à demi mortes, dans la mémoire de leur commun époux. Malgré lui, Jérôme me parlait de vous. J'essayais d'imaginer votre attitude devant ce caractère étrange, si difficile, et souvent je pensais que votre dureté avait été plus adroite que ma patience.

Depuis la mort de Jérôme, j'ai dû classer tous ses papiers. J'ai trouvé là beaucoup de vos lettres. L'une d'elles surtout m'a émue. C'est celle que vous lui avez écrite, il y a cinq ans, après la publication de son *Journal*. Je lui avais souvent dit que cette page vous offenserait. Je l'avais prié de la supprimer. Mais il était, lui, ce faible, d'une obstination et d'un courage singulier quand il s'agissait de son œuvre. Votre réponse avait été brutale. Peut-être serez-vous étonnée si je vous dis que je la trouve assez juste.

Ne croyez pas que je trahisse Jérôme mort. Je l'ai aimé; je lui demeure fidèle; mais je le juge et je ne sais pas mentir. L'écrivain, en lui, était admirable par son talent aussi bien que par sa conscience. Sur l'homme, vous avez dit la vérité. Non, Jérôme n'était pas un apôtre, ou du moins, s'il pouvait paraître tel à ses disciples, il ne nous trompa jamais, nous, ses femmes. Il avait besoin d'entourer ses actions, le choix de ses opinions politiques, toutes choses enfin, d'un halo de sainteté, mais les motifs qui le faisaient agir étaient, nous le savons, assez petits. Il se faisait une vertu de sa haine du monde, mais de celle-ci la cause profonde était sa maladive timidité. Il se montrait, pour les femmes, un ami attentif et respectueux, mais c'était là,

2 5 2

comme vous le lui écriviez, faute de vigueur plutôt que tendresse véritable. Il fuyait les honneurs officiels, mais c'était par orgueil et par calcul bien plutôt que par humilité. Enfin il n'a jamais fait un sacrifice qui n'ait été un bénéfice et, de cette adroite maladresse, il nous fallait bien être des dupes.

Vraiment, je crois, Madame, qu'il n'a jamais connu lui-même sa véritable nature et que cet homme, si pénétrant et si sévère quand il analysait les âmes des autres, est mort en se croyant un sage.

Ai-je été heureuse avec lui? Oui, malgré tant de déceptions, parce qu'il était un spectacle toujours neuf et un être prodigieusement intéressant. Cette duplicité même, que je viens de décrire, faisait de lui une vivante énigme. Je ne me lassais pas de l'entendre, de l'interroger, de l'observer. Surtout sa faiblesse me touchait. Mes sentiments pour lui, dans les dernières années, furent plutôt ceux d'une mère indulgente que ceux d'une femme amoureuse. Mais qu'importe la manière d'aimer, pourvu que l'on aime? Quand j'étais seule, je le maudissais; dès qu'il paraissait, j'étais reconquise. D'ailleurs il n'a jamais rien su de mes angoisses. A quoi bon? Je pensais qu'une femme qui l'eût démasqué et contraint à se regarder dans un miroir fidèle, se serait fait haïr par lui sans le convaincre. Vous-même n'avez osé parler qu'au temps où vous saviez ne plus le revoir.

Et pourtant comme vous l'aviez marqué! Depuis votre séparation, Jérôme n'a plus rien fait que récrire chaque année, près de moi, l'histoire de cette rupture. Vous étiez son unique héroïne, le personnage central de tous ses livres. Dans tous, sous des prénoms divers, je retrouvais votre coiffure de page florentin, la dignité de vos gestes, votre ardeur agressive, votre pureté dédaigneuse, et le dur éclat de vos yeux. Jamais il n'a su peindre mes sentiments, ni mes traits. Plusieurs fois il l'a essayé, pour me faire plaisir. Ah! si vous saviez comme j'ai souffert en voyant chaque fois ce personnage, qu'il modelait devant moi, évoluer malgré le sculpteur vers une femme qui vous ressemblait. Un de ces contes porte mon nom, *Nadine*, mais la vierge sage, inaccessible, qui en est l'héroïne, comment ne pas voir que c'est encore vous? Que de fois j'ai pleuré en copiant les chapitres où

2 5 3

ANDRÉ MAUROIS

vous tenez tantôt le rôle de la fiancée mystérieuse, tantôt celui de l'épouse infidèle et adorée, tantôt celui de l'adversaire odieuse, injuste, et pourtant désirée.

Oui, depuis que vous l'avez quitté, il a vécu sur les souvenirs, sur les mauvais souvenirs que vous lui aviez laissés. J'avais essayé, moi, de lui faire une vie tranquille, saine, toute consacrée au travail. Je me demande aujourd'hui si j'ai eu raison. Peut-être un grand artiste a-t-il besoin de souffrir. Peut-être la monotonie est-elle pour lui un mal pire que la jalousie, que la haine, que la douleur. C'est un fait qu'au temps où vous étiez sa femme, Jérôme a écrit les plus humains de ses livres; c'est un fait que privé de vous, il a remâché sans fin les derniers mois de votre vie commune. La cruauté même de la lettre que j'ai sous les yeux ne l'avait pas guéri. Il a passé ses dernières années à essayer d'y répondre, dans son cœur et par ses ouvrages. Son dernier livre, inachevé, dont j'ai ici le manuscrit, est une sorte d'implacable confession où il se déchire en s'excusant. Ah! que je vous ai envié, Madame, cet affreux pouvoir de l'inquiéter que vous donnait votre froideur!

Pourquoi vous dis-je aujourd'hui ces choses? Parce que j'avais depuis longtemps besoin de les dire. Parce que vous êtes, me semble-t-il, la seule qui puisse les comprendre, et aussi parce que cette sincérité va, j'espère, m'aider à obtenir de vous une faveur. Vous savez que depuis la mort de Jérôme, on a beaucoup écrit sur lui. Je ne trouve pas que ce qui a été dit de son œuvre soit très exact, ni très profond, mais là-dessus je me garderai d'intervenir. Les critiques ont le droit de se tromper; la postérité jugera, et je crois que l'œuvre de Jérôme est de celles qui survivront. Mais je ne puis garder le même calme quand les biographes, eux, déforment sa figure et ma vie. Les détails de l'existence de Jérôme, les traits intimes de son caractère, vous seule et moi, Madame, les avons bien connus. Après avoir longtemps hésité, j'ai pensé que c'était mon devoir, avant de disparaître, que de fixer ces souvenirs.

Je vais donc écrire un livre sur Jérôme. Oh! je sais bien que je n'ai pas de talent. Mais c'est ici la matière, non la forme, qui importe. Au moins laisserai-je un témoignage; peut-être un jour quelque biographe de génie s'en servira-t-il pour un portrait

254

définitif. Je m'efforce, depuis quelques mois, de réunir tous les documents qui me seront nécessaires. Sur une période cependant, j'ai fort peu de matériaux; c'est celle de vos fiançailles et de votre mariage. J'ai cru que ce serait un geste hardi, peu conventionnel, mais honnête et loyal, que de venir tout droit à vous et de vous demander votre appui. Je ne l'aurais probablement pas osé si je n'avais éprouvé à votre égard cette étrange, mais réelle sympathie, dont je vous parlais en commençant. Il me semble que, sans vous avoir jamais vue, je vous connais mieux que personne. Un instinct me dit que j'ai raison de vous traiter avec cette confiance presque téméraire. Écrivez-moi, je vous prie, où et quand je pourrai vous rencontrer pour vous expliquer mes projets. J'imagine qu'il vous faudra un peu de temps pour retrouver et classer, si vous les avez conservés, des papiers déjà anciens, mais de toute manière j'aimerais à avoir, le plus tôt possible, une conversation avec vous. Je voudrais vous dire comment je conçois ce livre. Vous verrez alors que vous n'avez pas à craindre de ma part un traitement sévère, ni même partial. Bien au contraire je mettrai, je vous le promets, toute ma coquetterie à vous rendre justice. Naturellement je sais que vous avez refait votre vie, et j'aurai grand soin de ne rien citer, ni conter, qui puisse aujourd'hui vous embarrasser. Je vous remercie à l'avance de ce que vous ferez, j'en suis certaine, pour rendre ma tâche plus facile.

Nadine Jérôme-Vence

P.S.—Je vais, cet été, me rendre à Uriage où Jérôme vous fut présenté, pour mieux décrire, en le peignant d'après nature, le décor de sa rencontre avec vous, sur la terrasse de l'Hôtel Stendhal. Il me serait utile aussi de visiter la propriété de vos parents.

2ᵉP.S.—Je suis mal renseignée sur la liaison de Jérôme avec Madame de Verniez. En savez-vous plus que moi? Il parlait sans cesse de vous mais, sur cette aventure de jeunesse, fut toujours discret, fermé, réticent. Est-il exact que Mme de V. l'ait rejoint à Modane en 1907 et ait fait avec lui tout le voyage d'Italie?

La grand-mère paternelle de Jérôme s'appelait-elle Hortense, ou Mélanie?

ANDRÉ MAUROIS

Thérèse à Nadine

Evreux, le 4 février 1937.

Madame,

A mon bien vif regret, je ne puis vous être d'aucun secours.
J'ai en effet décidé de publier moi-même une Vie de Jérôme
Vence. Sans doute vous êtes sa veuve, vous portez son nom et,
pour cette raison, un court volume de souvenirs signé de vous
sera bien accueilli. Mais entre nous la franchise s'impose;
avouons donc, Madame, que vous avez fort peu connu Jérôme.
Vous l'avez épousé en un temps où déjà il était illustre et où sa
vie publique débordait sur sa vie privée. J'ai assisté, moi, à la
formation de l'écrivain et à la naissance de la légende, et vous-
même voulez bien reconnaître que le meilleur de son œuvre a
été composé près de moi, ou en souvenir de moi.

Ajoutez que, sans mes documents, aucune biographie sérieuse
de Jérôme ne peut être écrite. J'ai deux mille lettres de lui, deux
mille lettres d'amour, et de haine, sans compter mes réponses,
dont j'ai conservé les brouillons. Pendant vingt ans, j'ai découpé
tous les articles parus sur lui ou sur ses livres, classé les lettres
de ses amis et celles des admirateurs inconnus. Je possède tous
les discours de Jérôme, ses conférences, ses articles. L'Admi-
nistrateur de la Bibliothèque Nationale, qui vient d'inventorier
ces richesses, car je compte les léguer à l'État, m'a dit: «C'est
une collection incomparable.» Un exemple: vous me demandez
le prénom d'une aïeule bordelaise. J'ai, moi, tout un dossier sur
cette Hortense-Pauline-Mélanie Vence, comme sur chacun des
ancêtres de Jérôme.

Il aimait à se dire «un homme du peuple.» Ce n'est pas exact.
A la fin du dix-huitième siècle, les Vence étaient propriétaires
d'un vignoble de Graves, modeste mais excellent, et les grands-
parents maternels de Jérôme arrondissaient une centaine
d'hectares du côté de Mérignac. Son grand-père, sous Louis-
Philippe, avait été maire de son village et un de ses grands-
oncles Jésuite. Les Vence, vignerons cossus, étaient, à leur
manière, des bourgeois. Je me propose de le montrer. Non que
je veuille souligner le snobisme à rebours qui était l'une des
faiblesses du pauvre Jérôme. Je compte me montrer impartiale,

256

et même indulgente. Mais je tiens aussi à être exacte. C'était là, Madame, le moindre défaut du grand homme que nous avons toutes deux aimé, et jugé.

En ce qui vous concerne, je ne serai certes pas moins généreuse que vous n'avez vous-même le désir de l'être à mon égard. Pourquoi nous déchirer l'une l'autre? Que vous ayez été la maîtresse de Jérôme avant votre mariage, les lettres que j'ai entre les mains le prouvent; je me garderai de les citer. J'ai horreur du scandale, pour les autres comme pour moi-même. D'ailleurs quels que soient mes griefs contre Jérôme, je reste fidèle admiratrice de son œuvre et je la servirai de mon mieux, avec une abnégation totale. Peut-être serait-il souhaitable, puisque nos deux livres paraîtront à peu près en même temps, que chacune de nous communique à l'autre des épreuves. Nous éviterons ainsi des contradictions qui, aux critiques, pourraient sembler suspectes.

Sur la vieillesse de Jérôme, sur sa déchéance après la première attaque d'apoplexie, vous en savez plus que moi. C'est là un aspect de sa vie que je vous abandonne. J'ai l'intention de terminer mon livre au moment de notre séparation. (A quoi bon évoquer les querelles qui suivirent?) Mais, dans un épilogue, je raconterai très brièvement votre mariage, puis le mien, et dirai comment j'ai appris la mort de Jérôme en Amérique où je me trouvais avec mon second mari. Soudain, dans un *Newsreel*, j'ai vu sur l'écran les funérailles nationales, les dernières photographies de Jérôme, et vous, Madame, descendant d'une tribune au bras du Président du Conseil.[7] Cela peut faire une très jolie fin.

Mais vous aussi écrirez, je n'en doute pas, un petit livre charmant.

Madame Jérôme Vence aux Éditions du Lys

Paris, le 7 février 1937.

Je viens d'apprendre que Madame Thérèse Berger (qui fut, vous le savez, la première femme de mon mari) prépare un volume de souvenirs. Il nous faudra, pour la devancer, publier

[7] Prime Minister.

le nôtre dès la rentrée.[8] Vous aurez mon manuscrit le 15 juillet.
J'ai été heureuse d'apprendre que des options ont été demandées
pour les États-Unis et le Brésil.

Thérèse à Nadine

Evreux, le 9 décembre 1937.

Madame,

A la suite du succès de mon livre en Amérique (il a été choisi
par le *Book of the Month Club*), je viens de recevoir de Hollywood deux longs câbles au sujet desquels mon devoir est de vous
consulter. Un agent me propose, au nom d'un des plus grands
producteurs, de mettre à l'écran une *Vie de Jérôme Vence*. Vous
n'ignorez pas que Jérôme est très populaire aux États-Unis,
parmi les intellectuels libéraux, et que les *Messages* y sont des
classiques. Cette popularité même et le caractère quasi aposto-
lique qu'a pris là-bas la figure de notre mari font que le producteur souhaite donner à son film un caractère émouvant et
noble. Certaines de ses exigences m'ont d'abord fait bondir. A y
mieux réfléchir, il m'a semblé qu'aucun sacrifice ne serait trop
grand si nous pouvons assurer à Jérôme, auprès des masses, la
consécration universelle que, seule en notre temps, confère le
cinéma. Nous le connaissions assez toutes deux pour savoir que
telle eût été sa réaction et que la vérité historique fut toujours le
cadet de ses soucis lorsque sa gloire était en jeu.

Voici les trois points les plus épineux:

(a) Hollywood tient à ce que Jérôme ait été un homme du
peuple, d'une extrême pauvreté, et souhaite peindre ses premières
luttes contre la misère sous un jour tragique. C'est faux, nous le
savons, mais après tout c'était la version qui plaisait à Jérôme
lui-même, et nous n'avons aucune raison de nous montrer là-
dessus plus exigeantes que le héros.

(b) Hollywood veut que Jérôme ait, au moment de l'Affaire
Dreyfus,[9] pris parti avec violence et mis en jeu toute sa carrière.

---

[8] the beginning of the fall season, when social, literary, and artistic activi-
ties are resumed   [9] the Dreyfus case divided France into two camps, around
the turn of the century. Dreyfus, an officer in the French Army, had been
wrongly accused and convicted as a spy in 1894. He was rehabilitated in
1906 after a violent campaign that roused political and religious passions.

C'est historiquement inexact, et chronologiquement impossible, mais ne peut nuire en rien à sa mémoire, bien au contraire.

(c) Enfin, et c'est ici le plus difficile, Hollywood considère comme très maladroit de mettre deux femmes dans la vie de Jérôme. Son premier mariage ayant été un mariage d'amour (rendu particulièrement romanesque par le conflit avec ma famille) l'esthétique particulière du cinéma exige que ce mariage soit heureux. Le producteur me demande donc l'autorisation de «fondre» les deux femmes, c'est-à-dire vous et moi, en une seule. Il utiliserait, pour la fin du film, les renseignements donnés dans votre livre, mais en m'attribuant votre attitude au temps de la maladie et de la mort.

J'imagine aisément vos répugnances et, sur ce dernier point, j'avais commencé par refuser. Mais l'agent câble de nouveau en me donnant un argument péremptoire. Le rôle de Madame Vence doit naturellement être joué par une vedette. Or jamais une très grande actrice n'accepterait de figurer dans un film si elle devait disparaître après la première partie. Il me donne un exemple: dans *Marie Stuart*, pour obtenir qu'un acteur illustre voulût bien jouer le rôle de Bothwell, il a fallu mêler celui-ci par une idylle purement imaginaire, à la jeunesse de la Reine. Vous avouerez que si l'histoire, dans ses événements les mieux connus, s'accommode ainsi des nécessités de l'écran, nous aurions mauvaise grâce,[10] vous et moi, à faire preuve d'un pédantisme un peu ridicule quand il s'agit de nos modestes existences.

J'ajoute: (a) Que cette femme unique n'aurait ni vos traits, ni les miens, puisque l'actrice qui nous représenterait serait celle qui se trouve en ce moment avoir un contrat avec le producteur et qu'elle ne ressemble ni à l'une, ni à l'autre d'entre nous; (b) Que la somme offerte est fort élevée (soixante mille dollars, au cours actuel du franc plus d'un million) et que naturellement, si vous acceptiez les changements imposés, je rétribuerais très largement la part de collaboration apportée par votre livre.

Je vous prie de me répondre par dépêche, car je dois moi-même câbler à Hollywood.

---

[10] it would be unseemly of us.

ANDRÉ MAUROIS

Nadine à Thérèse

(par télégramme)

10.XII.37 SUJET TROP IMPORTANT POUR ÊTRE TRAITÉ PAR
CORRESPONDANCE *Stop* PRENDRAI PARIS TRAIN 14 HEURES 23
SERAI CHEZ VOUS VERS 18 HEURES *Stop* MEILLEURS SENTIMENTS
—NADINE.

Thérèse à Nadine

Evreux, le 1ᵉʳ août 1938.

Chère Nadine,

Me voici de nouveau dans cette maison de campagne que vous connaissez et que vous voulez bien aimer. J'y suis seule, mon mari étant en voyage pour trois semaines. Je serais très heureuse si vous acceptiez d'y venir faire un séjour, aussi long que vous le pourrez et le voudrez. Si vous désirez lire, écrire, travailler, je suis moi-même fort occupée par mon nouveau livre et vous laisserai bien tranquille. Si vous préférez visiter le pays, qui est charmant, ma voiture sera la vôtre. Mais le soir, si vous avez le loisir de vous reposer au jardin près de moi, nous parlerons de nos souvenirs, de nos «mauvais souvenirs»—et de nos affaires.

Croyez à ma très affectueuse sympathie.

THÉRÈSE BERGER

QUESTIONS

1. Qu'est-ce qui, dans le livre de Jérôme, a le plus blessé Thérèse?
2. Quel est le but de la lettre de Thérèse à Jérôme?
3. Comparez les lettres qu'échangent Thérèse et Jérôme et essayez de déterminer quelle a été l'attitude de Thérèse envers Jérôme pendant leur mariage.
4. Relevez les contradictions entre les différentes lettres de Thérèse.
5. Quels sont les motifs qui ont poussé Thérèse à épouser Jérôme?
6. Comparez les motifs de Thérèse à ceux de Nadine.
7. Cherchez entre les motifs des deux femmes une similarité qui explique leur entente après la mort de Jérôme.
8. Expliquez le titre de cette nouvelle.

Paul Morand

Pour les jeunes Français qui eurent vingt ans entre 1920 et 1930 et qui découvraient le nouvel univers issu de la Grande Guerre, Paul Morand (1888–) représentait la modernité même.

L'Europe sortait alors de ce qui avait été sans doute le massacre le plus efficace et le plus absurde de toute l'histoire. A elle seule la France, en cinquante et un mois, avait vu tuer un million trois cent mille de ses hommes, près de neuf cents chaque jour pendant mille cinq cent soixante-trois jours. Étonnés de n'avoir pas été immolés dans l'hécatombe, les survivants contemplent les destinées brisées et quand ils essaient de rendre un sens au reste de leur existence ils se sentent partagés entre la lassitude et l'ivresse de la vie, et sollicités par la jouissance avide ou par un insondable découragement. Les révolutions de l'Est européen déversent sur l'Ouest des flots de rescapés ruinés et désemparés. Les désordres de l'inflation et de la spéculation bouleversent fortunes et classes sociales. Les nuits des villes s'illuminent des lumières au néon. Les rythmes de la musique nègre s'imposent. Les bars vulgarisent le cocktail (que les puristes snobs orthographient «coquetel»). L'automobile, sortie en série, promet à chacun le plaisir de l'évasion à bon marché, et l'enivrement de la vitesse. L'avion se met à rapetisser la planète. Le cinéma s'invente comme art nouveau, et fixe l'actualité en histoire. L'architecture s'éprend du fonctionnel. Les femmes coupent leur chevelure, se libèrent, conquièrent de nouveaux statuts, donnent l'illusion de rapports nouveaux. Sur les scènes de la vie future se profile l'ombre de l'américanisation.

Ceux qui n'ont pas vécu cette époque ne peuvent imaginer cette atmosphère encore crispée, trépidante, nerveuse, irréelle, névrosée même, où la tension de la guerre s'était transformée en recherche du

2 6 1

plaisir, de l'argent, de l'amour et de la découverte du monde. Pourtant il est possible d'en retrouver la vibration dans l'œuvre de Paul Morand parue à cette époque, romans ou nouvelles où il condense dans un style rapide, chatoyant, désinvolte, tout l'esprit de l'époque: *Ouvert la Nuit* (1922); *Fermé la Nuit* (1923); *Lewis et Irène* (1924); *L'Europe galante* (1925); et aussi *Champions du monde* (1930), regards rapides sur des vies américaines.

Paul Morand était admirablement équipé pour le cosmopolitisme. Né dans une famille artiste, qui avait séjourné en Russie dans sa génération précédente, élève de l'École des Sciences Politiques où il avait acquis une large culture historique et politique, il passe un an à Oxford en 1908 et fait de multiples voyages à l'étranger: en Allemagne, en Belgique, en Italie, en Espagne. Puis il entre dans la carrière diplomatique. Attaché à Londres, secrétaire d'ambassade à Rome, à Madrid, il fait le tour du monde en 1925, à l'occasion d'un poste éphémère de chargé d'affaires à Bangkok. Il abandonne la carrière en 1926, mais garde la passion des voyages: deuxième passage aux États-Unis en 1929, séjour dans les Caraïbes, et bien d'autres explorations de la planète. De ces voyages il rapporte des panoramas du monde: *Rien que la terre* (1926), *Bouddha vivant* (1927), *Magie noire* (1927); *Hiver caraïbe* (1929); *New-York* (1929); *Londres* (1931); *Air indien* (1932); *Bucarest* (1935). Après douze ans d'interruption, il rentre au Quai d'Orsay en 1938, et accepte pendant la guerre du gouvernement de Vichy divers postes au Portugal, en Roumanie, en Suisse, ce qui lui vaut à la Libération des sanctions qui seront levées en 1953. Depuis la guerre il continue à publier romans, nouvelles, réminiscences sur Marcel Proust qui avait préfacé son troisième livre, *Tendres Stocks*, et sur Jean Giraudoux, de six ans son aîné, qui fut son précepteur et un ami très proche. Cet inlassable voyageur a aussi été écrivain d'une extrême fécondité: sa bibliographie compte dans les quatre-vingts titres.

La nouvelle qui suit a paru en 1957 dans la *Nouvelle Nouvelle Revue Française*. La connaissance que Paul Morand a des États-Unis est plus pittoresque que profonde. C'est sans doute Jean Giraudoux qui, après son séjour comme lecteur à Harvard en 1906 et comme instructeur militaire en 1917, l'a initié à l'Amérique. Le récit suivant se déploie dans une satire discrète des mœurs américaines de 1900 pour déboucher dans le conte fantastique. Morand connaît bien la période du début du siècle qu'il a présentée dans son livre *1900*. L'idée ingénieuse de rattacher une soi-disant Polly Kolb à Polly Peachum, l'héroïne du *Beggar's Opera* de John Gay, ne dépasse pas les droits de la fantaisie littéraire. L'opéra de John Gay, que Paul Morand évoque souvent, avait été repris à Londres, à Hammersmith, en 1920, et popularisé par le cinéma et la musique de Kurt Weill. On retrouve dans «La Présidente» la construction schématique, la rapidité de style, l'expression à l'emporte-pièce et jusqu'à certains tics littéraires qui donnaient leur saveur aux grands récits de Morand durant la décennie de 1920.

LA PRÉSIDENTE

I

SONNANT sa cloche, le train entrait en gare. D'une portière, Dagmar vit agiter un fanion [1] pourpre [2] marqué d'un H blanc au centre, le drapeau de touche [3] de Harvard; derrière, elle aperçut son frère; il sauta sur le quai, la saisit, la soulevant du sol comme ange de l'Annonciation, la serrant contre son torse plus matelassé [4] de muscles que de coton le maillot [5] d'une tête de mêlée. [6]

«Jere! dit-elle, je t'attendais; il faut que tu lui parles . . .

— . . . Que je lui parle de Patrick? Tu lui as tout dit?

— Non . . ., fit-elle, rien.

— De nouveau tu as eu peur?»

Cette peur, qui ne quittait guère les enfants Ferrymore, verdit le visage mat de Dagmar entre ses cheveux noirs et plats.

«Oui, j'ai eu peur! . . . Tu sais bien que, quand il faut lui parler, la voix me manque . . . Toi, tu es libre, un garçon sortant d'école, tiré d'affaire. Mais moi, la Présidente m'écrase de son poids.»

La Présidente, c'était leur mère; ce surnom, [7] ils le lui avaient donné, dans leur secrète révolte d'enfants opprimés, pour railler sa situation de *social leader*. Une aversion profonde pour Mrs. Ferrymore unissait le frère et la sœur, plus encore que le sang.

---

[1] pennant [2] obviously crimson, not purple [3] touchdown [4] padded (from *matelas*, mattress) [5] i.e., que le maillot d'une . . . n'est matelassé de coton [6] fullback [7] nickname.

«Qu'est-ce que tu veux? Que la Présidente invite ton Patrick? Un gars[8] du Texas!

— Il prépare l'École des Chartes . . .[9]

— Un cow-boy chartiste![10] D'abord, elle n'en voudra pas; des années-lumière mondaines[11] la séparent, te séparent d'un garçon de cette classe; tu rêves quoi? Qu'il charmera la Présidente comme il t'a charmée, qu'elle bénira votre union? Mon pauvre lapin!

— Pourquoi pas? Dans ton cœur de brute Patrick a bien fait[12] son trou.

— Le cœur n'est pas un organe Ferrymore. O'Casey est mon ami parce qu'il me dit des choses neuves, me fait des yeux neufs; il est merveilleusement en tête dans tout, il pète le feu de la poésie[13]; il ne dort jamais, le jour étudiant, linotypiste la nuit. Il ose porter à son poignet une montre, attachée par une lanière de cuir. C'est quelqu'un . . . mais ce n'est pas quelqu'un pour toi, ma petite âme sœur. Te vois-tu, vivant avec lui selon le *comme il faut*, New-York l'hiver, Newport, ici, l'été, Saratoga en automne, Redfern[14] à Paris, au printemps? Par file à droite, droite,[15] derrière la Présidente, clac . . . clac.»

Imitant sa mère, Jeremiah Ferrymore découvrit des dents aussi régulières qu'un mur crénelé et claqua de la mâchoire.

Dagmar se pendit au bras de son frère:

«Jere, tu pourrais lui expliquer que les O'Casey sont des gens très bien?

— Très bien? Ah! ah! Laisse-moi rire: arrivés en Amérique après 1680; c'est trop tard pour la Présidente, clac, clac! Trop tard!

— Le XVIIe siècle, cette borne sacrée, je lui crache dessus!» cria Dagmar, fondant en larmes.

Le canotier[16] de toile cirée noire qu'elle avait mis le matin avec une jupe cloche, pour jouer au croquet, glissa, cachant le petit nez d'épagneul et les joues trempées, une belle peau unie

---

[8] fellow, guy [9] specialized school which prepares historians and archivists [10] student at the École des Chartes [11] social [12] after all, P. did ingratiate himself to you [13] full of poetic fire [14] well-known tailor, with branches in London and New York [15] military command; column right [16] flat boater hat.

comme de la pierre. A travers la batiste du mouchoir dont elle
tamponnait ses yeux bleus, avec des cils comme des plumes, on
entendait, coupés de sanglots: «J'en crève . . . Quelle prison . . .
Je m'en irai loin . . . mourir dans une chaumière . . . avec des
malappris . . .» Les pensées de Dagmar embourbée dans son chagrin n'étaient pas plus claires que ses hoquets; possédée par
l'autorité maternelle qui la magnétisait à distance, bouleversée
par le sentiment de sa faiblesse, accrochée désespérément
à son frère, elle n'était qu'une pauvre fille riche, privée de
tout.

«Révolte-toi, ma fille. En 1900, on se révolte!

— Impossible. Quand je veux me mettre en colère, les gros
mots [17] me manquent . . .

— Fais comme moi: j'ai appris; c'est si agréable d'être mal
élevé quand on a été bien élevé.»

Devant la gare, midi tombait sans ombre sur la robe du
poney, sur le chien de Dagmar, un griffon en forme de chrysan-
thème, sur les harnais, les aciers et les cuivres de la grande
araignée [18] à capote noire qui les attendait. Jeremiah serra
autour de ses jambes la couverture à carreaux, aux initiales
rouges des Ferrymore, et prit les guides. [19]

Ils longèrent la falaise de Newport. Le bord de l'Océan
s'enfonçait dans la brume d'été; sur la mer passaient, une
crinière de fumée sur le cou, quelques yachts de «gens pro-
éminents [20] dans la société.»

Le frère et la sœur s'adoraient, se chamaillaient, un vrai petit
ménage. [21] Séparés, ils se déréglaient, Jeremiah devenait un
athlète neurasthénique et Dagmar une écolière indécise; ensemble, ils retrouvaient leur équilibre, comme au temps où ils
se payaient les montagnes russes, [22] les patins à roulettes, le
cirque, et des tas de rêves en commun, tout [23] au bonheur d'avoir
échappé à leur famille, cette œuvre, hélas, parfaite.

«Où est le governor?

— En mer, moulinet à la ceinture; il pêche le thon, assis sur
son trépied tournant.

[17] swear words [18] buggy [19] reins [20] intentional Americanism, for
éminents [21] a couple of newlyweds [22] treated themselves to the roller
coaster [23] entirely absorbed in.

— Puisse le thon emporter mon père par-dessus bord!» cria le Harvardien.

Le brillant poney de la Caroline du Nord, touché par la mèche du fouet, s'allongea à l'extrême, projetant un sabot bien ramassé; il steppait [24] si parfaitement haut que les passants se retournaient.

«Te voilà donc parvenu à ton dernier trimestre . . . Maintenant, que vas-tu faire, Jere?

— Vivre idiotement *in the realm of beautiful nonsense,* au royaume de l'extravagance et de l'absurdité.

— Tu m'emmènes?

— Je fumerai la pipe au lit, je m'habillerai sans me laver, je déjeunerai en robe de chambre; ayant commencé l'existence en eton et haut-de-forme, je veux la finir en casquette. [25] Après la meilleure société, la pire! Je fréquenterai des pugilistes, des voyous, des pitres. *Tough and rough.* J'irai m'installer dans une forêt. Je veux fonder un Club de la forêt; j'y tiendrai salon, comme ma mère, mais un salon de sauvages préhistoriques.

— Et tu m'emmènes!» répéta Dagmar, sans conviction; elle savait qu'aucun de ces projets n'avait chance de vivre.

Hommage à l'Europe, par respect pour l'autre bord de l'Océan, les plus belles villas de Newport, ces hauts lieux de la Finance, alignaient leurs échantillons de style Vieux Monde. Tout à l'orgueil [26] d'égaler Biarritz ou de surpasser Brighton, les manoirs Tudor, les chalets suisses en mélèze découpé, les castels à meneaux, [27] les cathédrales gothiques, les loggias florentines défilaient devant la voiture, comme surnagent certains pavillons après les expositions universelles; ils se côtoyaient sans murs, à peine séparés par un tapis de gazon pour le croquet, roulé à l'anglaise. Le sucre des Havemeyer, le tabac des Lorillard Spencer, le pétrole de John D. Rockfeller, les grands magasins des Marshall Field n'osaient se mouiller les pieds dans les vagues et restaient au bord de la mer comme au bord de la vie, figés dans l'imitation de l'Europe.

Pour le frère et la sœur, ces résidences étaient leur décor

[24] the hoof was *correctly* held, the horse was a high-stepper   [25] *eton:* prep school cap; *haut-de-forme:* top hat; *casquette* is plebeian   [26] see note 23
[27] château with mullions.

natal, celui du bon *set*; ils avaient été élevés entre les Mackay et
les Gould; dans leur innocence, ils se croyaient appelés à ne pas
leur ressembler, comme si ce goût de l'anéantissement dont ils
n'étaient pas peu fiers, ce désir de vivre sordidement, faute de [28]
pouvoir le faire noblement, leur mauvaise conscience et leurs
rêves socialisants n'étaient pas la marotte de tant de milliardaires
du XIXe siècle . . . Enfantins et vagues, le frère et la sœur se
ressemblaient mieux que des jumeaux, par leur beauté Bas-
Empire, leur lèvre supérieure si courte que la bouche ne fermait
pas, découvrant des canines aiguës qui leur donnaient un air
fier et féroce de renardeaux traqués. Et ce front mangé par les
cheveux noirs, ces sourcils joints, le portrait de leur mère: ce
qu'ils détestaient en elle, c'était eux-mêmes.

Dans un moment ils déjeuneraient avec elle, devant elle,
contre elle. Le torrent de terrifiante énergie qu'ils allaient
affronter leur coupait l'appétit; le frère, un peu plus affranchi
lorsqu'il était loin, en présence de Mrs. Ferrymore n'en menait
guère plus large [29] que sa sœur. Subir une mère admirable au
fond d'une salle à manger gothique, parfaite réduction d'Azay-
le-Rideau, leur gâtait presque le plaisir d'être ensemble. Ils
rageaient de n'avoir rien appris de la vie, malgré tant de leçons,
tant de répétitions, tant de cours, depuis la trigonométrie
jusqu'à la valse parlée, dite boston, de Mr. Dodsworth; ils
restaient, jusque dans leurs mauvaises manières, affichées avec
excès hors de la présence maternelle, des produits de l'élevage
des misses Mary et Jane Ely, jurisconsultes faisant autorité
dans ce droit coutumier [30] des salons américains, si compliqué,
où ce qui est permis aux Fish ne l'est pas aux Belmont, ou
inversement.

II

Madge Ferrymore, née Ferrymore, avait épousé son cousin
Arthur Jacob Ferrymore pour ne pas mêler un sang moins pur
au sang le plus bleu de la Caroline. Sérénissime [31] sans Gotha, [32]

[28] for want of [29] was just as scared [30] the common law (of social
customs) [31] Most Serene Highness [32] social register of European nobility,
published in Gotha (Germany).

étalant son patriciat et ses vertus avec plus d'ostentation que sa parure de Boucheron[33]—rubis et brillants—célèbre dans les deux mondes, l'impérieuse Présidente respirait[34] le plus redoutable esprit de bienfaisance. La liste des œuvres qu'elle présidait tenait trois pages. Dictateur glacé, elle dominait les Astor qui la citaient, les Vanderbilt qui la ménageaient, les Hyde qui la craignaient, les Harriman qui la recherchaient, Pierpont Morgan qui n'eût[35] pas acheté un émail byzantin sans prendre son avis; réussite suprême enfin, Harry Lear[36] et le beau MacAllister[37] se disputaient l'honneur de conduire ses cotillons «plus ennuyeux, disait son fils, qu'un dimanche à Philadelphie.» Souveraine incontestée des Quatre Cents et du clan puritain des Knickerbockers, la Présidente, plus contraignante, moralisatrice et providentielle que Jéhovah, jouissait comme lui d'une situation que la peur rendait inébranlable. Elle avait inspiré Henry James[38] et servi de modèle à Edith Wharton[39]; Coquelin cadet[40] avait récité chez elle ses monologues, et Paul Bourget,[41] reporter par nécessité, avait traversé l'Océan, envoyé par Gordon Bennett[42] pour l'interviewer. Avec ses grosses perles d'un orient blanc sur le décolleté en carré de Worth,[43] la peau trop rose, les lèvres musclées par l'éloquence, un beau visage animé, claquant des dents après chaque phrase et comme grelottant de son propre froid, elle portait ses cinquante ans ainsi qu'une trentaine à peine entamée; elle rajeunissait surtout pendant les absences de son mari, lequel vivait sur son yacht (mille tonneaux et un orchestre à bord) non parce qu'il aimait la mer, mais parce qu'il lui permettait d'échapper aux thés de sa femme, ou d'esquiver des *luncheon-parties* avec discussion des problèmes à l'ordre du jour, données par elle en l'honneur de quelque *Association des Dames de Rhode Island*. La munificence de Mrs. Ferrymore étant, comme sa vanité, sans

---

[33] well-known jeweler of the time [34] exuded an air [35] *n'aurait pas* [36] actually Harry Lehr, noted socialite [37] well-known fop [38] American novelist (1843–1916) [39] American novelist (1862–1937); in 1900 she had published only two short stories [40] French actor (1848–1909) [41] French novelist (1852–1935); visited the United States in 1893; was guest of Edith Wharton at Newport [42] publisher of the *N.Y. Herald*; founded the European edition of the paper [43] famous couturier.

La Présidente

bornes, elle distribuait des piscines, des stades, des bourses de
voyage et des télescopes aux observatoires. Ses listes d'invitation
étaient si rigoureusement tenues à jour[44] qu'une heure après
leur décès les morts y étaient rayés et le remplaçant choisi sur
une seconde liste, promotion toujours prête. Les rares fois où
Arthur Jacob pensait à sa femme, il ne l'évoquait qu'à ses
grands dîners-champs de bataille, hautaine, susceptible, majestueuse, prête un quart d'heure trop tôt, ses pions déjà en
place, concierge à la porte, valets de pied dans l'entrée, première
femme de chambre au vestiaire des dames, valets de chambre à
celui des hommes, le chef à ses canapés d'ortolans,[45] la fille de
cuisine à la lèchefrite, le butler, payé quatre cents dollars par
mois, derrière la chaise de sa maîtresse, attendant 6 h. 30,
entrée des invités, 6 h. 40, *Dinner is served*, 6 h. 45, bras aux
dames.

La voiture s'arrêta devant le perron, entre deux massifs
d'hortensias bleus; le *janitor*, homme de couleur à la livrée des
Ferrymore (feuille-morte, passepoil bleu de ciel), ouvrit à ses
jeunes maîtres la porte d'un ascenseur capitonné, sorte de
carrosse de cour qui monta avec la rapidité d'actions privi-
légiées[46] du *Canadian Pacific*. Personne n'empruntait jamais
l'escalier de marbre blanc à double révolution, ce rêve inutile de
tous les architectes.

Jeremiah prit le bras de sa sœur:

«Chair de poule?[47] Tu ne te guériras donc jamais de cette
tremblote[48] à l'idée d'approcher Madame Mère![49]

— Oh, Jere, ce n'est pas ma faute, elle me donne le frisson.»

Dès l'antichambre, cette mère redoutée déjà les glaçait en
effigie, sur socle de velours cramoisi, buste de marbre de Carrare
par Saint-Gaudens[50] (ce Saint-Saëns[51] de la sculpture américaine); au premier palier, elle encore, gainée de satin argent,
peinte en pied par Sargent[52] (souliers de satin assortis à la
robe), et dans le petit salon, immortalisée par Bouguereau,[53]

[44] kept up to date   [45] a delicacy, very small birds   [46] preferred stocks
[47] goose-flesh   [48] the shakes   [49] the Queen Mother   [50] American sculptor
(1848–1907)   [51] French musician (1835–1921)   [52] American portraitist
(1856–1925)   [53] French painter (1825–1905).

2 6 9

tous bijoux au vent, la tiare de diamants posée droit sur une frange en faux cheveux, le bras hors de la cape de chinchilla, appuyé au rebord de sa loge du Metropolitan; sur un guéridon, le *Ladies Home Journal* étalait en hors-texte la pointe sèche[54] d'Helleu[55] qui la représentait immensément chapeautée par Heitz Boyer.[56]

En chair et en os, enfin, devant la cheminée d'onyx, Mrs. Ferrymore attendait ses enfants, suspendue par un fil à plomb invisible, droite comme un té,[57] droite toujours sur sa chaise, droite dans son lit, droite même au galop, ne penchant jamais, si peu que ce fût à gauche, les boutons du corsage de l'amazone[58] rigoureusement en face de la crinière.

Jeremiah s'inclina devant sa mère.

«Bonjour, dit-elle. J'ai appris par les feuilles de chantage[59] (elles me font le service)[60] que vous aviez donné un petit dîner de vingt mille dollars. Cela m'a contrariée; votre sœur n'est déjà que trop citée dans ces abominables gazettes à échos[61] qui rapportent qu'elle chausse du trois, gante du six et aura neuf millions de dot. Il est *bad form* de figurer dans une presse de vingtième ordre; vous ne devriez, comme moi, n'être mentionnés que dans les grands journaux. Ou mieux encore ne figurer nulle part, sinon là . . .»

Le *Graphic News* et la *Revue des Deux Mondes*, sous l'abat-jour de Tiffany à émaux translucides voilés de point d'Alençon,[62] dominaient de tout leur petit format européen le *Baltimore Sun* et le *New York Herald*.

«Mère, dit Jeremiah, la gorge un peu serrée, mon voyage m'a donné très soif; puis-je sonner et demander à boire?

— Vous boirez à table,» dit Mrs. Ferrymore.

On passa dans la salle à manger. Sous la lumière des vitraux d'un silencieux édifice gothique—une cathédrale avec des tapis—on n'entendait que le tintement de l'argenterie; c'était à la fois l'élévation et la communion. La Présidente avait le cou serré si haut dans un collier de chien en perles qu'on se demandait comment une nourriture solide pouvait descendre.

---

[54] engraving [55] French engraver (1859–1927) [56] milliner [57] like a "t" [58] riding suit [59] scandal sheets [60] they send me complimentary copies [61] gossip [62] lace.

«J'espère, Jeremiah, que votre dernier trimestre ne s'est pas tout entier passé en extravagants dîners ? Parlez-moi plutôt de vos études.»

Le jeune homme ~~entama~~ *began* l'énumération de ses cours, sans insister sur les examens et diplômes.

«Pourquoi ne me regardez-vous pas en parlant, dit sèchement la Présidente; ce n'est pas bien élevé de détourner les yeux comme un coupable. Un Ferrymore doit regarder en face sa mère et son Dieu.»

Parmi les palmiers du salon d'hiver mauresque, sur un piano de concert recouvert d'une chasuble byzantine, s'étageaient, dans leurs cadres d'argent ou de maroquin rouge, les photos dédicacées de Léon XIII,[63] de Sadi Carnot,[64] de Jean de Reszké, de Paderewski[65] et de la grande-duchesse Wladimir. Comme si elle les prenait à témoin, Mrs. Ferrymore poursuivait au café son interrogatoire.

«Vos projets, à présent ?

— *I guess* . . ., commença Jeremiah en hésitant.

— *I guess* ! Qu'est-ce que cet américain pour comédies anglaises ? »

Jeremiah n'aurait jamais osé avouer que son rêve eût été de traverser la Cinquième Avenue sur la corde raide *tight rope*, dans un maillot à paillettes rouges *football jersey*, comme son idole, le fameux Italien Beccafumi. Il tenta un compromis.

«Je voudrais travailler avec des hommes dont j'ai la photo sur ma cheminée, comme vous avez vos célébrités sur ce piano : Sandow[66] à droite, Cribb et Jackson,[67] à gauche . . .

— Qui sont ces inconnus ? Dagmar, ne vous balancez pas ainsi, une bergère[68] Louis XV n'est pas un rocking-chair . . .

— Inconnus ! Un athlète sublime et deux boxeurs invincibles !

— Vous êtes fou ! Comparer ces gladiateurs à mes illustres amis ? S'ils vous entendaient, mon fils, vos ancêtres se retourneraient dans leur tombe.»

[63] Pope from 1878 to 1903   [64] French President (1887–1894)   [65] *Jean de Reszké* (1850–1925) Polish operatic singer; *Paderewski* (1860–1941) Polish pianist and statesman   [66] famous athlete, end of the 19th century   [67] famous boxers, early 19th century   [68] easy chair.

Mrs. Ferrymore parlait de ses aïeux sur le ton dont elle eût invoqué des Plantagenet ou des Valois. En fait, les tombes n'abritaient que quelques générations de Ferrymore, bien embarrassés de se retourner en soulevant leurs pierres sépulcrales, car un détective gardait nuit et jour le mausolée Ferrymore, exacte copie du tombeau des ducs de Bourgogne.[69]

D'un coup d'œil, Jeremiah fit comprendre à sa sœur qu'il lui fallait rester seul avec leur mère; Dagmar sortit aussitôt, presque à reculons, comme devant une reine.

«Mère, commença timidement le Harvardien, j'ai passé tous les examens que vous vouliez; en échange, puis-je vous demander une petite faveur?

— Parlez, fils, dit la Présidente, en prenant une pilule dans une boîte en malachite de Fabergé.[70]

— Je voudrais que vous invitiez ici mon ami Patrick O'Casey.

— Quel est ce Irlandais? On ne reçoit pas les Irlandais.

— C'est un garçon tout à fait bien; il termine Harvard et, avant d'aller passer un an à Paris, à l'École des Chartes ...

— Un Irlandais! Cela ne se fait pas.

— ... Il doit aller travailler à Londres au Record Office et au séminaire épigraphique de Cambridge; ne l'invitez pas à vos réceptions, mais, je vous en prie, voyez-le une fois, au moins. Je vous le demande respectueusement.

— Si vous voulez témoigner votre respect à votre mère, Jeremiah, commencez par remettre cette pipe dans votre poche.

— C'est qu'elle est allumée ...

— Éteignez-la.

— Je ne trouve pas de cendrier ...

— Les cendriers ne sont pas au salon, mais au fumoir; approchez-vous du moins de la cheminée pour que votre infecte fumée s'en aille sous le manteau.»

Jeremiah s'empressa d'obéir.

«Parfait, mais pourquoi, mon fils, tenez-vous tant à ce que je voie ce garçon?

— Il a été très bien pour moi; il m'a beaucoup aidé pour mes examens; nous faisions écurie[71] ensemble ... Et puis, ajouta-t-

---

[69] in Dijon [70] Russian goldsmith (1846–1920) [71] we studied as a team (lit: we belonged to the same stable).

il dans une subite inspiration, il vous admire; en khâgne[72] il découpait toutes vos photos. Il vous appelle l'Impératrice . . .

— Soit, mon fils, amenez-le-moi, dit la Présidente, assez flattée, mais c'est bien pour vous faire plaisir.»

Et elle remit beaucoup trop de rouge sur sa peau lisse de femme sans nerfs.

III

Dagmar se pencha par la fenêtre de sa chambre; 5 heures; dans l'avenue, la file des voitures allait jusqu'au phare. Les Benz, les Daimler, avec plus de cuivres qu'un orchestre, les De Dion-Bouton, les Panhard-Levassor se suivaient le long du trottoir; leurs chauffeurs surveillaient les brûleurs par les fentes des persiennes arrière, de crainte que le vent de mer ne les éteigne, ou versaient par brocs[73] de l'eau dans les radiateurs latéraux, fumant déjà après un quart d'heure de marche.

Dagmar vit le crépuscule orageux écraser un océan étamé,[74] parcouru par les rouleaux parallèles d'une houle de fond. De la nature, elle avait peur aussi; presque autant que de la Présidente; dressée à une existence de petite fille sage entre ses gouvernantes pour qui la promenade n'était pas un plaisir, mais une quotidienne hygiène—une heure de marche selon un itinéraire imposé par Mrs. Ferrymore—Dagmar n'imaginait même pas qu'elle pourrait sortir seule, s'exposer à la bise, à la pluie, au soleil, intempéries gâtant un teint voué à une patricienne blancheur. Écrasée par le savoir-vivre, elle ne l'eût pas été moins par le poids de l'Océan, de la terre et du ciel, si, impensablement, elle eût osé les affronter. La liberté, cette assise[75] du monde américain, n'avait pour elle aucun sens concret; elle n'eût su qu'en faire, ni même que faire d'un désir; comment cela naissait-il, un désir? La Présidente disparue, Dagmar entrait dans une atonie totale. Plus de leçons, plus de conseils, plus d'ordres: «Tenez-vous droite . . . Ne parlez que si on vous interroge . . . Ne dites pas en prenant congé: *See you soon,*

[72] (slang) class which prepares for the École Normale Supérieure [73] (pronounced bro) jugs [74] tin-plated, referring to the color and appearance [75] foundation.

c'est compromettant; dites: *See you sometimes* ... Ne vous asseyez pas sur le bras des fauteuils ... Préparez-vous à la charité qui est une science. Modestie et obéissance sont la loi des jeunes filles.»

«Quand je serai mariée, pensa subitement Dagmar, faudra-t-il encore que je me taise et que j'obéisse?» Avec un frisson mêlé d'un sourd[76] émoi, elle pensa au mari que la Présidente lui imposerait; un de ces ducs anglais ou de ces marquis français comme leurs familles, depuis quelques années, en avaient importé, moyennant dix millions de dollars de dot pour Consuelo,[77] ou quinze millions pour Anna.[78]

Mais Dagmar voulait épouser Patrick. Cette idée lui était venue inopinément, sur le yacht de leur père, quand son frère lui avait parlé de Harvard, et d'O'Casey, son camarade préféré; la nature, elle ne savait comment, avait cessé brusquement d'être une toile de fond où les paysans ont été inventés pour éveiller les premiers plans des paysages et où les marins servent à animer les marines.[79]

... Épouser Patrick ...

Une sorte de bruissement intérieur à la maison frémit soudain à ras du parquet. Dagmar, aussitôt, va sur la pointe des pieds s'accroupir et poser l'oreille contre la bouche de chaleur.[80]

Derrière elle, la porte s'ouvre; Jeremiah entre bruyamment; sur un geste impatient de sa sœur, il vient s'asseoir près d'elle.

«Drôle de posture! Tu fais ta prière?

— Chut! La Présidente parle ... On entend tout: le conduit du calorifère doit monter juste derrière son fauteuil, sur l'estrade ...

— C'est une trouvaille! Tu te rappelles quand, petits, nous écoutions par le *mail-chute*, une nouveauté que père venait de faire installer; au lieu de jeter nos lettres à chaque étage, nous l'utilisions comme tuyau acoustique?

— Écoute donc ce que dit la Présidente ...

[76] secret, muffled   [77] Consuelo (Vanderbilt) was married to Lord Marlborough, a cousin of Winston Churchill, in 1895. She divorced him in 1921. The marriage was annulled in 1926.   [78] Anna (Gould) married Boni de Castellane in 1895.   [79] seascapes   [80] hot air vent.

— Pour une fois, les mots qu'elle prononce sortent d'une bouche de chaleur!»

Le blasphémateur se pencha à son tour au ras du sol d'où montait la voix de Mrs. Ferrymore:

«. . . Les descendants du *Mayflower* viennent de se constituer en société . . .[81] honorable, bien sûr; mais, après tout, qu'étaient ces pèlerins américains: des fugitifs . . . des exilés . . . des Baptistes . . .»

Ses enfants croyaient la voir, la despote, trônant entre deux lanternes de gondole, sous l'éclatante et nouvelle lumière électrique, la tête frisée à la Princesse de Galles, assise très droite parmi sa panoplie de petits tableaux de Meissonier,[82] contrastant avec une immense toile de Troyon,[83] une vache broutant au-dessus d'un précipice. La Présidente mâchait ses mots avec cette autorité percutante qui avait si souvent mortifié Dagmar.

«Nous sommes, nous, d'un tout autre monde. Nos ancêtres n'ont pas été chassés d'Europe, ils ne l'ont pas fuie; ils arrivaient ici, la tête haute, en vertu d'une charte octroyée par Charles II . . .»[84]

Toujours les mêmes bavarderies, devant le même auditoire de vieilles dames fascinées par les mêmes préjugés de l'antique Europe, plus entichées de leur ancienneté de race que ces fermiers généraux[85] anoblis qui, jadis, s'efforçaient de faire remonter leur origine à la guerre de Troie.[86]

«. . . Nous, nous traitions d'égal à égal avec la couronne d'Angleterre.

— Ah! soupira Ferrymore, que j'aurais aimé avoir une mère comme Gœthe, qui remerciait Dieu de lui avoir donné une âme sans corset!»

La suite, Dagmar la savait par cœur: les illustrations tant américaines qu'européennes des Ferrymore, la devise (en vieux

---

[81] The Mayflower Society was indeed founded in 1897. [82] French painter (1815–1891) specializing in small-size pictures of military scenes [83] French painter (1810–1865) [84] English King (1630–1685) [85] in pre-Revolutionary France, the *fermiers généraux* had a concession on tax levying and were very rich [86] Trojan War.

français) *Rien ne cele,*[87] et comment sa mère, plutôt que de risquer une mésalliance, avait mieux aimé épouser un cousin qu'elle détestait que d'abandonner le blason familial à trois étoiles en chef,[88] etc. Jamais elle n'était apparue aussi clairement reine des snobs qu'en ce moment où, à travers deux étages, se révélait tout le caractère de l'interlocuteur invisible.

«Nous, pour faire nos preuves, nous possédons mieux que les rôles et connaissements [89] d'un méchant [90] navire . . .»

Avec un relief effrayant les mots tranchaient dans le silence de la maison comme une fenêtre à guillotine [91] qui retombe.

Dagmar quitta brusquement son écoute, le cœur plein de rage, ébranlée par une révolte qui n'arrivait pas à se faire une issue,[92] ce qui la brisait. En face de ces grimaces, elle eût voulu s'affirmer; mais comment donner une figure de soi quand on ne sait pas qui on est? Les invitations de sa mère, si recherchées, gravées sur bristol glacé, débutaient par les mots *To meet,* «pour rencontrer Tel ou Telle.» Dagmar se rencontrerait-elle jamais? Pas chez sa mère en tout cas; la Présidente n'avait qu'une maxime pour sa fille: «Ne rien faire de voyant.»[93] Près d'elle, Dagmar se sentait devenir neutre, rentrer dans le sol, prendre la couleur de la terre, comme ces uniformes khaki que l'armée américaine venait d'inaugurer aux Philippines. Il lui semblait vivre devant un guichet fermé, pareille aux séquestrées, et recevoir sa nourriture à travers un judas.[94] Dagmar avait rêvé de cartes de visite [95] à elle: première affirmation d'identité, des cartes sur un carton de grand format, en bristol également glacé. Hélas, comme le reste les cartes de visite obéissaient aux règles; l'imprimeur connaissait les usages; les débutantes n'avaient droit qu'à deux inches sur un inch et quart, de pauvres petites cartes de visite de poupée.

Jeremiah prit sa sœur par la taille, serra contre lui le joli corps où les seins durs semblaient moulés sur un boulet de canon.

«Si j'entends bien, la Présidente est en gestation d'un grand bal?

[87] from Old French *celer*, to conceal: I conceal nothing [88] top part of the coat of arms [89] passenger lists and cargo manifests [90] paltry [91] sash-window [92] outlet [93] showy [94] spy hole [95] calling cards.

— Oui, un grand bal masqué pour la rentrée.[96] Pour consacrer son association des premiers colons à charte, notre mère veut que chaque invité y vienne costumé comme le plus célèbre de ses ancêtres.

— Vraiment? Eh bien, je me costumerai en chef algonquin, avec casse-tête calumet et coiffure de plumes; il y a sûrement du peau-rouge dans notre cas, vois mon nez à double tranchant et tes cheveux plats sur ta petite tête d'Indien, réduite comme celles qu'on met en bocal.

— Tais-toi, cria Dagmar furieuse; tu ne prends jamais rien au sérieux.

— J'ai pris ton flirt au sérieux, ingrate; et la Présidente vient de consentir, pour me faire plaisir, à se laisser présenter ton Patrick . . . Quoi! Tu n'as pas l'air contente?

— Oh, Jere, je ne sais jamais si je dois être contente ou non . . . Je ne sais qu'une chose, c'est que je n'en peux plus!»[97]

Jeremiah fronça ses sourcils broussailleux; il contemplait sa sœur avec tendresse, pitié, dédain.

«Pars, ma fille! dit-il.

— Où? Quand on a une mère comme la nôtre, on ne peut plus partir; si même on m'ouvrait les portes, je ne saurais; d'ailleurs elle ne me les ouvrira pas; elle aurait trop peur que j'aille chez papa.

— Raison de plus pour y aller; il est sur son yacht.

— Oui, mais lui aussi a peur de la Présidente; inutile de la fuir: avec l'absence, elle grandit. Oh, Jere, si je pouvais vivre un jour, un seul, qui soit différent des autres! Un jour à moi!

— Écoute, Dagmar, je vais télégraphier à Patrick de venir se baigner à Newport; je louerai un bateau; nous nous promènerons tous les trois et vous vous embrasserez.»

Dagmar se recula, horrifiée.

«Nous embrasser . . . es-tu fou?

— On s'embrasse toujours en bateau, c'est l'étiquette.

— La Présidente m'écrase; elle me rendra infirme pour la vie.

— Dagmar, je t'amènerai Patrick. Ne tremble donc pas comme cela; sois tranquille, il se débrouillera[98] très bien avec la

[96] beginning of social season   [97] I can't stand it any longer   [98] he'll manage.

Présidente, je le connais, il est plus subtil que ne le sont d'habitude les érudits; pour le bal, il saura se rendre indispensable. Et, à la fin du bal, tu te feras enlever par lui; dans une robe à collerette Médicis, tu sauteras en croupe de son cheval, sous les décharges de mousquets . . . Seulement, je te préviens: tu seras plus malheureuse après qu'avant.

— J'aime mieux être malheureuse que de n'être rien,» cria Dagmar.

«Je ne sais comment tu t'y es pris, mais ma mère toujours si méfiante, si condamnante, ne peut plus se passer de toi!» fit Jeremiah Ferrymore, bousculant Patrick d'une amicale bourrade dans l'estomac.

L'Irlandais se laissa tomber sur la plage et demeura, tel un gisant,[99] le peignoir roulé en coussin sous la nuque, l'épagneul de Dagmar à ses pieds. A le voir, bosselé de muscles par le base-ball, tantôt muet, rêveur, tantôt bavard frénétique, lançant des fusées, sifflant comme un rossignol, tantôt ouvrant des yeux turquoise avec un regard innocent à qui tout est permis, tantôt parlant avec une égale aisance le langage des métaphysiques pour retomber dans l'argot du ring, on comprenait comment il avait pu inspirer à tout le *campus* de Harvard un besoin fou de penser et de vivre à bride abattue.[100]

«Je n'ai eu qu'à donner à ta mère des idées pour son fameux bal Charles II: brocarts d'or remplaçant la bure des Quakers, perruques et chapeaux à rubans, lords arrivés en Caroline dans des caravelles à voiles de soie; tu sais que je suis imbattable sur cette époque. C'est tout le secret de mon succès.»

Jeremiah lui jeta un regard curieux:

«Est-ce vraiment tout?

— Ta mère, dit avec un respect feint Patrick, vit dans le passé de la famille Ferrymore, mais l'histoire de cette famille reste encore à écrire.

— En Amérique, les squelettes du xviii siècle sont rares, mais ceux du xvii introuvables et sans prix! Personne encore n'a exhumé les nôtres.

[99] recumbent figure on a tomb   [100] in an unbridled way; intensely.

278

— Peut-être irai-je même, continua Patrick en hésitant, jusqu'à une monographie . . .»

Jeremiah éclata de rire:

«Impossible de pousser plus loin la diplomatie! Ainsi, tu vas arroser pour la Présidente un arbre généalogique en pot, et à son ombre tu chanteras un duo d'amour avec Dagmar! Flatteur à gages,[101] infect blanditeur,[102] flagorneur rampant, tu comptes sans la Présidente! Une fois le bal passé, elle te remplacera par un mage ou un pianiste; son salon fait une terrible consommation de génies, je te préviens!

— Tu es stupide . . . et, comme au collège, schématiseur à l'excès; tu fais fausse route. Mrs. Ferrymore est ma souveraine, je suis son sujet. Elle est si majestueuse qu'on a envie de l'appeler Majesté, et ce bal . . .

— Ce bal symbolisera justement l'Histoire, qui n'est qu'un séculaire travesti[103] où les héros sont masqués.

— Précisément; un de ces masques m'intéresse; il a un nom; il s'appelle Lady . . .

— De qui parlez-vous?» interrompit Dagmar, qui, sous une ombrelle,[104] arrivait roulée dans un peignoir de bain jaune; elle coula vers Patrick un oblique regard[105]; depuis une semaine qu'elle le voyait tous les jours, elle n'osait encore contempler que son apollinien profil. Pour une fois sans sa gouvernante, elle était toute au fragile bonheur de vivre quelques moments seule entre les deux garçons.

«Patrick parle par énigmes, dit Jeremiah. Continue, tu voulais enlever le masque de quelle lady?

— Lady Hannah, dit Patrick.

— Lady Hannah! s'exclamèrent les deux enfants en même temps.

— Vous savez qui c'est?

— Parbleu! Toute notre vie, la Présidente nous en a rebattu[106] les oreilles. A ton tour! En selle sur le dada familial![107]

— Ta mère m'a fait promettre de retrouver les traces de cette aïeule[108] venue d'Angleterre et qui, en Amérique, a fondé votre

---

[101] hired   [102] flatterer   [103] centuries-old costume ball   [104] parasol
[105] give a sidelong glance   [106] drummed into   [107] Mount on the family
horsie!   [108] ancestress.

maison. J'ai mission de consulter, après les archives de la
Caroline, de Virginie et du Massachusetts, toutes celles, tant
publiques que privées, qui s'ouvriront pour moi en Grande-
Bretagne.

— Et, à votre retour, Patrick, je classerai vos fiches! s'écria
Dagmar avec un regard extasié.

— Et de la fameuse charte de Charles II qui nous a donné des
centaines d'acres, que t'a-t-elle dit?

— Pas grand'chose; elle m'a paru peu renseignée et évasive
quant aux précisions.

— Tout cela finira drôlement, conclut Jeremiah. Ma mère est
une puissante impersonnalité.

— Tais-toi, pessimiste!» fit Dagmar, se levant et fermant son
ombrelle.

Miss Nor approchait, un pliant [109] sous le bras.

«Voici le geôlier... Le quart d'heure sans gouvernante est
terminé, dit Jeremiah.

— C'était trop beau!»

Dagmar remit son ombrelle et son peignoir à Miss Nor,
resserra sur son front le nœud d'un madras caoutchouté, rajusta
les plis de sa jupe brodée d'ancres d'argent, remonta ses bas de
soie noire qui dessinaient des jambes parfaites où se croisaient
les rubans de sandales blanches à semelles de liège, et posa le
pied dans l'Océan comme sur un parquet ciré.

I V

*Extraits des lettres de Patrick O'Casey
à Jeremiah Ferrymore*

State Library,
Richmond,
Virginie.

Ce 10 septembre 1900.

Mon cher Jere,

... D'après ta mère, les premières traces de ta famille seraient
en Virginie. Je viens de travailler huit jours aux archives de la

[109] folding chair.

Société Historique de Virginie et n'y ai rien trouvé. Il est vrai que les documents les plus intéressants sont en Angleterre, à la *Sainsbury Collection*, Section Virginie. Dans ses *European Settlements in America* (1785, huit volumes), Ed. Burke ne mentionne pas les Ferrymore ...

Baltimore.

Ce 23 septembre 1900.

... Je sors de chez un érudit, spécialiste de l'esclavage blanc (qui, comme tu sais, précéda l'esclavage noir), J. C. Ballagh (*White Slaves in Virginia*, 1895). Les propriétaires fonciers[110] de l'époque sont, dans cet ouvrage, souvent cités à l'arrivée des vaisseaux de Plymouth; à ces débarquements des Ferrymore pourraient avoir assisté. Ballagh m'a promis de revoir ses fiches.

Washington.

Ce 1er octobre 1900.

... Au XVIIe siècle, lorsqu'une compagnie à charte était créée à Londres, elle se composait de deux sortes de membres: les *marchands aventuriers*, qui n'aventuraient que leurs capitaux sans quitter leur bonne ville, et les *planteurs*, qui seuls s'expatriaient. C'est en Angleterre que se trouvent la plupart des papiers de famille de dame Amérique. Je mets tous mes espoirs dans le *Record Office*, Section Caroline ou Virginie. Ta mère m'encourage à partir pour Londres avant l'hiver ...

Grand Hôtel,
Londres.

Ce 10 novembre 1900.

... Me voici enfin à Londres. Je collationne des listes d'émigrants, de 1600 à 1750, et me plonge dans les *Middlesex Records*, 38, 94 et 245. Tu trouverais ingrat ce travail qui enchante un archiviste (surtout soutenu par l'espoir que tu sais). Je pousse la conscience jusqu'à dépouiller[111] les rôles des navires et les états[112] des prisonniers de guerre écossais, expédiés par les Anglais en Amérique, au mépris de[113] ce que nous appelons,

---

[110] landowners   [111] analyze, leaf through   [112] lists   [113] in spite of.

depuis le nouveau Tribunal de La Haye,[114] institué cet été, le droit international.

Londres.

Ce 15 décembre 1900.

... Rien, rien, rien! Et pourtant Mrs. Ferrymore m'avait donné des dates. La *Collection of State Papers* de John Thurloe m'a englouti pendant trois semaines. Les archives de la Plymouth Co. et des autres compagnies à charte sont muettes sur votre famille. En désespoir de cause,[115] je vais m'orienter du côté des annales judiciaires. Ce n'est peut-être pas très flatteur pour tes ancêtres, mais il ne faut rien négliger ... Et d'ailleurs l'Histoire n'a que faire [116] de la morale. Je débrouille le passé avec un démêloir d'érudit tenace.

Londres.

Ce 29 décembre 1900.

... Je suis submergé par les *Public Offices of Justice*, les *City Debates* de Capel Court et les *Session Rolls*; la poussière des greffes [117] m'étouffe; je traverse ventre à terre [118] les procès-verbaux des Conseils de la Couronne et les actes d'accusation des Grands Jurys; je mets le nez dans tous les procès qui se terminent par des déportations en Amérique. (Pardonne-moi, Jere, cette offensante hypothèse, mais le chercheur déchaîné ne peut plus s'arrêter.) Le blaireau ne fouille pas plus de terriers que moi. J'irai, s'il le faut, me perdre dans les plus petits sentiers, les verdicts des Assises, les exploits des sergents d'armes, les registres des paroisses, oui, jusque dans les rapports du guet! [119] Le *fog* aujourd'hui est si épais que je distingue à peine la main qui t'écrit, mais il est transparent auprès des brumes historiques ...

Londres.

5 janvier 1901.

Merci pour tes bons vœux répondant aux miens. M'auraient-ils porté chance? Une aiguille a enfin brillé dans la meule de foin ...

[114] the World Court at The Hague   [115] in desperation   [116] has no interest in   [117] record offices of courts   [118] at full speed   [119] watch.

Londres.

1er février 1901.

... J'ai trouvé! J'ai réuni toute la documentation et fait un rapport extensif. Je m'embarque le 3 et te l'apporte. Nous le lirons à nous deux, d'abord.

V

«Farceur! Singe habillé! Faux frère!

— ?

— Tu es à New-York depuis trente-six heures. J'ai couru te chercher au bateau. Je t'ai aidé à déballer tes frusques[120] au Harvard Club. Nous avons dîné ensemble. Je t'ai consacré ma soirée. Quinze fois au moins, bien que tu te dérobes visiblement, je t'ai posé la question: que rapportes-tu de Londres?

— Des fiches. Je n'ai pas eu le temps de mettre mon rapport au net.

— J'ai compris. Ton air embarrassé me suffit.

— Tu me reprochais jadis d'abuser du canular ...[121]

— Ce n'en est pas un. Quand je t'ai vu partir, je pensais: «Patrick va chercher la lune, la Présidente en sera pour ses frais[122]; je suis ravi que ma mère soit punie de sa vanité ...» Là-dessus, tes lettres se sont mises à pleuvoir, de plus en plus alléchantes ... Et puis rien: Monsieur ne veut pas parler! Monsieur s'exprime comme un fonctionnaire: «Mon rapport ...»

— Je te demande quinze jours ...

— Non, j'ai pris goût à cette chasse ... Maintenant, curieux comme une femme, il me faut tout, et tout de suite! Aboule tes faffes!»[123]

Ferrymore s'était saisi au hasard de deux gros dossiers et il courait autour du lit, les lançant en l'air et les recevant comme un ballon de rugby, talon au sol, en criant:

«Je vais enfin en connaître un bout!

— Tant pis ..., fit l'Irlandais, après avoir essayé de reprendre ses papiers. Tôt ou tard ...»

Déjà Ferrymore, ayant ouvert en plein le papillon[124] du gaz,

[120] (slang) clothes   [121] (school slang) practical joke   [122] she'll have nothing to show for her troubles   [123] (slang) fork over your papers   [124] gas burner.

étendu à plat ventre sur le tapis, était entouré de feuilles éparpillées.

«Assises de N ... Condamnation pour meurtre ... *Wilful murder* ... 17 ...» *Procès des Résurrectionnistes.* Est-ce là une secte religieuse?

— Pas tout à fait.

«De nuit, et par heure suspecte, au cours d'une ronde effectuée à Hampstead autour du cimetière, nous *watchmen*, sergents du guet de la paroisse, faisons assavoir [125] qu'avons surpris trois hommes enjambant le mur ...» Joli tableau ... Cape sur l'épaule ... Nuages sur la lune ... «Au bruit de notre crécelle, et à notre très grand regret et déplaisir, les malandrins s'enfuirent, en abandonnant de gros sacs de toile. Ayant foulé [126] aux pieds les lois de Dieu, ces hommes avaient enfoui en lesdits [127] sacs six cadavres qu'ils venaient de déterrer en terre consacrée ... Autour des tombes gisaient pelles et pioches abandonnées ...» C'est passionnant! «Cent livres de récompense à qui mettra la police sur la voie de ces voleurs de cadavres, ces *body-snatchers.*»

— C'est vers la fin du règne de la reine Anne [128] qu'eut lieu cette affaire des *Hommes de la Résurrection*, interrompit Patrick. Imagine les constables à perruque et à gilet rouge placés autour de tous les cimetières londoniens, leurs patrouilles circulant parmi les tombes ... Et, cependant, les viols de sépultures continuent; les cercueils, soigneusement refermés, ne livrent pas leur secret. Qui sait combien de bières [129] vides dorment sous le sol! Où passaient ces cadavres? Depuis quand durait cet étrange trafic? ... Un fossoyeur finit par parler: les déterrés étaient revendus à des hôpitaux pour les autopsies; les chirurgiens du *Guy's Hospital*, du *King's College Hospital* payaient les sujets jusqu'à deux guinées pièce.

— Continue, pourquoi t'arrêtes-tu?

— C'est que cela devient assez horrible; voilà donc les cimetières de plus en plus étroitement gardés; les cadavres se font rares et valent cher. Comment s'en procurer? Les trafiquants se mirent à penser aux vivants; on en fera des macchabées [130]

---

[125] (legal jargon) *savoir*　[126] trampled　[127] (legal) said　[128] English Queen (1702–1714); b. 1667　[129] coffins　[130] (slang) stiffs.

bons pour le commerce. Les disparitions commencent et vite se multiplient; vagabonds, journaliers,[131] enfants sans parents: évanouis sans laisser de traces; on en comptait déjà soixante-dix quand éclata le grand scandale: une jeune fille est attirée dans une de ces auberges louches, spécialisées dans l'égorgement nocturne des voyageurs de passage. Elle n'en ressort plus. L'enquête mena au procès de la bande que le peuple nommait par dérision les *Hommes de la Résurrection*; un beau procès! Ce procès, tout entier, je l'ai trouvé dans les *Rolls of Assizes* et dans les *Courts of Common Pleas.*

— Le procès de toute la bande?

— Non, j'ai dit: tout le procès de la bande, car ceux que l'on arrêta et que le grand jury condamna à être pendus en vertu de l'article 14 du 39e Acte du Règne de la Reine Elizabeth n'étaient que des comparses; les chefs échappèrent à la justice.

— Et c'est fini?

— Non, deux ans plus tard, un *jail-bird*, un cheval de retour,[132] s'arrête devant le pilori de Charing Cross; sous le poteau infamant, marqué *Putain*[133] *dissolue*, la femme dont le visage passe par le trou, il la reconnaît, c'est la mère Polly.

— Et après? Je brûle de connaître l'histoire de cette mère Polly . . .

— Voilà: Polly Kolb est née on ne sait quand, ni où, d'un réfugié huguenot et d'une chiffonnière irlandaise, faiseuse d'anges.[134] Le père, «ayant tiré son couteau malicieusement, vulnéré du glaive et occis[135] un sergent,» avait filé[136] à jamais. La mère mourut de terreur à la vue du gibet. Lorsque, pour la première fois, il est question de Polly, elle a seize ans et est servante dans une auberge de Richmond, à l'enseigne de *La Tête de Maure.*

— *La Tête de Maure!* s'écria Jeremiah, en se frappant le front.

— Mais oui, qu'est-ce qui t'étonne? Donc, à *La Tête de Maure* . . .

— Tais-toi, je prends la suite,» dit Ferrymore. Et soudain, d'une voix sanglotante de fausset, il s'exclama: «Mylord Juge,

[131] day laborers [132] translating *jail bird* [133] whore [134] abortionist midwife [135] *vulnéré*: wounded; *occis*: killed (both archaic) [136] scrammed.

je jure par le nom du Christ que je ne suis pas une voleuse! Je bassinais [137] le lit du gentleman quand il est entré et s'est jeté sur moi; je me suis débattue; alors il m'a rouée de coups [138] et puis, pour faire cesser mes cris, il m'a lancé une guinée; c'était pour moi, et non pour que je lui rapporte la monnaie, [139] ce n'est pas vrai, je n'ai rien fait de mal!»

Patrick regarda son ami avec stupéfaction:

«Ah çà, c'est fort! Comment connais-tu cet interrogatoire que j'ai découvert à mille lieues [140] d'ici, sous la poussière d'un greffe de la Cour du Banc du Roi?

— Poursuis ..., dit Jeremiah.

— Polly est acquittée. Mais cette guinée lui a prouvé qu'une jolie fille peut facilement gagner sa vie. La voici dans un claque-dents [141] de Southwark, un de ces *bagnios* [142] où, soi-disant fille d'étuve, [143] elle s'adonne au vice ... Six mois plus tard, elle est arrêtée pour racolage dans Lincoln's Inn Fields. Diverses maladies honteuses n'altèrent pas sa beauté, qui est éclatante, quand elle tombe sur Charles War, un bandit de grand chemin dont la tête était mise à prix pour cinq cents livres. War, un sacripant fameux, mais, comme l'a dit Polly elle-même en essayant de défendre son amant devant le juge, une manière de gentleman. «Il détroussait les voyageurs sur la route de Hammersmith, mais leur laissait une guinée pour l'auberge; n'est-ce pas d'un gentleman? ... Oui, j'ai été amoureuse, mais comment ne pas l'être, Vos Grâces, d'un homme comme ça, qui, à lui seul, a enfoncé les portes d'un tribunal et emmené en croupe le juge qui l'avait condamné, pour l'aller pendre de ses mains, pardon, Votre Honneur, au premier chêne de la forêt.» Nonobstant, War est mené à la potence, mais Polly, complice, échappe de justesse, grâce à un chirurgien séduit qui la déclare grosse. [144] La voilà en prison ...

— Oui,» marmotta tout à coup Ferrymore, de la même voix féminine, mais plus rauque:

«Quand mes pieds seront désenflés des brodequins de la question, [145] je me ferai de jolies mules [146] en tressant la paille du cachot ... On me prive de parfum, mais je pose mes seins sur

---

[137] warm a bed with a warming pan [138] beat black and blue [139] the change [140] leagues [141] (slang) brothel [142] bath house [143] steam room attendant [144] pregnant [145] torture boots [146] slippers.

cette petite jacinthe . . . Et mes fers ne sont plus si laids depuis que je les orne de rubans . . .»

Patrick regarda son ami avec frayeur:

«Tu as le don de seconde vue . . . ou tu es Belzébuth! Comment connais-tu ce texte du registre d'écrou[147] de Bridewell?

— Je te demande de continuer, dit impérieusement Jeremiah.

— Polly, au lieu d'aller, comme les autres condamnés à mort, boire sa dernière chope[148] en route pour le gibet, à la *Crown Tavern*, bénéficie, à l'occasion de l'avènement de George Ier,[149] de lettres de pardon et rémission. La voilà qui, sans perdre de temps, organise entre Le Havre et Portsmouth une chaîne de flibustiers occupés à la contrebande des tissus français. Après Mrs. Cutpurse (son surnom du temps de War), elle s'appelle maintenant Mme Velours.

— Mme Velours! répéta Jeremiah. Je puis continuer à ta place et à celle de Mme Velours:

«L'argent me coulait entre les doigts . . . J'ai gaspillé des trésors . . . Tous les vices des sérails à la mode, je les ai connus; pour une femme comme moi, la route est courte des étuves aux boudoirs et du gin au champagne . . . Un homme nous pèse toujours le même poids sur le ventre, qu'il soit coupe-jarrets[150] ou mylord Rochester . . . Ma vie, c'est beau comme une machine d'opéra . . . Avant-hier, messieurs, je mangeais à une méchante table d'hôte où les couverts de fer battu étaient attachés à une chaîne pour n'être pas volés par les clients, mais aujourd'hui je me fais précéder dans ma loge, à Covent Garden, d'un service d'or à mon chiffre . . .[151] J'ai ma gondole sur la Tamise[152] pour aller au Ranelagh . . . J'arrive en carrosse à quatre chevaux au parc de Saint James. Je suis Polly de l'*Opéra des Gueux*[153] de mon ami John Gay; Pope m'envoie une ode lors de la pendaison de crémaillère[154] de ma nouvelle maison d'Arlington Street; pour les élégants, les tapageurs,[155] les bravaches,[156] les galants, je suis *The Taste*[157] *of the Town*, la belle du jour.»

Jeremiah Ferrymore débitait cette tirade d'un ton maniéré

[147] receipt of prisoner into custody   [148] tankard   [149] English King (1714–1727); b. 1660   [150] ruffian   [151] initialed   [152] Thames River   [153] *The Beggar's Opera*; première Jan. 29, 1728. The usual translation in French is *L'Opéra de Quat'sous*.   [154] housewarming   [155] rowdies   [156] braggadocios   [157] this form was indeed in use around 1730.

et précieux, sous les yeux ahuris de Patrick. Enfin, prenant son parti de ce mystère, ou de cette mystification, l'Irlandais haussa les épaules et reprit:

«Ce que tu viens de dire est textuellement exact... Il semble d'ailleurs que cette Polly t'enchante... Mais attends la suite, car enfin c'est une des plus belles vies crapuleuses et criminelles des annales anglaises. Un certain Lord R. D., dont je n'ai jamais connu que les initiales, recrutait dans une maison pour sodomites que Polly, toujours en mal[158] d'argent, tenait dans Soho; vint un jour où ce lord, protecteur de Polly, en fit trop et frisa[159] les *Assizes*. Il était l'Archimaître du *Blasphemous Club*, et son château de Kingston, surnommé *Crazy Castle*, était le lieu des plus effroyables orgies; autour du maître, se groupaient exécrablement douze apôtres consacrés par le baptême noir; parmi un lâcher de chauves-souris, dans des vapeurs de soufre, devant un tabernacle surmonté d'un singe, on prêtait à Lucifer le serment du Grand Secret. Ces diableries étaient présidées par la «Révérende de Gomorrhe,» c'est-à-dire Polly, qui quittait d'un seul mouvement ses vêtements de nonne, pour sauter nue sur la table de la Communion. J'ai trouvé ces témoignages au greffe de l'*Échiquier des Plaids*, mais le procès ne fut jamais engagé: il eût fallu inculper trop de puissants personnages. Polly s'en tira donc une fois de plus et évita la potence, mais pour être fustigée en signe d'infamie, puis transférée à l'asile de Bedlam comme démente maniaque.

«Au sortir de là, ce n'est plus la belle Polly, mais la mère Polly, sans cheveux ni dents, ruinée, ses biens confisqués, marquée des stigmates de toutes ses condamnations: *Larceny*... *Robbery*... *Cheat*... *Forgery*... *Fraud*..., mais toujours vivante et virulente. Des années passent; on n'entend plus parler d'elle... Jusqu'au jour où, mise au pilori pour une peccadille, le *jail-bird* la reconnaît et la dénonce. La receleuse de cadavres, l'inspiratrice, le banquier des *Hommes de la Résurrection*, c'était elle! Cette fois, c'est bien le commencement de la fin...

— Cette fin, moi aussi, je la connais, s'écria Jeremiah, sa

[158] in need of   [159] came close to.

condamnation, je la connais. Je prends la parole, car je sais tout:

«Femme Polly Kolb, instigatrice de très horribles crimes, il déplaît à la Reine que vous ayez si mal employé votre vie mortelle, de sorte qu'il convient que vous la perdiez. Le Grand Jury vous condamne à mort par peine afflictive et exemplaire.» Et cependant Polly ne mourut pas. Je vais te dire ce qui arriva.»

Debout, Jeremiah se mit à déclamer, en changeant chaque fois sa voix:

«Nonobstant la prononciation de la sentence, il sera sursis à l'exécution d'icelle.[160] La colonie de Maryland a un besoin pressant de main-d'œuvre et tous les condamnés y seront expédiés. Dans l'entrepont du navire qui va lever l'ancre, à Portsmouth, il y a encore place pour une dizaine de délinquantes. Tu y seras embarquée, Polly, demain soir, avec la Femme Barbe Bleue qui tuait ses maris endormis, avec Sarah Woldock, la *lady prostitute*, avec les félones des geôles de Londres, de Carlisle, Chester et York. Toutes, vous serez marquées au dos, à titre de pardonnées du Roi ... Remercie, Polly, te voilà en sursis: l'Amérique, cela vaut mieux que l'enfer.»

«Les esclaves blanches ont débarqué en Caroline, continua Jeremiah: Pardonnées du Roi! hurla-t-il tout à coup d'une voix brutale; pendez à votre cou cet écriteau: Domestiques nouvellement arrivées, pour attirer les acheteurs, car, en Amérique, il y a toujours crise de domestiques ... L'écriteau n'est pas infamant; le troquer contre celui du pilori, c'est bougrement[161] gagner au change. Montrez vos dents au sheriff ... Toutes récupérables pour le service ... Bonnes à tout faire, à vendre! Bonnes[162] à tout faire, à vendre! Soixante guinées. Vous deux, vous entrez en service sur les terres de Lord Baltimore. Voici votre *indenture*, un contrat d'engagement de sept ans, logées et nourries; ah, vous l'avez échappé belle[163]: à fleur de corde![164] Toi, qui es-tu? Tu n'es pas obligée de révéler ton identité ... Tu peux laisser tomber ta vieille peau et refaire le tour du cadran![165] Fameux privilège ... Hum, la marque sur l'épaule; j'y suis,[166] tu es Polly, la

[160] (legal jargon) said sentence will be suspended   [161] an awful lot   [162] maids   [163] you have had a narrow escape   [164] barely missing the rope [165] set the clock back   [166] I've got it!

prétentieuse, la faiseuse d'embarras[167] que sur le bateau on n'appelait que Lady Hannah? Lady Hannah, ne t'avise pas[168] de t'enfuir, sinon on te percera la langue au fer rouge ... Tiens, voici un gentleman, marchand de peaux de lapins, qui est prêt à t'acheter; avec lui, tu t'entendras bien; il a dépouillé bien d'autres gens que des lapins. Polly, dite Lady Hannah, adjugée à Jacob Ferrymore!»

Patrick se leva et marcha vers la porte.

«Vous vous êtes moqués de moi, dit-il froidement; vous m'avez expédié de l'autre côté de l'Océan, alors que vous aviez ici, dans vos papiers de famille, tout le dossier qui m'a coûté tant de peines et de mois perdus. Et, maintenant, tu t'amuses à me jouer cette comédie à la Fregoli,[169] mimant la prostituée, le juge, le geôlier, le sheriff marchand d'esclaves blanches. Cela suffit, je m'en vais ...

— Non, non, Patrick, nous n'avions rien dans nos papiers de famille ... et d'ailleurs nous n'avons pas de papiers de famille; tout ce que je t'ai débité, je l'ai appris par le moyen le plus extraordinaire et que tu ne devinerais jamais ... Je l'ai appris par la Présidente.

— Allons donc! Comme c'est vraisemblable!

— Ne t'ai-je pas dit que c'était invraisemblable? Rassieds-toi dans ce fauteuil d'orchestre, et prépare-toi à écouter une tragédie bouffonne. Donc, c'était à un petit dîner intime, chez les Van Zuider, destiné à présenter à ma mère le fameux hypnotiseur Pickman qui faisait courir tout New-York à ses séances, où il endormait et suggestionnait sur son estrade les spectateurs de bonne volonté. Tu vois la Présidente à table, très droite, le cou pris dans son collier de chien, si serré qu'on se demandait si le potage passerait, les épaules entourées d'un boa de plumes grises, et en face d'elle un petit homme maigre, en habit[170] comme tout le monde, le cheveu en brosse[171] et la barbe carrée, mais des yeux très noirs, étonnants. La séance commença par l'hôtesse, Mrs. Van Zuider.

— Elle n'a pas eu peur?

— Non, Pickman est à la mode et le snobisme est plus fort

[167] always putting on airs [168] don't get it into your head [169] famous magician of the time [170] in tails [171] crew cut.

que la mort. Penché sur elle, endormie, il dit: «Nous sommes en 1620 . . . en 1620 . . . Vous êtes sur le *Mayflower*.» Et voilà la maîtresse de maison tombant en transes:

«Le pavillon anglais flotte à la corne [172] du mât, dans le brouillard, j'entends grincer les palans . . . Je vois . . . je vois l'homme de barre [173] à plat ventre sous les vagues et le capitaine qui a une barbe nattée et trois pistolets à la ceinture . . .» etc., etc. Or tu te rappelles combien les descendants du *Mayflower* portaient sur les nerfs de la Présidente. L'idée que Mrs. Van Zuider était en train de monopoliser la quatrième dimension l'a exaspérée, et la voilà qui s'offre pour sauter à son tour dans l'héroïque passé!

— Pickman l'a endormie?

— Tout de suite. C'était étrange de voir cette majestueuse personne en robe de satin lilas, ses bras gantés de chevreau lilas posés sur ses genoux, un oiseau de paradis dans les cheveux, les paupières closes, s'envolant vers les profondeurs illimitées du règne de la reine Anne, en direction de nos nobles origines et atterrissant dans les bas-fonds d'un inconscient bourbeux. «Qui êtes-vous? . . . Où êtes-vous? . . .» questionnait le magnétiseur. «. . . Je suis Polly; je suis au bordel, à Soho . . .

— Parlez, Polly, je l'ordonne . . .»

— Et ta mère parla?

— Et ma mère ne parla . . . que trop. Sous son masque immobile, la voix rauque, sauvage de Polly lui sortait du fond des entrailles. La sécheresse de cœur, l'endurcissement conventionnel des Ferrymore d'aujourd'hui fondait [174] dans la férocité primitive de Lady Hannah, lui empruntait son accent faubourien [175] du xviiie siècle et son langage canaille. La voix si métallique que tu connais, avec ses claquements de langue, était devenue d'abord une petite voix soumise, balbutiante, et ensuite une autre, ignoble, embarrassée par une langue pâteuse. Avide et furieuse aussi, en énumérant les pièces du trousseau qui lui restait à sa sortie de prison.

— C'est horrible, Jere! Comment ne l'as-tu pas réveillée?

— On ne pouvait plus la réveiller; Pickman a essayé

[172] at the top   [173] helmsman   [174] melted   [175] (from *faubourg*) lower-class section.

longtemps; on aurait dit qu'elle éprouvait une énorme jouissance à revivre ce passé fangeux. Pauvre Présidente que nous comparions à un mur de pierre; il était devenu de verre! Pauvre dame patronnesse que nous croyions inébranlable sur ses deux pieds et qui basculait dans l'océan des âges, sur un beau fauteuil à glands,[176] en velours de Gênes capitonné, dans un salon de la Cinquième Avenue . . . Quel voyage astral!»

Après un long silence, Patrick soupira:

«Comment ta mère s'est-elle comportée à son réveil, en revenant du plus profond des enfers? Cela a dû être affreux?

— Pas du tout; elle abandonna son être second[177] aussi aisément qu'elle eût laissé tomber sa cape de chinchilla en rentrant du bal. Cela devant tout le monde, sans aucune dislocation de sa personnalité, la lumière juxtaposée à l'ombre, sans transition, comme dans son portrait par Bastien Lepage.[178] Aucun souvenir. Une trappe s'était refermée sous ses pieds. Le lendemain, elle donnait un thé *to meet Mr. Pickman*.

— Mais les invités qui avaient tout entendu?

— Ils ont feint de croire que ma mère avait encore fait une conférence historique; les gens du monde n'acceptent pas le surnaturel non révélé.

— Cela n'a pas jeté un froid?

— Un froid comme dans tous les dîners; un silence, que le père Van Zuider, du fond de son jabot tuyauté,[179] a commenté en disant: «Un ange qui passe!»

— Un ange pas dégoûté,» dit Patrick.

«Je ne comprends plus, dit Jeremiah; depuis ton retour tu as vu, ou plutôt aperçu, Dagmar une seule fois et tu ne prononces jamais son nom. Pourquoi?

— Mettons que mon amour des archives distance les autres.

— Je croyais, au contraire, qu'elles étaient la conséquence de ton sentiment pour Dagmar. N'es-tu pas allé à Londres pour aboutir à Dagmar?

[176] tasseled   [177] hypnotized   state   [178] French   painter   (1848–1888) [179] shirt frills.

— En effet ... Je pensais que par ce détour je me rapprocherais d'elle.

— Tu as plutôt l'air de t'en éloigner. Aurais-tu changé d'avis depuis que tu as appris toutes ces histoires sur notre origine? Est-ce l'influence de la morale britannique? L'âme irlandaise se fait-elle blanchir [180] à Londres, maintenant, et répugnes-tu à te servir de ces documents à la dynamite pour faire pression sur ma mère? Serait-ce par égard pour moi? Je t'en prie, ne te gêne pas; tu sais bien que tout ce qui est désagréable à la Présidente me ravit. Cette tache sur le blason Ferrymore, ce squelette dans l'armoire, quelle veine! [181]

— Non ... non, naturellement.

— Quand vas-tu sortir tes papiers?

— Je ne sais pas ... Permets-moi de réfléchir encore.

— Sois bon pour ma pauvre Dagmar, dit Jeremiah, sérieusement. Elle n'a pas plus de plis à son âme qu'à sa peau. Tu es sa première cicatrice.»

«Tu vois la Présidente tous les jours, maintenant! C'est percutant! [182] Il faut que tu l'aies embabouinée. [183] Qu'est-ce que tu peux bien lui raconter?

— J'essaie de la préparer à la révélation de son passé.

— Son passé? Mais ma mère n'est pas Polly!

— Si. Aucun être ne va au néant, c'est dire qu'aucun être n'en vient. Ta mère fut Polly; pour moi, ces deux créatures restent juxtaposées. La Présidente, ce personnage que vous trouviez, Dagmar et toi, artificiel prend ainsi une vérité, une couleur ...

— Tu prétends que Polly survit en cette orgueilleuse matrone? Ce serait alors pour la punir de son orgueil?

— La nuit, fit Patrick, j'aime errer dans les villes que, de jour, je connais trop bien, parce que tel boulevard, ennuyeux sous le soleil, devient, vers les trois heures du matin, un prodigieux rendez-vous d'amants, de clochards, de lémures ...

[180] During the nineteenth century it was fashionable for French aristocrats to have their shirts laundered in London.   [181] (slang) good luck
[182] very frequent word in 1900, like *formidable* later   [183] mesmerized.

293

— Et tu voudrais faire du salon de la Présidente un nocturne sabbat!

— Je veux lui faire oublier sa vaine vie mondaine pour l'initier aux passions de son aïeule.

— Si c'est Polly que tu veux ressusciter, qui te dit que ma petite Dagmar n'a pas en elle, sous une puissance inconnue de dissimulation, ces ardeurs, ces secrets que chuchota la voix de Polly?

— Non. Ta sœur est pure; qui en douterait? Mais ta mère... Sais-tu qu'hier elle m'a raconté un rêve? Elle s'est vue d'abord en robe et voile de mariée; puis cette robe est devenue un magnifique costume de cour. Soudain elle en a relevé la traîne plus haut que sa tête, en éclatant de rire, et, dessous, elle portait les haillons d'une roulure des bas-fonds.[184] En parlant, elle était toute changée, et, plus hideuses étaient les guenilles qu'elle décrivait, plus son visage prenait un étrange et irritant éclat...

— Tout cela ne finira pas bien...» dit Jeremiah, moqueur.

Et il regarda attentivement son ami qui était devenu très rouge.

QUESTIONS

1. Comment Morand décrit-il la domination exercée par Mrs. Ferrymore sur sa fille et même sur son fils?

2. Par quels procédés Morand représente-t-il la situation sociale de Mrs. Ferrymore?

3. Sur quels traits de snobisme de la haute société américaine de 1900 Morand insiste-t-il?

4. Pour quelles raisons Mrs. Ferrymore veut-elle organiser un grand bal?

5. Quel est le rôle de Patrick, en tant qu'archiviste, dans la préparation du bal et dans la recherche de la généalogie des Ferrymore?

6. Quelles étapes Patrick franchit-il dans sa recherche de la charte octroyée à Lady Hannah?

7. Résumez la biographie de Lady Hannah.

[184] prostitute; someone who has been around the lower depths.

8. Comment Morand fait-il glisser son récit vers le genre du conte fantastique?

9. Par quels détails la révélation de la fin a-t-elle été préparée dans le corps du récit?

10. Pourquoi Patrick ne semble-t-il plus s'intéresser à Dagmar à la fin du récit? Comment imaginez-vous la suite?

11. Quels traits du récit de Morand vous paraissent inexacts, ou excessifs?

12. Pourquoi ce récit est-il intitulé «La Présidente»?

André Pieyre de Mandiargues

Né à Paris en 1909, petit-fils du collectionneur de tableaux impressionnistes Paul Bernard, André Pieyre de Mandiargues quitte l'université pour étudier l'archéologie et pour voyager en Europe et en Orient méditerranéen. Pendant la guerre il habite Monte-Carlo, et après revient à Paris où il se marie, et se lie tardivement avec André Breton et les surréalistes. Pieyre de Mandiargues a publié romans, contes, poèmes, essais d'art.

A travers une œuvre en apparence hétéroclite, il existe pourtant des liens d'unité très nets : la recherche du bizarre, ou selon l'adjectif de l'auteur, du «panique» (au sens étymologique). Mandiargues est de ceux qui aiment «représenter un objet par certains de ses éléments groupés dans un ordre qui n'est pas celui qu'on aperçoit spontanément» (c'est là une phrase tirée de son essai sur Sugaï, peintre japonais moderne). C'est ainsi que l'on trouve des points de rencontre entre des essais sur Klee, Max Ernst, Sugaï, sur de surprenantes sculptures italiennes (*Les Monstres de Bomarzo*), et d'autre part des récits ou contes où le fantastique, ou mieux le mythologique (*Soleil des loups, Marbre, Feu de braise*), s'imprègne d'un «méditerranisme» à l'atmosphère sensuelle et menaçante (*Le Lis de mer*).

On a souvent remarqué ce que son œuvre comporte de théâtral. Le décor (très souvent situé dans un climat méditerranéen) présente une nature réduite aux purs composants d'un univers élémentaire et magique qui met en valeur la matière du récit, où foisonnent le macabre, l'érotique, le grotesque, le gothique. Cette nature n'est pas sujette aux «intentions» de l'auteur. Elle jouit d'une existence autonome; elle constitue un «ailleurs» ou un «autre» vers lequel le personnage et le lecteur, comme charmés, sont irrésistiblement entraînés. Il y a là un certain romantisme, avec même le mélange du

2 9 6

beau et du laid jadis préconisé par Victor Hugo. Mais il y a également une gratuité kafkaësque: métamorphose et métaphysique du monde matériel. Ainsi les phénomènes «objectifs» se dépouillent de leur quotidien, se transforment en surnaturel.

Ce n'est pas par le vertige du mot que nous accédons au fantastique; c'est plutôt grâce à une réalité insoupçonnée qui nous empoigne, nous lecteurs, et nous transporte dans ce domaine imaginaire. Car Mandiargues voudrait «donner une représentation concrète à certain égarement des sens et de l'esprit qui s'est parfois emparé des hommes et auquel se rapporte bien le mot *panique*.» Donc folie objective, folie qui s'incarne.

Pour mettre son personnage (et par conséquent l'homme) en contact avec le mystère infini de son univers, réel ou rêvé, Mandiargues a souvent recours au phénomène du rapetissement («Le Diamant,» «Clorinde,» «Le Pain rouge»). Le personnage est privé de son orgueil humain, de sa maîtrise des choses; en face d'un monde toujours le même, semble-t-il, mais qui se présente sous une nouvelle optique, il entre dans des noces mystiques, explore un Vénusberg, bref, connaît des aventures et des visions que Dali n'aurait pas refusé de représenter.

Dans «Les Pierreuses,» tirées de *Feu de braise* (1959), nous retrouvons plusieurs thèmes chers à l'auteur: celui des gestes qui comportent des rites magiques dont le personnage n'est pas conscient (ainsi l'instituteur qui fend la pierre assure sa propre mort); le rapetissement humain (ici mythologique: l'apparition des déesses lilliputiennes); certain érotisme quasi-païen et implicitement dangereux. Ayant à son insu rompu l'ordre de la Nature, l'instituteur en subit les conséquences. Mais n'y a-t-il pas aussi un sens caché dans ce petit conte? Il ne s'agit pas de répondre avec exactitude: l'imagination une fois incarnée, le conte se détache de son auteur, donc de ses intentions. Au lecteur de trouver, dans la phrase de Mandiargues, «une conclusion qui, s'il se peut, le satisfasse.»

ANDRÉ PIEYRE DE MANDIARGUES

LES PIERREUSES

Je vais dire son secret: le jour, elle
est une pierre sur le bord du chemin;
la nuit, une rivière qui coule aux
côtes de l'homme.

IL GÈLE *à fendre les pierres*,[1] cette petite phrase était installée
dans l'esprit de Pascal Bénin depuis qu'il avait quitté les
dernières maisons du faubourg, et quand, pour s'en délivrer,
il se forçait à penser au poêle de sa chambre ou au tableau noir
de l'école, à des enfants rétifs et au bruit de la craie sur l'ardoise
(imitée), il n'obtenait, chaque fois, qu'un répit presque nul.
Après une minute ou deux, ou une centaine de pas, les mots
revenaient, déchirant l'image affaiblie, et tout de suite ils
s'enchaînaient dans le même ordre tyrannique. L'instituteur
(c'est le titre qu'on lui donnait, aux rencontres) s'en inquiétait
modérément,[2] car la phrase ne lui semblait rien contenir qui
pût prêter à soupçon,[3] et il avait déjà noté, chez lui, ce phénomène, qui tient à une sorte de faille de la volonté par où[4] des
mots importuns, comme des corps étrangers, pénètrent dans la
conscience. Il allait sur le milieu de la route, où sonnaient les
fers de ses semelles.

Comme il passait près d'un tas de cailloux (des silex,[5] abon-
dants au pays, dont ils veinent le sous-sol marneux,[6] et destinés
à l'empierrement),[7] il se fit là un cri assez aigu, qui n'était pas
très différent du bruit, entendu naguère, que produit en se
brisant le cristal épais d'un broc.[8] Le cri était parti d'en bas,[9]
et il semblait que ce fût d'un caillou rond, un peu plus gros
qu'une boule de billard, qui avait roulé loin du tas dans l'espace
en demi-lune. Pascal alla ramasser celui-là, qui était trop léger

* Octavio Paz, to whom the tale is dedicated, is one of the most eminent
prose writers of present-day Mexico.

[1] it is freezing hard   [2] was rather worried   [3] which might be suspicious
[4] whereby [5] silex, flint [6] marly subsoil [7] paving [8] pitcher [9] from
below.

298

pour n'être pas creux. Dans sa main, en le tournant et en le retournant, il vit que le caillou était fendu sur presque toute une circonférence, mais ses doigts gantés de laine peinaient[10] à séparer les deux moitiés, et il mit le petit globe dans sa poche, afin de l'examiner plus à loisir quand il serait rentré chez lui.

Des corbeaux s'envolèrent à quelques mètres du promeneur, inoffensif, évidemment, puisqu'il n'avait pas d'arme à feu. Leurs ailes, sur le ciel gris, dessinaient en noir des M très ouverts, qui sont, au rebours du W d'*evviva*,[11] l'écriture abrégée d'*à mort*, telle qu'on la voit charbonnée à de multiples adresses[12] sur les murs des maisons en Italie. Bénin marcha plus vite, non pas que l'eussent inquiété ces signes dans le ciel, qui sont communs et qui avaient paru à chacune de ses randonnées d'hiver, mais un vent dur s'était levé, qui lui fouettait le visage, et il avait hâte de se mettre à l'abri.

Le col de son pardessus, qu'il avait allongé[13] de ses propres mains, lui couvrait les narines, et le vêtement tombait presque aux chevilles; d'autre part, cousus par lui-même aussi, des boutons supplémentaires permettaient une fermeture étroite qui le moulait comme une dame chinoise, à cette différence près[14] qu'il n'était pas sanglé du bas et qu'il pouvait marcher en écartant les jambes. Dans ce pardessus noir, brillant d'usure,[15] Pascal Bénin, qui était grand et très maigre, ne faisait pas mentir le surnom de «tuyau de poêle»[16] que se transmettaient d'une année à l'autre les enfants à la communale.[17] Un chapeau de même couleur, dont il pinçait un peu la calotte, ajoutait à la ressemblance et au ridicule.

Il grelottait, cependant, malgré son accoutrement ficelé, quand il fut devant la porte de chez lui, car le vent avait encore forci pendant son retour. Les fils du télégraphe rendaient une note aussi haute que celle des sirènes d'alarme.

Dans sa chambre, le poêle n'était pas éteint. L'instituteur vit avec plaisir qu'il y avait du feu derrière le mica,[18] oubliant que l'ustensile, d'autres fois, l'avait irrité par l'appendice en tôle,[19]

[10] struggled [11] contrary to the W of "long live" (in the French word) [12] i.e., "long live" or "down with" followed by different names [13] turned up [14] except that [15] shiny from long use [16] "stovepipe" [17] elementary school [18] i.e., window set in the stove's door [19] i.e., stovepipe.

soutenu de chaînettes, qui allait finir dans un trou du plafond. S'il y avait une chose, entre tant d'affronts, que jamais il ne pardonnerait à ses élèves, c'était le surnom détestable dont ils l'avaient affublé.[20] La température étant douce, il se déboutonna, et alors un poids insolite et le gonflement d'une poche lui rappelèrent sa trouvaille.

— Ah! dit-il (ce n'était pas la moindre de ses bizarreries que de penser à haute voix, dans la solitude), la pierre que les savants nomment «géode . . .»[21] Voyons-la de plus près.

Et il posa la pierre ronde sur sa table de nuit, si proche du poêle que le marbre était tiède, et la pierre fit un cri de nouveau, qui, bien sûr, n'était pas un craquement.

Après avoir reculé, par effroi ou surprise, le maître d'école rassembla (comme on dit) ses esprits,[22] et il alla prendre son couteau suisse. Les couteaux de ce genre, marqués d'une croix au manche, sont assez solides, quoiqu'ils ne soient pas souvent d'origine,[23] et celui de Pascal Bénin soutint vaillamment l'effort. S'il se fût rompu, l'homme eût peut-être été sauf; mais il était écrit quelque part, décidé en quelque endroit, sans doute, que l'homme devait être perdu. Ayant donc introduit la plus grosse lame dans la fissure de la pierre, Bénin, d'une pesée franche,[24] cassa celle-ci en deux morceaux.

L'intérieur faisait une cavité tapissée (ou mieux: hérissée) de beaux prismes violets, fumés un peu,[25] où l'on reconnaissait une cristallisation d'améthyste grossière.[26] Trois petits êtres rouges se trouvaient au fond d'une demi-sphère, qui étaient des femmes, ou des jeunes filles, jolies comme les plus ravissantes ou les plus agaçantes de celles qui se montrent sur les scènes des cabarets, mais d'une taille un peu au-dessous des plus courtes allumettes-cires.[27]

Intrigué, le maître d'école renversa la coupe où celles-là s'abritaient, et il battit du doigt le bord,[28] doucement, pour les obliger à mettre pied à terre, c'est-à-dire à venir sur la table de nuit. Leur peau avait la couleur des groseilles mûres, avec une

[20] bestowed upon him to ridicule him   [21] geode, a stone having a cavity lined with crystals   [22] gathered his wits   [23] i.e., not genuine   [24] with all his weight   [25] a bit smoky   [26] rough   [27] wax-coated matches   [28] he tapped the edge with his finger.

transparence qui laissait voir un peu du squelette; leur chevelure, très lisse, était aussi noire que leur poil, crépu et gras. Deux d'entre elles pleuraient, et elles ramenaient leurs longs cheveux sur leur corps, comme si elles avaient honte d'être nues. L'autre pourtant, qui de près d'un centimètre dominait ses compagnes [29] et qui était coiffée d'un chignon lourd, se dressa devant l'homme avec arrogance, et tandis qu'elle demeurait plantée là, mains à la nuque pour être mieux cambrée, il vit qu'elle avait des formes si pleines qu'il eût fallu être bœuf pour n'en pas être ému.[30] Mais il n'osa pas la toucher, malgré son désir, car ce corps splendide et minuscule avait un air de méchanceté, tout de même que certains reptiles ou que certains insectes venimeux.

—*Puellæ sumus, quæ vocamur lapidariæ, sorores infaustæ, ancillæ paniscorum. Natæ sumus sub sole nigro . . .*[31]

Quand il l'entendit parler, il ouvrit de grands yeux, stupéfait de découvrir que la méchanceté de cette jeune serpente était solaire,[32] antique, méditerranéenne, apparentée à la barbarie des derniers siècles du paganisme. C'était en latin (décadent) qu'il comprenait mal; il n'avait pas trop d'une extrême attention[33] pour ne rien perdre du discours, prononcé sur un ton de flûte, plaisant à l'oreille, d'ailleurs, quoique très bas, et qui frappait par son caractère singulièrement infra-humain.

—*Nudæ sumus egressæ ex utero magnæ matris nostræ, et nudæ revertamur illuc.*[34]

De quelle géante pouvait-il être question, du ventre de laquelle, comme abeilles par le trou d'une ruche, fussent sorties (pour y rentrer un jour) les petites créatures, dans le même état de nudité où il voyait parader celle-là sur le marbre de la table de chevet?[35] Était-ce délire, ou rhétorique? Il blâma, pour la première fois de son existence, les formes nobles du langage; souhaita d'ouïr un parler franc,[36] le simple jargon des

[29] almost a centimeter taller than her companions   [30] not to be moved by them   [31] "We are girls called stone women, unfortunate sisters, handmaidens of the panisces [godlings attendant on Pan]. We were born under a black sun."   [32] i.e., subject to the sun's influence (astrological)   [33] he had to pay close attention   [34] "Naked we came from our great mother's womb, and naked we shall return."   [35] night table   [36] to hear a straightforward manner of speaking.

gamins, quand ils se moquaient de lui, en s'enfuyant après
l'école.

Son interlocutrice (si un homme qui mesure un mètre quatre-
vingt-sept[37] peut user de ce terme à l'égard d'une personne qui
n'a pas cinq centimètres[38] de haut) ne se taisait plus. Minutieuse-
ment, quoique de façon assez peu explicite, elle lui raconta
qu'avec ses sœurs elles étaient toutes trois de cette sorte de filles
que l'on (mais qui donc était cet *on*?) nomme *pierreuses*,[39] et
que depuis presque deux millénaires elles se trouvaient en-
fermées dans la géode, où elles avaient été précipitées, jadis, à
l'heure où il n'est pas d'ombre, sous (ou par) les rayons d'un
soleil noir. Cela faisait bien du charabia,[40] pourtant il était
prononcé avec un ton si persuasif (et la bavarde[41] offrait si
rondement[42] sa nudité menue)[43] qu'il n'était pas difficile d'y
apercevoir quelque réalité. Elle ajouta que par sa faute à lui,
stupide, qui avait rompu la croûte de leur petit monde, elles
allaient mourir, mais que les émanations de l'atmosphère
intérieure d'une géode qui avait contenu des pierreuses étaient
mortelles pour les hommes de la grande espèce, et qu'il périrait
aussi, vingt-quatre heures après elles dans le plus long délai.[44]

Quand elle eut fini sa conférence, elle bâilla voluptueusement
au nez du maître d'école, sans rien celer de sa petite gueule
scarlatine, puis elle leva les bras et se tint quelques instants sur
la pointe des pieds, pour étirer son corps. Les deux autres
vinrent se placer à côté d'elle; son exemple avait dû vaincre
leur timidité, car leurs cheveux étaient passés sur le dos, et elles
découvraient, bravement, ce qu'elles avaient voulu cacher tout
à l'heure. Du même âge (près de deux mille ans, s'il fallait en
croire les mots latins), cependant elles étaient beaucoup moins
formées que leur sœur, le pelage de leurs aisselles[45] était moins
brillant, et leurs seins avaient cette grâce un peu liliale que l'on
ne voit qu'à la gorge des très jeunes filles.

Le trio, mains jointes, dessina un cercle, puis un triangle à
bras tendus.[46] Ce fut le début d'une danse saccadée (comme de
ces automates, sur le couvercle des bonbonnières à musique)

---

[37] about 6 feet 2 inches [38] about 2 inches [39] stone women (*lapi-
dariae*) [40] gibberish [41] chatterbox [42] openly [43] tiny [44] within 24
hours at the very most [45] underarm hair [46] with outstretched arms.

qui traçait des figures aussitôt brisées que bâties, mais d'une géométrie tellement rigoureuse qu'elle fascinait l'instituteur, et qu'elle l'eût jeté, sans doute, dans l'état d'hypnose, si la danse avait duré plus longtemps. Pour accompagner leurs pas, les sœurs chantaient des phrases latines encore; elles chantaient d'une voix coléreuse et sourde,[47] comme font les servantes et les courtisanes derrière les barreaux des fenêtres grillées, comme feraient les femmes en prison, n'était[48] la règle de silence. En même temps qu'elles chantaient, leur couleur s'avivait étrangement, passant au rouge clair de la braise quand le feu va prendre, et alors, l'une après l'autre, il se fit une flamme courte qui consuma les trois ballerines.

Quelques pincées de cendre, comme laisse un mégot que l'on négligea d'éteindre, accusaient chichement,[49] sur le marbre, les points où elles avaient disparu. La première pensée de Pascal Bénin, qui se rappelait le discours entendu, fut qu'ainsi réduites elles auraient du mal à rentrer nues dans le sein de leur «grande mère»; à moins que celle-ci ne fût simplement la Nature, telle que la Grande Déesse d'Asie, ou bien une personnification (féminine) du Feu élémentaire, et dans ces deux cas, tout de même, le mot *uterus* lui semblait trop précis pour n'être pas d'un emploi abusif.

Distraitement, mais soigneusement (ces deux adverbes n'étant pas si incompatibles que l'on tendrait à le croire), il recueillit la cendre dans un papier roulé, et il versa le contenu sur les cristaux d'améthyste, à l'endroit où, pour la première fois, il avait aperçu les pierreuses. Il confronta les deux moitiés de la géode, s'assura que nul fragment ne manquait. Puis, car il était bricoleur[50] et s'amusait à réunir en constructions fragiles des morceaux de miroirs et d'assiettes cassées, il prit un tube de certain enduit cellulosique que l'on nomme, vulgairement, «soude-grès,»[51] et il colla les deux bords de la fracture. Un peu d'enduit bavant,[52] il le racla[53] de l'ongle, serra fort pour que la réparation fût parfaite. Après quoi, il ouvrit la fenêtre, et contre l'appui[54] il posa la géode.

Dehors, le vent était tombé; malgré cela, le froid n'avait rien

[47] rumbling [48] were it not for [49] barely showed [50] tinkerer [51] kind of glue [52] oozing (from the crack) [53] scraped [54] window ledge.

3 0 3

perdu de son mordant. Des coups de marteau, dans l'air sec, tintaient avec une résonance glaciale. Le soleil, qui était presque à l'horizon, avait une couleur un peu soufre, comme les becs de gaz à la fin de la nuit quand la pression vient à baisser. Pascal Bénin referma la fenêtre au plus vite, il promena [55] dans la chambre un regard méfiant: tout, entre les quatre murs garnis de pauvres images, était dans l'ordre accoutumé. Alors, il se demanda s'il n'avait pas dormi quelques minutes, après son retour, et s'il n'avait pas été la proie d'un méchant rêve, mais le lit était intact, et la géode, reconstituée, se trouvait sur l'étroit balcon, de l'autre côté de la vitre; il savait parfaitement que s'il l'avait reprise, et rompue de nouveau, il aurait mis au jour [56] un léger tas de cendres sur les cristaux violets.

Peut-être avait-il cru entendre des mots latins, ou bien, s'ils avaient été prononcés vraiment par le petit monstre rouge, peut-être n'en avait-il pas très clairement entendu la signification, car un maître d'école primaire, qui a appris les rudiments du latin jadis, et n'est pas oublieux, a beaucoup moins de savoir en ce domaine que le plus sot [57] curé de campagne.

«C'est le curé qui aurait dû ramasser cette maudite pierre . . .,» se dit Pascal Bénin, et il se jeta tout habillé sur son lit. Fermant les yeux, cependant il ne parvint pas à se détendre. [58] A quoi lui aurait servi, d'ailleurs, de prendre du repos, puisqu'il allait rester sur ce lit sans plus se lever jusqu'à l'instant prochain de sa destruction?

QUESTIONS

1. Quel sens attachez-vous au fait qu'au commencement du conte l'instituteur est obsédé par l'expression «Il gèle à fendre les pierres»? Est-ce une sorte d'avertissement?

2. Quel sens à demi-caché se lit dans le nom du personnage Pascal Bénin?

3. Après avoir ramassé la géode, l'instituteur remarque un vol de corbeaux dont les ailes dessinent des M; y a-t-il là quelque chose de sinistre? Y a-t-il d'autres signes d'alarme auxquels l'instituteur n'attache pas d'importance?

[55] glanced about [56] discovered [57] foolish [58] relax.

4. «Il était écrit quelque part . . . que l'homme devait être perdu.» Comment interprétez-vous cette phrase?

5. Étudiez les rapports entre l'érotisme et la mort dans ce conte.

6. Pascal Bénin est-il inquiété par ce que les «pierreuses» lui ont dit? Est-il convaincu de la véracité de leur récit?

7. L'auteur semble-t-il s'intéresser à la vraisemblance de son conte? à la psychologie de Pascal Bénin? au fantastique? Dans quelle mesure ce fantastique est-il «pur,» c'est-à-dire non-allégorique?

8. Quels rapports voyez-vous entre «Les Pierreuses» et le mythe de Deucalion et Pyrrha (Ovide, *les Métamorphoses*, I. 348–415)? Dans sa version de ce mythe, Apollodore (*la Bibliothèque*, I. 7. 2) affirme que le mot grec *laos*, qui désigne la race humaine, dérive du mot *laas* («pierre»). Vous trouverez chez Cicéron, dans une anecdote attribuée à Carnéade, la source des «Pierreuses»: dans une certaine carrière de l'antiquité, l'on trouva une pierre qui, fendue, aurait révélé la tête du dieu Pan enfant (*De Natura Deorum*, I. 23; il est question d'avertissements des dieux). Pour ce qui concerne les exhalaisons nocives de la géode, voyez ce que Robert Graves dit de l'image aniconique de la Grande Déesse d'Asie (*The Greek Myths*, 20. 2).

Alain Robbe-Grillet

En 1961 le film d'Alain Resnais, *L'Année dernière à Marienbad*, dont Alain Robbe-Grillet (1922–   ) avait écrit le scénario, les dialogues, et le découpage recevait le Lion d'Or à la Biennale de Venise. Cette récompense tira à jamais de l'ombre une nouvelle forme d'expression artistique et le nom des deux réalisateurs.

Devant *Marienbad* comme en 1953 devant le premier roman d'Alain Robbe-Grillet, *Les Gommes*, spectateurs et lecteurs se trouvaient aux prises avec un mode d'expression qui échappait à toute approche traditionnelle. Certains furent déroutés par l'intrigue, par le caractère et le comportement des personnages qui se pliaient difficilement à une analyse psychologique; d'autres par l'absence d'une notion de temps. Dans l'ensemble le premier essai romanesque d'Alain Robbe-Grillet rencontra peu d'enthousiastes ainsi qu'il le rappelle lui-même dans le numéro de *Tel Quel* de l'été 1963, «. . . Mes premiers romans n'ont pas été accueillis lors de leur parution, avec une chaleur unanime—c'est le moins qu'on puisse dire. Du demi-silence réprobateur dans lequel tomba le premier (*Les Gommes*) au refus massif et violent que la grande presse opposa au second (*Le Voyeur*) il n'y avait guère de progrès, sinon pour le tirage, qui s'accrut sensiblement.»

Poussé par le désir de s'expliquer, il écrit une série d'articles pour le journal *l'Express*; mais peu satisfait de la réaction du public et de la critique il reprend ses arguments dans un essai publié par *la Nouvelle Revue Française* en 1958. L'effet n'est toujours pas celui qu'il attendait, aussi continue-t-il à se justifier et à se défendre dans différents journaux.

Ses écrits polémiques ont valu à Alain Robbe-Grillet d'être regardé comme le chef de l'école du «Nouveau Roman.» Cette étiquette

La Plage

n'est qu'une manière commode de désigner tout un groupe de romanciers qui, par des procédés variés, cherchent de nouvelles formes romanesques. Les Éditions de Minuit sont plus ou moins devenues leur quartier général.

Après *Le Voyeur* (1955) qui reçut le Prix des Critiques, Alain Robbe-Grillet publia deux autres romans, *La Jalousie* (1957) et *Dans Le Labyrinthe* (1959), et en 1963 il écrivit et mit en scène un film, *L'Immortelle*.

En 1962 parut un petit recueil d'histoires, écrites à diverses dates : *Instantanés*. Les deux récits qui suivent «La Plage» et «Dans les Couloirs du métropolitain» en sont extraits. Nous les avons choisis car ils illustrent l'art de l'auteur et mettent en valeur la minutie de la description où toute ombre, toute ligne compte. Le regard ne pénètre guère, par contre il détaille implacablement tout le visible.

C'est donc à une étude technique plutôt que psychologique que nous invitons le lecteur.

LA PLAGE

TROIS ENFANTS marchent le long d'une grève.[1] Ils s'avancent, côte à côte, se tenant par la main. Ils ont sensiblement la même taille, et sans doute aussi le même âge : une douzaine d'années. Celui du milieu, cependant, est un peu plus petit que les deux autres.

Hormis [2] ces trois enfants, toute la longue plage est déserte. C'est une bande de sable assez large, uniforme, dépourvue de roches isolées comme de trous d'eau, à peine inclinée entre la falaise abrupte, qui paraît sans issue, et la mer.

Il fait très beau. Le soleil éclaire le sable jaune d'une lumière violente, verticale. Il n'y a pas un nuage dans le ciel. Il n'y a pas, non plus, de vent. L'eau est bleue, calme, sans la moindre ondulation venant du large,[3] bien que la plage soit ouverte sur la mer libre, jusqu'à l'horizon.

Mais à intervalles réguliers, une vague soudaine, toujours la même, née à quelques mètres du bord, s'enfle brusquement et déferle aussitôt,[4] toujours sur la même ligne. On n'a pas alors

[1] beach [2] except [3] from the open sea [4] suddenly rises and breaks at once.

l'impression que l'eau avance, puis se retire; c'est, au contraire, comme si tout ce mouvement s'exécutait sur place. Le gonflement de l'eau produit d'abord une légère dépression, du côté de la grève, et la vague prend un peu de recul,[5] dans un bruissement de graviers roulés; puis elle éclate et se répand, laiteuse,[6] sur la pente, mais pour regagner seulement le terrain perdu. C'est à peine si une montée plus forte, çà et là, vient mouiller un instant quelques décimètres supplémentaires.

Et tout reste de nouveau immobile, la mer, plate et bleue, exactement arrêtée à la même hauteur sur le sable jaune de la plage, où marchent côte à côte les trois enfants.

Ils sont blonds, presque de la même couleur que le sable: la peau un peu plus foncée,[7] les cheveux un peu plus clairs. Ils sont habillés tous les trois de la même façon, culotte courte et chemisette, l'une et l'autre en grosse toile d'un bleu délavé.[8] Ils marchent côte à côte, se tenant par la main, en ligne droite, parallèlement à la mer et parallèlement à la falaise, presque à égale distance des deux, un peu plus près de l'eau pourtant. Le soleil, au zénith, ne laisse pas d'ombre à leur pied.

Devant eux le sable est tout à fait vierge, jaune et lisse depuis le rocher jusqu'à l'eau. Les enfants s'avancent en ligne droite, à une vitesse régulière, sans faire le plus petit crochet,[9] calmes et se tenant par la main. Derrière eux le sable, à peine humide, est marqué des trois lignes d'empreintes laissées par leurs pieds nus, trois successions régulières d'empreintes semblables et pareillement espacées, bien creuses, sans bavures.[10]

Les enfants regardent droit devant eux. Ils n'ont pas un coup d'œil vers la haute falaise, sur leur gauche, ni vers la mer dont les petites vagues éclatent périodiquement, sur l'autre côté. A plus forte raison ne se retournent-ils pas,[11] pour contempler derrière eux la distance parcourue. Ils poursuivent leur chemin, d'un pas égal et rapide.

Devant eux, une troupe d'oiseaux de mer arpente[12] le rivage, juste à la limite des vagues. Ils progressent parallèlement à la

[5] withdraws a bit [6] in milky foam [7] dark [8] faded [9] without even the slightest swerve [10] perfect, unblemished [11] still less would they turn their heads [12] walks along, hops along deliberately.

marche des enfants, dans le même sens que ceux-ci, à une centaine de mètres environ. Mais, comme les oiseaux vont beaucoup moins vite, les enfants se rapprochent d'eux. Et tandis que la mer efface au fur et à mesure[13] les traces des pattes étoilées, les pas des enfants demeurent inscrits avec netteté dans le sable à peine humide, où les trois lignes d'empreintes continuent de s'allonger.

La profondeur de ces empreintes est constante : à peu près deux centimètres. Elles ne sont déformées ni par l'effondrement[14] des bords ni par un trop grand enfoncement du talon, ou de la pointe. Elles ont l'air découpées à l'emporte-pièce[15] dans une couche superficielle, plus meuble,[16] du terrain.

Leur triple ligne ainsi se développe, toujours plus loin, et semble en même temps s'amenuiser,[17] se ralentir, se fondre en un seul trait, qui sépare la grève en deux bandes, sur toute sa longueur, et qui se termine à un menu mouvement mécanique, là-bas, exécuté comme sur place : la descente et la remontée alternative de six pieds nus.

Cependant à mesure que les pieds nus s'éloignent, ils se rapprochent des oiseaux. Non seulement ils gagnent rapidement du terrain,[18] mais la distance relative qui sépare les deux groupes diminue encore beaucoup plus vite, comparée au chemin déjà couru. Il n'y a bientôt plus que quelques pas entre eux . . .

Mais, lorsque les enfants paraissent enfin sur le point d'atteindre les oiseaux, ceux-ci tout à coup battent des ailes et s'envolent, l'un d'abord, puis deux, puis dix . . . Et toute la troupe, blanche et grise, décrit une courbe au-dessus de la mer pour venir se reposer sur le sable et se remettre à l'arpenter, toujours dans le même sens, juste à la limite des vagues, à une centaine de mètres environ.

A cette distance, les mouvements de l'eau sont quasi[19] imperceptibles, si ce n'est par un changement soudain de couleur, toutes les dix secondes, au moment où l'écume éclatante brille au soleil.

Sans s'occuper des traces qu'ils continuent de découper, avec précision, dans le sable vierge, ni des petites vagues sur leur

---

[13] progressively   [14] collapse   [15] neatly, as by a vigorous gesture   [16] movable   [17] to thin down   [18] they cover ground rapidly   [19] almost.

droite, ni des oiseaux, tantôt volant, tantôt marchant, qui les précèdent, les trois enfants blonds s'avancent côte à côte, d'un pas égal et rapide, se tenant par la main.

Leurs trois visages hâlés,[20] plus foncés que les cheveux, se ressemblent. L'expression en est la même: sérieuse, réfléchie, préoccupée peut-être. Leurs traits aussi sont identiques, bien que, visiblement, deux de ces enfants soient des garçons et le troisième une fille. Les cheveux de la fille sont seulement un peu plus longs, un peu plus bouclés, et ses membres à peine un peu plus graciles.[21] Mais le costume est tout à fait le même: culotte courte et chemisette, l'une et l'autre en grosse toile d'un bleu délavé.

La fille se trouve à l'extrême droite, du côté de la mer. A sa gauche, marche celui des deux garçons qui est légèrement le plus petit. L'autre garçon, le plus proche de la falaise, a la même taille que la fille.

Devant eux s'étend le sable jaune et uni, à perte de vue. Sur leur gauche se dresse la paroi de pierre brune, presque verticale, où aucune issue n'apparaît. Sur leur droite, immobile et bleue depuis l'horizon, la surface plate de l'eau est bordée d'un ourlet[22] subit, qui éclate aussitôt pour se répandre en mousse blanche.

Puis, dix secondes plus tard, l'onde qui se gonfle creuse à nouveau la même dépression, du côté de la plage, dans un bruissement de graviers roulés.

La vaguelette déferle; l'écume laiteuse gravit à nouveau la pente, regagnant les quelques décimètres de terrain perdu. Pendant le silence qui suit, de très lointains coups de cloche résonnent dans l'air calme.

«Voilà la cloche,» dit le plus petit des garçons, celui qui marche au milieu.

Mais le bruit des graviers que la mer aspire couvre le trop faible tintement.[23] Il faut attendre la fin du cycle pour percevoir à nouveau quelques sons, déformés par la distance.

«C'est la première cloche,» dit le plus grand.

La vaguelette déferle, sur leur droite.

[20] tanned [21] slender [22] edge [23] tolling.

3 1 0

Quand le calme est revenu, ils n'entendent plus rien. Les trois enfants blonds marchent toujours à la même cadence régulière, se tenant tous les trois par la main. Devant eux, la troupe d'oiseaux qui n'était plus qu'à quelques enjambées, gagnée par une brusque contagion, bat des ailes et prend son vol.

Ils décrivent la même courbe au-dessus de l'eau, pour venir se reposer sur le sable et se remettre à l'arpenter, toujours dans le même sens, juste à la limite des vagues, à une centaine de mètres environ.

«C'est peut-être pas la première, reprend le plus petit, si on n'a pas entendu l'autre, avant . . .

— On l'aurait entendue pareil,»[24] répond son voisin.

Mais ils n'ont pas, pour cela, modifié leur allure[25]; et les mêmes empreintes, derrière eux, continuent de naître, au fur et à mesure, sous leurs six pieds nus.

«Tout à l'heure, on n'était pas si près,» dit la fille.

Au bout d'un moment, le plus grand des garçons, celui qui se trouve du côté de la falaise, dit:

«On est encore loin.»

Et ils marchent ensuite en silence tous les trois.

Ils se taisent ainsi jusqu'à ce que la cloche, toujours aussi peu distincte, résonne à nouveau dans l'air calme. Le plus grand des garçons dit alors: «Voilà la cloche.» Les autres ne répondent pas.

Les oiseaux, qu'ils étaient sur le point de rattraper,[26] battent des ailes et s'envolent, l'un d'abord, puis deux, puis dix . . .

Puis toute la troupe est de nouveau posée sur le sable, progressant le long du rivage, à cent mètres environ devant les enfants.

La mer efface à mesure les traces étoilées de leurs pattes. Les enfants, au contraire, qui marchent plus près de la falaise, côte à côte, se tenant par la main, laissent derrière eux de profondes empreintes, dont la triple ligne s'allonge parallèlement aux bords, à travers la très longue grève.

Sur la droite, du côté de l'eau immobile et plate, déferle, toujours à la même place, la même petite vague.

[24] we would have heard it just the same [25] pace, speed [26] to catch up with.

QUESTIONS

1. Un peintre pourrait-il, utilisant les détails donnés par l'auteur, faire un tableau fidèle de cette histoire?
2. Quels sont les principaux thèmes de ce passage? Ont-ils un rôle égal?
3. Cette description est-elle très sensuelle?
4. De quelle manière l'auteur a-t-il intégré les enfants au décor?
5. Le rôle des couleurs est-il important?
6. Pourquoi l'auteur insiste-t-il sur l'aspect rectiligne du décor et de la marche des enfants?
7. La courbe dessinée par les oiseaux ou évoquée par la cloche apporte-t-elle vraiment un élément nouveau?
8. Le fait que le soleil est au zénith et le ciel sans nuages est-il significatif?
9. Le poète a écrit: «O temps, suspends ton vol!...» Ce vers pourrait-il s'appliquer à cette histoire?

DANS LES COULOIRS DU MÉTROPOLITAIN

L'Escalier mécanique

UN GROUPE, immobile, tout en bas du long escalier gris-fer, dont les marches l'une après l'autre affleurent,[1] au niveau de la plate-forme d'arrivée, et disparaissent une à une dans un bruit de machinerie bien huilée, avec une régularité pourtant pesante, et saccadée[2] en même temps, qui donne l'impression d'assez grande vitesse à cet endroit où les marches disparaissent l'une après l'autre sous la surface horizontale, mais qui semble au contraire d'une lenteur extrême, ayant d'ailleurs perdu toute brusquerie, pour le regard qui, descendant la série des degrés[3] successifs, retrouve, tout en bas du long escalier rectiligne, comme à la même place, le même groupe dont la posture n'a pas varié d'une ligne, un groupe immobile, debout

---

[1] come up, emerge   [2] jerky   [3] steps.

312

sur les dernières marches, qui vient à peine de quitter la plate-
forme de départ, s'est figé aussitôt pour la durée du parcours
mécanique, s'est arrêté tout d'un coup, en pleine agitation, en
pleine hâte, comme si le fait de mettre les pieds sur les marches
mouvantes avait soudain paralysé les corps, l'un après l'autre,
dans des poses à la fois détendues et rigides, en suspens, marquant la halte provisoire au milieu d'une course interrompue,
tandis que l'escalier entier poursuit sa montée, s'élève avec
régularité d'un mouvement uniforme, rectiligne, lent, presque
insensible, oblique par rapport aux corps verticaux.

Ces corps sont au nombre de cinq, groupés sur trois ou quatre
marches de hauteur, dans la moitié gauche de celles-ci,[4] à
proximité plus ou moins grande de la rampe, qui se déplace,
elle aussi, du même mouvement, mais rendu plus insensible
encore, plus douteux, par la forme même de cette rampe, simple
ruban épais de caoutchouc noir, à la surface unie, aux deux
bords rectilignes, sur lequel aucun repère[5] ne permet de déterminer la vitesse, sinon les deux mains qui se trouvent posées
dessus, à un mètre environ l'une de l'autre, tout en bas de
l'étroite bande oblique dont la fixité partout ailleurs semble
évidente, et qui progressent d'une façon continue, sans à-coup,[6]
en même temps que l'ensemble du système.

La plus élevée de ces deux mains est celle d'un homme en
complet gris, un gris assez pâle, incertain, jaunâtre sous la
lumière jaune, qui se tient seul sur une marche, en tête du
groupe, le corps très droit, les jambes jointes, le bras gauche
ramené vers la poitrine et la main tenant un journal plié en
quatre, sur lequel se penche le visage d'une façon qui paraît
un peu excessive, tant est forte la flexion du cou vers l'avant,
avec pour principal effet d'exposer bien en vue, à la place du
front et du nez, le dessus du crâne et son importante calvitie,[7]
large rond d'un cuir chevelu rose et brillant que barre trans-
versalement[8] une mèche lâche, sans épaisseur, de cheveux roux
collés à la peau.

Mais le visage tout d'un coup se relève, vers le haut de
l'escalier, montrant le front, le nez, la bouche, l'ensemble des

---

[4] on the left of the steps   [5] indication   [6] smoothly   [7] large bald spot
[8] wide circle of pink and shiny scalp which is crossed.

traits, d'ailleurs dépourvus d'expression, et demeure ainsi quelques instants, plus longtemps certes qu'il ne serait nécessaire pour s'assurer que la montée, encore loin de prendre fin, permet de poursuivre la lecture de l'article commencé, ce que le personnage se décide enfin à faire, rabaissant brusquement la tête, sans que sa physionomie, maintenant de nouveau cachée, ait indiqué par un signe quelconque le genre d'attention prêtée un moment au décor, qui n'a peut-être même pas été aperçu par ces yeux grands ouverts et fixes, au regard vide. A leur place, dans la même position qu'au début, se retrouve le crâne rond avec sa zone chauve au milieu.

Comme si l'homme, au milieu de sa lecture retrouvée, pensait alors soudain à cet immense escalier vide, rectiligne, qu'il vient de contempler sans le voir, et qu'il veuille par une sorte de réflexe, retardé, regarder aussi en arrière, pour savoir si une semblable solitude s'étend dans cette direction-là, il se retourne, aussi brusquement qu'il a levé le visage tout à l'heure et sans plus bouger le reste du corps. Il peut ainsi constater que quatre personnes se tiennent derrière lui, immobiles, s'élevant sans à-coup à la même vitesse que lui, qui reprend aussitôt sa posture primitive et la lecture de son journal. Les autres voyageurs n'ont pas bronché.[9]

Au second rang, après une marche vide, viennent une femme et un enfant. La femme est située exactement derrière l'homme au journal, mais elle n'a pas posé sa main droite sur la rampe: son bras pend le long du corps, portant quelque sac, ou filet à provision,[10] ou paquet de forme arrondie, dont la masse brunâtre dépasse à peine, sur le côté, le pantalon gris de l'homme, ce qui empêche de préciser sa nature exacte. La femme n'est ni jeune ni vieille; son visage a l'air fatigué. Elle est vêtue d'un imperméable rouge, coiffée d'un foulard bariolé[11] noué sous le menton. A sa gauche, l'enfant, un garçon d'une dizaine d'années qui porte un chandail à col montant[12] et un étroit pantalon de toile bleue, garde la tête à demi renversée sur l'épaule, la figure levée vers sa droite, vers le profil de la femme, ou bien, légèrement en avant, vers le mur nu, uniformément revêtu de petits carreaux

[9] stirred   [10] shopping bag made of net   [11] gaudy   [12] turtleneck sweater.

rectangulaires en céramique blanche, qui défile régulièrement au-dessus de la rampe, entre la femme et l'homme au journal.

Passent ensuite, toujours à la même vitesse, sur ce fond blanc, brillant, découpé en innombrables petits rectangles, tous identiques et rangés en bon ordre, aux joints horizontaux continus, aux joints verticaux alternées, deux silhouettes d'hommes en complets-vestons de couleurs sombres, le premier placé derrière la femme en rouge, deux marches plus bas, tenant sa main droite posée sur la rampe, puis, après trois marches vides, le second, placé derrière l'enfant, sa tête n'arrivant guère plus haut que les sandales à lanières[13] de celui-ci, c'est-à-dire un peu au-dessous des genoux marqués à l'arrière du pantalon bleu par de multiples plis horizontaux froissant la toile.

Et le groupe rigide continue de monter, la pose de chacun demeurant immuable comme leurs positions respectives. Mais, l'homme de tête s'étant détourné pour regarder en arrière, le dernier, qui sans doute se demande l'objet de cette attention anormale, se retourne à son tour. Il aperçoit seulement la longue série des degrés descendants successifs et, tout en bas de l'escalier rectiligne, gris-fer, un groupe immobile, debout sur les dernières marches, qui vient à peine de quitter la plate-forme de départ et s'élève du même mouvement lent et sûr, et reste toujours à la même distance.

Un Souterrain

Une foule clairsemée[1] de gens pressés, marchant tous à la même vitesse, longe un couloir dépourvu de passages transversaux, limité d'un bout comme de l'autre par un coude,[2] obtus, mais qui masque entièrement les issues terminales, et dont les murs sont garnis, à droite comme à gauche, par des affiches publicitaires toutes identiques se succédant à intervalles égaux. Elles représentent une tête de femme, presque aussi haute à elle seule qu'une des personnes de taille ordinaire qui défilent devant elle, d'un pas rapide, sans détourner le regard.

[13] sandals with straps.

[1] sparse [2] bend.

Cette figure géante, aux cheveux blonds bouclés, aux yeux encadrés de cils très longs, aux lèvres rouges, aux dents blanches, se présente de trois quarts, et sourit en regardant les passants qui se hâtent et la dépassent l'un après l'autre, tandis qu'à côté d'elle, sur la gauche, une bouteille de boisson gazeuse, inclinée à quarante-cinq degrés, tourne son goulot [3] vers la bouche entrouverte. La légende est inscrite en écriture cursive, [4] sur deux lignes : le mot «encore» placé au-dessus de la bouteille, et les deux mots «plus encore» au-dessous, tout en bas de l'affiche, sur une oblique légèrement montante par rapport au bord horizontal de celle-ci.

Sur l'affiche suivante se retrouvent les mêmes mots à la même place, la même bouteille inclinée dont le contenu est prêt à se répandre, le même sourire impersonnel. Puis, après un espace vide couvert de céramique blanche, la même scène de nouveau, figée au même instant où les lèvres s'approchent du goulot tendu et du liquide sur le point de couler, devant laquelle les mêmes gens pressés passent sans détourner la tête, poursuivant leur chemin vers l'affiche suivante.

Et les bouches se multiplient, et les bouteilles, et les yeux grands comme des mains au milieu de leurs longs cils courbes. [5] Et, sur l'autre paroi du couloir, les mêmes éléments se reproduisent encore avec exactitude (à ceci près que les directions du regard et du goulot y sont interchangées), se succédant à intervalles constants de l'autre côté des silhouettes sombres des voyageurs, qui continuent à défiler, en ordre dispersé mais sans interruption, sur le fond bleu-ciel des panneaux, entre les bouteilles rougeâtres et les visages roses aux lèvres disjointes. Mais, juste avant le coude, leur passage est gêné par un homme arrêté, à un mètre environ du mur de gauche. Le personnage est habillé d'un costume gris, de teinte peu franche, et tient dans la main droite qui pend le long de son corps un journal plié en quatre. Il est en train de contempler la paroi, [6] aux environs d'un nez plus grand que tout son visage qui se trouve au niveau de ses propres yeux.

En dépit de la taille énorme du dessin et du peu de détails

[3] neck   [4] flowing   [5] curved   [6] wall.

dont il s'orne, la tête du spectateur se penche en avant, comme
pour mieux voir. Les passants doivent s'écarter un instant de
leur trajectoire rectiligne afin de contourner cet obstacle
inattendu; presque tous passent derrière, mais quelques-uns,
s'apercevant trop tard de la contemplation qu'ils vont interrompre, ou ne voulant pas se déranger pour si peu de leur route,
ou ne se rendant compte de rien, s'avancent entre l'homme et
l'affiche, dont ils interceptent alors le regard.

Derrière le Portillon[1]

La foule est arrêtée par une double porte fermée, qui l'empêche d'accéder au quai de la station. L'escalier qui descend
jusque-là est entièrement occupé par des corps serrés les uns
contre les autres, si bien que seules les têtes sont visibles, ne
laissant guère d'espaces libres entre elles. Toutes sont immobiles.
Les visages sont figés,[2] ne marquant ni le dépit, ni l'impatience,
ni l'espoir.

Derrière le moutonnement[3] des crânes, crânes d'hommes pour
la plupart, sans chapeaux, aux cheveux courts et aux oreilles
bien dégagées,[4] qui descendent suivant la pente de l'escalier
lui-même mais sans que demeure sensible la régularité des degrés
successifs, se dresse la partie supérieure des portes, dépassant
la dernière rangée de têtes d'une trentaine de centimètres.
Les deux battants fermés ne laissent entre eux qu'un intervalle
médiocre, à peine discernable. Ils se raccordent, l'un à droite,
l'autre à gauche, à deux parties fixes très étroites sur lesquelles
ils pivotent[5] lors de l'ouverture. Mais, pour le moment, ces deux
pivots et les deux panneaux fermés forment une paroi quasi
continue qui interdit le passage, juste au ras de[6] la dernière
marche.

L'ensemble du système est peint en vert sombre, chacun des
deux battants portant une grosse inscription blanche sur un
fond rouge, rectangulaire, qui occupe presque toute sa largeur.

---

[1] gate   [2] stolid   [3] swarm, milling swarm, having the appearance of the
crest of white waves on a choppy sea   [4] standing out   [5] swing   [6] right on
the level of.

3 1 7

Seule la première ligne de cette inscription, «Portillon automatique,» se trouve placée au-dessus de la dernière rangée de têtes, qui ne livre [7] de la ligne suivante que des lettres isolées, entre les oreilles des voyageurs.

Les crânes serrés qui descendent en pente douce, les mots «Portillon automatique» répétés deux fois en travers du passage, puis, au-dessus, une bande horizontale de peinture vert sombre, laquée ... Au-dessus encore, l'espace est libre, jusqu'à la voûte [8] en demi-cercle par laquelle le plafond de l'escalier se raccorde à la station proprement dite, à l'extrémité de celle-ci, dans son prolongement.

Dans cette ouverture en demi-cercle apparaît ainsi un morceau de quai, très réduit, et, tout en haut sur la gauche, segment de cercle que soustend [9] la corde oblique constituée par le bord du quai, un fragment plus exigu encore du wagon arrêté contre celui-ci.

Il s'agit d'une paroi de tôle verte, sans doute tout en queue du train, après le seuil de la dernière porte, devant lequel piétinent [10] les voyageurs en attendant de pouvoir pénétrer dans le wagon. Probablement quelque chose les empêche-t-il de le faire aussi vite qu'ils voudraient—voyageurs qui descendent, ou trop grande affluence [11] à l'intérieur—car ils demeurent à peu près immobiles, autant du moins que l'on peut en juger par la faible partie de leur personne qui se trouve dans le champ visuel.

Sont seuls visibles, [12] en effet, au-dessus du moutonnement des têtes et de l'inscription sur le haut des portes closes, les chaussures et le bas des pantalons des hommes qui s'apprêtent à monter en voiture, interrompus sous le genou par la voûte en arc de cercle.

Les pantalons sont de teinte sombre. Les souliers sont noirs, poussiéreux. De temps à autre l'un d'eux se soulève à demi et se repose aussitôt sur le sol, ayant avancé d'à peine un centimètre, ou n'ayant pas avancé du tout, ou même ayant un peu reculé. Les souliers voisins, devant et derrière, exécutent, à la suite, des mouvements analogues, dont le résultat est aussi peu sensible. [13] Et tout se stabilise de nouveau. Plus bas, immobiles

---

[7] shows   [8] arch   [9] extends downward   [10] shuffle   [11] crowd   [12] the only things visible are   [13] hardly noticeable.

Dans les Couloirs du Métropolitain

également, après la coupure de tôle peinte portant les mots «Portillon automatique,» viennent les têtes aux cheveux courts, aux oreilles bien dégagées, aux visages inexpressifs.

QUESTIONS

1. Alain Robbe-Grillet décrit-il les couloirs du métropolitain d'une manière très réaliste?

2. Les trois divisions de ce passage se succèdent-elles d'une manière logique?

3. Préférez-vous l'une de ces scènes aux autres? Donnez les raisons de votre choix.

4. Le regard de l'auteur se déplace-t-il suivant la même trajectoire dans les trois scènes?

5. L'homme en gris d'abord élément important, puis figurant, finalement disparaît. Comment expliquez-vous ce phénomène?

6. Quelle scène vous fait penser à une photographie?

7. Peut-on faire un rapprochement entre la manière de décrire le mouvement dans la première scène et dans la seconde?

8. Pourquoi les affiches publicitaires sont-elles identiques?

9. Voyez-vous un rapport entre les gens et le décor?

10. Comment l'auteur donne-t-il l'impression d'être surtout un regard?

11. Cette succession de scènes vous paraît-elle temporelle?

12. Prenant modèle sur «*La Plage*» ou sur «*Dans les couloirs du métropolitain*» pourriez-vous décrire une scène à la manière d'Alain Robbe-Grillet?

Nathalie Sarraute

Nathalie Sarraute, romancière d'origine russe, née en 1902, se rattache malgré bien des divergences au groupe d'écrivains du «nouveau roman,» dont font également partie Alain Robbe-Grillet et Michel Butor.

Tropismes, sa première œuvre, parut en 1936. Depuis elle a publié *Portrait d'un inconnu* (1949), précédé d'une préface de Sartre, *Martereau* (1953), *le Planétarium* (1959), qui est sans doute son chef-d'œuvre, et *les Fruits d'or* (1963).

Elle a exposé ses vues sur le roman dans un essai intitulé «L'Ère du soupçon.» Très influencée par Proust, Joyce, et Virginia Woolf, mais voulant aller plus loin encore qu'eux, elle déclare révolue la forme traditionnelle du roman du dix-neuvième siècle, et en particulier, elle supprime le personnage aux contours nets, réalistement campé dans l'existence, tel que nous le trouvons dans les romans de Balzac. Dans son œuvre, le lecteur est plongé dans la conscience d'un «je» ou d'un «il» anonyme, et il voit le monde et les autres à travers lui.

Le titre *Tropismes* est révélateur: il désigne tous les mouvements informes que déclenchent dans la conscience du personnage les rapports avec autrui, élans, répulsions, paniques, ou sensations fugitives. Et l'originalité de Nathalie Sarraute consiste à saisir ces drames microscopiques dans leur création présente et mouvante. Tous ces mouvements sont sollicités par autrui, car les autres «ils» ou «elles» sont, pour le personnage central, fascinants et obsédants. Leur langage est formé de lieux communs, de propos inauthentiques qui dissimulent leur véritable personnalité. Devant eux, le «je» éprouve une double tendance: un besoin pathétique, pour échapper à sa solitude, de communiquer avec eux, fût-ce par le truchement d'un

3 2 0

Français

langage inauthentique, et par ailleurs, un désir haineux d'arracher leur masque et de leur révéler le monde morbide des «tropismes» qui grouillent derrière leur apparence tranquille.

Le style de Nathalie Sarraute est minutieux et très concret lorsqu'elle veut exprimer la vie protoplasmique des tropismes ou volontairement conventionnel lorsqu'elle désire dénoncer l'inauthenticité de ses personnages.

TROPISMES

8

QUAND il était avec des êtres frais et jeunes, des êtres innocents, il éprouvait le besoin douloureux, irrésistible, de les manipuler de ses doigts inquiets, de les palper, de les rapprocher de soi le plus près possible, de se les approprier.

Quand il lui arrivait de sortir avec l'un d'eux, d'emmener l'un d'eux «promener,» il serrait fort, en traversant la rue, la petite main dans sa main chaude, prenante, se retenant pour ne pas écraser les minuscules doigts, pendant qu'il traversait en regardant avec une infinie prudence, à gauche et puis à droite, pour s'assurer qu'ils avaient le temps de passer, pour bien voir si une auto ne venait pas, pour que son petit trésor,[1] son enfant chéri, cette petite chose vivante et tendre et confiante dont il avait la responsabilité, ne fût pas écrasée.

Et il lui apprenait, en traversant, à attendre longtemps, à faire bien attention, attention, attention, surtout très attention, en traversant les rues sur le passage clouté, car «il faut si peu de chose, car une seconde d'inattention suffit pour qu'il arrive un accident.»

Et il aimait aussi leur parler de son âge, de son grand âge et de sa mort. «Que diras-tu quand tu n'auras plus de grand-père, il ne sera pas là, ton grand-père, car il est vieux, tu sais, très vieux, il sera bientôt temps pour lui de mourir. Est-ce que tu sais ce qu'on fait quand on est mort? Lui aussi, ton grand-père, il avait une maman. Ah! où elle est maintenant? Ah! Ah! où

[1] his little darling.

elle est maintenant, mon chéri? elle est partie, il n'a plus de maman, elle est morte depuis longtemps, sa maman, elle est partie, il n'y en a plus, elle est morte.»

L'air était immobile et gris, sans odeur, et les maisons s'élevaient de chaque côté de la rue, les masses plates, fermées et mornes des maisons les entouraient, pendant qu'ils avançaient lentement le long du trottoir, en se tenant par la main. Et le petit sentait que quelque chose pesait sur lui, l'engourdissait. Une masse molle et étouffante, qu'on lui faisait absorber inexorablement, en exerçant sur lui une douce et ferme contrainte, en lui pinçant légèrement le nez pour le faire avaler, sans qu'il pût résister [2]—le pénétrait, pendant qu'il trottinait doucement et très sagement, en donnant docilement sa petite main, en opinant de la tête très raisonnablement, et qu'on lui expliquait comme il fallait toujours avancer avec précaution et bien regarder d'abord à droite, puis à gauche, et faire bien attention, très attention, de peur d'un accident, en traversant le passage clouté.

10

Dans l'après-midi elles sortaient ensemble, menaient la vie des femmes. Ah! cette vie était extraordinaire! Elles allaient dans des «thés,»[3] elles mangeaient des gâteaux qu'elles choisissaient délicatement, d'un petit air gourmand: éclairs au chocolat, babas et tartes.

Tout autour c'était une volière pépiante,[4] chaude et gaîment éclairée et ornée. Elles restaient là, assises, serrées autour de leurs petites tables et parlaient.

Il y avait autour d'elles un courant d'excitation, d'animation, une légère inquiétude pleine de joie, le souvenir d'un choix difficile, dont on doutait encore un peu (se combinerait-il avec l'ensemble bleu et gris? mais si pourtant, il serait admirable), la perspective de cette métamorphose, de ce rehaussement subit de leur personnalité, de cet éclat.

[2] a soft and choking mass that one made him absorb inexorably by constraining him softly and firmly, by holding his nose lightly in order to make him swallow it, without his being able to resist [3] tearooms [4] chirping aviary.

Elles, elles, elles, elles, toujours elles, voraces, pépiantes et délicates.

Leurs visages étaient comme raidis par une sorte de tension intérieure, leurs yeux indifférents glissaient sur l'aspect, sur le masque des choses, le soupesaient un seul instant (était-ce joli ou laid?), puis le laissaient retomber. Et les fards leur donnaient un éclat dur, une fraîcheur sans vie.

Elles allaient dans des thés. Elles restaient là, assises pendant des heures, pendant que des après-midis entières s'écoulaient. Elles parlaient: «Il y a entre eux des scènes lamentables, des disputes à propos de rien. Je dois dire que c'est lui que je plains dans tout cela quand même. Combien? Mais au moins deux millions. Et rien que l'héritage de la tante Joséphine . . . Non . . . comment voulez-vous? Il ne l'épousera pas. C'est une femme d'intérieur qu'il lui faut, il ne s'en rend pas compte lui-même. Mais non, je vous le dis. C'est une femme d'intérieur qu'il lui faut . . . D'intérieur . . . D'intérieur . . .» On le leur avait toujours dit. Cela, elles l'avaient bien toujours entendu dire, elles le savaient: les sentiments, l'amour, la vie, c'était là leur domaine. Il leur appartenait.

Et elles parlaient, parlaient toujours, répétant les mêmes choses, les retournant, puis les retournant encore, d'un côté puis de l'autre, les pétrissant, les pétrissant, roulant sans cesse entre leurs doigts cette matière ingrate et pauvre qu'elles avaient extraite de leur vie (ce qu'elles appelaient «la vie,» leur domaine), la pétrissant, l'étirant, la roulant[5] jusqu'à ce qu'elle ne forme plus entre leurs doigts qu'un petit tas, une petite boulette grise.

11

Elle avait compris le secret. Elle avait flairé[6] où se cachait ce qui devait être pour tous le trésor véritable. Elle connaissait «l'échelle des valeurs.»[7]

Pour elle, pas de conversations sur la forme des chapeaux et

[5] kneading them, rolling constantly between their fingers this unyielding and poor matter that they had extracted from their life, kneading it, stretching it, rolling it   [6] sniffed   [7] scale of values, a phrase popularized by Nietzsche.

les tissus de chez Rémond. Elle méprisait profondément les chaussures à bouts carrés.[8]

Comme un cloporte,[9] elle avait rampé[10] insidieusement vers eux et découvert malicieusement «le vrai de vrai,» comme une chatte qui se pourlèche[11] et ferme les yeux devant le pot de crème déniché.[12]

Maintenant elle le savait. Elle s'y tiendrait.[13] On ne l'en délogerait plus. Elle écoutait, elle absorbait, gloutonne, jouisseuse[14] et âpre. Rien ne devait lui échapper de ce qui leur appartenait: les galeries de tableaux,[15] tous les livres qui paraissaient . . . Elle connaissait tout cela. Elle avait commencé par «Les Annales,»[16] maintenant elle se glissait vers Gide, bientôt elle irait prendre des notes, l'œil intense et cupide, à «L'Union pour la Vérité.»[17]

Sur tout cela elle se promenait, flairait partout, soulevait tout de ses doigts aux ongles carrés[18]; dès qu'on parlait vaguement quelque part de cela, son regard s'allumait, elle tendait le cou[19] avidement.

Ils en éprouvaient une répulsion indicible. Lui cacher cela— vite—avant qu'elle ne le flaire, l'emporter, le soustraire à son contact avilissant . . .[20] Mais elle les déjouait, car elle connaissait tout. On ne pouvait lui cacher la cathédrale de Chartres.[21] Elle savait tout sur elle. Elle avait lu ce qu'en pensait Péguy.

Dans les recoins[22] les plus secrets, dans les trésors les mieux dissimulés,[23] elle fouillait de ses doigts avides. Toute «l'intellectualité.» Il la lui fallait. Pour elle. Pour elle, car elle savait maintenant le véritable prix des choses. Il lui fallait l'intellectualité.

---

[8] square-toed shoes   [9] wood louse   [10] crept   [11] like a cat licking her whiskers   [12] snitched   [13] she would stick to it   [14] sybaritic   [15] art galleries   [16] monthly review dealing with literature and art composed of lectures usually given by university professors and important writers for fashionable ladies' audiences   [17] an intellectual group eagerly reaching for idealistic moral values   [18] square nails   [19] she stretched out her neck   [20] degrading   [21] famous Gothic cathedral, near Paris, about which the Catholic French poet Charles Péguy (1873–1914) wrote the well-known poem «Présentation de la Beauce à Notre-Dame de Chartres»   [22] corners   [23] concealed.

Ils étaient ainsi un grand nombre comme elle, parasites assoiffés[24] et sans merci, sangsues[25] fixées sur les articles qui paraissaient, limaces collées partout[26] et répandant leur suc sur des coins de Rimbaud, suçant du Mallarmé,[27] se passant les uns aux autres en engluant de leur ignoble compréhension *Ulysse*[28] ou les *Cahiers de Malte Laurids Brigge.*[29]

«C'est si beau,» disait-elle, en ouvrant d'un air pur et inspiré ses yeux où elle allumait une «étincelle de divinité.»

13

On les voyait marcher le long des vitrines, leur torse très droit légèrement projeté en avant, leurs jambes raides un peu écartées, et leurs petits pieds cambrés sur leurs talons très hauts frappant durement le trottoir.

Avec leur sac sous le bras, leurs gantelets, leur petit «bibi»[30] réglementaire juste comme il faut incliné sur leur tête, leurs cils longs et rigides piqués dans leurs paupières bombées,[31] leurs yeux durs, elles trottaient le long des boutiques, s'arrêtaient tout à coup, furetaient d'un œil avide et connaisseur.

Bien vaillamment, car elles étaient très résistantes, elles avaient depuis plusieurs jours couru à la recherche à travers les boutiques d'«un petit tailleur sport,» en gros tweed à dessins, «un petit dessin comme ça, je le vois si bien, il est à petits carreaux[32] gris et bleus . . . Ah! vous n'en avez pas? où pourrais-je en trouver?» et elles avaient recommencé leur course.

Le petit tailleur bleu . . . le petit tailleur gris . . . Leurs yeux tendus furetaient à sa recherche . . .[33] Peu à peu il les tenait plus fort, s'emparait d'elles impérieusement, devenait indispensable, devenait un but en soi, elles ne savaient plus pourquoi, mais qu'à tout prix il leur fallait atteindre.

[24] thirsty [25] leeches [26] slugs sticking everywhere [27] Symbolist French poets of the late 19th century renowned for the difficulty of their writings [28] the difficult novel of James Joyce, where the stream of consciousness technique is used fully for the first time [29] autobiographical book of the Austrian poet Rainer Maria Rilke [30] funny little hat [31] long and stiff eyelashes stuck in their puffy eyelids [32] checks [33] they strained their eyes in search of it.

Elles allaient, elles trottaient, grimpaient courageusement (plus rien ne les arrêtait) par des escaliers sombres, au quatrième ou au cinquième étage, «dans des maisons spécialisées, qui font du tweed anglais, où on est sûr de trouver cela,» et, un peu agacées (elles commençaient à se fatiguer, elles allaient perdre courage), elles suppliaient: «Mais non, mais non, vous savez bien ce que je veux dire, à petits carreaux comme ça, avec des raies [34] en diagonale . . . mais non, ce n'est pas ça, ce n'est pas ça du tout . . . Ah! vous n'en avez pas? Mais où puis-je en trouver? J'ai regardé partout . . . Ah! peut-être encore là? Vous croyez? Bon, je vais y aller . . . Au revoir . . . Mais oui, je regrette beaucoup, oui, pour une autre fois . . .» et elles souriaient tout de même, aimablement, bien élevées, bien dressées [35] depuis de longues années, quand elles avaient couru encore avec leur mère, pour combiner, pour «se vêtir de rien,» «car une jeune fille, déjà, a besoin de tant de choses, et il faut savoir s'arranger.»

15

Elle aimait tant les vieux Messieurs comme lui, avec qui on pouvait parler, ils comprenaient tant de choses, ils connaissaient la vie, ils avaient fréquenté des gens intéressants (elle savait qu'il avait été l'ami de Félix Faure [36] et qu'il avait baisé la main de l'Impératrice Eugénie). [37]

Quand il venait dîner chez ses parents, tout enfantine, toute déférente (il était si savant), un peu intimidée, mais frétillante (ce serait si instructif d'entendre ses avis), elle allait au salon la première, lui tenir compagnie.

Il se soulevait péniblement: «Tiens! vous voilà! Eh bien, comment allez-vous donc? Et comment ça va-t-il? Et que faites-vous? Que faites-vous de bon cette année? Ah! vous retournez encore en Angleterre? Ah! oui?»

Elle y retournait. Vraiment, elle aimait tant ce pays. Les Anglais, quand on les connaissait . . .

[34] stripes   [35] well-groomed   [36] president of the French Republic from 1895 to 1899   [37] wife of Napoleon III, born Spanish, celebrated for her beauty; died at 94 in 1920.

Mais il l'interrompait: «L'Angleterre . . . Ah! oui, l'Angleterre . . . Shakespeare? Hein? Hein? Shakespeare. Dickens. Je me souviens, tenez, quand j'étais jeune, je m'étais amusé à traduire du Dickens. Thackeray. Vous connaissez Thackeray? Th . . . Th . . . C'est bien comme cela qu'ils prononcent? Hein? Thackeray? C'est bien cela? C'est bien comme cela qu'on dit?»

Il l'avait agrippée et la tenait tout entière dans son poing. Il la regardait qui gigotait un peu, qui se débattait maladroitement en agitant en l'air ses petits pieds, d'une manière puérile, et qui souriait toujours, aimablement: «Mais oui, je crois que c'est bien ainsi. Oui. Vous prononcez bien. En effet, le t-h . . . Tha . . . Thackeray . . . Oui, c'est cela. Mais certainement, je connais *Vanity Fair*. Mais oui, c'est bien de lui.»

Il la tournait un peu pour mieux la voir: «*Vanity Fair? Vanity Fair?* Ah, oui, vous en êtes sûre? *Vanity Fair?* C'est de lui?»

Elle continuait à frétiller doucement, toujours, avec son petit sourire poli, son expression d'attente quêteuse. Il serrait de plus en plus: «Et vous allez par où? Par Douvres? Par Calais? Dover? Hein? par Dover? C'est bien cela? Dover?»

Il n'y avait pas moyen de s'échapper. Pas moyen de l'arrêter. Elle qui avait tant lu . . . qui avait réfléchi à tant de choses . . . Il pouvait être si charmant . . . Mais il était dans un de ses mauvais jours, dans une de ses humeurs bizarres. Il allait continuer, sans pitié, sans réprit: «Dover, Dover. Dover? Hein? Hein? Thackeray? Hein? Thackeray? L'Angleterre? Dickens? Shakespeare? Hein? Hein? Dover? Shakespeare? Dover?» tandis qu'elle chercherait à se dégager doucement, sans oser faire des mouvements brusques qui pourraient lui déplaire, et répondrait respectueusement d'une petite voix tout juste un peu voilée: «Oui, Dover, c'est bien cela. Vous avez dû souvent faire ce voyage? . . . Je crois que c'est plus commode par Douvres. Oui, c'est cela . . . Dover.»

Seulement quand il verrait arriver ses parents, il reviendrait à lui, il desserrerait son poing et, un peu rouge, un peu ébouriffée, sa jolie robe un peu froissée, elle oserait enfin, sans craindre de le mécontenter, s'échapper.

20

Quand il était petit, la nuit il se dressait sur son lit, il appelait. Elles accouraient, allumaient la lumière, elles prenaient dans leurs mains les linges blancs, les serviettes de toilette, les vêtements, et elles les lui montraient. Il n'y avait rien. Les linges entre leurs mains devenaient inoffensifs, se recroquevillaient, devenaient figés et morts dans la lumière.

Maintenant qu'il était grand, il les faisait encore venir pour regarder partout, chercher en lui, bien voir et prendre entre leurs mains les peurs blotties en lui dans les recoins[38] et les examiner à la lumière.

Elles avaient l'habitude d'entrer et de regarder et il allait au devant d'elles, il éclairait lui-même partout pour ne pas sentir leurs mains tâtonner dans l'obscurité. Elles regardaient—il se tenait immobile, sans oser respirer—mais il n'y avait rien nulle part, rien qui pût effrayer, tout semblait bien en ordre, à sa place, elles reconnaissaient partout des objets familiers, depuis longtemps connus, et elles les lui montraient. Il n'y avait rien. De quoi avait-il peur? Parfois, ici ou là, dans un coin, quelque chose semblait trembler vaguement, flageoler légèrement, mais d'une tape elles remettaient cela d'aplomb, ce n'était rien, une de ses craintes familières[39]—elles la prenaient et elles la lui montraient: la fille de son ami était déjà mariée? C'était cela? Ou bien un tel[40] qui était pourtant de la même promotion que lui avait eu de l'avancement, allait être décoré? Elles arrangeaient, elles redressaient cela, ce n'était rien. Pour un instant, il se croyait plus fort, soutenu, rafistolé,[41] mais déjà il sentait que ses membres devenaient lourds, inertes, s'engourdissaient dans cette attente figée, il avait, comme avant de perdre connaissance, des picotements dans les narines; elles le voyaient se replier tout à coup, prendre son air bizarrement absorbé et absent; alors, avec des tapes légères sur les joues—le voyage des Windsor,[42] Lebrun,[43] les quintuplées—elles le ranimaient.

[38] fears pent up in the nooks of his conscience   [39] one of his usual fears   [40] someone   [41] patched up   [42] formerly Edward VIII, who abdicated in order to marry   [43] president of the Third French Republic between 1932 and 1940; died in 1950.

Mais tandis qu'il revenait à lui et quand elles le laissaient enfin raccommodé, nettoyé, arrangé, tout bien accommodé,[44] et préparé, la peur se reformait en lui,[45] au fond des petits compartiments, des tiroirs qu'elles venaient d'ouvrir, où elles n'avaient rien vu et qu'elles avaient refermés.

21

Dans son tablier noir en alpaga, avec sa croix épinglée chaque semaine sur sa poitrine, c'était une petite fille extrêmement «facile,» une enfant très docile et très sage: «Il est pour les enfants, Madame, celui-là?» demandait-elle à la papetière, quand elle n'était pas sûre, en achetant un journal illustré ou un livre.

Elle n'aurait jamais pu, oh, non, pour rien au monde elle n'aurait pu, déjà à cet âge-là, sortir de la boutique avec ce regard appuyé sur son dos[46] avec tout le long de son dos quand elle allait ouvrir la porte pour sortir, le regard de la papetière.

Elle était grande maintenant, petit poisson deviendra grand, mais oui, le temps passe vite, ah, c'est une fois passé vingt ans que les années se mettent à courir toujours plus vite, n'est-ce pas? eux aussi trouvaient cela? et elle se tenait devant eux dans son ensemble noir qui allait avec tout,[47] et puis le noir, c'est bien vrai, fait toujours habillé . . .[48] elle se tenait assise, les mains croisées sur son sac assorti, souriante, hochant la tête, apitoyée, oui, bien sûr elle avait entendu raconter, elle savait comme l'agonie de leur grand'mère avait duré, c'est qu'elle était si forte, pensez donc, ils n'étaient pas comme nous, elle avait conservé toutes ses dents à son âge . . . Et Madeleine? Son mari . . . Ah, les hommes, s'ils pouvaient mettre au monde des enfants, ils n'en auraient qu'un seul, bien sûr, ils ne recommenceraient pas deux fois, sa mère, pauvre femme, le répétait toujours—Oh! oh! les pères, les fils, les mères—l'aînée était une fille, eux qui avaient voulu avoir un fils d'abord, non, non, c'était trop tôt, elle n'allait pas se lever déjà, partir, elle n'allait pas se séparer d'eux, tout près, le plus près possible, bien sûr elle comprenait, c'est si gentil, un frère aîné, elle hochait la

[44] in good condition   [45] grew in him again   [46] that presses on her back
[47] which matched with everything   [48] dressy.

tête, elle souriait, oh, pas elle la première, oh, non, ils pouvaient être tout à fait rassurés, elle ne bougerait pas, oh, non, pas elle, elle ne pourrait jamais rompre cela tout à coup. Se taire; les regarder; et juste au beau milieu [49] de la maladie de la grand'mère se dresser et, faisant un trou énorme, s'échapper en heurtant les parois déchirées [50] et courir en criant au milieu des maisons qui guettaient accroupies [51] tout au long des rues grises, s'enfuir en enjambant les pieds des concierges qui prenaient le frais assises sur le seuil de leurs portes, courir la bouche tordue, [52] hurlant des mots sans suite, [53] tandis que les concierges lèveraient la tête au-dessus de leur tricot et que leurs maris abaisseraient leur journal sur leurs genoux et appuieraient le long de son dos, jusqu'à ce qu'elle tourne le coin de la rue, leur regard.

[49] right in the middle of   [50] bumping into the torn walls   [51] houses that were spying on her, crouching   [52] twisted mouth   [53] screaming detached words.

QUESTIONS

Tropisme 8
1. Quel genre d'influence «il» aime-t-il exercer sur les enfants?
2. Quelle est la réaction de l'enfant à ce contact?

Tropisme 10
1. Pourquoi l'auteur peint-il un groupe de femmes au lieu d'un personnage unique? (Même question pour Tropisme 13.)
2. De quoi est faite leur conversation? Quelle impression l'auteur veut-il créer?

Tropisme 11
1. Par quelles métaphores l'auteur décrit-il l'activité du personnage?
2. N. Sarraute vous semble-t-elle condamner la culture en général ou une certaine forme de culture? Laquelle?

Tropisme 13
1. N. Sarraute se place-t-elle hors de ses personnages, ou à l'intérieur?
2. Comment nous montre-t-elle que leur désir se transforme en obsession?

Tropisme 15

1. Montrer de quelle manière le vieux monsieur est vu à travers l'angoisse muette de la petite fille.
2. Cette scène vous semble-t-elle comique?

Tropisme 20

1. Montrer dans ce récit la transformation d'une description réelle en une description métaphorique.
2. Les autres peuvent-ils l'aider?

Tropisme 21

1. Quelle est la double attitude du personnage en face des autres?
2. Étudier le pathétique du récit.

Claude Spaak

Un côté artiste, un côté politique se font remarquer avec insistance dans la vie et l'œuvre de Claude Spaak. Né à Bruxelles le 22 octobre 1904, il est fils de Paul Spaak: docteur en droit, directeur du célèbre Théâtre de la Monnaie à Bruxelles et auteur dramatique connu. Son frère aîné, Paul-Henri Spaak, est l'homme d'état, secrétaire-général de l'Organisation du Traité de l'Atlantique Nord de 1957 à 1961. Claude Spaak, après avoir fait ses études de droit, se dévoue à une carrière littéraire. Le lecteur appréciera peut-être mieux le conte fantastique que nous donnons ci-après en se rappelant que l'auteur est tout aussi bien amateur d'art surréaliste (voir par exemple sa monographie en flamand sur Paul Delvaux) qu'auteur de très sobres drames sur la tolérance politique, raciale et religieuse (entre autres, *Le Pain blanc*, joué à Paris au Théâtre du Vieux-Colombier en 1957, et *Trois fois le jour*, créé en janvier 1962 au Théâtre de l'Athénée à Paris).

«De l'infini au zéro» se trouve dans un recueil de contes plus ou moins fantastiques intitulé: *Le Pays des miroirs.* Tous ces récits, y compris celui que nous allons lire, sont basés sur une sorte de jeu de «miroirs» clairement apparentée aux techniques des peintres surréalistes. Des personnages qui semblent très réels sont mêlés à des aventures invraisemblables dans lesquelles pourtant presque tous les éléments ont l'air «vrai.» Un neurasthénique se croit attaqué par des armées de rats. Un charcutier roumain, homme svelte, enrage quand un mendiant refuse de quitter son poste devant la vitrine pleine de mets alléchants: il enfle de colère jusqu'à ce qu'il ressemble plus à une énorme saucisse qu'à un homme. Un homme qui se trouve trop seul à la mort de sa femme, fait embaumer la morte et la garde avec lui; puis, un jour d'ennui, il «tue» le cadavre. Et ainsi de suite.

Le «truc» dans notre conte, bien entendu, c'est d'aller au-delà du trompe-l'œil de l'art réaliste vers quelque chose d'un peu plus complet. Quand un tableau représente avec tant de «vérité» un chat, pourquoi ne ronronnerait-il pas? Claude Spaak ne fait que commencer par là, pourtant: avant de terminer son récit il a dit son mot, et de la manière la plus amusante, sur pas mal de questions du jour.

DE L'INFINI AU ZÉRO

JÉRÔME BASTIDE était fils d'un boulanger de Navarrenx.[1] Sa mère mourut en lui donnant le jour.

Dès sa quinzième année, le jeune garçon se mit à peindre les nuages et ces saules qui se reflètent si joliment dans le gave d'Oloron.[2]

«J'aimais déjà, a-t-il dit, ce qui bouge, ce qui va, mais alors je ne pouvais en fixer que l'instant.»

Le boulanger ne prit pas cette vocation au sérieux.

Puis il exigea que son fils choisît entre le pétrin et la porte.[3]

C'est ainsi que, à sa majorité, Jérôme débarqua à Paris.

De quoi vivait-il? On l'ignore, mais nous ne savons que trop que, fréquentant le Louvre, il y copiait les chefs-d'œuvre.

Et le monde apprit avec stupeur qu'une certaine nuit d'hiver un individu avait tenté d'incendier notre célèbre musée.

Je préférerais ne pas m'étendre sur l'acte insensé commis par Jérôme Bastide.

Le puis-je? D'une part, le fait est de notoriété publique. De l'autre, il est tout de même important de rappeler à ceux qui s'intéressent au peintre de *Médor* et de *La Cathédrale transparente*, les raisons qu'il donna pour justifier son crime.

Personne n'a pu expliquer comment Bastide avait «mené à bien» son projet. Toujours est-il qu'enfermé dans le Louvre, il décrocha trois tableaux*; les traîna au centre du Salon Carré[4] et y mit le feu après les avoir arrosés d'essence.

* *La Joconde, le Charles VII* de Fouquet *et l'Embarquement pour Cythère.*[5] [Author's Note.]

[1] small town in the Basses-Pyrénées (southwestern France) [2] mountain torrent on which Navarrenx is located [3] between the kneading-trough and the door [4] large hall in the Louvre museum [5] three of the most famous paintings in the Louvre collection: the first is better known to Americans as the "Mona Lisa," by Leonardo da Vinci: the third is by Watteau.

333

Quand les services de surveillance donnèrent l'alarme, les joyaux n'étaient plus que cendres, le parquet commençait de brûler, tandis que, assis sur une chaise, Bastide fumait sa pipe. Cyniquement, il précisa que c'est à la Joconde qu'il l'avait allumée.

Ici, je passe la parole à l'accusé : les propos aberrants qui suivent furent tenus par lui, soit au cours de l'instruction, soit durant le procès.

« Les peintres d'aujourd'hui répètent sans fin ce que d'autres ont déjà dit. Faisons table rase du passé, non pas en essayant de l'oublier, mais en le supprimant. Ainsi le passé deviendra l'avenir et nous pourrons à nouveau le découvrir. »

« Comme on ne peut tuer tous les amateurs de Van Gogh, détruisons les Van Gogh. »

« Je voudrais rassembler dans la cathédrale de Chartres les chefs-d'œuvre de tous les temps : peintures, eaux-fortes, sculptures, médailles, éditions rares ou vulgaires, bref, y entasser le moindre objet d'art. Remplie à ras-bord (cinq cent mille mètres cubes, d'après mes calculs), je la ferais sauter à la dynamite. Oh rêve ! Voir s'élever de ces décombres un nuage de poussière s'enroulant sur lui-même et dessinant, oui, dessinant dans le ciel un énorme zéro ! »

J'arrête ici les citations . . .

Mais, si ces « idées » sont détestables, elles nous apprennent du moins à quel degré de nihilisme en était arrivé Jérôme Bastide, après avoir essayé vainement de créer une œuvre personnelle.

Durant les cinq années qui suivirent, le pensionnaire de la maison psychiatrique d'Orsay mena une vie sans histoire.

Il était calme, docile, poli avec les infirmiers et d'une extrême correction dans sa tenue et dans ses propos.

J'ai pu consulter ses fiches médicales.

« Le dénommé Bastide Jérôme ne présente aucun signe de dérèglement mental. »

« Certes, quand on évoque le passé, il s'exprime en homme qui défend des opinions très arrêtées, mais sans caractère obsessionnel. Il parle peu. Il grossit. »

La direction lui confia quelques travaux de peinture qu'il exécuta à la satisfaction de tous.

A ce moment, se posa la question de savoir s'il y avait lieu de le relaxer.

Les docteurs ne s'y opposaient pas. Par contre, le ministère intéressé ne voulait entendre parler d'une mesure d'élargissement qui eût fait scandale.

On le garda.

Mais Bastide jouit d'un régime de faveur. Il occupait une mansarde, prenait ses repas à la table des infirmiers et obtint le droit, d'abord, de se promener seul dans les jardins, puis de sortir en ville.

Son dossier nous apprend encore ceci.

«Je lui demande (c'est le directeur qui parle) pourquoi il ne profite pas de la liberté qu'on lui accorde.»

BASTIDE: Être libre n'est pas circuler librement, mais penser librement.

LE DIRECTEUR: Aimeriez-vous quitter l'asile?

BASTIDE: Non. J'y vis aux frais de l'État. C'est un grand privilège que d'être un fonctionnaire qui n'a pas l'obligation de travailler.

LE DIRECTEUR: Aimeriez-vous avoir une femme, des enfants?

BASTIDE: Je n'aimerais pas devenir fou.

Note du directeur: «Le propre des fous est de croire qu'ils ne le sont pas. Mais peut-on dire que cette réponse soit dénuée de raison?»

M. Jacomet, le critique suisse bien connu, parlant de cette période «d'immobilisme et pourtant d'intense activité intellectuelle» a écrit «qu'elle était la prise de contact d'un univers métaphysique dans lequel, à l'encontre de la fixité chère aux cubistes ou même aux non-figuratifs, Jérôme Bastide allait faire sienne une quatrième dimension que l'on pouvait, sans risque d'erreur, qualifier d'ondulatoire.»

Quoi qu'il en soit, un matin, jour anniversaire de l'incendie du Louvre, Bastide sortit de l'asile, fit quelques achats en ville et revint «chez lui» avec deux toiles blanches, une palette et des tubes de couleurs.

335

La nouvelle circula aussitôt: le fou, qui ne l'était plus, s'était mis à peindre.

Le directeur n'y trouva rien à redire. Au contraire, cette distraction lui parut tonique et, le lendemain de Noël, il grimpa même jusqu'à la mansarde de Bastide afin de lui manifester sa satisfaction.

Passons-lui la plume.

«Je le trouvai, nu jusqu'à la ceinture, achevant à genoux un tableau posé sur une chaise, car il ne possède pas de chevalet.

«Je dirais, Monsieur le Ministre, que cette toile est la Joconde elle-même, si par bonheur la Joconde existait encore.

«N'étant pas expert, il m'est impossible de juger la valeur de ce travail. Néanmoins, mon personnel et moi avons été surpris par sa beauté, sa fidélité à l'original, et je suis incapable d'expliquer comment il a été réalisé en quarante-huit heures. Et de mémoire! Car une fouille approfondie de sa chambre nous a prouvé que l'intéressé ne s'était inspiré d'aucune photographie.

«Du reste, il n'en existe pas dans l'asile (*sic*).

«Interrogé sur la raison qui l'avait poussé à peindre ce tableau, Bastide m'a répondu qu'ayant détruit la Joconde autrefois, il n'avait pu résister au plaisir de la revoir.

«Ceci semblerait indiquer que mon pensionnaire est sujet à une nouvelle crise de folie. Il n'en est rien. Après examen, son état me paraît normal.

«En attendant vos instructions, j'ai mis le tableau en sûreté.»

La lettre demeura sans réponse.

Mais, quelques semaines plus tard, le ministre apprit, de la même source, que Bastide avait eu envie de revoir Charles VII.

Le directeur assurait que la reproduction du Fouquet était d'une exactitude surprenante et que Bastide, en bonne santé, avait demandé qu'on lui achetât une autre toile.

Cette lettre eût été classée comme la précédente si un hebdomadaire à grand tirage n'avait révélé la double nouvelle: vous le savez, les journalistes mettent le nez partout, ils flairent la brise, alors que les ministres n'agissent qu'après s'être demandé d'où souffle le vent.

L'opinion alertée, nos pouvoirs officiels détachèrent un attaché au Musée du Louvre, afin qu'il se rendît sur les lieux.

C'était une vieille demoiselle portant chapeau de style et camée, connue pour ses travaux sur les infra-violets et trois volumes consacrés aux élèves de Leonardo da Vinci. Donc une experte en la matière, encore que la Joconde de Bastide appartînt à une époque plus récente.

Son verdict fut catégorique: le Leonardo, comme le Fouquet, étaient faux (ce dont personne ne doutait) car, disait-elle, «il suffit de comparer ces copies à celles que nous possédons dans nos archives. Des unes aux autres, on relève de subtiles variantes.»

On aurait pu lui faire remarquer que les copies authentiques, réalisées autrefois par des peintres amateurs, semblaient aussi, maintenant, des copies des très beaux tableaux de Bastide, lesquels nous devrons nous habituer à considérer comme des originaux et non comme des copies.

Le ministre n'hésita pas.

Partisan de la liberté d'expression, allait-il interdire le droit de peindre à un artiste? Jamais. Par contre, les activités de Bastide pouvant devenir un objet de scandale, les journalistes n'auraient plus le droit de le voir et il serait enfermé dans l'asile, avec défense absolue d'en sortir.

Quant au public, toujours sensible aux performances sportives, s'il trouvait que refaire un Léonard était chose rare, il estimait extraordinaire que le même homme eût été capable, sitôt après, d'embrayer sur un Fouquet.

Et Bastide?

Vous vous souvenez qu'il avait réclamé une autre toile. A l'asile, chacun s'attendait donc à ce que le prisonnier s'embarquât maintenant pour Cythère.[6]

Or, durant plusieurs semaines, il dormit ou sommeilla.

On interrogeait Mme Tellier, la femme de ménage.

— Il ouvre un œil, disait-elle; il bâille et se retourne vers le mur.

Le directeur frappa à sa porte.

— Comment allez-vous, mon bon ami?

— Bien, mais vous? répondit Bastide.

---

[6] i.e., repaint Watteau's "Embarquement pour Cythère."

L'autre enchaîna :

— Et le Watteau, c'est pour quand ?

— Il n'y aura pas de Watteau. Je n'aime pas ce grand petit-maître. Cependant ...

— Cependant ?

— J'avais bien songé à peindre un Retour de Cythère. Oui. Après le voyage ... C'eût été le même paysage, mais sous la neige et tous les personnages seraient devenus des squelettes.

Un matin, Mme Tellier apporta du nouveau : Bastide peignait. Quoi ?

Rien jusqu'ici. Sur la toile, une tache noire avec, au centre, une tache blanche.

— De l'abstrait ![7] dit le comptable.

Le lendemain, ce gros pâté s'arrondissait à la base pour s'achever en une sorte de queue. Vers le haut, deux excroissances pointaient.

Le surlendemain, une paire de moustaches s'effilaient vers la gauche et la droite.

Intrigué, un infirmier regarda par le trou de la serrure.

— Mais c'est un chat ! s'écria-t-il.

On ne put en douter : l'homme qui avait percé le secret du plus beau sourire du monde, exploré l'âme d'un roy,[8] en retrouvant les accords des couleurs les plus subtiles et les plus rares, cet homme venait de peindre un chat. Et, qui plus est, un vulgaire chat de gouttière.

— Il s'appelle Médor,[9] confia Bastide au directeur.

— Un nom de chien ? Pourquoi ?

— Pourquoi pas ? D'ailleurs, il y a moins de différence entre un chat et un chien qu'entre ma femme de ménage et la Mona Lisa.

Ici, je dois citer presque *in extenso* la troisième lettre que le directeur de l'asile écrivit à son ministre.

« Mon intention n'était pas de vous importuner en vous parlant de la nouvelle production de M. Bastide, car elle ne rappelle en rien les précédentes. Je la trouve hideuse. Mais elle offre une particularité si troublante que mon devoir est de vous mettre au courant sans retard.

[7] "abstract" (art) [8] old French spelling of "roi," used at the time Fouquet painted [9] in France, common name for a dog.

«Mme Tellier, chargée de faire le ménage de notre pensionnaire, ayant déplacé le tableau, eut son attention attirée par un bruit étrange, mais familier: il ronronnait. Ou, plutôt, c'est après l'avoir posé contre le radiateur (le chauffage est allumé en cette saison) que le ronronnement se fit entendre.

«Naturellement, elle crut d'abord que quelque chat s'était égaré dans la mansarde. N'en découvrant pas, elle retourna au tableau. Et le ronronnement redevint perceptible.

«Fort troublée, Mme Tellier s'empressa de me communiquer sa découverte.

«Mon premier réflexe fut de penser que cette sexagénaire était victime de troubles auditifs. Mais, comme elle me suppliait de l'accompagner chez M. Bastide, je la suivis.

«Elle ne mentait pas.

«J'ai examiné la toile sous tous les angles. Il n'y a derrière son châssis aucun système d'horlogerie, pile ou microphone qui puisse expliquer ce phénomène.

«Qu'on l'éloigne du radiateur et qu'on l'y ramène, le ronronnement s'arrête, puis reprend. Mettez le tableau à l'envers, vous n'entendez rien. S'il est d'aplomb, scientifiquement parlant, les contractions de la glotte recommencent.

«J'ajouterai, M. le Ministre, que le personnel de l'asile a constaté la véracité de mes dires et si vous estimez que voici la lettre d'un fou, vous tiendrez cependant pour invraisemblable que tous mes collaborateurs aient perdu la raison à la même heure et le même jour que moi.

«Je vous demande d'envoyer à Orsay une commission d'enquête. D'ici-là, je demeure . . . etc.»[10]

En post-scriptum:

«A la question: «Comment expliquer que ce chat ronronne?» M. Bastide m'a répondu:

«Je l'ignore. Mais peut-être a-t-il mangé une souris.»

Sitôt que les journaux eurent diffusé la nouvelle, un collectionneur américain offrit d'acheter «Médor» dix mille dollars.

Quant à la commission, les problèmes qu'elle avait à résoudre étaient d'ordre esthétique, juridique et médical. J'en cite quelques-uns:

[10] I remain (yours truly) etc.

CLAUDE SPAAK

Se trouvait-on en présence d'un tableau ou d'un chat?
La réponse fut réservée.
Quelle était la valeur artistique du tableau ou du chat?
Aucune, du moins si l'on considérait le tableau et le chat séparément. Par contre, leur conjonction mystérieuse et même inquiétante prêtait à discussion.
La réponse fut laissée en suspens.
Le pensionnaire d'un asile de fous avait-il le droit de vendre dix mille dollars un tableau ou un chat?
La réponse fut différée.
Enfin, une fois pour toutes, Bastide était-il un homme normal?
Les Beaux-Arts disaient «non.» La Faculté[11] disait «oui.» Les juristes s'abstenaient et chacun avec des arguments si passionnés (un membre de l'Institut[12] n'alla-t-il pas jusqu'à prétendre que, si on le laissait libre de peindre, Bastide ferait un jour ronronner la Joconde!) qu'à la fin la réponse fut renvoyée aux calendes.
Wait and not see, trancha le ministre.
Bastide, ravi, demeura à l'asile.
Hélas! Le monde s'occupait de lui maintenant. Rien n'étonne les gens: si pour eux un franc reste toujours un franc, ils n'en croient pas moins aux miracles. Adopter Médor, ce n'était quand même pas plus extraordinaire que de craindre le diable ou d'adorer les anges.
Ces supporters de Bastide obligèrent les pouvoirs publics à lui rendre ce dont il ne voulait précisément pas: le droit d'aller et venir parmi ses dissemblables,[13] de se loger, nourrir, blanchir, chauffer, de payer des quittances, des assurances et des impôts, bref d'avoir une concierge, des voisins, des amis (intéressés) et des ennemis (fidèles).

[11] i.e., "la Faculté de médecine": the doctors [12] "l'Institut de France" is the collective title of the five French learned "academies": l'Académie française, l'Académie des inscriptions et belles-lettres, l'Académie des sciences, l'Académie des beaux-arts, l'Académie des sciences morales et politiques [13] a play on the usual expression *parmi ses semblables*, "among his fellow men."

De l'Infini au Zéro

Je raconterai plus loin comment il vécut dans sa nouvelle mansarde.

Mais parlons d'abord de «La jeune fille au piano» qu'il peignit sitôt après avoir pris tristement congé du directeur de l'asile.

A la lumière du jour, cette toile n'a rien qui séduise. On y voit une gamine, l'air niais, mal peignée et la bouche entr'ouverte, qui fait des gammes sur un vieil Erard.

Ses doigts sont boudinés (Bastide tenait beaucoup à ce détail) et il est clair que la pauvrette n'a aucune disposition pour ce genre d'exercice.

Comme elle ressemblait à la fille de sa crémière, Bastide l'offrit à cette forte dame.

Celle-ci raconta:

«J'ai accroché le tableau au-dessus de notre buffet. Vers minuit, nous dormions dans la pièce voisine lorsque j'ai été réveillée par le bruit d'un piano.

«Je secoue mon mari, je lui dis: «Tu as laissé la radio.» Il répond que non.

«Je me lève. J'allume dans la salle à manger. La musique s'arrête. J'éteins: de nouveau de la musique. J'appelle André. On allume, on éteint et ça repart.

«Mon mari dit: «C'est drôle, car on n'a pas de piano.»

Ces braves gens manquaient d'oreille. Sinon, ils auraient remarqué que lorsque la chambre est dans l'obscurité, leur fille joue une Polonaise de Chopin. Et cela avec la sûreté et la mélancolie d'un virtuose «dont les mains baignent dans le clair de lune» ainsi que l'affirment les mélomanes.

Aux journalistes qui le pressaient de révéler le secret de son art, Bastide assura qu'il n'en savait guère plus qu'eux.

«Mon tableau est laid. Cette fille est manifestement idiote. Regardez le clavier de l'Erard: il y manque des touches. Je ne vois là réunies aucune des conditions qu'exige un chef-d'œuvre ou un grand pianiste.»

Puis, à voix basse:

«Qui peut dire pourquoi la nuit me remplace en effaçant les couleurs et les lignes?»

341

Et modeste:

«Elle joue une Polonaise de Chopin, c'est vrai. Mais l'«Art,» comme vous dites, a des limites. J'aurais aimé que ce fût un concerto de Bela Bartok.»

Il n'est pas question que je parle de tous les tableaux de Bastide. Du reste, j'ai hâte d'en arriver à la visite que je lui fis alors qu'il avait dépassé la soixantaine.

Mais comment ne pas rappeler ce portrait d'homme, dont les yeux changent de couleur avec les saisons? Ils sont verts au printemps, blé mûr au solstice d'été et prennent une teinte améthyste aux vendanges.

L'hiver, ils se ferment.

Un ruisseau court entre des saules. (Peut-être ceux de Navarrenx?) En juillet, c'est un chemin de pierres. Il déborde à la fonte des neiges.

Et «Le Rêve du Plombier»? Je veux dire cet évier et ce vulgaire robinet de cuivre qui fuit goutte à goutte dès qu'on a le dos tourné?

Et la main d'une femme qui ne porte son alliance que les jours pairs?

Et la cathédrale transparente?

Et tant d'autres?

Je suis président de la Société Protectrice des Animaux.

Depuis trente ans, je connais Jérôme Bastide. Cela pour deux raisons: la première, parce que notre devoir est de veiller à ce que Médor soit bien traité (il est présentement accroché au Metropolitan Museum de New-York, au-dessus d'une bouche de chauffage), et la seconde, parce que je suis amateur de peinture.

Sachant que, depuis des années, personne ne l'avait vu, à part sa femme de ménage,† j'étais impatient d'apprendre pourquoi un homme aussi célèbre m'écrivait afin de me rencontrer.

Le post-scriptum de sa lettre disait: «Apportez des récipients.»

† Les femmes de ménage ont toujours joué un grand rôle dans la vie de Jérôme Bastide. [Author's Note.]

Qu'entendait-il par là? A tout hasard, je m'étais muni d'une valise.

Je me trouvai en présence d'un vieillard, très nerveux, qui sautillait en marchant.

Sur sa fiche de signalement, on aurait lu: nez busqué, taille moyenne, signes particuliers: néant. Seuls les yeux attiraient l'attention. Ils étaient petits, mais vifs, et leur regard tantôt narquois, tantôt courroucé.

Quant au décor!...

Un lit. Une chaise, une table. Dans un coin, une armoire, dans l'autre, une sorte de réduit caché par un rideau.

Je ne remarquai ni chevalet, ni pinceaux. Rien n'indiquait que je me trouvais dans l'atelier d'un peintre.

— Il faudrait plusieurs malles, grogna Bastide en toisant ma valise. Puis il ouvrit l'armoire.

Jugez de ma stupeur. Elle contenait des centaines de liasses de billets de banque, rouges, bleues, vertes, dont quelques-unes se répandirent sur le plancher.

BASTIDE: Ne soyez pas étonné. Depuis un quart de siècle, mes tableaux se vendent des sommes considérables. Je n'ai pas de compte en banque. Oh! Ce n'est pas de la méfiance: avoir des rapports avec un fonctionnaire est au-dessus de mes forces.

MOI: Cela peut s'arranger par correspondance.

BASTIDE: Oui. Mais alors il faudrait acheter des timbres. C'est un cercle vicieux.

MOI: Évidemment.

BASTIDE: Vous allez me débarrasser de ça.

MOI: ?

BASTIDE: C'est pour vos animaux.

Encore une fois, j'étais stupéfait. Qui plus est, ému, bouleversé. Mais soudain un peu inquiet. Bastide n'avait-il pas vécu plusieurs années dans un asile? Certains s'obstinaient encore à le prétendre fou. Que vaudrait cette donation, si le donateur avait des héritiers?

BASTIDE: Pas d'enfants, de neveux, de cousins. Heureusement. Vous achèterez du mou à vos chats et des os à vos chiens.

MOI, *prudent*: Peut-être pourriez-vous faire deux parts de

3 4 3

votre argent? L'une irait à ma société, l'autre à des œuvres de bienfaisance.

BASTIDE, *courroucé*: Je suis contre la charité. Elle humilie celui qui reçoit. L'État n'a qu'à s'occuper de ses malades et de ses vieillards. Ils y ont droit. (*Un temps*) Et je suis contre ceux qui envoient des couvertures limitées aux victimes des inondations. Une bonne conscience ne s'achète pas.

(*Un nouveau temps*) Y a-t-il encore des inondations?

Ma résistance faiblissait. Néanmoins, je fis une dernière suggestion.

MOI: Pensez à vos vieux jours.

BASTIDE: Mon prochain tableau me sera payé une fortune. Comment la dépenser? Je ne voyage pas, je vis en robe de chambre, en pantoufles, je mange des fruits et je bois du lait.

Ici, pas de radio (à part celle des voisins), pas de télévision (donc pas d'importuns à domicile). Et mon luxe? De l'eau, beaucoup d'eau. A l'aube, je me lave et le soir je me récure.

(*Soupir*)

Entre les deux angélus, on sent vite mauvais . . .

Monsieur, je ne fume pas. Sinon, j'allumerais ma pipe avec des dollars . . . (*souriant*) par gaminerie.

(*Poussant une liasse du pied*) Caca.

MOI: L'expérience nous apprend . . .

BASTIDE: Un tas de choses qui ne servent à rien le jour où, comme vous et moi, on ne peut plus bander.

Sur ce, il se frappa le front afin de montrer qu'il ne donnait pas à ce mot un sens uniquement gaulois.[14]

Je capitulai.

La glace étant rompue, je me risquai à lui parler de son art, un sujet qui m'intriguait beaucoup, cela va sans dire.

Bastide me dit: «Puisque vous n'êtes ni marchand de tableaux, ni collectionneur, ni critique, bref, aucun sous-produit de la peinture, je n'ai pas de raison de me méfier de vous.»

[14] the "sens gaulois" would be the obscene meaning; Bastide uses the word in a more general sense as well, "the day we can achieve nothing more," perhaps "can no longer create anything."

De l'Infini au Zéro

Il enchaîna: «Je m'étonne toujours de voir la susceptibilité des gens quand il est question de leur goût. En général, un banquier, un commerçant admettent ne rien comprendre à la désagrégation de l'atome, et, parfois, à la comptabilité élémentaire. Quant aux femmes, elles rient niaisement de leur ignorance. Elles s'en vanteraient plutôt. Mais parlez du papier à fleurs de leur salon, dites qu'il est . . . banal et les voilà vexées, blessées, agressives, comme si vous les traitiez d'imbéciles ou de négresses.»

De la main, il me montra la fenêtre.

«Impossible de leur prouver que mes tableaux sont laids. En le reconnaissant, ils devraient avouer que, vendus des millions, ces tableaux ne valent rien et qu'eux-mêmes sont des porcs.

«Un exemple?

«J'avais peint un ciel vide. Tout nu, tout cru. Sans nuage.

«Un amateur l'acheta. Pourquoi? Parce qu'il prétendait, monsieur, que chaque jour à midi il y passait un ange!

«Enfin, l'ombre de sa robe.

«C'est absurde. Je vous assure qu'à cette heure il ne souffle dans mon tableau que du vent.»

Soudain, fixant ma boutonnière qui s'orne, je l'avoue, du ruban de la légion d'honneur, il s'écria:

— Tout homme naît grand cordon de l'ordre ombilical.

— Sans doute, répondis-je.

— Alors, pourquoi portez-vous cet insigne mineur? La vanité est une moisissure de l'âme.

Je tentai une diversion vers l'art abstrait.

— N'avez-vous jamais été attiré par ce genre d'expression si moderne?

Bastide parut surpris.

— Vous oubliez ma composition qu'un sot critique intitula: «Le Plat de Nouilles.»

— S'il s'était agi de nouilles figuratives, je n'aurais pas la prétention d'avoir pénétré dans le domaine enchanté de l'inconscient.

— Mais suis-je responsable si, devant des admirateurs à jeun, mes arabesques se mêlant et se démêlant s'enveloppent de vapeur et répandent un arôme de parmesan?

345

Il s'énervait.

— Vous oubliez que j'ai donné leur densité au souvenir, à l'algèbre, au vide et au hoquet, à la pente et à la virgule, uniquement par des moyens abstraits.

— Qui a peint la quadrature du cercle avec des triangles? Moi.

— Et ce «Silence,» monsieur, ce silence qu'on ne peut voir qu'en se mettant du coton dans les oreilles, il n'est pas de moi?

Je reconnus la sottise de ma question.

MOI: Travaillez-vous en ce moment?

BASTIDE: Mal. Je vieillis.

En sautillant, il alla chercher un tableau dans le réduit.

Au premier coup d'œil, je reconnus la cathédrale de Chartres.

Dois-je la décrire telle qu'on peut l'admirer dans la collection Tennenbaum, de Zurich? Non. Je préfère rapporter ce que Bastide m'en dit lui-même.

«J'ai voulu construire une cathédrale de verre ... ou d'oxygène, d'un azur plus sombre que celui du ciel sur lequel elle se détache afin que notre regard y pénètre avec l'impression de rencontrer d'abord une légère résistance bleue, puis qu'il la dépasse en se dissolvant dans l'atmosphère. Un cri, un geste: la fragile architecture se disperserait comme un soupir de l'air.

«Ainsi elle ne me gêne plus: je l'oublie.»

Il inclina doucement, très doucement son tableau, comme s'il craignait d'en répandre le contenu.

Je vis alors une hirondelle se jeter contre le portail de la cathédrale, le traverser et ressortir par le toit en laissant derrière elle voleter quelques plumes transparentes.

«Elle ne gêne pas non plus les oiseaux,» ajouta Bastide.

Quand je revins le jour suivant, je trouvai sur le palier mes liasses de billets.

J'eus beau frapper à la porte de Bastide: il n'ouvrit pas.

Et il mourut peu après.

On ne trouva dans la mansarde qu'un portrait. Il rappelait l'homme qui m'avait accordé le seul interview de sa vie. La maladie avait creusé ses traits, il était plus voûté, mais il n'y a pas de miracle : Bastide ne sautillait plus.

Le monde s'interrogea. Quel était l'accidentel, le merveilleux de ce tableau ? Bastide riait-il ? Est-ce qu'il chantait, bâillait, ou versait-il des larmes à son propre enterrement ?

Eh bien non ! Il s'agissait d'un beau portrait, d'une facture classique et d'un chef-d'œuvre en somme. Mais rien de plus.

Le Musée du Louvre se porta acquéreur, maintenant que l'incendiaire était mort et que le tableau se montrait à la fois si remarquable et si sage.

Certains ironisaient : par son testament pictural, Bastide n'avait-il pas abjuré ses erreurs ?

Et pour la première fois, après tant d'années, notre peintre revint au Louvre. Pour n'en plus sortir.

Il y fut pendu.

Ce fut au cours d'une cérémonie expiatoire, les pouvoirs publics ayant capitulé.

Le lendemain, un surveillant remarqua que la toile se couvrait d'un léger embu.

« Il faudrait le vernir, » dit le conservateur.

Mais, tandis qu'on allait procéder à cette opération, il s'aperçut que la signature de Bastide n'était plus visible. Une comparaison entre l'œuvre originale et ses photographies le prouva indubitablement.

Qu'est-ce que cela signifiait ? S'agissait-il de la mauvaise plaisanterie d'un visiteur ? Ou était-on en présence d'un autre tableau ?

Cette seconde hypothèse ne tenait pas debout. Le portrait n'avait pas quitté la cimaise [15] ; aucun peintre amateur ne l'avait copié jusqu'ici.

Alors ?

Le matin suivant, une des mains de Bastide avait disparu. Dans la soirée, le bras pâlissait ou se gommait, si l'on préfère.

Le conservateur convoqua d'urgence ses adjoints, experts,

[15] hadn't been taken off the wall.

3 4 7

restaurateurs, spécialistes en infra-violet et radiographie de tous genres, bref, ceux qui, dans le musée, pouvaient se dire ou se croire compétents en la matière.

Ils purent constater que, durant la nuit, Bastide avait perdu son nez. Quelques heures encore: il perdait ses oreilles, ses cheveux, et son veston, comme mangé des mites, semblait lui aussi gagné par la maladie.

Le diagnostic était clair: le tableau se défaisait.

On lit dans un journal de l'époque:

«Il n'est pas hasardeux de prévoir où nous allons.

«Jérôme Bastide a peint son portrait en deux semaines. Dans quelques jours, il n'en restera rien.

«Mais il s'efface dans le sens inverse de sa création. C'est pourquoi le vernis et la signature furent les premiers atteints par la gangrène. Maintenant le reste du corps se dégrade, une séance *avant* l'autre et personne n'arrêtera cette auto-destruction.»

Le journaliste ajoutait:

«Est-il nécessaire de souligner que ce curieux phénomène a commencé de se produire, non pas durant la vie de l'artiste, ni à sa mort, mais à l'heure très précise où Bastide est entré au Musée du Louvre?»

J'ai oublié de rapporter qu'au cours de notre entretien, il m'avait dit:

«Les statues des hommes célèbres devraient être faites d'un aggloméré de sucre ou de sel. Un jour de pluie: le ciel nous en débarrasserait.»

Je suis certain que Bastide méditait déjà le «tableau soluble.»

Et reste convaincu que celui qui avait brûlé la Joconde pensait nous laisser son chef-d'œuvre en peignant une toile qui redeviendrait blanche.

QUESTIONS

1. Comment l'auteur nous montre-t-il que son personnage n'est pas un fou ordinaire?
2. Qui est plus logique, Bastide ou les gens qui l'entourent?
3. Comment l'auteur fait-il la satire des amateurs d'art?

4. Comment l'auteur fait-il la satire des Américains?
5. Pourquoi le portrait de Bastide se défait-il juste à l'heure de son entrée au Louvre?
6. Quel sens attribuez-vous au titre? Quel sens a-t-il au commencement du conte? à la fin?
7. Croyez-vous que l'auteur cache une signification sérieuse dans ce conte?
8. Combien de sortes de comique voyez-vous dans ce conte (jeux de mots, illogismes, etc.)?
9. Voyez-vous ici des références ironiques à des mouvements contemporains en peinture (surréalisme, expressionnisme, même «Pop Art»)?

3 4 9

Henri Thomas

Henri Thomas est né en 1912 dans le département des Vosges. Il est l'auteur de plusieurs romans, notamment *le Seau à Charbon* (1940), son premier livre, *les Déserteurs* (1951), *John Perkins* (1960), et *le Promontoire* (1961), et aussi il a écrit plusieurs recueils de récits et de vers. Thomas a traduit en français de l'allemand, de l'anglais, et du russe. Il a beaucoup voyagé en Allemagne, en Angleterre, en Corse; il est venu aux États-Unis et a été professeur à l'Université Brandeis de 1958 à 1960. Son livre *Histoire de Pierrot* (1960), dans lequel se trouve *Histoire d'une bague*, est un recueil de nouvelles situées dans ces divers pays.

Le voyage qu'il raconte dans *Histoire d'une bague* a lieu sous le régime de Hitler, et de nombreux détails rappellent les années qui ont précédé la deuxième guerre mondiale. On a l'impression que l'auteur parle d'un pays qui lui est bien connu et d'événements qu'il a vécus personnellement. Sa sensibilité de poète n'est pas difficile à discerner dans son analyse des sensations éprouvées et le choix des mots qui les expriment.

Cette «bague» que l'auteur devait remettre à un jeune photographe qu'il ne connaissait pas, il l'a perdue; c'est un contretemps qu'il n'a pas lieu de trop regretter parce que celui à qui la bague était destinée vient de se tuer. En fait, l'auteur est presque content de l'avoir perdue, car il aurait été sérieusement gêné s'il avait dû essayer de la faire accepter par la mère du jeune suicidé. Mais la bague a tout de même son importance dans l'histoire. Elle est la raison d'être du voyage en Allemagne, elle lie ensemble les petits événements du trajet et les différents personnages rencontrés.

Il est évident qu'Henri Thomas recherche moins l'intrigue palpitante et la fin surprise que la description exacte de la scène ou de l'objet aperçus, de l'inconnu rencontré à l'improviste, du sentiment éprouvé. La perte de la bague est racontée plusieurs fois, à diverses personnes, et chaque fois plus en détail, jusqu'à l'énumération des souvenirs précis mais peu reliés entre eux d'une soirée où l'auteur est complètement ivre.

Le personnage le plus important dans la nouvelle, c'est l'auteur lui-même. Il a l'air d'avouer au lecteur en confidence des pensées et des actes où il se montre souvent sous un jour désavantageux et qu'il ne racontera jamais à personne. Ce récit d'une commission dont l'auteur n'a pas pu s'acquitter se termine par l'allusion à un voyage en Espagne auquel il a renoncé. Or l'action de ce conte se déroule autour de Noël 1938, alors que la Catalogne était en pleine lutte contre Franco. Du coup, ce renoncement jette une lumière révélatrice sur le caractère du narrateur.

HISTOIRE D'UNE BAGUE

JE SUIS rejoint, à ma vive surprise, par une lettre de mon ancien professeur d'allemand au lycée de Nancy[1] (il est maintenant à Strasbourg, à la Faculté: c'est un progrès bien mérité, après sa thèse sur «l'ordre des mots dans le moyen haut-allemand»). Il me propose, «puisque, dit-il, vous semblez curieux de pérégriner,» de me rendre en Allemagne muni d'une certaine somme que je remettrais à l'un de ses lecteurs d'allemand du lycée de Nancy (je ne l'ai pas connu, j'avais quitté le lycée pour Paris l'année d'avant), établi photographe aujourd'hui dans une petite localité voisine de Weimar.[2] Il prétend lui devoir cette somme, explique qu'on ne peut la faire parvenir que clandestinement, et compte pour cela sur mon astuce (s'il m'avait vu jouer aux cartes il y a une semaine!). Pour plus de facilité, il me remettrait la somme sous la forme d'un petit bijou.

Je suis certain qu'il s'agit d'un don pur et simple fait à l'ancien lecteur du lycée de Nancy, banni de l'université allemande par le régime de Hitler et réduit à ce métier de

[1] city in eastern France   [2] city in central Germany.

3 5 1

photographe. Ensuite, j'ai idée que le professeur Darquet pense me ramener dans le sein de l'université (celle de Strasbourg[3]) par le détour de ce voyage. Il est possible que ma mère l'ait prié de s'occuper de moi, et on trouverait difficilement un homme plus obligeant et d'un dévouement plus actif que le professeur Darquet. Autrement, comment expliquer le mandat de cinq cents francs qui accompagne la lettre? Après ce voyage en Allemagne, qui améliorerait ma connaissance de la langue, il serait naturel que je prisse à Strasbourg les certificats de Licence[4] qui me manquent, et de là à être professeur dans un collège, le pas est aisé.

Je suis tranquille que cela n'aura jamais lieu, mais je peux toujours faire ce voyage philanthropique.

L'absence de conversation dans le compartiment rend l'attention plus intense. Il y avait là, entre Montbéliard et Belfort,[5] un jeune prêtre qui lisait un opuscule national; en face de lui, un vieil ouvrier chrétien-social[6] (d'après son journal, et sa façon de regarder le curé). Puis une jeune femme aux jolis yeux battus,[7] et je m'étais fait le pari que je soutiendrais son regard jusqu'à ce qu'elle détournât les yeux (j'ai perdu). Ensuite deux soldats sont montés, l'un saoul, l'autre lucide et conscient de sa supériorité. Enfin est monté un garçon de quatorze ou quinze ans qui lisait l'*Intrépide*[8] en fumant une cigarette Chesterfield dans un fume-cigarette bizarrement recourbé.

Dans cette brasserie, un orchestre de trois femmes assez âgées, aux cheveux d'un jaune vif, dont l'une tapait sur le piano, l'autre tirait l'accordéon, la troisième touchait la cymbale, jouaient et chantaient, ou plutôt criaient hargneusement à travers leur propre vacarme, pour un certain nombre de clients, jeunes et vieux, qui reluquaient tous de temps à autre du côté de trois ou quatre prostituées. Aucun ne se décidait à

---

[3] French city situated on the Rhine, in Alsace   [4] one of four sequential steps leading to an advanced degree   [5] cities in eastern France near the Swiss border   [6] mildly progressive in political outlook   [7] with rings around her eyes   [8] illustrated periodical for adolescents.

Histoire d'une Bague

en aborder une; elles, sans doute fixées sur leur compte,[9] les
regardaient à peine; on aurait dit les rôles inversés. Je suis
resté vingt minutes dans cette dangereuse coulisse de la rue, à
regarder l'une d'elles, non fardée, l'air campagnard et niais!
Elle serait venue à côté de moi, le tour était joué; je n'aurais
peut-être plus ce matin, avant même d'avoir quitté Strasbourg,
la petite bague en or que m'a remise le professeur Darquet.

En cherchant dans Francfort,[10] le soir, la maison natale de
Gœthe (et c'est vrai que j'avais bien envie de la voir), je trouve
une rue étroite, semée de putains silencieuses, les unes sur le
trottoir, d'autres à l'affût[11] derrière les fenêtres entrebâillées
de rez-de-chaussée sans lumière. Le tout me rappelle certaines
rues du Vieux-Port, ou celles de Strasbourg, et même à Marseille
(malgré des scènes très bizarres), je n'ai jamais entendu quelqu'un s'esclaffer comme le soldat qui montrait du doigt une
femme accroupie, le derrière en l'air, en train de laver le carrelage à l'entrée d'un couloir; elle a continué à récurer, comme si
elle ne l'avait pas entendu.

Il y a en effet un photographe à Tannroda, à l'adresse que
m'avait donnée le professeur Darquet; il possède même une
vitrine sur la place principale de cette petite ville. Mais ce
photographe n'est pas l'ancien lecteur de la Faculté de Nancy,
Schwindenhammer. Le professeur avait bien raison de s'inquiéter d'être depuis quelque temps sans nouvelles de lui:
Schwindenhammer est mort il y a trois semaines. Le nouveau
photographe est lui aussi un étudiant rejeté de l'Université
allemande par le régime hitlérien.
Dès que je lui ai eu expliqué[12] ma visite, il m'a emmené chez
lui, c'est-à-dire au fond de sa boutique, et offert un peu de
café. Il achevait ses études en pharmacie, à Munich,[13] quand il a
été dénoncé. Je n'arrive pas à comprendre de quoi on l'accusait
(il parle trop rapidement et avec un accent bavarois qui me
gêne beaucoup); il semble surtout garder rancune à des autorités

[9] knowing what to expect from them   [10] city in southwest Germany
[11] lurking, watching slyly   [12] (in the *passé surcomposé*) as soon as I had
explained it to him   [13] city in southern Germany.

3 5 3

locales, et j'ai l'impression qu'il s'agit d'une querelle de personnes qui a pris accidentellement une tournure politique; là, les choses se sont gâtées. Il est évident qu'il ne cesse pas de ruminer son ressentiment.

Je lui demande si son activité de photographe l'intéresse. Il hausse les épaules. «Je perds mon temps, voilà tout.» Il ne fait à peu près que des photos d'identité; le Gouvernement en exige un grand nombre pour toutes sortes de cartes et de papiers nouveaux. Comme j'avais remarqué dans la vitrine de très belles photos de paysages et quelques portraits, il m'apprend que ce sont des œuvres de Schwindenhammer. S'il les trouve belles ou s'il a seulement eu la paresse [14] de les ôter de la vitrine, je ne le saurai pas. Schwindenhammer, me dit-il, avait déjà fait de la photo en amateur [15] avant d'être obligé d'en vivre. «Ou plutôt d'en crever,» ajoute-t-il et il profère, sans me regarder, d'une voix bizarrement impersonnelle, un peu comme un acteur: «Mon collègue et regretté prédécesseur a mis fin à ses jours.» Mais, d'après lui, Schwindenhammer aurait toujours été enclin au désespoir, indépendamment des obstacles qui ont brisé sa carrière universitaire. «Et qu'est devenue sa mère?» (Le professeur Darquet m'avait dit qu'elle habitait avec lui à Tannroda.) Elle est retournée à Dresde vivre chez son second fils. J'ignorais, et je crois que Darquet l'ignorait aussi, que Schwindenhammer eût un frère. C'est un philosophe et un poète, m'explique le nouveau photographe de Tannroda. Il est d'autre part camionneur dans une entreprise de construction. Il rit en me disant cela, et je me mets à rire avec lui, sans le vouloir. Nous avons subitement l'air de deux crétins, assis dans cette chambrette malpropre, tandis que la neige tombe dans la ruelle sur laquelle donne l'unique fenêtre, dont les rideaux brodés ont beaucoup de déchirures. Puis la sonnette du magasin se fait entendre; c'est un client, un ouvrier de la papeterie de Tannroda, à ce que j'apprends, qui vient pour des photos d'identité.

Je serais parti à Dresde depuis plusieurs jours afin de remettre à la mère de Schwindenhammer la précieuse bague (que j'avais simplement passée à mon doigt pour franchir la douane de

[14] he was too lazy   [15] as an amateur photographer.

354

Kehl [16]), si le bourgmestre de Tannroda ne m'avait fait demander
mon passeport, le lendemain de mon arrivée. Je suis allé le lui
remettre aussitôt; il m'a reçu très poliment, et m'a presque fait
des excuses d'être obligé de m'imposer cette ennuyeuse for-
malité. Mais comme il ne m'a remis en échange du passeport
aucun reçu qui puisse me tenir lieu de ce document, il m'est
pratiquement impossible de m'éloigner de Tannroda. Je ne sais
quelle paresse me retient de faire une démarche (à Marseille,
dans un cas semblable, je me serais démené; ici, l'hiver m'en-
gourdit); je ne vais même pas voir si le passeport est revenu.

Meissner (le photographe) m'a trouvé un logis: une grande
chambre au rez-de-chaussée d'une tour située sur une colline,
à l'écart de la ville. Tout le sommet de cette colline forme un
jardin potager qui descend jusqu'à mi-pente,[17] et est entouré
d'un gros mur circulaire aussi ancien que la tour, celle-ci
occupant juste le centre de l'enceinte, au carrefour des allées du
jardin. Il n'y a qu'une porte dans le mur d'enceinte; c'est en
même temps celle de la loge ou pavillon où habite le gardien de
la propriété, qui m'a loué la chambre: un homme d'une soixantaine d'années, adjudant retraité de l'ancienne Wehrmacht,[18]
mais qui a repris du service comme instructeur dans les S.S.[19]
de Tannroda,—et sa fille, une grande garce athlétique d'environ
vingt-cinq ans; elle travaille à Weimar, mais rentre chaque soir
à Tannroda, où elle est quelque chose comme capitaine de la
section locale du Parti.[20] Je tiens tous ces renseignements de
Meissner, avec qui je prends mes repas dans une gargote très
bon marché. Si l'adjudant est chez lui quand je rentre dans ma
tour, le soir, je n'y coupe pas [21]: il m'invite à boire un petit
verre à la santé de la réconciliation franco-allemande. La
première fois, sans autre idée que de soutenir la conversation, je
lui ai raconté que mon père était mort à Verdun [22] (je simplifiais:
il a été blessé à Verdun, et n'est mort que deux ans après), ce
qui m'a valu une manifestation d'enthousiasme et de sympathie un peu atterrante. Sa fille, qui assiste sans mot dire à nos

[16] German town on the eastern bank of the Rhine, opposite Strasbourg
[17] a point halfway down the slope   [18] German army   [19] military police
[20] the Nazi party   [21] I can't escape   [22] town in northeastern France,
where the greatest battle of World War I was fought in 1916.

3 5 5

conversations imbéciles, mais n'arrête pas de me regarder comme une bête curieuse, m'a adressé une espèce de sourire; même, elle a légèrement rougi. Comme ce n'était sûrement pas de l'attitude de son père qu'elle rougissait, tout me porte à croire[23] qu'elle est encore plus abrutie que lui. En outre, elle a l'esprit fureteur et policier. Le lendemain,—un dimanche,—comme je revenais à l'improviste dans ma chambre, ayant oublié mon foulard (il fait très froid), je l'ai trouvée qui examinait mes livres. Elle a fait mine de les ranger; mais je sais bien que ce n'est pas elle qui fait ma chambre; c'est l'adjudant lui-même. J'ai ri,—car elle ne m'impressionne pas du tout,—comme si je l'avais attrapée sur le point de me jouer une petite farce. Elle devait être un peu déconcertée, car elle m'a dit:

— Je voulais voir si votre montre était à l'heure.

— Je n'ai pas de montre, je l'ai oubliée en France, lui ai-je répondu (de sorte que nous mentions tous les deux).

Le jardinier de ce grand potager sur la colline, qui n'a presque rien à faire en ce moment, loge dans une chambre située au-dessus de la mienne (ce sont les deux seules chambres de la tour; l'escalier donne ensuite par une trappe sur un enchevêtrement de poutres et de toiles goudronnées entre lesquelles on aperçoit le ciel comme du fond d'un puits; la neige et le vent y font du bruit durant la nuit). Chaque matin, l'adjudant retraité vient réveiller le jardinier; cela doit lui rappeler agréablement la caserne. Il crie: «Oskar, debout!» Le jardinier a toujours un bon prétexte pour ne pas se dépêcher: «Je graisse mes bottes.» — «J'ai un bouton à rattacher, etc. . . .» L'adjudant n'insiste jamais; il serait probablement bien étonné si Oskar descendait aussitôt.

La section de la Jeunesse hitlérienne[24] de Tannroda, une dizaine de garçons de douze à quinze ans, en uniformes bleu sombre, le petit poignard au côté, est rassemblée, avant de partir pour une marche dans la campagne, devant l'Hôtel de Ville. Plusieurs se sont rapprochés du panneau d'affichage réservé à l'antisémitisme. Une double page illustrée du journal *Der*

[23] everything leads me to believe [24] youth organization in Nazi Germany.

Stürmer[25] sert d'affiche. Elle s'intitule: «Quelques-uns de notre collection,» et l'on voit une série de petits dessins sans aucun art représentant «l'agitateur,» «le voleur d'enfants,» «le voyou assassin,» «le faux-monnayeur,» etc.,—autrement dit tous les aspects du Juif tel que le voit Julien Streicher.[26] Les enfants regardent, béants d'intérêt, comme au cinéma.

Hier, comme je suivais le petit chemin creux qui va du potager fortifié à la ville, trois ou quatre boules de neige sont tombées autour de moi et une s'est écrasée sur mon épaule; j'ai entendu une galopade sourde derrière le talus. Ces gosses-là, sachant que je suis Français, ont dû se monter la tête à mon sujet comme pour un Juif; dans les histoires qu'ils se racontent, je suis certainement l'espion. A moins que les boules de neige ne soient une farce amicale; je me dis que s'ils m'étaient vraiment hostiles, ils auraient mis des cailloux dedans; si jamais ils en viennent là,[27] je fais marcher mon adjudant S.S.

Mon passeport est encore à Weimar, après plus d'une semaine. Je suis devenu une sorte de personnage dans Tannroda, où l'on m'a invité en divers endroits.

Les enfants ne me feront pas la guerre. Ils me considèrent, au contraire, avec une sympathique timidité. Cette faveur remonte à l'après-midi où j'ai accompagné Meissner à la fête qui marque la fin de l'année de catéchisme luthérien; Meissner y allait par obligation professionnelle, afin de prendre les photos de la solennité qui en ont illustré la relation dans le journal local, de sorte que, l'accompagnant, je me suis trouvé rapproché des hôtes d'honneur, et ceux-ci ont fait de leur mieux pour me donner une haute idée d'eux-mêmes et de ce genre de célébration. J'ai même l'impression que le pasteur, dans son grand speech, s'est mis en frais d'éloquence un peu à mon intention.

Il m'a regardé à plusieurs reprises au cours de ce mélange de prêche et d'exhortation politique. J'espère que les gosses l'écoutaient moins attentivement que moi, car son discours était d'une sombre bêtise, uniquement inspiré par le souci d'incarcérer l'esprit des enfants dans le fanatisme hitlérien.

[25] Nazi periodical published by Julius Streicher   [26] Nazi leader notorious for his anti-Semitic mania   [27] if they go that far, come to that point.

L'argument était d'une simplicité inoubliable: «En ce jour qui, dont . . ., etc., vous allez remercier du fond du cœur pour les bienfaits dont ils vous ont comblés au cours de cette année, premièrement Dieu, puis votre famille, puis la dévouée municipalité,—mais surtout vous allez remercier votre Führer Adolf Hitler, le plus grand Führer du monde» (ici, le pasteur m'a jeté un coup d'œil). Suivait un exposé lyrique de l'œuvre accomplie en cinq ans par le Führer.

Mon passeport est revenu, muni d'un nouveau cachet à croix gammée, mais c'est Noël dans deux jours, et Meissner m'a invité à le célébrer chez des amis à lui, à Weimar. Ayant enfin pu me décider à écrire au professeur Darquet la lettre qu'il devait s'inquiéter de ne pas recevoir, j'ai en somme la conscience tranquille. Au fond, je passerais bien l'hiver ici. Le feu de bois que j'entretiens du matin au soir dans ma chambre aux murs épais me rend les veillées très agréables; j'ai exactement la même tranquillité que durant les vacances du Nouvel An de mes dernières années de lycée, quand je passais tout à coup du quartier de la Sorbonne au village des Hautes-Vosges.[28] Je m'occupe exactement de la même manière, et il y a des moments où cela m'angoisse; j'ai soudain la sensation d'en être resté au même point, cantonné dans le refus et dans une espèce d'attention à n'importe quoi.

Puis, je ne sais comment, cette anxiété me passe; je me remets à écouter avec satisfaction le feu qui brûle; je lis; je m'absorbe dans la constatation que je suis ici et non pas ailleurs, que j'ai vu telle chose et que c'était ainsi. Il se fait comme une stabilisation qui englobe de plus en plus d'éléments dans un silence de plus en plus profond. Au delà d'un certain point, l'ordre de ces éléments apparaîtra, et le langage pour le dire se formera: voilà la seule idée qui me mène. Une idée, non,—le sentiment d'une perspective juste, et je ne pourrais pas l'avoir si ce que je vois ne me le donnait pas de temps à autre. S'il se maintenait assez longtemps, je pourrais dire ce que je vois, définitivement.

Quelque chose de fou. D'abord, je n'ai plus la bague. Elle se trouvait dans la poche intérieure de mon veston. Entre Weimar

[28] mountains in eastern France.

et Dresde,[29] comme il faisait excessivement chaud, dans le compartiment, j'ai ôté mon veston et l'ai laissé traîner sur la banquette pendant que je somnolais. Mais je ne crois pas que j'avais encore la bague en quittant Weimar. Je n'ai pas pensé une seule fois, les jours derniers, à m'assurer de sa présence dans la poche intérieure. Hier soir, après le dîner, j'ai fouillé de nouveau tous mes vêtements et vidé ma valise, comme je l'avais fait avant le dîner. J'étais tellement fatigué, n'ayant pas du tout dormi la nuit précédente, et tellement abruti de contrariété, que je me suis couché en laissant tout éparpillé sur le parquet. A peine étais-je endormi que les piqûres de punaises m'ont fait bondir du lit. C'est pourtant une belle chambre, la chambre d'amis, avec de gros rideaux et toutes sortes de meubles de vieille bourgeoisie; mais on ne doit guère l'utiliser, il y a beaucoup de poussière intacte; madame Schwindenhammer est trop âgée pour en prendre soin, et il n'est pas question d'engager une femme de ménage. Si j'avais eu la bague, les punaises ne m'auraient pas démoralisé, mais me réveiller, alors que je sombrais de fatigue, pour me trouver en présence de punaises et me rappeler la bague perdue et ma situation impossible, c'était pire qu'un cauchemar. Je me suis allongé sur le parquet au milieu de la chambre, entortillé dans tous mes vêtements. Les punaises ne m'ont pas rejoint, mais j'ai eu froid; je me suis réveillé et rendormi je ne sais combien de fois, et toujours pensant à cette bague.

Ce matin, je n'ai pas parlé des punaises à madame Schwinden-hammer, mais immédiatement après lui avoir dit bonjour, avant même de m'être assis pour le café, j'ai abordé la question de la bague. Elle a d'abord eu du mal à comprendre ce que je racon-tais, et c'est naturel; je ne trouvais pas mes mots ou bien je parlais trop vite; mais surtout elle ne connaissait pas le pro-fesseur Darquet: il m'a fallu lui rappeler que son fils avait été lecteur d'allemand au lycée de la ville de Nancy, lui expliquer que là il s'était lié d'amitié avec le professeur Darquet, dont moi aussi j'ai suivi les cours,—préciser que je n'ai pas connu personnellement Karl Schwindenhammer, etc. Je m'y perdais un peu. Enfin elle m'a dit: «Mais je n'aurais pas pu accepter ce bijou, il ne m'était pas destiné . . .» Je me suis bientôt rendu

[29] city in south-central Germany.

compte qu'elle était au moins aussi embarrassée et confuse que moi, mais qu'elle l'aurait été bien davantage encore si je lui avais remis ce bijou. De toute évidence, le fait que je l'aie perdu la soulageait. C'est une vieille dame extrêmement fière, presque maniaque d'honorabilité (quel coup je lui aurais porté si j'avais évoqué les punaises!), et que moi, jeune homme venant d'outre-Rhin,[30] je lui fasse la charité au nom de son fils, elle n'aurait pas admis cela. La bague perdue, c'était moi qui devenais à plaindre, et c'était elle qui me réconfortait dans mon malheur. Elle l'a fait avec beaucoup de délicatesse vraiment. «Ne vous désespérez pas, surtout, me disait-elle, et d'abord reposez-vous quelque temps ici. Tout ce long voyage, en plein hiver ... Et votre maman qui aurait tant aimé vous avoir près d'elle pour Noël et le Nouvel An, j'en suis sûre ...» Résultat de la fatigue et des émotions diverses: j'ai eu, comme elle me disait cela, violemment envie de pleurer; c'était nerveux, je me sentais sans aucune force. Madame Schwindenhammer a dû s'en apercevoir; elle m'a parlé sur le ton d'apitoiement enjoué qu'on prend avec les enfants malheureux. «Il y a de si belles choses à voir à Dresde, vous ne regretterez pas votre voyage ... Si mon fils Ludwig était là, il se ferait une joie de vous tenir compagnie.» J'ai ainsi appris qu'après avoir passé Noël ici, il était parti pour Berlin la veille même, invité par des amis.

Le soir, au retour d'une promenade dans les rues de Dresde, j'ai écrit au professeur Darquet. A lui, j'ai raconté le plus exactement possible tout ce qui s'était passé. Je ne pouvais naturellement pas dire à madame Schwindenhammer que, la nuit d'avant mon départ de Weimar, je m'étais trouvé horriblement saoul, chez les amis de Meissner, où d'ailleurs tout le monde l'était autant que moi. Je suis à peu près sûr maintenant que c'est là que j'ai semé la bague d'or. Qu'on me l'ait volée, je ne le pense pas; on n'a pas l'esprit de commettre un vol quand on est ivre; et puis aucun de ces étudiants ne savait que j'avais dans ma poche intérieure cet objet précieux. La bague a dû glisser de ma poche quand je me penchais et me contorsionnais je ne sais comment. C'est la première fois de ma vie que j'étais

---

[30] from the other side of the Rhine.

complètement ivre, et je me promets que ce sera la seule. Il y a eu ce taxi dans lequel on s'est empilé pour aller à la Maison Forestière[31]; on avait déjà beaucoup bu chez l'ami de Meissner, et les virages du trajet dans les bois m'étourdissaient. Mais le retour! On m'a précipité dans le taxi comme un paquet, pêle-mêle sur les gens qui étaient déjà vautrés là. J'ai retrouvé mes esprits un moment par la surprise d'être contre les jambes d'une fille; je me rappelle des cuisses qui n'en finissaient pas, une jarretelle. Le taxi a fait halte dans la forêt, on s'était probablement égaré. J'avais l'idée de pisser, et je suis tombé la tête la première dans une épaisse couche de neige. De ce qui s'est passé ensuite, chez l'ami de Meissner, j'ai des souvenirs précis, et même saisissants, mais ils sont encore plus déroutants que la confusion précédente, parce qu'il n'y a aucun lien entre eux. Ce sont des moments qui surgissent sans ordre chrono-logique. Je me rappelle les quantités de gestes que j'ai faits, mais j'ignore comment je suis passé de l'un à l'autre. Des gens sont apparus comme s'ils se matérialisaient instantanément sous mes yeux. Des objets, également. Un bougeoir avec sa chandelle allumée: ma main le tenait, et je suivais sa lumière, en descen-dant un escalier tournant très étroit (je me cognais tantôt à un mur tantôt à l'autre). Après l'escalier, une cave voûtée, barrée par une cloison à claire-voie, et de l'autre côté, dans les inter-stices des lattes, je voyais une autre lumière. Et pourquoi était-ce la fille de l'adjudant qui était là, de l'autre côté de la cloison, avec une bougie allumée, comme moi? J'étais obsédé par l'idée des jarretelles, car j'ai pensé avec une parfaite netteté: celles-ci ne sont pas les mêmes, elles sont plus larges, ce sont des jarretières militaires. Une chose non moins certaine, c'est que la fille de l'adjudant était dépourvue de culotte dans cette nuit de Noël. Je n'ai pas revu l'escalier tournant, mais un autre qui menait directement dehors dans la nuit noire et la neige. *O Tannenbaum, o Tannenbaum!*[32] Le bougeoir m'était tombé de la main je ne sais à quel moment. C'est quatre ou cinq heures après, dans la matinée, que j'ai pris le train pour Dresde; j'avais mon billet depuis la veille, et ma valise était enregistrée.

[31] headquarters and home of a forest ranger [32] popular German song about the fir tree of Christmas.

3 6 1

HENRI THOMAS

Je n'ai pas dit tout cela au professeur Darquet; ma lettre contient cependant l'essentiel,—enfin: l'essentiel du point de vue de mes relations avec Darquet. Le reste, je ne le dirais à personne. Un moment, j'ai songé à écrire à Malacki; lui et Lena me supposent parti en Espagne, puisque je leur annonçais dans ma dernière lettre que je m'embarquais sur un bateau catalan. Comme je n'ai écrit à personne d'autre depuis ce jour-là, ils ne doivent pas être les seuls à se tromper sur mon compte.[33] Pour dissiper cette erreur, il me faudrait expliquer que j'ai flanché, et quand, et comment. Je ne peux pas. De Marseille, avec l'argent reçu du Professeur, qui réparait ma perte au bonneteau, j'aurais pu gagner Perpignan[34]; là, mon laissez-passer catalan m'aurait facilement permis de franchir la frontière. J'ai eu la frousse, c'est clair; j'ai abandonné l'entreprise, et je ne voudrais pas que les gens qui m'ont vu m'y lancer sachent que j'ai flanché. En tout cas pas avant un certain temps. L'histoire de la bague n'est rien à côté de cela, bien qu'elle m'ennuie beaucoup.

Madame Schwindenhammer n'ignore certainement pas que son fils Karl s'est suicidé; elle doit bien penser que je le sais aussi; sans doute sait-elle également qu'il y a des punaises dans la chambre d'amis. Mais ce sont des choses dont il ne peut pas être question. En revanche, elle m'a longuement raconté que son père à elle dirigeait autrefois les haras du prince de Würtemberg,[35] et elle m'a demandé si j'aimais monter à cheval. J'ai répondu: «Oui, certainement . . . Mais je monte très mal.»

QUESTIONS

1. Pourquoi l'auteur a-t-il accepté de faire ce voyage philanthropique?
2. Discutez le rôle de l'auteur en tant que personnage dans l'histoire.
3. Comment l'auteur se caractérise-t-il par ce qu'il nous dit entre parenthèses?

[33] about me [34] city in southwest France near the eastern end of the Pyrénées [35] province of southwest Germany.

362

4. A quoi servent les références aux conditions de vie sous le régime hitlérien?

5. Faites le portrait de quelques-uns des personnages que l'auteur a rencontrés.

6. Peut-on dire que le raconteur est vraiment inattentif aux petits détails pratiques?

7. Tracez le contraste entre le sentiment subtil de s'habituer à l'endroit où l'on se trouve et l'ennui banal d'avoir perdu un objet de valeur.

8. Pourquoi importe-t-il si peu que la bague soit perdue?

9. A quoi cela sert-il de raconter plusieurs fois la perte de la bague?

10. Montrez comment l'auteur se sert souvent d'un seul mot ou d'une seule expression pour situer la scène qu'il décrit.

11. Comment l'auteur nous apprend-il que son histoire se déroule autour de Noël 1938?

12. Que pourrait signifier le projet de voyage en Espagne à cette date? Comment interprétez-vous le fait que le narrateur y a renoncé? Quelles conclusions en tirez-vous sur son caractère?

Boris Vian

De son vivant, la réputation de Boris Vian (1920–1959) fut surtout
extra-littéraire. Ingénieur de formation, mais aussi trompettiste de
jazz, chanteur de cabaret, comédien et journaliste, Vian avait été
une des personnalités les plus turbulentes du groupe de jeunes gens
qui, sous l'étiquette d'existentialistes, animaient au lendemain de la
dernière guerre la vie souterraine des «caves» de Saint-Germain-des-
Prés. Comme romancier, il restait connu uniquement pour *J'irai*
cracher sur vos tombes, roman publié en 1946 sous le pseudonyme de
Vernon Sullivan. D'un mérite littéraire négligeable, cette parodie de
certains mauvais romans américains contait le vertige de vengeance
sanglante et de sadisme érotique qui saisit le frère d'un jeune noir
assassiné par la famille de la jeune fille blanche dont il était tombé
amoureux. La violence et l'érotisme de son roman valurent à Vian un
succès de scandale qui nuisit plutôt qu'il ne contribua à sa réputation
d'écrivain.

Ce n'est qu'après sa mort, et grâce à leur réédition chez Jean-
Jacques Pauvert, que furent redécouvertes et rendues accessibles
celles de ses œuvres qui promettent de survivre. Parmi celles-ci, il
convient de citer en premier lieu *l'Écume des jours* (1947), le plus
lu et le plus émouvant peut-être de ses livres, dont R. Queneau a pu
dire que c'était «le plus poignant roman d'amour contemporain,» et
où l'on retrouve, sous l'histoire parallèle de deux jeunes couples
inexorablement menés à leur destruction, le thème obsédant de
l'amour contrarié qui sera repris une fois de plus dans *le Rappel*.

A sa mort, Boris Vian laissait trois autres romans—*l'Automne à*
Pékin (1947), *l'Herbe rouge* (1950), et *l'Arrache-Cœur* (1953)—d'une
structure moins linéaire, d'un tragique plus âpre et d'une plus grande
richesse thématique. Il laissait aussi un groupe de poèmes, publiés

en 1963 sous le titre de *Je veux pas crever*, ainsi que trois pièces de théâtre : *l'Équarrissage pour tous, le Goûter des généraux* et *les Bâtisseurs d'Empire*. Cette dernière, montée en 1962 par le Théâtre National Populaire de Jean Vilar, s'apparente par son esthétique aussi bien que par le thème de l'angoisse existentielle sur laquelle elle est centrée, au « théâtre de l'absurde » de Ionesco et de Beckett.

Interrompue par une mort prématurée et restée quelque peu en marge de la littérature, l'œuvre de Boris Vian se distingue néanmoins par un double mérite. Celui de traduire le désarroi et les aspirations de toute une génération grandie à l'ombre de la guerre. Celui aussi d'avoir créé pour les traduire un univers personnel, où la réalité la plus quotidienne se trouve sans cesse transfigurée par quelques procédés empruntés au surréalisme, et notamment par une fantaisie fondée sur des jeux de langage ainsi que sur une oscillation constante et sans transitions entre le réel et l'imaginaire. Mais derrière l'usage un peu trop systématique du paradoxe, derrière la virtuosité verbale, les explosions de violence et les fréquentes incursions dans le domaine de l'imaginaire et du rêve, se cache une sensibilité qui, pour être ainsi contenue, n'en est que plus émouvante, et qui révèle en Boris Vian, sous le masque du bouffon et du mystificateur, un moraliste tendu et désabusé.

LE RAPPEL[1]

I

IL FAISAIT beau. Il traversa la trente-et-unième rue, longea[2] deux blocks, dépassa le magasin rouge et, vingt mètres plus loin, pénétra au rez-de-chaussée de l'Empire State par une porte secondaire.

Il prit l'ascenseur direct jusqu'au cent dixième étage et termina la montée à pied au moyen de l'échelle extérieure en fer, ça lui donnerait le temps de réfléchir un peu.

[1] The title refers to the fragmentary resurgence of past events in the mind of the protagonist during the few seconds preceding his death. The short story itself was published posthumously as one of three tales bearing the playfully enigmatic and untranslatable general title of *les Lurettes fourrées*. [2] walked down.

3 6 5

Il fallait faire attention de sauter assez loin pour ne pas être rabattu sur [3] la façade par le vent. Tout de même, s'il ne sautait pas trop loin, il pourrait en profiter pour [4] jeter au passage un coup d'œil chez les gens, c'est amusant. A partir du quatre-vingtième, le temps de [5] prendre un bon élan.

Il tira de sa poche un paquet de cigarettes, vida l'une d'elles de son tabac, lança le léger papier. Le vent était bon, il longeait [6] la façade. Son corps dévierait tout au plus [7] de deux mètres de largeur. Il sauta.

L'air chanta dans ses oreilles et il se rappela le bistro près de Long Island, à l'endroit où la route fait un coude près d'une maison de style virginal. Il buvait un pétrouscola [8] avec Winnie au moment où le gosse était entré, des habits un peu lâches autour de son petit corps musclé, des cheveux de paille et des yeux clairs, hâlé, sain, pas très hardi. Il s'était assis devant une crème glacée plus haute que lui et il avait mangé sa crème. A la fin, il était sorti de son verre un oiseau comme on en trouve rarement dans cet endroit-là, un oiseau jaune avec un gros bec bossué, [9] des yeux rouges fardés [10] de noir et les plumes des ailes plus foncées que le reste du corps.

Il revit les pattes de l'oiseau annelées de jaune et de brun. Tout le monde dans le bistro avait donné de l'argent pour le cercueil du gosse. Un gentil gosse. Mais le quatre-vingtième étage approchait et il ouvrit les yeux.

Toutes les fenêtres restaient ouvertes par ce jour d'été, le soleil éclairait de plein fouet [11] la valise ouverte, l'armoire ouverte, les piles de linge que l'on s'apprêtait à transmettre de la seconde à la première. Un départ: les meubles brillaient. A cette saison, les gens quittaient la ville. Sur la plage de Sacramento, Winnie, en maillot noir, mordait un citron doux. A l'horizon, un petit yacht à voiles [12] se rapprocha, il tranchait [13]

[3] blown back against   [4] take the opportunity to   [5] elliptical for *pour se donner le temps de.* The young man will begin to look in on people at the eightieth floor, after having acquired sufficient momentum (*élan*)   [6] was blowing along the building, parallel to it   [7] at most   [8] an imaginary drink (cf. Coca-Cola)   [9] battered   [10] black-rimmed (literally "made-up")   [11] directly. *Tir de plein fouet* is direct fire upon a visible object   [12] sailing   [13] stood out against.

sur les autres par sa blancheur éclatante. On commençait à percevoir la musique du bar de l'hôtel. Winnie ne voulait pas danser, elle attendait d'être complètement bronzée. Son dos brillait, lisse d'huile, sous le soleil, il aimait à voir son cou découvert. D'habitude, elle laissait ses cheveux sur ses épaules. Son cou était très ferme. Ses doigts se rappelaient la sensation des légers cheveux que l'on ne coupe jamais, fins comme les poils à l'intérieur des oreilles d'un chat. Quand on frotte lentement ses cheveux à soi [14] derrière ses oreilles à soi, on a dans la tête le bruit des vagues sur des petits graviers pas encore tout à fait sable. Winnie aimait qu'on lui prit le cou entre le pouce et l'index par-derrière. Elle redressait la tête en fronçant la peau de ses épaules, et les muscles de ses fesses et de ses cuisses se durcissaient. Le petit yacht blanc se rapprochait toujours, puis il quitta la surface de la mer, monta en pente douce [15] vers le ciel et disparut derrière un nuage juste de la même couleur.

Le soixante-dixième étage bourdonnait de conversations dans des fauteuils en cuir. La fumée des cigarettes l'entoura d'une odeur complexe. Le bureau du père de Winnie sentait la même odeur. Il ne le laisserait donc pas placer un mot. Son fils à lui n'était pas un de ces garçons qui vont danser le soir au lieu de fréquenter les clubs de l'Y.M.C.A. Son fils travaillait, il avait fait ses études d'ingénieur et il débutait en ce moment comme ajusteur, et il le ferait passer dans tous les ateliers pour apprendre à fond [16] le métier et pouvoir comprendre et commander les hommes. Winnie, malheureusement, un père ne peut pas s'occuper comme il l'entend [17] de l'éducation de sa fille, et sa mère était trop jeune, mais ce n'est pas une raison parce qu'elle aime le flirt comme toutes les filles de son âge pour . . . [18] Vous avez de l'argent? Vous vivez déjà ensemble . . . Ça m'est égal, ça n'a que trop duré déjà. La loi américaine punit heureusement ces sortes de choses et Dieu merci j'avais suffisamment d'appuis

[14] one's own hair [15] gradually [16] thoroughly [17] as much as he would like to [18] This passage, beginning with *Il ne le laisserait donc pas* . . . is written in the so-called "style indirect libre." The monologue is reported indirectly, but omitting the clauses which customarily introduce indirect statements.

BORIS VIAN

politiques pour mettre fin à . . . Comprenez-vous, je ne sais pas
d'où vous sortez, moi! . . .[19]
   La fumée de son cigare posé sur le cendrier montait comme il
parlait, et prenait dans l'air des formes capricieuses. Elle se
rapprochait de son cou, l'entourait, se resserrait, et le père de
Winnie ne semblait pas la voir; et quand la figure bleuie[20]
toucha la glace du grand bureau, il s'enfuit car on l'accuserait
sûrement de l'avoir tué. Et voilà qu'il descendait maintenant;
le soixantième n'offrait rien d'intéressant à l'œil . . . une chambre
de bébé crème et rose. Quand sa mère le punissait, c'est là qu'il
se réfugiait, il entrouvrait la porte de l'armoire et se glissait à
l'intérieur dans les vêtements. Une vieille boîte à chocolats en
métal lui servait à cacher ses trésors. Il se rappelait la couleur
orange et noire avec un cochon orange qui dansait en soufflant
dans une flûte. Dans l'armoire on était bien, sauf vers le haut,
entre les vêtements pendus, on ne savait pas ce qui pouvait vivre
dans ce noir, mais au moindre signe,[21] il suffisait de pousser la
porte. Il se rappelait une bille de verre dans la boîte, une bille
avec trois spirales orange et trois spirales bleues alternées, le
reste, il ne se souvenait plus quoi. Une fois, il était très en colère,
il avait déchiré une robe à sa mère, elle les mettait chez lui parce
qu'elle en avait trop dans son placard, et elle n'avait jamais pu
la reporter. Winnie riait tant, leur première soirée de danse
ensemble, il croyait que sa robe était déchirée. Elle était fendue
du genou à la cheville et du côté gauche seulement. Chaque fois
qu'elle avançait cette jambe, la tête des autres types[22] tournait
pour suivre le mouvement. Comme d'habitude on venait l'inviter
toutes les fois qu'il partait au buffet lui chercher un verre de
quelque chose de fort, et la dernière fois son pantalon s'était mis
à rétrécir jusqu'à s'évaporer, et il se trouvait les jambes nues en
caleçon avec son smoking[23] court et le rire atroce de tous ces
gens, et il s'était enfoncé dans la muraille à la recherche de sa
voiture. Et seule Winnie n'avait pas ri.

   Au cinquantième, la main de la femme aux ongles laqués
reposait sur le col du veston au dos gris et sa tête se renversait à

   [19] I know nothing about you   [20] turned blue   [21] at the least sign (of
danger)   [22] guys   [23] dinner jacket.

3 6 8

droite sur le bras blanc que terminait la main. Elle était brune.
On ne voyait rien[24] de son corps, dissimulé par celui de l'homme,
qu'une ligne de couleur, la robe en imprimé de soie, claire sur
fond[25] bleu. La main crispée contrastait avec l'abandon de la
tête, de la masse des cheveux étalés sur le bras rond. Ses mains
se crispaient sur les seins de Winnie, petits, peu saillants, char-
nus, gonflés d'un fluide vivant, à quoi comparer cette sensation,
aucun fruit ne peut la donner, les fruits n'ont pas cette absence
de température propre, un fruit est froid, cette adaptation
parfaite à la main, leur pointe un peu plus dure s'encastrait[26]
exactement à la base de l'index et du médius, dans le petit creux
de sa chair. Il aimait qu'ils vivent sous sa main, exercer une
douce pression de droite à gauche, du bout des doigts à la
paume, et incruster étroitement[27] ses phalanges écartées dans
la chair de Winnie jusqu'à sentir les tubes transversaux des
côtes, jusqu'à lui faire mordre en représailles[28] la première
épaule la droite, la gauche, il ne gardait pas de cicatrices, elle
arrêtait toujours le jeu pour des caresses plus apaisantes, qui ne
laissaient pas aux mains cette indispensable envie[29] d'étreindre,
de faire disparaître dans les paumes refermées ces absurdes
avancées de chair,[30] et aux dents ce désir amer de mâcher sans
fin cette souplesse jamais entamée,[31] comme on mâcherait une
orchidée.

Quarante. Deux hommes debout devant un bureau. Derrière
un autre, il le voyait de dos, assis. Ils étaient tous trois habillés
de serge bleue, chemises blanches, ils étaient massifs, enracinés
sur la moquette[32] beige, issus du sol, devant ce bureau d'acajou,
aussi indifférents que devant une porte fermée . . . la sienne . . .
On l'attendait peut-être en ce moment, ils les voyait monter
par l'ascenseur, deux hommes vêtus de serge bleue, coiffés de
feutre noir,[33] indifférents, peut-être une cigarette aux lèvres.
Ils frapperaient, et lui, dans la salle de bains, reposerait le verre

---

[24] *rien . . . que:* nothing . . . save   [25] background   [26] fitted   [27] firmly
(literally: narrowly)   [28] in reprisal   [29] which did not leave his hands
with this indispensable urge   [30] fleshy protuberances   [31] to chew endlessly on this suppleness without ever violating it. The allusion to the
orchid further emphasizes the idea of resiliency   [32] carpet   [33] wearing
black felt hats.

et la bouteille, renverserait, nerveux, le verre sur la tablette de
glace—et se dirait que ce n'est pas possible, ils ne savent pas
déjà—est-ce qu'on l'avait vu—et il tournerait dans la chambre
sans savoir quoi faire, ouvrir aux hommes en costume foncé
derrière la porte ou chercher[34] à s'en aller—et il tournait autour
de la table et voyait d'un seul coup, inutile de s'en aller, il
restait Winnie sur tous les murs, sur les meubles, on com-
prendait sûrement, il y avait la grande photo dans le cadre
d'argent au-dessus de la radio, Winnie, les cheveux flous,[35]
un sourire aux yeux—sa lèvre inférieure était un peu plus forte
que l'autre, elle avait des lèvres rondes, saillantes et lisses, elle
les mouillait du bout de[36] sa langue pointue avant d'être
photographiée pour donner l'éclat brillant des photos des
vedettes—elle se maquillait passait le rouge sur la lèvre
supérieure, beaucoup de rouge, soigneusement, sans toucher
l'autre lèvre, et puis pinçait sa bouche en la rentrant[37] un peu
et la lèvre supérieure se décalquait sur l'autre, sa bouche vernie
de frais[38] comme une baie de houx,[39] et ses lèvres résultaient
l'une de l'autre, se complétaient parfaitement, on avait à la
fois envie de ses lèvres et peur de rayer leur surface, unie avec un
point brillant. Se contenter à ce moment-là de baisers légers,
une mousse de baisers à peine effleurés, savourer ensuite le goût
fugitif et délicieux du rouge parfumé—Après tout, c'était
l'heure de se lever, tout de même,[40] il l'embrasserait de nouveau
plus tard—les deux hommes qui l'attendaient à la porte . . . et
par la fenêtre du trentième, il vit sur la table une statuette de
cheval, un joli petit cheval blanc en plâtre sur un socle, si blanc
qu'il paraissait tout nu. Un cheval blanc. Lui préférait le Paul
Jones,[41] il le sentait battre sourdement au creux de son ventre,[42]
envoyer ses ondes bienfaisantes—juste le temps de[43] vider la
bouteille avant de filer par l'autre escalier. Les deux types—au
fait, étaient-ils venus, ces deux types?—devaient l'attendre
devant la porte. Lui, tout bien rempli de Paul Jones—la bonne

[34] to try [35] soft, flowing [36] with the tip of [37] pulling in [38] freshly,
newly [39] holly berry [40] after all [41] As for him, he preferred the Paul
Jones (a brand of whiskey; the little statue of the white horse supplies
the transition by evoking a whiskey of the same name). [42] he felt it
rumble in the pit of his stomach [43] *assez de temps pour.*

370

blague. Frapper? C'était peut-être la négresse qui nettoyait la chambre . . . Deux types? drôle d'idée. Les nerfs, il suffit de les calmer avec un peu d'alcool—Agréable promenade, arrivée à l'Empire State—Se jeter d'en haut. Mais ne pas perdre son temps—Le temps, c'est précieux. Winnie était arrivée en retard au début, c'était seulement des baisers, des caresses sans importance. Mais le quatrième jour, elle attendait la première, il avait demandé pourquoi, narquoisement, elle rougissait, ça non plus, ça n'avait pas duré, et c'est lui qui rougissait de sa réponse une semaine plus tard. Et pourquoi ne pas continuer comme ça, elle voulait l'épouser, il voulait bien aussi,[44] leurs parents pourraient s'entendre?[45] Sûrement non, quand il était entré dans le bureau du père de Winnie, la fumée de la cigarette avait étranglé le père de Winnie—mais la police ne voudrait pas le croire, était-ce la négresse ou bien les deux types en costumes foncés, fumant peut-être une cigarette, après avoir bu du Cheval Blanc en tirant en l'air pour effrayer les bœufs, et ensuite les rattraper avec un lasso à bout doré.[46]

Il oublia d'ouvrir les yeux au vingtième et s'en aperçut trois étages plus bas.[47] Il y avait un plateau sur une table et la fumée coulait verticalement dans le bec de la cafetière; alors, il s'arrêta, remit de l'ordre dans sa toilette,[48] car sa veste était toute retournée et remontée par trois cent mètres de chute; et il entra par la fenêtre ouverte.

Il se laissa choir[49] dans un gélatineux fauteuil de cuir vert, et attendit.

II

La radio fredonnait en sourdine[50] un programme de variétés. La voix contenue et infléchie de la femme réussit à renouveler un vieux thème. C'étaient les mêmes chansons qu'avant, et la porte s'ouvrit. Une jeune fille entra.

Elle ne parut pas surprise de le voir. Elle portait de simples pyjamas de soie jaune, avec une grande robe de la même soie,

[44] he too was willing   [45] to get along, to come to an understanding   [46] golden tipped   [47] further down   [48] clothes   [49] *tomber*   [50] softly.

ouverte devant. Elle était un peu hâlée, pas maquillée, pas spécialement jolie, mais tellement bien faite.[51]

Elle s'assit à la table et se versa du café, du lait, puis elle prit un gâteau.

— Vous en voulez? proposa-t-elle.

— Volontiers.

Il se leva à demi pour prendre la tasse pleine qu'elle lui tendait,[52] de légère porcelaine chinoise, mal équilibrée sous la masse du liquide.

— Un gâteau?

Il accepta, se mit à boire à gorgées lentes,[53] en mâchant les raisins du gâteau.

— D'où venez-vous, au fait?

Il reposa sa tasse vide sur le plateau.

— De là-haut.

Il montrait la fenêtre d'un geste vague.

— C'est la cafetière qui m'a arrêté, elle fumait.

La fille approuva.

Toute jaune, cette fille. Des yeux jaunes aussi, des yeux bien fendus,[54] un peu étirés aux tempes, peut-être simplement sa façon d'épiler ses sourcils. Probablement. Bouche un peu grande, figure triangulaire. Mais une taille merveilleuse bâtie comme un dessin de magazine, les épaules larges et les seins hauts, avec des hanches—à profiter de suite[55]—et des jambes longues.

Le Paul Jones, pensa-t-il. Elle n'est pas réellement comme ça. Ça n'existe pas.

— Vous ne vous êtes pas embêté[56] pendant tout le temps que vous avez mis à venir? demanda-t-elle.

— Non . . . J'ai vu des tas de choses.

— Vous avez vu des tas de choses de quel ordre? . . .

— Des souvenirs . . . dit-il. Dans les chambres, par les fenêtres ouvertes.

— Il fait très chaud, toutes les fenêtres sont ouvertes, dit-elle avec un soupir.

— Je n'ai regardé que tous les dix étages,[57] mais je n'ai pas pu voir au vingtième. Je préfère cela.

[51] well built [52] held out [53] to sip [54] large, wide-open [55] immediately, on the spot [56] *ennuyé* [57] every tenth floor.

Le Rappel

— C'est un pasteur ... jeune, très grand et très fort ...
Vous voyez le genre? ...

— Comment pouvez-vous le savoir? ...

Elle mit un temps[58] à lui répondre. Ses doigts aux ongles dorés enroulaient machinalement la cordelière de soie de son ample robe jaune.

— Vous auriez vu, continua-t-elle, en passant devant la fenêtre ouverte, une grande croix de bois foncé sur le mur du fond. Sur son bureau il y a une grosse Bible et son chapeau noir est accroché dans l'angle.

— Est-ce tout, demanda-t-il?

— Vous auriez vu sans doute aussi autre chose ...

Quand venait Noël, il y avait des fêtes chez ses grands-parents à la campagne. On garait la voiture dans la remise à côté de celle de ses grands-parents, une vieille voiture confortable et solide, à côté de deux tracteurs aux chenilles hérissées,[59] encroûtées de terre brune sèche et de tiges[60] d'herbes fanées, coincées dans les articulations des plaquettes d'acier. Pour ces occasions-là, grand-mère faisait toujours des gâteaux de maïs, des gâteaux de riz, toutes sortes de gâteaux, des beignets, il y avait aussi du sirop d'or, limpide et un peu visqueux, que l'on versait sur les gâteaux, et des animaux rôtis, mais il se réservait pour les sucreries.[61] On chantait ensemble devant la cheminée à la fin de la soirée.

— Vous auriez peut-être entendu le pasteur faire répéter[62] sa chorale, dit-elle.

Il se rappelait bien l'air.

— Sans doute, approuva la fille. C'est un air très connu. Ni meilleur ni pire que les autres. Comme le pasteur.

— Je préfère que la fenêtre du vingtième ait été fermée, dit-il.

— Pourtant, d'habitude ...

Elle s'arrêta.

— On voit un pasteur avant de mourir? compléta-t-il.

— Oh, dit la fille, cela ne sert à rien! Moi je ne le ferais pas.

— A quoi servent les pasteurs?

[58] a while   [59] with caterpillar treads   [60] blades (literally: stalks)   [61] he was saving a place for the sweets   [62] rehearse.

373

Il posait la question à mi-voix [63] pour lui-même; peut-être à vous faire penser à Dieu. Dieu n'a d'intérêt que pour les pasteurs et pour les gens qui ont peur de mourir, pas pour ceux qui ont peur de vivre, pas pour ceux qui ont peur d'autres hommes en costumes foncés, qui viennent frapper à votre porte et vous faire croire que c'est la négresse ou vous empêchent de terminer une bouteille de Paul Jones entamée. [64] Dieu ne sert plus à rien quand c'est des hommes que l'on a peur.

— Je suppose, dit la fille, que certaines personnes ne peuvent s'en passer. Ils sont commodes pour les gens religieux, en tout cas.

— Il doit être inutile de voir un pasteur si l'on veut mourir volontairement, dit-il.

— Personne ne veut mourir volontairement, conclut la fille. Il y a toujours un vivant et un mort qui vous y poussent. C'est pour cela qu'on a besoin des morts et qu'on les garde dans des boîtes.

— Ce n'est pas évident, protesta-t-il.

— Est-ce que cela ne vous apparaît pas clairement? demanda-t-elle doucement.

Il s'enfonça [65] un peu plus profondément dans le fauteuil vert.

— J'aimerais une autre tasse de café, dit-il.

Il sentait sa gorge un peu sèche. Pas envie de pleurer, quelque chose de différent, mais avec des larmes aussi.

— Voulez-vous quelque chose d'un peu plus fort? demanda la fille jaune.

— Oui. Cela me ferait plaisir.

Elle se levait, sa robe jaune luisait dans le soleil et entrait dans l'ombre. Elle tira d'un bar d'acajou une bouteille de Paul Jones.

— Arrêtez-moi, dit-elle . . .

— Comme ça! . . .

Il la stoppa d'un geste impératif. Elle lui tendit le verre.

— Vous, dit-il, est-ce que vous regarderiez par les fenêtres en descendant?

[63] softly, in a whisper   [64] opened, started   [65] sank back.

3 7 4

— Je n'aurai pas besoin de regarder, dit la fille, il y a la même chose à chaque étage et je vis dans la maison.

— Il n'y a pas la même chose à chaque étage, protesta-t-il, j'ai vu des pièces différentes toutes les fois que j'ouvrais les yeux.

— C'est le soleil qui vous trompait.

Elle s'assit près de lui sur le fauteuil de cuir et le regarda.

— Les étages sont tous pareils, dit-elle.

— Jusqu'en bas c'est la même chose?

— Jusqu'en bas.

— Voulez-vous dire que si je m'étais arrêté à un autre étage, je vous aurais trouvée?

— Oui.

— Mais ce n'était pas du tout pareil . . . Il y avait des choses agréables, mais d'autres abominables . . . Ici c'est différent.

— C'était la même chose. Il fallait s'y arrêter.

— C'est peut-être le soleil qui me trompe aussi à cet étage, dit-il.

— Il ne peut pas vous tromper puisque je suis de la même couleur que lui.

— Dans ce cas, dit-il, je ne devrais pas vous voir . . .

— Vous ne me verriez pas si j'étais plate comme une feuille de papier, dit-elle, mais . . .

Elle ne termina pas sa phrase et elle avait un léger sourire. Elle était très près de lui et il pouvait sentir son parfum, vert sur ses bras et son corps, un parfum de prairie et de foin, plus mauve près des cheveux, plus sucré et plus bizarre aussi, moins naturel.

Il pensait à Winnie. Winnie était plus plate mais il la connaissait mieux. Même il l'aimait.

— Le soleil, au fond, c'est la vie, conclut-il après un moment.

— N'est-ce pas que je ressemble au soleil avec cette robe?

— Si je restais, murmura-t-il.

— Ici?

Elle haussa les sourcils.

— Ici.

— Vous ne pouvez pas rester, dit-elle simplement. Il est trop tard.

A grand-peine,[66] il s'arracha du fauteuil. Elle posa la main sur son bras.

— Une seconde, dit-elle.

Il sentit le contact de deux bras frais. De près, cette fois, il vit les yeux dorés, piquetés de lueurs,[67] les joues triangulaires, les dents luisantes. Une seconde, il goûta la pression tendre des lèvres entrouvertes, une seconde il eut tout contre lui le corps drapé de soie resplendissante et déjà il était seul, déjà il s'éloignait, elle souriait de loin, un peu triste, elle se consolerait vite, on le voyait aux coins déjà relevés de ses yeux jaunes—il quittait la pièce, rester était impossible—Il fallait tout reprendre au début[68] et cette fois, ne plus s'arrêter en route. Il remonta au sommet de l'immense bâtiment, se jeta dans le vide, et sa tête fit une méduse rouge sur l'asphalte de la cinquième avenue.

QUESTIONS

1. Reconstituer, d'après les souvenirs fragmentaires du protagoniste, l'aventure amoureuse qui l'a mené au suicide.
2. Pour quelle raison précise le jeune homme se suicide-t-il?
3. Voyez-vous un rapport quelconque entre l'épisode de l'enfant à l'oiseau et le thème général du conte?
4. Que représente l'épisode de l'arrêt au dix-septième étage? Que représente la jeune fille en jaune?
5. En quoi le souvenir des fêtes de Noël précise-t-il la signification de cet épisode?
6. Pourquoi l'arrêt au vingtième étage n'aurait-il été pour le jeune homme d'aucun secours?
7. Par quels moyens l'auteur parvient-il à atténuer le côté mélodramatique de son récit?
8. Étudier les procédés stylistiques qui permettent la rapidité du récit dans la première partie du conte.

[66] with difficulty, with a great effort   [67] speckled with lights   [68] start all over again.

VOCABULAIRE

abandon *m.* surrender, renunciation, forlornness, neglect

abat-jour *m.* lampshade

abattre to knock down, destroy, cover (distance); **s'—** to fall upon

abeille *f.* bee

aberrant irrelevant, abnormal

abîme *m.* abyss, chasm, depth

s'abîmer to lose oneself

abonné *m.* subscriber

aborder to accost, speak to; to come to a berth

aboutir to lead to

aboyer to bark

aboyeur *m.* one who barks

abréger to shorten, abridge

abreuver to water

abri *m.* shelter, cover

abriter to shelter; **s'—** to take refuge

abruti stupid, dazed

acajou *m.* mahogany

accéder to have access to, enter, reach

s'accommoder de to accept, be adaptable to

accord *m.* agreement; **être d'—** to agree

accorder to give

accoucher to be delivered (of a child), give birth

accourir to come running

accoutrement *m.* dress, garb

accoutumance *f.* habit, custom

s'accoutumer to become accustomed

s'accrocher to cling to, catch onto; to get hooked

s'accroître to grow

accroupi sitting, squatting, crouched (down)

s'accroupir to squat

accueillir to welcome, receive

accusé prominent, sharply delineated

accuser to emphasize

s'acharner to attack persistently, set oneself against

s'acheminer vers to go toward

achever to finish

acier *m.* steel

acquér-eur,-euse acquirer, buyer

acquérir to acquire

âcre tart, sharp

actionner to set in motion, operate

actualité *f.* the present day

actuel,-le present

adjoint *m.* assistant

adjudant *m.* noncommissioned officer

adjuger to award

s'adonner to devote oneself, give oneself up

adroit clever

advenir to occur, happen

aérer to ventilate

affabulation *f.* plot of a story

affaiblissement *m.* weakening

affaires *f.pl.* business

s'affaisser to subside, give way, cave in, collapse, sink in

s'affaler to fall (tree, person); to sink, flop (into a chair)

affamé famished, craving

affecter to assign, pretend, influence

affiche *f.* poster, bill

afficher to parade, display showily

s'affirmer to assert oneself

affolement *m.* panic, terror

affoler to madden, distract, become crazy; **s'—** to get excited, panic, lose one's head

affranchir to free, emancipate

affreu-x,-se frightful, dreadful

affronter to face (up to)

affubler to rig out

affût *m.* hiding place; **à l'—** on the watch

agaçant irritating

agacement *m.* annoyance, vexation

agacer to irritate, annoy

agenouiller to kneel

aggloméré *m.* conglomerate

agir to act; **s'— de** to be a question of

agiter to wave, shake; **s'—** to become excited

s'agrafer to be fastened

agrandir to make larger

agripper to grasp

aguets *m.pl.* watch; **aux—** on watch, on the lookout

ahurir to stun

aïeul *m.* ancestor

aigreur *f.* sourness, acrimony, bitterness

s'aigrir to turn sour, become angry

aigu sharp, shrill

aiguille *f.* needle

ailleurs elsewhere; **d'—** besides, moreover

aîné elder, eldest

air *m.* melody, song

aisance *f.* ease, grace

aise *f.* ease; **à son—** comfortable

aisé easy

ajouter to add

ajusteur *m.* fitter

s'alanguir to grow languid, languish, droop

alentour around, about

aligner to line up

s'aliter to take to one's bed

alléchant enticing, alluring

allée *f.* path

allégresse *f.* gladness, cheerfulness, gaiety

Allemagne *f.* Germany

allemand German

aller to go; to be becoming (fig.); **s'en—** to leave, go away

alliance *f.* wedding ring

allonger to stretch; **s'—** to stretch out, lie down

allumer to light

allure *f.* conduct, behavior; aspect

alourdi heavy

altérer to change, impair, damage

amaigrir to make lean, emaciate; **s'—** to grow thin, emaciated

amant *m.* lover

amarre *f.* cable, hawser, line

amas *m.* heap, pile

amateur *m.* lover (of)

âme *f.* soul

améliorer to improve

amener to bring, bring about

amèrement bitterly

amertume *f.* bitterness

amical friendly

s'amonceler to be heaped up

378

amoncellement *m.* heap, pile

s'amorcer to be drawn toward, be decoyed

amortir to deaden

amoureu-x,-se in love

ancien,-ne past, former

ancre *f.* anchor

anéantir to reduce to nothing; to annihilate; s'— to be annihilated

anéantissement *m.* annihilation, disintegration, humiliation

ange *m.* angel

angoissant alarming, distressing

angoisse *f.* anguish, distress, agony

angoisser to anguish, distress

animé spirited, lively

annelé ringed, annulated

anniversaire *m.* birthday

anoblir to ennoble

antichambre *f.* waiting room

antiquaire *m.* dealer in antiques

apaisant appeasing, calming

apaisé pacified, calmed down

apaisement *m.* calming down

apercevoir to see, glimpse; s'— to become aware, realize

apitoiement *m.* pity

apitoyé full of pity, moved

apitoyer to incite to pity

aplanir to flatten, smooth (surface); to level

aplomb: d'— upright, vertical, in order

apologie *f.* vindication, justification

apostropher to abuse, fly at

appareil *m.* equipment, device, machine

appel *m.* call; roll call

appentis *m.* outbuilding

application *f.* effort

appliquer to apply

apprendre to learn

apprêt *m.* preparation

s'apprêter à to get ready to

apprivoiser to tame, subdue

s'approprier to make one's own

appui *m.* prop, support, backing; —de fenêtre window ledge, sill

appuyer to press; s'— to rest on

âpre avid, harsh

après: d'— according to

araignée *f.* spider

arbuste *m.* bush, shrub

arc-bouter to buttress; s'— to lean over

ardillon *m.* tongue

ardoise *f.* slate

ardu difficult

arête *f.* fishbone; mountain ridge; top (of a house roof); line where two surfaces intersect

argenterie *f.* silverware

armoire *f.* clothespress, wardrobe, cupboard

arpenter to strut along

arracher to tear (out, up, away)

arrêt *m.*: sans— continually

arrêter to stop, arrest; opinions arrêtées fixed notions

arrière *m.* back part, rear

arriver à to happen to

arrondi round

arrondir to round out

arroser to sprinkle, water

articulé articulate, jointed, hinged

asile *m.* shelter; insane asylum

asservi: être — à to be slave to (or of)

asservir to enslave, subjugate

assiette *f.* plate, dish

assister (à) to be present at, attend, witness

assombrir to make gloomy

assouplir to make supple, flexible

assujettir to be subject to, restricted by

assurance *f.* insurance

VOCABULAIRE

assurer to assure, vouch for, perform
asticot *m.* maggot
astral spatial
astuce *f.* craftiness
atelier *m.* studio, workshop
atonie *f.* dullness
attablé at table
attache *f.* tie, fastening; wrist or ankle; à l'— tied up
s'attacher to interest oneself in
attarder to dally, delay; s'— to linger
atteindre to reach
atteler to harness, yoke
attenant à adjacent to
attendre to wait for
s'attendrir to be moved
attente *f.* expectation
attention! be careful
s'atténuer to diminish
atterrant overwhelming
atterrir to land
attirer to attract, draw
attraper to catch
aube *f.* dawn
auberge *f.* inn
aucun any
au delà de beyond
au-dessus (de) above
auditif auditory
auditoire *m.* audience
auprès de near; in the eyes of
aussitôt immediately
autant as much; —dire might as well say
automate *m.* automaton, mechanical figure
autorité: d'— authoritatively
s'autoriser to assume authority; to be warranted by
avaler to swallow
avancé advanced
avancer to move forward
avanie *f.* affront

avant before; —tout above all
avare avaricious
avènement *m.* accession (to the throne)
avenir *m.* future
aventure *f.* affair
aventurer to risk, venture in an enterprise
averse *f.* downpour, sudden shower
averti observant
aveu *m.* admission; **faire un—** to admit, make a confession
aveugle blind
avis *m.* opinion
avisé *adj.* shrewd
aviver to brighten, become more acute
avoir tort to be wrong
avoué *m.* attorney
avouer to admit, confess

badaud *m.* ninny
bagne *m.* hard labor
bague *f.* ring
bahut *m.* cupboard, cabinet, wooden chest
baie *f.* bay; opening
baigner to bathe, steep; **se—** to go for a swim
bail (baux) *m.* lease (by landlord to tenant)
bâiller to yawn
baisser to lower; **se —** to bend over
bajoue *f.* jowl
bal masqué *m.* masquerade ball
(se) balancer to swing; to sway, rock
balbutiant stammering
balbutier to stammer, stutter
baliverne *f.* twaddle
ballant dangling, hanging limply
balle *f.* ball; bullet

ballonner to swell, distend (stomach)
ballot *m.* bundle, package, bale
ballotter to shake
Banc *m.* bench (in court)
bande *f.* gang; strip; —Velpeau elastic bandage
bander to have an erection
bannir to banish
banquette *f.* seat
banquise *f.* ice floe, ice pack, ice bank
baraque *f.* hut, shanty
baraquement *m.* hut(s)
barattage *m.* churning
barbe *f.* beard
barbu bearded
bariolage *m.* mixture of colors
bariolé gaudy, motley, of many colors, splashed with color
barque *f.* small fishing boat
barre *f.* helm
barrer to bar, block off; to cross out
barrière *f.* fence, rail
bas *m.* stocking; bottom, bottom part
bas-côtés *m.* shoulders (of a road)
basculer to rock, swing, sway
bas-fond *m.* lowest stratum
bâtiment *m.* building
batiste *f.* batiste, cambric
battant *m.* door, leaf (of a door); à grands —s wide
battre to beat; to defeat; —le pays to scour the country
bavard talkative
bavardage *m.* chatter, chit-chat
bavarder to chat, gossip
bavarderie *f.* chit-chat
bavarois Bavarian
béant open-mouthed, gaping
beau, belle fine, beautiful; avoir beau to do in vain, in spite of the fact that

bec *m.* beak; spout
bêche *f.* spade
bedaine *f.* paunch, belly
bégayer to stammer
beignet *m.* fritter
bel et bien entirely, quite
Belgique *f.* Belgium
bénéfice *m.* profit
bénévole kindly; gratuitous, unpaid voluntary (nurse)
bénir to bless
béquille *f.* crutch
bercer to rock, put to sleep
besogne *f.* task, job, piece of work
besoin *m.* need
bête stupid, silly
bêtifier to play the fool
bêtise *f.* stupidity
beuverie *f.* drinking bout
biche *f.* doe
bidon *m.* gasoline can, oil can
bienfaisance *f.* charity (organized)
bienfaisant charitable, beneficial
bienfait *m.* benefit, gift
bien: il faut— one has to
biens *m.pl.* possessions, estate
bigoudi *m.* hair curler
bijou *m.* piece of jewelry, jewel
bille (de verre) *f.* marble
billet *m.* note, ticket
billot *m.* block of wood
biscornu misshapen, irregular, ill-proportioned (building); distorted (ideas); inconsequent (argument)
bise *f.* north wind
bistro *m.* pub, bar
bistrot *m.* bar
blague *f.* humbug, joke; pas de—? no kidding?
blaireau *m.* badger
blanc: voix blanche toneless voice (frightened)

381

VOCABULAIRE

blanchir to whiten; **se —** to have one's laundry done

blanchisseuse *f.* laundress

blason *m.* coat of arms

blé *adj.* wheat color

bled *m.* rolling country (in N. Africa)

blesser to wound

blessure *f.* wound

blottir to nestle; **se—** to huddle

blouson *m.* jacket, wind breaker

bocal *m.* jar

bock à lavement *m.* enema bag

bogue *f.* (chestnut) burr

boire to drink

bois *m.* wood

boîte *f.* box

boiterie *f.* limp

boiteux limping, lame

boitiller to hobble

bon: à quoi—? what's the use? to what end?

bonbonnière *f.* candy box

bond *m.* jump

bondir to bound, jump

bon marché cheap

bonneteau *m.* game played with three cards resembling the shell game

bord *m.* shore, side, edge; board; **par-dessus—** overboard

bordel *m.* brothel; mess, confusion

bordelais from Bordeaux

border to line; to edge

borne *f.* milestone, limit, marker

bosselé bumpy

botte *f.* boot

bouche *f.* mouth; **—bée** mouth agape; **—de chauffage** hot-air vent

boucle *f.* curl, buckle

bouclé buckled, fastened, strapped; curly

bouclier *m.* shield

bouder to sulk

bouderie *f.* sulkiness

boudeur sulky

boudeu-x,-se sulky

boudiné fat, puffy, sausage-like

boue *f.* mud

bouffer to eat (slang)

bouffon farcical

bougeoir *m.* candlestick

bouger to stir, move

bougie *f.* candle; spark plug

bougre: pauvre— "poor guy," "poor bastard," "bugger"

boulanger *m.* baker

boule *f.* ball, sphere, globe; hot-water bottle

boulet de canon *m.* cannon ball

bouleverser to overturn, disrupt, upset

boulot *m.* work (slang)

bourbeu-x,-se murky

bourdonnant humming

bourdonner to hum, buzz

bourg *m.* town

bourgeoise: grande— upper-middle-class woman

bourgmestre *m.* mayor

bourrade *f.* blow, punch

bourreau *m.* tormentor, torturer

bourrelet *m.* roll (of fat)

bourrer to stuff, cram

bourse *f.* scholarship; handbag

bousculer to jostle, hustle, knock over

bout *m.* end; bit; **pousser à—** to exasperate; **être à—** to be exhausted, tired out; **au—de compte** when all is said and done

boutique *f.* shop

bouton *m.* button, knob

braise *f.* ember

brandebourg *m.* frog (on a coat)

brandir to brandish

branlant shaking

brasserie *f.* brewery; beer saloon; restaurant, bar

bredouiller to stammer

bref in short

brevet *m.* certificate, diploma

breveter to patent, license (approve, certify)

bribe *f.* bit

bride *f.* bridle, rein(s)

brider to bridle, curb, check

brillant *m.* diamond

briller to shine, sparkle; to be conspicuous

brin *m.* blade (of grass)

brindille *f.* twig

brisement *m.* breaking, destruction

briser to break, destroy

broc *m.* pitcher

brocanteur *m.* second-hand dealer

brocart *m.* brocade

broder to embroider

broncher to flinch

bronzé sun-tanned

brouillard *m.* fog, mist

brouillon *m.* first draft

broussaille *f.* brush, bush; en— bushy

brouter to graze

bruire to rustle, murmur

bruissement *m.* rustle, rumble

bruit *m.* noise, talk

brûler to burn; —de to burn with the desire to

brume *f.* mist, haze, fog

brumeu-x,-se hazy

brun brown

brunir to acquire a suntan; burnish

brusquerie *f.* abruptness

bruyamment noisily

bruyant noisy

bruyère *f.* heather

bûche *f.* stick, piece of wood, log

bûcheronnage *m.* tree-felling

buffet *m.* bar

buis *m.* boxwood

busard *m.* buzzard

busqué aquiline, hooked

se buter to be bent on; to resist stubbornly

buveur *m.* drinker

cabane *f.* shack

caca *m.* (child's word for) excrement, "crap"

çà et là here and there

(se) cacher to hide

cachet *m.* seal

cachot *m.* cell

cadenas *m.* padlock

cadet younger, minor, least

cadre *m.* frame, framework, organization list

cafard *m.* cockroach; avoir le— to have the blues, be fed up

cafetière *f.* coffeepot

caillou *m.* pebble, stone, rock

caillouteux pebbly

caisse *f.* crate, (packing) case; box, chest

caiss-ier,-ière cashier

cajolerie *f.* coaxing

caleçon *m.* underpants

calendes: renvoyer aux— (grecques) put off indefinitely

calfeutrer to stop up chinks

califourchon: à— astride

câliner to caress, fondle; to make much of; to wheedle

calomnie *f.* slander

calotte *f.* skullcap, brim

cambré arched, bent

camée *m.* cameo

camion *m.* truck

camionneur *m.* truck driver

campagnard rustic, countrified

campé placed

camus flat, snub-nosed

3 8 3

VOCABULAIRE

canapé *m.* couch, sofa
cantonade *f.* wings (of theater);
dire à la— speak "off stage"
cantonnement *m.* quarters, camp
cantonner to confine
canule *f.* nozzle
caoutchouc *m.* rubber
caoutchouté rubbery, rubberized
capot *m.* hood (of a car)
capote *f.* hood, military overcoat
capuchon *m.* hood, cowl
caqueter to cackle, gabble,
chatter
caractère *m.* character, nature
caravelle *f.* caravel (ship)
carburant *m.* fuel
carreau *m.* small square; **à —x**
checked
carrefour *m.* crossroads
carrelage *m.* tiling, floor
carrément straightforwardly,
bluntly
carrier *m.* quarryman
carrosse *m.* carriage, coach
carrousel *m.* tournament, merry-
go-round
caser to place, lodge
caserne *f.* barracks
casquette *f.* cap
casser to break; **se—** to break
casserole *f.* stewpan
casse-tête *m.* truncheon, toma-
hawk
catalan Catalonian
cauchemar *m.* nightmare
causer to converse, chat; **—avec,**
—à to have a chat with
cavalier *m.* horseman, rider,
escort
cave *f.* cellar, vault
céder to give up, part with, yield
ceinture *f.* belt
ceinturer to girdle, tackle
célèbre famous
celer to conceal, hide

célibat *m.* celibacy, unmarried
state
célibataire *m.* bachelor
cendre *f.* ash(es), cinder
cercueil *m.* coffin, casket
cerf *m.* stag, hart
cerne *m.* circle (around eye)
cerné *adj.* surrounded
certes certainly, indeed
cesser to stop, cease
c'est-à-dire that is to say
chagrin *m.* sorrow, affliction,
trouble
chahut *m.* noisy disorder
chahuter to be noisy, "raise
Cain"
chair *f.* flesh
se chamailler to bicker
chambre *f.* room; **—d'amis**
guest room
chambrée *f.* barracks room
chambrière *f.* chambermaid
champ *m.* field
chance *f.* luck
chanceler to totter, stagger, reel
chandelle *f.* candle
chant *m.* song
chantier *m.* work area
chapeauté hatted
chapelet *m.* rosary
charbonné scrawled in black
chardon *m.* thistle
charnel,-le carnal, of the flesh
charnu fleshy
charogne *f.* carrion
charrette *f.* cart
charrier to cart, transport; *slang*
to kid, exaggerate
charte *f.* (royal) charter
chasser de to expel from
châssis *m.* frame
chat *m.* cat
châtaignier *m.* chestnut tree
châtié polished
chaton *m.* kitten

chatoyant irridescent
chauffage *m.* heating
chaumière *f.* thatched cottage
chaussé shod
chaussée *f.* causeway, street
chausson *m.* slipper
chauve-souris *f.* bat
cheftaine *f.* den-mother (scouting)
chemin *m.* path, road; —creux
sunken road
cheminée *f.* chimney, fireplace
cheminer to travel (leisurely)
chemise *f.* shirt
chemisette *f.* child's shirt
chêne *m.* oak tree
chenu gray-haired
cher expensive, dear
chercher to seek, look for
chère *f.* food
chétif frail, puny
chevalet *m.* support, stand; easel
chevalier *m.* knight
chevalin equine, of horses
chevelure *f.* hair
chevet *m.* bedside
cheveu *m.* hair; *pl.* hair
cheville *f.* ankle
chevreau *m.* kid
chic kind, generous, smart
chicane *f.* quibbling lawsuit, chic-
anery
chicorée *f.* chicory
chien-loup *m.* wolf dog, Alsatian
chiffonnière *f.* ragwoman
chiffre *m.* number, figure
chiffré in code
chignon *m.* bun, knot of hair
chirurgien *m.* surgeon
choisir to choose
chorale *f.* choir
chou,-x *m.* cabbage
chouette *f.* owl
chuchoter to whisper
chute *f.* fall
cible *f.* target

cicatrice *f.* scar
cierge *m.* wax candle
cil *m.* eyelash, glance
ciller to blink
cime *f.* top, summit, peak
ciment *m.* cement
cimetière *m.* cemetery
cinglant lashing (rain); cutting
(wind); bitter (cold); stinging
(remark)
cirage: face de— "blackface"
circuler to circulate, move about
cire *f.* wax
cirer to wax, polish
cireur *m.* waxer, bootblack
cirque *m.* circus
ciseaux *m.pl.* scissors
cité; avoir droit de— to have
(its) place, a legitimate place
citer to quote, mention
clair light, clear; voir— to see
clearly, be lucid
clandestinement in secret
clapotement *m.* splash(ing) of
waves
claquer to chatter
clarté *f.* light, brightness
classer to classify, file
clef, clé *f.* key
cligner to wink, blink
cliqueter to jingle
clochard *m.* hobo, derelict
cloche *f.* bell; jupe-— bell-
shaped skirt
clocher to limp; not work properly
cloison *f.* partition; —à claire-
voie grating
clopiner to hobble, limp
clos *adj.* shut
clôture *f.* enclosure
clou *m.* nail
cocher *m.* coachman; *V.T.* to
mark
cocu *m.* cuckold

3 8 5

VOCABULAIRE

coéquipier *m.* teammate
cogner to bang, bump
cohue *f.* crowd, crush
coiffer to put on or to be wearing a hat
coiffeur *m.* barber
coiffure *f.* hairdo
coin *m.* corner, wedge
coincer to wedge (up), to corner
col *m.* neck
colère *f.* anger
coléreux angry
colifichet *m.* trinket
colique *f.* cramps
collationner to compare (lists)
colle *f.* glue
collectionneur *m.* collector
coller to glue, stick together; *slang* to give
collerette *f.* collar (of fine muslin)
collier *m.* collar, necklace
colline *f.* hill
colon *m.* settler
combattre to fight
combinaison *f.* slip (woman's undergarment)
combiner (avec) to match (with)
comble *m.* summit, height; **pour—** to top it all off
comblé completely satisfied
combler to fill up, heap upon, fulfill, gratify
combles *m.pl.* top floor
commerçant *m.* merchant, tradesman
commissaire *m.* commissioner
commode *f.* chest of drawers, bureau; *adj.* handy, useful
commun mutual, shared; **vie—e** life together
communs *m.pl.* outhouses
compagnie *f.* company; **tenir—** to accompany
comparse *f.* extra (on a set)

compartiment *m.* compartment (of railway carriage)
complainte *f.* sad ballad
se complaire à to take pleasure in
complaisance *f.* obligingness
complet-veston *m.* suit
complice *m.* accomplice; *adj.* having a private understanding with, sharing guilt
comporter to allow of, call for, require, comprise; **se—** to behave
composant *m.* component
compromettre to endanger, jeopardize
comptabilité *f.* bookkeeping
comptable *m.* bookkeeper
compte *m.* account, reckoning; **se rendre—de** to realize; **—en banque** bank account; **pour mon—** as for me
compter to intend, have the intention
comptoir *m.* counter
conciliabule *m.* secret meeting
concourir to cooperate
concurrent *m.* competitor
condamner to condemn; **—à** to sentence to
conduire to direct, lead, drive
conférence *f.* lecture
confiance *f.* confidence
confiant confident
se confier to take into one's confidence
confit stupid
confiture *f.* jam, preserves
confrère *m.* colleague, fellow worker
confus embarrassed; confused
congé (prendre) *m.* leave (to take)
congédier to dismiss, discharge
congère *f.* snowdrift

386

conjonction *f.* union, connection
conjurer to avert
connaissance *f.* acquaintance, knowledge
connaisseur expert
consacrer to devote, assign
conscience *f.* conscience, awareness
conscient conscious, aware
conseil *m.* (piece of) advice
Conseil Cabinet; Président du— Premier
conserve *f.* preserve
consigne *f.* instructions, orders
constatation *f.* proof of the fact
constater to verify, note
contact *m.* encounter
conte *m.* tale, short story
contenter to please, satisfy; se— de to be satisfied with, make do with
contenu *m.* content; *adj.* withheld, restrained
se contorsionner to twist oneself
contourner to wind around, pass around, skirt
contraindre to force
contrainte *f.* constraint
contrarier to vex
contrariété *f.* vexation
contrat *m.* contract
contrebande *f.* smuggling
contre-bas: en— (lower) down, below, below the level
contremaître *m.* foreman
contrevent *m.* outside shutter
contrôler to check, examine
convenir to be just right
convoiter to desire, covet
convoler to marry, get married
convoquer to summon
copain *m.* pal, buddy
copeau *m.* chip
coquillage *m.* shellfish, shell

Coran *m.* Koran
corbeau *m.* crow
corde *f.* rope; —raide tightrope
cordelière *f.* twist, cord, belt
cordon *m.* ribbon, decoration (of an order, etc.); —ombilical umbilical cord
cordonnier *m.* cobbler, shoemaker
corps *m.* body
corsage *m.* bust (of woman); bodice, body (dress)
corvée *m.* forced or statute labor; *milit.* fatigue, duty; thankless job
cossu well off
costaud strong, strapping, hefty
costume *m.* suit
côte *f.* rib, slope, shore, hill; —à— side by side
côté *m.* side; du—de in the direction of
se côtoyer to border on one another
cou *m.* neck
couche *f.* layer, bed
coucher to lie
coude *m.* elbow, bend, curve
coudre to sew
couler to flow, run, pour
couleur *f.* color, (oil) paint; homme de— colored man
coulisse *f.* wing (of stage)
couloir *m.* corridor
coup *m.* blow; porter un— to deal a blow; —d'œil glance; à—sûr without fail; —de soleil sunburn
coupable *m.* culprit; *adj.* guilty
couper to cut; —l'appétit to take one's appetite away
cour *f.* court, admiring group
courant *m.* current
courber to bend, triumph over

3 8 7

coureur *m.* racer, runner
couronnement *m.* coronation
courroucé angry
cours *m.* course, rate, duration;
  libre— free rein; **au—de** in
  the course of
course *f.* race, trip
coussin *m.* cushion
couture *f.* seam
couturier *m.* dressmaker
couvent *m.* convent
couver to brood, hatch out; **—du**
  regard to gaze at intently
couvert *m.* knife, fork, spoon, and
  plate; table setting
couverture *f.* blanket, coverlet
couvre-feu *m.* "lights out"
couvre-pieds *m.* coverlet
couvreur *m.* roofer
craie *f.* chalk
craindre to fear
crainte *f.* fear
cramoisi crimson
crâne *m.* head
crapaud *m.* toad
crapuleu-x,-se debauched, lewd
craquement *m.* cracking sound,
  creak
crasse *f.* dirt
crécelle *f.* rattle
crémière *f.* dairy woman; keeper
  of a small eating house
crénelé crenelated
crépiter to crackle (fire); to
  patter (rain); to spatter (grease)
crépu fuzzy
crépuscule *m.* dusk
crétin *m.* idiot
creuser to hollow out, dig
creux *m.* hollow, pit
creu-x,-se hollow, empty; **en—**
  engraved, cut out
crevé exhausted, sick
crever to die; to burst, put out
  (an eye)

criard loud, shrill, screechy
crier to shout
crinière *f.* mane
crique *f.* creek
criquet *m.* cricket
crise *f.* critical shortage
crispé clenched, contorted, winc-
  ing, tense
crissement *m.* squeaking, grating, grinding
croasser to croak, caw
croc *m.* fang
croisée *f.* window
croiser to meet; **se—** to intersect
croisillon *m.* bar
croix *f.* cross; **—gammée**
  swastika; **les bras en—** with
  outstretched arms; **corps en—**
  tortured bodies
croupe *f.* rump (of a horse)
cru: de son— of his own inven-
  tion
cueillir to pluck, gather
cuiller *f.* spoon
cuir *m.* leather; **—chevelu** scalp
cuisine *f.* kitchen
cuisse *f.* thigh
cuivre *m.* copper, brass
culbuter to upset, overthrow
culotte *f.* pants, panty, breeches
curé *m.* parish priest
curieu-x,-se strange
cuvette *f.* wash basin; dish, cup,
  bowl
cuvier *m.* basin, tub

dallage *m.* paving
dalle *f.* flagstone
dames *f.pl.* checkers
damier *m.* checkerboard
davantage more
dé (à coudre) *m.* thimble
déballer to unpack
débarquer to land, disembark

débarras *m.* riddance
débarrasser to relieve, rid
se débattre to struggle
débiter to deliver, recite
déblayer to clear away, remove
déborder to overflow
débouché *m.* outlet, opening
déboucher to emerge, issue, uncork
débraillé untidy, all unbuttoned, disarrayed (person)
débrouiller to unscramble; se— to clear up, find a way
débusquer to dislodge
début *m.* beginning
se décalquer to leave an imprint
déceler to detect, find, discover
déception *f.* disappointment
décès *m.* death
déchaîner to let loose, exasperate
décharge *f.* discharge, volley
décharger to unload
décharné emaciated
déchéance *f.* decline, downfall
déchirer to tear; se— to tear oneself apart
déchirure *f.* tear, rent
déclencher to unleash
décliner to state (one's name)
décombres *m.pl.* rubbish, debris
se décomposer to putrify
déconcerté disconcerted
décor *m.* setting
découper to cut out, clip, carve
découvrir to discover, show
décrocher to unhook, take down; se— to get unhooked
déculotter to remove pants
dédaigneu-x,-se disdainful
dédain *m.* disdain, scorn
dedans within, inside
dédier to dedicate, address
défaillir to faint
défaire to undo
défaut *m.* fault

se défendre de to refrain from
déferler to unfurl, break
défiant wary, suspicious
se défier de to be wary of
défiler to parade past, reel off
définitif,-ve final, in final form
déflorer to deflower
dégagé clear (sky)
se dégager to disengage oneself, free oneself
dégarnir to strip
dégel *m.* thaw
dégeler to thaw; il est dégelé he has loosened up
déglutir to swallow
dégouliner to roll down, drip
dégoût *m.* disgust, distaste for
dégoûter to disgust
degré *m.* step
dégueuler to vomit, puke
dehors *m.* external appearance
déjouer to outsmart
délabré dilapidated, in disrepair, broken-down
délaisser to abandon
délices *f.pl.* delight
délire *m.* delirium
délit: prendre en flagrant— catch in the act, catch red-handed
délivrer to liberate; se— to shake off
déloger to dislodge
démarche *f.* gait, step; faire une— to make an attempt
démarrer to start (an engine); to start off, drive off
se démener to bestir oneself
dément lunatic
démesuré excessive, huge
demeurant *m.* remainder; au— after all, all the same
demeurer to remain
démolir to demolish
démuni helpless
dénaturer to distort

389

dénommer to name
dénouer to untie
dent *f.* tooth
dentelle *f.* lace
dénuer to divest
dépassement *m.* excess, surpassing
dépasser to go beyond, stick out, pass, overtake
dépaysement *m.* change of environment
dépêche *f.* telegram
se dépêcher to hurry
dépens *m.pl.* expense
dépit *m.* spite; **en—de** in spite of
se déplacer to move about
se déployer to unfold (of a story)
déposer to deposit
dépouiller to skin; **se—** to cast off, shed
dépourvu (de) without, lacking
déranger to disturb; **se—** to move
déraper to skid, side-slip
déréglement *m.* derangement
se dérégler to fall out of rhythm
dérisoire absurd, ridiculous, mocking
dérobée: à la— secretly, on the sly
se dérober to steal away
déroutant baffling
derrière *m.* behind, backside
dès as early as; **—lors** henceforth; **—que** as soon as
désabuser to disabuse, disillusion, undeceive; **se—** to lose one's illusions, have one's eyes opened
désagrégation *f.* breaking-up, disintegration
se désagréger to split up
désarconner to confound, dumfound, "floor"

désarroi *m.* disarray, confusion
désemparé in distress, crippled
désenfler to become less swollen
désespérément desperately
désespérer to despair; plunge into despair
désespoir *m.* despair
se déshabiller to undress
déshérité unfortunate, destitute, forsaken
désinvolte casual, airy
désordre *m.* disturbance
désormais henceforth
dessein *m.* intent, purpose; **à— on purpose**
desserrer to relax, loosen
dessin *m.* design, drawing
dessiner to outline, show off
dessous *m.* underclothing
destinataire *m.* addressee
détacher to unhitch, detach; **se— to break away; se—sur** to stand out against
détaler to run away
déteindre to fade, lose color, run (of color)
se détendre to relax, unbend
détendu relaxed
détente *f.* relaxation, loosening
déterrer to unearth
se détourner to turn aside, away; to look away
détremper to soak
détrousser to rob
détruire to destroy
deuil *m.* mourning
devancer to beat, overtake
devanture *f.* frontage (of a building), shop window
devenir to become; to become of
déverser to pour, discharge
dévier to swerve
deviner to guess, see dimly
dévisager to stare at

devoir *m.* duty

devoir to owe; to have to, must, should

dévorer to devour

dévouement *m.* devotion

dévoyé gone astray

diablerie *f.* sorcery

diète: à la— on a (liquid) diet, restricted diet

digérer to digest

digitale *f.* digitalis

digne worthy, dignified

dilapider to squander

dire *m.* statement, assertion

direction *f.* management, board of directors

diriger to direct; se— to move, go

discernable visible

discerner to perceive

discours *m.* speech

disgrâce *f.* misfortune

disloquer to dislocate, put out of joint, dismember

disparaître to disappear

disparition *f.* disappearance

dispute *f.* argument

se disputer to fight over

dissimuler to conceal

se dissiper to scatter, vanish

dissolu dissolute, loose

distraction *f.* heedlessness, negligence

distrait absent-minded

divaguer to ramble, digress

divers various

dizaine *f.* about ten

doctement learnedly

doigt *m.* finger

domaine *m.* field

domestique *m.f.* servant

dommage *m.* damage, injury, loss, harm; quel— what a pity

don *m.* gift

donner to give; —sur to look out on; —le jour à to give birth to

donzelle *f.* wench

dos *m.* back

dosseret *m.* buttress

dossier *m.* file, record

dot *f.* dowry

doté *adj.* having a dowry

doter to endow

douane *f.* customs

doué endowed; gifted

douleur *f.* pain, suffering

douloureu-x,-se painful

drap *m.* sheet

drapeau *m.* flag

dresser to train, erect; se— to rise, stand

dresseur *m.* trainer

droit *m.* right, law, tax; *adj.* straight, honest

drôle funny

durant during

se durcir to become harder, harsher

durer to last

dureté *f.* severity, harshness

eau-de-vie *f.* brandy, spirits

eaux-fortes *f.pl.* etchings

ébats *m.pl.* frolic

ébaucher to rough out, sketch out, outline

éberlué astounded, bewildered

éblouir to dazzle, blind

ébouler to bring down, loosen (gravel, earth)

éboulis *m.* mass of fallen earth, debris, rubbish

ébouriffer to amaze, take one's breath away; to dishevel, rumple

ébranler to shake; s'— to budge, move

ébrécher to notch; to chip; to damage

391

VOCABULAIRE

écart *m.* swerve, stepping aside, shying; à l'— apart; à l'—de apart from, aside, to one side; —de conduite lapse, slip
écarter to spread, part, separate; s'— to move away, apart
échantillon *m.* sample
échapper to flee; s'— to escape, run away
échec *m.* failure
échecs *m.pl.* chess
échevelé disheveled
échiquier *m.* exchequer
échoppe *f.* shop
échouer to fail, run aground
éclair *m.* gleam
éclaircissement *m.* explanation
éclairer to light
éclat *m.* burst, brilliance, spark
éclatant bright, dazzling, brilliant
éclater to burst, split
éclore to hatch, open, bloom
économie *f.* disposition
écœuré sick at heart, disgusted, nauseated
écœurement *m.* disgust, loathing; dejection, discouragement
éconduire to show out, dismiss
écorchure *f.* abrasion, excoriation (of the skin); gall; scratch
écossais Scotsman, *adj.* Scottish
s'écouler to pass (of time)
écoute *f.* listening post
écran *m.* screen
écrasement *m.* crushing
écraser to crush, squash, flatten; en— to sleep soundly
écriteau *m.* sign
écriture *f.* handwriting·
écrivain *m.* writer
(s')écrouler to collapse, fall in, give way
écuelle *f.* bowl, basin
écume *f.* foam
écumer to scour

écurie *f.* stable
édifier to construct
édredon *m.* eider-down quilt, large pillow
effacé humble
effacer to erase
effarement *m.* fright
effectuer to carry out, accomplish
s'effiler to taper
effleurer to touch or stroke lightly, skim, graze
effluve *m.* emanation
s'effondrer to collapse, fall in
s'efforcer de to strive to
effrayer to frighten
effroyable frightful
s'égailler to disperse, scatter
égal equal, even; être— to be all the same
également likewise
égaler to equal
égard *m.* consideration, respect
s'égarer to get lost, stray
égorger to slaughter
égout *m.* sewer
égoutter to drain
élan *m.* impetus, burst (of passion)
s'élancer to rush, dart
s'élargir to broaden
élargissement *m.* setting free, release (of a prisoner)
élevage *m.* breeding
élevé high
élever to raise; bien-élevé, mal-élevé well-bred, ill-bred; s'— to rise up, arise
éloge *m.* praise
éloigné remote, distant; foreign
éloignement *m.* distance, remoteness; distaste
s'éloigner to go away, move away
émail *m.* enamel
s'emballer to be carried away (by enthusiasm, etc.)
s'embarquer to sail

392

embarras *m.* trouble
embarrasser to perplex, give difficulties
embaumer to embalm
embêté annoyed, bothered; bored
s'embourber to get bogged down in
embranchement *m.* branch, fork (of a road)
embrasser to kiss
embrayer to engage, throw into gear, let in the clutch; —sur start on
embrumer to make hazy
embu *m.* dullness, streakiness, mist
embusquer to hide
s'émerveiller to wonder at
émettre to utter
emmener to take with
emmerder to annoy, bore to death (vulgar)
emmitonner to wrap up warmly (fam.)
émoi *m.* emotion, agitation
émouvoir to move
empailler to pack in straw; to stuff
s'emparer to seize
empêcher to prevent, keep from
empeser to starch
empêtrer to entangle, enmesh; s'— to get entangled
s'empiler to pile in
emplacement *m.* site, location
emplette *f.* purchase
emplir to fill; s'— to fill, be filled
emploi *m.* use
employer to use
empocher to pocket
empoigner to grab; to lay hold of
emporte-pièce: à l'— biting, cutting

emporter to carry off, away; to take away
empreinte *f.* imprint
empressement *m.* alacrity, eagerness
s'empresser to hurry to (do)
emprunter to borrow, take on, take
encadrer to frame
encaisseur *m.* bill collector, bank messenger
enceinte *f.* surrounding wall, fence; enclosure, enclosed space; precinct
enchaîner to link up, connect (machinery, ideas, etc.), continue
enchevêtrement *m.* tangle
enchevêtrer to confuse; to entangle
enclin inclined
enclore to enclose
encolure *f.* neck (of a horse), appearance
encombré encumbered, littered
encombrement *m.* crowding
encore que (al)though, even though
s'endormir to go to sleep
endosser to put on one's back
endroit *m.* place
enduit *adj.* smeared
endurcissement *m.* hardening
énervant irritating, exasperating
énervement *m.* irritation
s'énerver to become irritable, get excited
enfantillage *m.* childishness
s'enfermer to shut oneself in
s'enferrer to be one's own undoing
enfin finally; anyhow
enfoncement *m.* sinking in
enfoncer to smash in; s'— to plunge into, sink, run down into
enfouir to bury, hide in

393

VOCABULAIRE

s'enfuir to flee, escape
engagement *m.* enlistment
s'engager to join, sign up
englober to include, embody
engloutir to submerge
engourdir to make numb; s'— to grow numb (of limb, etc.); to become sluggish, torpid (of mind)
engourdissement *m.* torpor
engranger to store up (in a barn, etc.)
enhardi made bold
enivrement *m.* intoxication
enivrer to make drunk; s'—de to get intoxicated with
enjambée *f.* stride
enjamber to leap upon, stride over, step out
enjoué playful
enlaidi made ugly
enlever to remove, take away, abduct
ennui *m.* worry, anxiety; nuisance; boredom
ennuyeu-x,-se boring
enquête *f.* investigation
enraciné rooted
enregistré checked
enrouler to roll
enseigne *f.* sign(-board)
enseigner to teach
ensorceler to bewitch
entamer to open, break into, begin, begin to cut
entassement *m.* heap, pile
s'entasser to be piled, heaped up
entendre to hear, understand; s'—(avec) to get along with
enterrement *m.* burial, funeral
enterrer to bury
entêtement *m.* stubbornness
s'enticher de to become infatuated with
entonner to intone, begin to sing, break into song

entonnoir *m.* funnel
entortiller to wrap around
entourer to surround
entrailles *f.pl.* bowels
entraînement *m.* temptation
entraîner to lead, drag, carry away
entrebâillé half-opened
entremetteuse *f.* procuress
entr'ouvert half-open
entrepont between decks
entreprendre to undertake
entreprise *f.* venture, company
entretenir to maintain; to converse
entretien *m.* conversation
entourage *m.* persons around one
énumérer to enumerate
envahir to invade
envie *f.* desire; avoir—de to want, crave, feel like
environ about
s'envoler to fly off, up, away
épagneul *m.* spaniel
épais,-se thick
épaisseur *f.* thickness
s'épaissir to grow thick
s'épanouir to blossom
épanouissement *m.* blooming
épargner to spare
éparpiller to scatter
épatant swell, wonderful
épaule *f.* shoulder
éperdu distracted, bewildered
éphémère transitory
épicerie *f.* grocery store
épier to spy upon
épiler to pluck
épine *f.* thorn
épineu-x,-se thorny, difficult
épingle *f.* pin
épinglé pinned
éplucher to peel
s'éponger to wipe off perspiration
épouser to marry, cling to

394

s'éprendre de to fall in love with

épreuve f. proof

épris in love

éprouver to feel

épuiser to exhaust

équilibre m. balance

équipe f. team

équivoque f. ambiguity

érafler to scratch, graze

Erard m. (a good) piano, "Steinway"

errer to wander

escabeau m. stool

escalade f. scaling, climbing (of a wall, cliff)

escalader to scale, climb

escalier m. stairway; —mécanique escalator

s'esclaffer to burst out laughing

esclavage m. slavery

esclave slave

espadrille f. rope-soled beach shoe

Espagne f. Spain

espagnolette f. handle of French window

espèce f. kind, sort

espion m. spy

espoir m. hope

esprit m. spirit; ghost, phantom; mind

esquisse f. sketch

esquisser to sketch, outline, start

esquiver to avoid, dodge

essence f. gasoline

essoufflé out of breath

essuie-glace m. windshield wiper

essuyer to face

estomac m. stomach

s'estomper to become blurred, fade away

estrade f. dais, platform

établi m. workbench

s'étager to rise in tiers

étagère f. set of shelves

étai m. stay, prop, shore

étalé spread out

étaler to display; s'— to fall full length

éteindre to extinguish, turn off

étendre to spread out; s'— to stretch out; s'—sur to dwell on, enlarge on

étendu lying

étendue f. extent

étincelle f. spark

étique consumptive; emaciated

étiquette f. label

étirer to stretch; s'— to stretch one's limbs, string out

étoffe f. material, cloth

étoffé stuffed full

étoile f. star

étoilé star-shaped

étonner to astound, surprise

étouffer to stifle, muffle, smother, be stifled

étouffement m. smothering

étourdi stunned, dizzy, numb; thoughtless, scatterbrained

étourdir to daze, make dizzy

étranger unknown, foreign

étrangler to choke

être m. being

étreindre to clutch, press, embrace

étroit narrow

étui m. box

étuve f. bathhouse

s'évanouir to faint, fade away

évasé wide

évasion f. escape

événement m. event

éventail m. fan

évier m. sink

éviter to avoid

évoluer to evolve

évoquer to evoke, conjure up, mention

VOCABULAIRE

exaspéré enraged, annoyed
excéder to go beyond
excès *m.* excess
exécrable abominable, loathsome
exécrer to hate
exigence *f.* requirement, demand
exiger to require, demand, exact
exigu,-ë small, tiny
s'expatrier to leave one's country
expédier to dispatch
exposé *m.* speech, talk
exsangue bloodless, cadaverous

fabrique *f.* factory, works, mill
face: en— opposite
se fâcher to become angry
façon *f.* way, fashion, manner
facture *f.* treatment, workmanship
fade insipid, devoid of fragrance or flavor
faible feeble, weak
faiblesse *f.* weakness
faïence *f.* earthenware
faille *f.* fault (geological)
faillir *plus inf.* almost, nearly; **il a failli mourir** he all but died
fainéant idle, lazy, slothful
faire to make, do; **—un aveu** to admit, make a confession; **—la part belle à** to be generous with; **—exprès** to act intentionally; **—son chemin** to get on in life; **—autorité** to be an authority, carry weight; **—tomber** to topple, brush off
faisceau *m.* bundle, beam of light
fait *m.* fact; **au—** by the way
falaise *f.* cliff
falloir to be necessary, have to
falot dim, dull
famélique starving
fameu-x,-se famous, wonderful
fanal *m.* lantern, light

fanatisme *m.* fanaticism
fané withered
se faner to wilt
fanfare *f.* band (music)
fangeu-x,-se muddy, filthy
fantasmagorie *f.* fantasmagory, phantasm, apparition
farce *f.* joke; *adj.* jocular
farceur *m.* joker
fard *m.* make-up
fardé rouged, made-up
farouche fierce, wild, savage; shy, timid; unsociable
faste *m.* pomp
fatras *m.* rubbish, trash
faubourg *m.* suburb
fausser to distort, warp, violate
fausset *m.* falsetto
faute *f.* shortcoming, deficiency; **—de** for lack of
fau-x,-sse false; **—-monnayeur** counterfeiter
faveur *f.* bunch of ribbons
favori *m.* sideburn
feindre to feign, pretend
félin feline, cat-like
fêlure *f.* split
femme: —de ménage housemaid; **—d'intérieur** housewife
fendre to split, cleave, cut through; **se—** to split, crack
fendu slit; **des yeux bien—s** large, wide-open eyes
fente *f.* slit, crack
fer *m.* iron, hobnail; **—battu** wrought iron
fermeture *f.* shutting; **—éclair** zipper
fessée *f.* spanking
fesses *f.pl.* buttocks, behind
fêtard *m.* reveller, rake
fêter to celebrate
fétide fetid, rank
feuille *f.* leaf, sheet (of paper)
feuilleter to thumb through

VOCABULAIRE

feutré muffled
ficeler to tie up
fiche *f.* index card, file
ficher to stick (as with a pin), drive in, fix, plant; —**le camp** to clear out
fichu *m.* woman's small shawl, neckerchief
fiente *f.* dung
fier proud
fierté *f.* pride
figé congealed; cold; immobile
figer to congeal, freeze
figure *f.* face, image
figurer to appear, be present
fil *m.* thread, stream; —**à plomb** plumb line
filer to "beat it" (colloquial)
fixer to arrest, set, write down
flageoler to tremble
flagorneur *m.* flatterer
flairer to smell, sniff
flambeau *m.* candlestick
flancher to give in, give up
flâner to stroll, lounge about, loiter
flaque *f.* puddle, pool, plash
fleurir to flower, blossom forth
flibustier *m.* pirate
flot *m.* wave
flotter to wave (a flag), waver, fluctuate
flou blurred, vague
foi *f.* faith
foin *m.* hay
fois: à la— at the same time
foisonner to abound
folie *f.* madness
foncé dark (in color)
fonctionnaire *m.* official, civil servant
fond *m.* back, bottom, depth, background
fondre to melt, blend; —**en larmes** to burst into tears

fonte *f.* melting, thawing
for *m.* jurisdiction; —**intérieur** conscience
forçat *m.* convict
forcément necessarily
forcer to break through, break in
forcir to grow strong
fort *adj.* strong; heavy, large, stout; *adv.* very
fosse *f.* pit, trench
fossé *m.* ditch
fossoyeur *m.* grave digger
fou, fol, folle *adj.* mad, crazy; *n.* madman, madwoman, lunatic
foudre *f.* lightning bolt
fouet *m.* whip
fouetter to whip, beat
fouille *f.* search
fouiller to hunt, search, ransack
fouilles *f.* excavations, diggings
foulard *m.* scarf
foule *f.* crowd, mob
fouler to walk upon
four *m.* oven
fourmi *f.* ant
fourmillement *m.* tingling
fourneau *m.* stove
fournir to give
fourrage *m.* fodder
fourré *m.* thicket
fourrer to stuff, cram; **se**— to stuff oneself
fourrure *f.* fur
se fourvoyer to go astray
foutre to drive in, stick
foyer *m.* recreation room, lounge
frais *m.* expense; **se mettre en**— to go to expense; **aux**—**de** at the expense of
fra-is,-îche fresh, blooming, cool
framboise *f.* raspberry
franc,-he pure
franchir to cross, go through
franchise *f.* frankness

VOCABULAIRE

frange *f.* fringe (front lock of hair), bangs
franger to fringe
frappant striking
frayer to mark out; **se—passage** to clear a path, force one's way
frayeur *f.* fright
fredonner to hum
freiner to brake
frémir to shake, tremble, rustle
frémissant quivering, trembling
frémissement *m.* quivering, vibration
frêne *m.* ash tree
frénétique frenzied
fréquenter to associate with, visit, see often
frétiller to wriggle, quiver
frileu-x,-se sensitive to the cold, chilly
fringale *f.* state of hunger, craving
friper to wrinkle, rumple
friser to curl
frisson *m.* shiver
frissonner to shiver
froissement *m.* crunching, rumpling
froisser to rumple; to hurt someone's feelings, hurt
frôler to brush against, graze
froncer to pucker; **—les sourcils** to frown
front *m.* forehead; **de—** abreast
fronton *m.* pediment over a door
(se) frotter to rub, stroke
frousse *f.* fear; **avoir la—** to be afraid
fructueu-x,-se fruitful, beneficial
fruste rough
fuir to flee, avoid; leak (of faucet)
fumée *f.* smoke
fumoir *m.* smoking room

fur: au—et à mesure que as, in proportion with
fureteur nosy, prying
fusiller to shoot, slay
fustiger to flagellate
futaie *f.* forest (of old trees)

gâcher to spoil
gâchis *m.* mess
gaffe *f.* boat hook
gages *m.pl.* wages
gagne-pain *m.* livelihood
gagner to earn, make (a living), reach, win, overcome
gaillard strong, vigorous
gaine *f.* sheath
gainer to gird
galanterie *f.* flattering compliment (to a woman)
galopade *f.* galloping
galopin *m.* street urchin
galvauder to confuse, muddle
gambader to leap, frisk about; to gambol
gamelle *f.* mess kit
gamin *m.* boy, youngster; **—e** little girl
gaminerie *f.* child's prank, trick
gamme *f.* scale
garance *f.* madder red
garce *f.* wench
garde-barrière *m.f.* gatekeeper
garde-chasse *m.* gamekeeper
garde-chiourme *m.* prison warden
garde forestier *m.* forester
garde-robe *f.* wardrobe, closet, piece of furniture
garder to keep; **se—de** to be careful not to, abstain, beware
gare *f.* station
garer to park
gargote *f.* low-class eating house, "dive"
gargouiller to rumble, gurgle

398

garni covered

gars *m.* young fellow, guy

gaspiller to waste

gâteau *m.* cake

gâter to spoil, get worse; se—
to turn bad

gauche left; awkward

gaulois obscene, "dirty"

gazeu-x,-se carbonated

gazogène *m.* gas-producing ap-
paratus

gazon *m.*: tapis de— lawn

geler to freeze

gémir to groan, moan, wail, lament

gencive *f.* gum

gêner to constrict, hinder; incon-
venience, embarrass; se— to
stand upon ceremony, be embarrassed

genévrier *m.* juniper

génie *m.* genius

genou *m.* knee

genre *m.* kind, sort

geôlier *m.* jailer

gérance *f.* management

gerbe *f.* sheaf, bunch

gerbée *f.* bunch

gésir to lie

gestion *f.* management (of works,
etc.); administration

gifle *f.* slap

gigoter to squirm

gilet *m.* vest

girouette *f.* weathercock, vane

givre *m.* hoarfrost, rime

givré rimy

glace *f.* mirror

glacé icy

glacer to freeze

glaise *f.* clay, loam

glaive *m.* sword, dagger

gland *m.* tassel

glissade *f.* sliding, slipping

glisser to slide; to mention slyly;
se— to slip

gommer to erase, rub out

gond *m.* hinge

gondole *f.* gondola

gonflement *m.* swelling, bulge

gonfler to inflate; se— to swell

gorge *f.* gorge, pass, defile;
throat, bosom; avoir la—serrée
to have a lump in one's throat

gosse *m.* youngster, kid

goudron *m.* tar

goudronné black-top

goudronner to tar

goujat *m.* cad

gourde *f.* canteen

gourmand greedy

gourmandise *f.* favorite food

goût *m.* taste for, liking for

goûter to taste, enjoy

goûter *m.* afternoon snack

goutte *f.* drop

gouttière: chat de— alley cat

grâces *f*: rendre— to thank

gradé *m.* noncommissioned officer

graisse *f.* fat

graisser to grease

grand'chose much

grange *f.* barn

gras plump, greasy, fat

grattement *m.* scraping

gratter to scratch

gravier *m.* gravel

gravir to climb, clamber onto;
mount (a ladder)

gré: savoir bon—à to be grateful
to

greffe *m.* office of the clerk of a
court

grêle *f.* hail

grêlé *adj.* pock-marked

grelotter to shiver

grenier *m.* attic

grès *m.* sandstone

grève *f.* labor strike

grief *m.* grievance, grudge, complaint

399

VOCABULAIRE

griffe *f.* claw
griffer to scratch (with claws)
griffon *m.* griffon (terrier)
griffonner to scribble
grillage *m.* screen
grillon *m.* cricket
grimaçant wry, distorted
grimper to climb, clamber on, scale
grinçant grating, creaking, scratchy
grincer to creak, grate
grisé tipsy, fuddled, intoxicated
grogner to growl, grumble, grunt
gronder to scold
groseille *f.* currant
grossir to grow bigger, larger; to get fat
gruger to fleece (someone); to eat out of house and home
grouiller to creep
guenille *f.* tattered garment
guenon *m.* monkey, ape
guêpe *f.* wasp
guère: ne— rarely, scarcely
guéridon *m.* pedestal table
guérir to heal; **se—** to recover
guet *m.*: **sergent du—** watchman
guetter to watch, spy
gueule *f.* mouth, face, "mug"
guichet *m.* box-office window, opening
guidon *m.* handlebar
guindé affected, forced
se guinder to restrain oneself
guinée *f.* guinea
guise *f.* way, manner, choice; **en—de** by way of

hache *f.* axe
haie *f.* hedge
haillon *m.* rag (of clothing)
haine *f.* hatred
haineu-x,-se full of hate, malignant

haïr to hate
hâlé sunburnt, weather-beaten
haleine *f.* breath
haleter to pant, gasp for breath, puff (and blow)
halte *f.* stop, halt; **faire—** to stop
hampe *f.* stem
hanche *f.* hip
hangar *m.* shed, lean-to
hanter to haunt, be obsessed by
haras *m.* stud farm .
harceler to torment, harass
hardi bold
hardiesse *f.* boldness
hargneusement sullenly
harnais *m.* harness
hasard: au— at random
hâte *f.* haste, hurry; **en—** hastily, in haste
se hâter to hurry
hausser to lift, shrug; **se—** to rise, raise oneself
haut *m.* top
hautain haughty
haut-allemand *m.* High German
hauteur *f.* height
haut-parleur *m.* loudspeaker
hauts-lieux *m.pl.* high circles, high places
hebdomadaire *m.* weekly (paper)
héberger to lodge, shelter
hébéter to stupefy, make stupid
hébétude *f.* dullness, stupidity
hécatombe *f.* great massacre
hélice *f.* propeller
hennir to neigh, whinny
hérisser to bristle, stand on end
heurt *m.* shock, collision; **sans un—** smoothly, gracefully
heurter to strike, rap; **se—** to clash, jostle each other; **se—à** to come up against
hideu-x,-se hideous

400

hirondelle *f.* swallow (bird)
hisser to hoist, pull up
histoire: sans— without making any trouble
hochement *m.* nodding
hocher to nod
hochet *m.* rattle
hommage *m.* tribute
homme du peuple man of the people
honoraire *m.* fee
honte *f.* shame
honteu-x,-se shameful
hoquet *m.* hiccup
hoqueter to hiccup
horaire *m.* schedule
horlogerie *f.* clockwork
hormis with the exception of
horripilant irritating
hostau hospital (milit. slang)
hôte *m.* host, guest
hôtel *m.* hotel; large house; **—de ville** town hall
houle *f.* swell (of the sea)
huée *f.* booing
huilé oiled
hurler to howl; to roar, yell, shout, scream

ignoble base, vile
ignorer not to know, be unaware of
illimité unfathomable, limitless
illustré *m.* pictorial paper, "funny paper"
imbattable undefeatable
impasse *f.* blind alley, deadlock
s'impatienter to grow impatient
impérieu-x,-se domineering
imperméable *m.* raincoat
impitoyable merciless
importer à to be important to
importun *m.* intruder, nuisance, bother; *adj.* importunate, obtrusive

importuner to bother, pester, trouble
impôt *m.* tax
s'imprégner to become saturated with
impressionner to impress
imprimé *m.* print; *adj.* printed
imprimeur *m.* printer
improviste: à l'— unawares, unexpectedly
impuissance *f.* powerlessness, incapacity
impuissant impotent, powerless, ineffectual
inachevé unfinished
inanimé lifeless
inassouvi unrequited
incarcérer to imprison
incarnat *m.* reddish color
incendiaire *m.f.* incendiary, firebug
incendier to set on fire, set fire to
inciser to cut, lance
s'incliner to bow, bend over
incommodé ill
inconfort *m.* discomfort
incontesté undisputed
incontinent straitway
inculper to indict
indécis hesitating
indicible unspeakable
indignité *f.* unworthiness
individu *m.* individual, fellow (usually pejorative)
infaillible infallible, certain to happen
infamant ignominious, dishonorable
infect foul, disgusting
infime infinitesimal
infirme crippled, disabled
infirmier *m.* male nurse, orderly
infirmière *f.* nurse
infléchi inflected
s'infléchir to bend

401

VOCABULAIRE

ingénuité *f.* ingenuousness, simplicity

ingrat ungrateful, thankless (task)

initier à to initiate in

inlassable indefatigable

inondation *f.* flood

inopinément unexpectedly

inoubliable unforgettable

inquiet anxious, restless

inquiétant disquieting, disturbing, upsetting

inquiéter to disturb, worry; **s'—** to worry

inquiétude *f.* anxiety

insensé insane, senseless, foolish, hare-brained

insolite unusual

insondable unfathomable

insoutenable unbearable

inspirer to infuse

s'installer to settle down

instantanément instantly

instituer to found, set up

instituteur *m.* schoolteacher

instruction *f.* preliminary investigation

insu: à son— unwittingly, unknowingly

insupportable unbearable

intempérie *f.* inclemency (of the weather)

intention *f.*: **à mon—** for my benefit

interdire to forbid

intéressé *m.* interested party, person concerned

internement *m.* confinement

interrogatoire *m.* cross-examination

interrompre to interrupt

interstice *m.* chink, opening

intervention *f.* operation

intituler to entitle

intriguer to puzzle

inventaire *m.* inventory

inversement vice-versa

inverser to reverse

ipéca *m.* ipecac

ironiser to speak ironically

irradier to spread

isolement *m.* isolation, loneliness

issu (de) born (of)

issue *f.* way out, escape, exit

ivre drunk, intoxicated

ivresse *f.* ecstasy

jacinthe *f.* hyacinth

jadis formerly, once, of old

jambe *f.* leg

jardinier *m.* gardener

jarretelle *f.* garter

jarretière *f.* garter

jaser to criticize, gossip

jaunâtre yellowish

jeter to throw

jeu *m.* game; **être en—** to be at stake

jeun: à— fasting, with an empty stomach

joindre to join, unite, meet; **se—à** to join

joncher to scatter, strew, litter

jongler to juggle, perform tricks

joue *f.* cheek

jouer to play; to turn (as a hinge)

jouet *m.* toy

jouir de to enjoy

jouissance *f.* pleasure, happiness

jour *m.* light; day

joyau *m.* jewel

Juif Jew

jumeau *m.* twin

jument *f.* mare

jupe *f.* skirt

jurer to swear

jusqu'à ce que until

jusque even

402

justesse *f.* accuracy, precision; **de—** just in time, by a hairbreath

képi *m.* kepi (French military cap with visor)

là-bas over there

labourer to till, plough (land); to labor, toil

lacet *m.* hairpin turn (on a road)

lâche loose, cowardly

lâchement in a cowardly fashion

lâcher to let go, leave go of, release

lâcheté *f.* cowardice

lacis *m.* turn, network

là-dessus about that

laissez-passer *m.* pass, permit

lambeau *m.* scrap, bit, shred

lambiner to dawdle

lambrisser to wainscot, panel, line; to plaster

lame *f.* blade

lampadaire *m.* candelabra

lancer to throw; **se—** to launch out, plunge ahead

lande *f.* sandy moor, heath

lanière *f.* band

lapin *m.* rabbit

lapsus *m.* slip, mistake

laqué lacquered

large wide, of wide scope

las,-se tired

se lasser to grow tired

lassitude *f.* fatigue

latte *f.* slat

lavement *m.* enema

lavoir *m.* washing and rinsing board

lécher to lick

lect-eur,-rice reader, foreign assistant or visiting lecturer (in French universities)

léger light, slight

légion d'honneur *f.* Legion of Honor (French national order, instituted by Napoleon, honoring military and civil service)

léguer to bequeath

lémures *m.pl.* lemures, ghosts

lendemain *m.* next morning, day after

lenteur *f.* slowness

lever to remove, lift (a sanction); **se—** to get up

lèvre *f.* lip

liaison *f.* affair

liasse *f.* bundle, packet, wad

licher to lick, drink greedily

liège *m.* cork

lien *m.* tie, link

lier to tie, link; **se—d'amitié avec** to become a friend of

lieu *m.* place; **avoir—** to take place; **—x communs** commonplaces

lieue *f.* league (2½ miles)

lignage *m.* tradition, lineage

ligne *f.* line

ligoter to bind firmly

liguer to unite in a league

lilial lily-like

limace *f.* slug

linge *m.* linen

lingerie *f.* linen

linon *m.* lawn, fine linen

lippe *f.* pout

liseuse fond of reading; *f.* bookmark; reading lamp; easy chair; woman's dressing gown

lisière *f.* edge

lisse smooth, glossy

lisser to smooth, stroke

lit *m.* bed

livre *f.* pound, pound sterling

livrée *f.* livery

livrer to wage, surrender, reveal, betray; **se—** to yield, give oneself up to

403

VOCABULAIRE

livret *m.* small book, booklet; **—militaire** military papers, record

loge *f.* lodge, box (theater)

loger to house, shelter

logis *m.* lodging

loi *f.* law

loisir *m.* leisure

longer to follow alongside, go along, skirt

loquet *m.* latch (of door)

louable praiseworthy

louche suspect, shady

louer to praise; to rent

loufoque *m.* madman, "nut"

loustic *m.* joker, wag

loyer *m.* rent

lucarne *f.* skylight

lueur *f.* gleam

luire to shine

luisant shining, shiny

lumière *f.* light

luné: bien— in a good mood

lutiner to tease

lutte *f.* struggle

lustre *m.* five years

lycée *m.* state-supported secondary school

mâcher to chew; **—ses mots** to mince one's words

mâchoire *f.* jaw

mage *m.* magician

magie *f.* magic

maigre thin

maigreur *f.* thinness, scantiness

maigrir to become thin

maillot *m.* football jersey, bathing suit

main-d'œuvre *f.* labor

mainmise *f.* encroachment, seizure

maintenir to maintain, hold, support

maire *m.* mayor

maître,-sse master, mistress

maîtrise *f.* mastery, control

majorité *f.* coming of age

mal *m.* illness, evil, trouble; **avoir du—à** to have trouble in

maladresse *f.* lack of skill, lack of social graces

maladroit awkward

malaise *m.* uneasiness, discomfort

malaisé difficult

malandrin *m.* brigand

malaxer to massage

malchance *f.* bad luck

maléfice *m.* evil spell

malgré in spite of

malheur *m.* misfortune

malle *f.* trunk, box

malpropre dirty

malsain unhealthy, injurious

maltais maltese

malveillant spiteful; *m.* malevolent person

mamelon *m.* rounded hillock

manche *m.* handle

manche *f.* sleeve, hand (played in game of cards)

manchettes *f.* newspaper headlines

mandat *m.* order, money order

maniaque eccentric

manie *f.* peculiar habit or taste, idiosyncrasy

manière *f.* manner, way; **de toute—** in any case

maniéré affected

manille *f.* manille (card game)

manœuvre *f.* trick

manoir *m.* manor

manquer to lack, be lacking, fail

mansarde *f.* attic, garret room

manteau de la cheminée mantelpiece

maquillage *m.* make-up

maquiller to put on make-up

marbre *m.* marble

marchand *m.* merchant
marchandage *m.* bargaining
marche *f.* step
marché *m.* market; bargain;
bon— cheap
marchepied *m.* step, folding
steps, footboard
marcher to march, go; faire—
give orders to
marge: en—de on the edge of
mariée *f.* bride
marieuse *f.* matchmaker
marin *m.* sailor
marmite *f.* kettle
marmonner to mumble, mutter
marmotter to mumble, mutter
marron *m.* chestnut; *adj.* brown
marteau *m.* hammer
masquer to hide, conceal
masse *f.* maul, sledge hammer
massif de fleurs *m.* flower bed
mat flat, dull
mât *m.* mast
mater to subdue, humble
matou *m.* tomcat
maudit cursed
maugréer to fret and fume
Maure *m.* Moor
mauresque Moorish
maussade sullen
maussaderie *f.* sullenness
méchant mean, cruel, wicked
mèche *f.* strand, lock (of hair),
lash (of a whip)
méconnaître to slight
mécontenter to displease
médaille *f.* medal
médius *m.* middle finger
méfiance *f.* distrust, mistrust
méfiant suspicious, distrustful
se méfier to be on one's guard;
se—de to distrust
mégot *m.* stub, butt
mélange *m.* mixture
mêlée *f.* conflict, fray

mêlement *m.* mingling
mêler to mix, bring into, involve;
se—à to interfere with, be
involved
mélèze *m.* larch
mélomane *m.f.* music lover
mélopée *f.* sing-song
membre *m.* limb
même *adj.* same; very; *adv.* even
mémoire *m.* brief
mémoire *f.*: de— from memory
menacer to threaten, endanger
ménage: femme de— char-
woman, housekeeper
ménagement *m.* discretion
ménager to deal tactfully, gently
with someone
ménag-er,-ère sparing
ménagère *f.* housewife
mendiant *m.* beggar
mener to lead, lead along; —à
bien to bring to a successful
issue, carry out
mensonge *m.* lie
menteur *m.* liar
mentir to tell a lie
menton *m.* chin
menu small
menuisier *m.* carpenter, wood
worker
(se) méprendre to be mistaken
mépris *m.* contempt, scorn
méprise *f.* mistake, misunder-
standing
mépriser to look down upon; to
despise
merci *f.* mercy
merisier *m.* wild cherry (tree,
wood)
merlin *m.* axe, cleaver
merveilleu-x,-se wonderful
mésalliance *f.* misalliance
mesure *f.* size, standard; mea-
sure; à—que as; être en—de
to be in a position to

405

VOCABULAIRE

métier *m.* trade, occupation, profession

mètre *m.* meter; **—carré** square meter; **—pliant** folding rule

métropolitain *m.* subway (commonly called **le métro**)

mettre to put; **—en jeu** to risk; **se—à** to begin; **—au point** to perfect; **se—en colère** to lose one's temper

meuble *m.* piece of furniture

meugler to moo

meule *f.* haystack

meurtre *m.* murder

meurtrier deadly

meurtrir to bruise

miasme *m.* miasma, poisonous vapor

miaulement *m.* mewing

midi *m.* noon, noonday sun

mieux better; **le—** the best; **de mon—** the best I can

milieu *m.* middle, midst

milliardaire *m.* billionaire

mimer to mimic

minable sorry-looking, seedy-looking, shabby

mince thin

mine *f.* look, appearance; **faire —de** to seem to; **avoir bonne, mauvaise—** to look well, sick

ministère *m.* ministry, government department

minois *m.* pretty face

minutieu-x,-se minute, detailed, punctilious

se mirer to look at one's reflection

misère *f.* poverty

mitaine *f.* mitten

mite *f.* moth worm, moth

mité moth-eaten

mode *f.* style, fashion, trend

modeler to shape

modiste *f.* milliner

moelle *f.* marrow (of bone)

mœurs *f.pl.* customs, manners

moins less; **à—que** unless; **du—** at least

moisissure *f.* mildew, mold, moldiness

moisson *f.* harvest

moite damp

moiteur *f.* moistness (of hands, etc.)

moitié: à— half, halfway

mollement limply, lamely

mollesse *f.* softness, flabbiness

mollet *m.* calf (of the leg)

moniteur *m.* counselor

montée *f.* ascent, rise

monter to climb, mount; **—à cheval** to ride horseback; **se—la tête** to get excited, get ideas about

montre *f.* watch; **—bracelet** wristwatch

montrer to show; **—du doigt** to point

se moquer to mock, make fun of

moralisa-teur,-trice moralizing

morceau *m.* piece, bit

mordant *m.* bite

mordre to bite

(se)morfondre to be bored to death

morne dull, cheerless

mors *m.* bit (of a bridle)

mort dead

mortifier to hurt someone's feelings

motte *f.* mound (of windmill, etc.); clod (of earth)

mou *m.* lungs (of slaughtered animals)

mou, molle soft, flaccid, shapeless

mouchoir *m.* handkerchief

mouette *f.* gull, seamew

mouiller to wet, moisten

406

mouler to mould, shape
moulin *m.* mill
moulinet *m.* fishing reel
mousquet *m.* musket
mousse *f.* moss, foam, froth
mouvoir to move, drive
moyen *m.* means
moyen,-ne middle
moyennant on condition
muet,-te mute, silent
munir to furnish, supply
mur *m.* wall
mûr ripe
mûrir to ripen, age
museau *m.* snout, muzzle
musette *f.* haversack, bag
mystification *f.* hoax

nageur *m.* swimmer
naguère shortly before, not long
  since
nain *m.* dwarf
naissance *f.* birth, beginning
naître to be born
nappe *f.* surface, sheet
narguer to defy, look scornful
narine *f.* nostril
narquois mocking, bantering,
  quizzical
naseau *m.* nostril
nasiller to speak with a nasal
  twang
natte *f.* braid
nature *f.*: d'après— from life
navet *m.* turnip
navette *f.* shuttle, shuttle service
néant *m.* nothingness, naught
néfaste nefarious, harmful
négliger to neglect, overlook
nerf *m.* nerve
net,-te clean, tidy; au— in order
netteté *f.* sharpness
nettoyé cleaned
neuf, neuve new
névrosé neurotic

nez *m.* nose; sense of smell
niais simple, silly
niaiserie *f.* nonsense
niveau *m.* level
noir *m.* blackness; black man,
  Negro
noircir to blacken
nonobstant notwithstanding
noué tied
se nouer to become knotted,
  linked; to join
noueu-x,-se knotty, gnarled
nourrir to feed
nourriture *f.* food
nouveau: de— again
nouveauté *f.* novelty
nouvelle *f.* short story; les—s
  news bulletin
noyé drowned, deep within
nu naked
nuage *m.* cloud
nuire to harm; —à to be detri-
  mental to
nuque *f.* nape, back of neck

obéissance *f.* obedience
obliquer to swerve
obscurcir to dim, obscure
obsédé obsessed
obsèques *f.pl.* funeral
obsessionnel obsessive,
  obsessional
occupé de preoccupied with, interested in
s'occuper de to pay attention to
œuvre *f.* work
offusqué annoyed
ombelle *f.* umbel
ombilic *m.* umbilicus, navel
ombragé shaded
ombre *f.* shadow, ghost; se
  mettre à l'— to get in the shade
ombrelle *f.* parasol
onde *f.* wave
ondulant waving, undulating

407

VOCABULAIRE

opiner to express an opinion
opposer to allege, use as an argument against
opprimer to oppress
opuscule *m.* pamphlet
orage *m.* storm
orageu-x,-se stormy
ordonnance *f.* prescription
ordonner to order, command
ordure *f.* filth; excrement
oreille *f.* ear
oreiller *m.* pillow
orfroi *m.* orphrey
orgueil *m.* pride
orient *m.* water, orient (of pearl)
orienter to direct, guide
orné trimmed
orner to decorate
orteil *m.* toe
orthographier to spell
ôter to remove
os *m.* bone
osciller to sway
oser to dare
osseu-x,-se bony
oubliette *f.* secret dungeon
oublieu-x,-se forgetful
ouïr to hear
ouragan *m.* hurricane, tempest
outil *m.* tool
outré carried away by indignation
ouvrage *m.* work
ouvragé patterned
ouvrier *m.* workman

paillasse *f.* mattress
paille *f.* straw, flaw
paillette *f.* spangle, paillette
palan *m.* pulley block
palefrenier *m.* groom, stable man
palier *m.* landing; —en estrade open platform-like landing
pâlir to turn pale
palmier *m.* palm tree
palper to feel, touch

palpiter to yearn
pan *m.* ray, sunbeam
pancarte *f.* sign
panne *f.* breakdown, mishap; en— to be broken down, stuck
panneau *m.* panel, board; —d'affichage bulletin board
panse *f.* belly
pansement *m.* action of dressing (a wound), dressing
pantoufle *f.* slipper
papeterie *f.* paper mill
papetière *f.* stationer
papilloter to blink
paquet *m.* package, bundle
parader to strut
paraître to seem, appear
paravent *m.* (folding) screen
parcourir to run through, travel through
parcours *m.* trip
parcouru covered
pardessus *m.* overcoat, topcoat
pare-brise *m.* windshield
pareillement similarly
paresse *f.* laziness
paresseu-x,-se lazy
parfois sometimes
parfum *m.* perfume
pari *m.* bet
parier to bet
parlementer to come to terms
paroi *f.* partition wall (between rooms)
paroisse *f.* parish
parole *f.* word; maîtresse— master word, commanding word
parquet *m.* floor, flooring
part *f.* share, part; d'autre— on the other hand; de ma— from me; faire la—belle à to be generous with
partager to share, divide
parti *m.* party, side, camp, resolution; prendre— to take sides

particulier private
partie *f.* game, match; la—
adverse the opposing party
parure *f.* headdress, ornament
parvenir to arrive, reach; faire—
to send
pas *m.* step
passage *m.* passage; au— in
passing; —clouté crosswalk
passant *m.* passerby; crosscut
saw
passepoil *m.* braid
passer to put on; —sur to
overlook; se—de to do without
se passionner to take a great
interest
pastèque *f.* watermelon
pasteur *m.* minister
patate *f.* potato (farm)
pâté *m.* blot, blob (of ink, etc.)
patelinage *m.* wheedling
paterne benevolent, mawkish
pâteu-x,-se sticky
patiné tarnished
patinoire *f.* skating rink
patins à roulettes *m.pl.* roller
skates
pâtissi-er,-ère pastry cook
patriciat *m.* noble birth
patron *m.* boss, employer, owner
patrouille *f.* patrol
patte *f.* paw, hand, foot; à
quatre—s on all fours
paume *f.* palm (of hand)
paupière *f.* eyelid
pavé *m.* paving stone(s)
pavillon *m.* small building, detached building
pays *m.* country, region; dans
le— in town
pays, payse man, woman from
one's own village or region
paysage *m.* landscape
paysan *m.* peasant, country
dweller

peau *f.* skin, hide; —rouge
American Indian
pêche *f.* fishing
pêcher to fish
peigner to comb
peignoir *m.* dressing gown
peindre to paint
peine *f.* trouble; à— scarcely;
c'est la—de it's worthwhile
peler to peel
pélerin *m.* pilgrim
pelle *f.* shovel
pelouse *f.* lawn
penaud crestfallen, shamefaced,
foolish, sheepish
se pencher to lean over; —par
to lean out of
pendre to hang
pénible painful, difficult, dis-
agreeable
pénombre *f.* semi-darkness
pensionnaire *m.f.* boarder, in-
mate
pente *f.* slope
pépiant chirping
percer to pierce, open, penetrate
percutant terrific
perdre to lose; —connaissance
to faint
pérégriner to travel abroad
performance *f.* performance (in
race, etc.: sports term), exploit
permission *f.* leave, furlough
perron *m.* flight of steps before a
building
perruque *f.* wig
persienne *f.* shutter
personnage *m.* character
perte *f.* loss; à—de vue as far
as one can see
pesant weighty, heavy
pesanteur *f.* weight
peser to weigh
petit-maître *m.* fop, coxcomb
pétrole *m.* oil

409

VOCABULAIRE

peupler de to people with
peuplier *m.* poplar
phare *m.* lighthouse, headlight
phlegmon *m.* phlegmon, boil, carbuncle
phoque *m.* seal
photographe *m.* photographer
phrase *f.* sentence
pic *m.* (mountain) peak; **à—** sheer, perpendicular
picorer to forage; to pick, scratch about for food
picotement tingling
pièce *f.* room; piece; apiece
piège *m.* trap
pierre *f.* stone
pierreries *f.pl.* precious stones
piétinement *m.* stamping of feet
piétiner to stamp
piéton *m.* pedestrian
piètre wretched, poor
pigner to whimper
pignon *m.* gable
pile *f.* battery, stack; *adj.* exactly, sharp
pilier *m.* pillar, post
piller to pillage, loot, ransack
pilori *m.* pillory
pilule *f.* pill
pinceau *m.* paintbrush
pincé pinched
pincée *f.* pinch
pioche *f.* pickaxe
pion *m.* pawn, piece, man (in chess, checkers), assistant schoolmaster
piquer to sting, irritate; **se—** to take offense
piqûre *f.* bite, sting, injection, shot
pire worse
pis: tant— too bad
piscine *f.* swimming pool
piste *f.* track
piton *m.* screw ring

pitoyable pitiful
pitre *m.* buffoon
pivot *m.* hinge
placard *m.* cupboard
place *f.* public square; **sur—** on the spot
placette *f.* little square
placeuse *f.* agent (for domestic help)
plafond *m.* ceiling
plage *f.* beach
plaid *m.* plea
plaie *f.* wound
plaindre to pity
plainte *f.* moan, groan, complaint
plaire to please; **se—à** to take pleasure in
plaisanter to joke
plaisanterie *f.* joke
plan *m.* **premier—** foreground
plancher *m.* floor
plaquer *fam.* to chuck
plaquette *f.* blade
plat flat
platane *m.* plane tree
plateau *m.* tray
plate-forme *f.* landing
plâtras *m.* debris of plaster work; rubbish
plâtre *m.* plaster
plein plump, full
plénitude *f.* fulfillment
pleur *m.* tear
pleurer to weep, cry
pli *m.* fold, wrinkle, pleat
plier to fold, bend; **—bagage** to pack one's trunk, get away
plisser to crease, wrinkle; **se—** to pucker
plomb *m.* lead; **sommeil de—** heavy sleep
plombier *m.* plumber
plonger to immerse; **se—** to dive
plume *f.* feather

pluvieu-x,-se rainy
pneu *m.* tire (of car, bicycle)
poêle *m.* stove; *f.* frying pan
poids *m.* weight
poigne *f.* handclasp
poignée *f.* door knob; handful; grasp, handle
poignet *m.* wrist
poil *m.* hair (of body); —s hair, fur
poing *m.* fist
pointe *f.* a touch, a bit
pointer to point, prick up, appear, sprout
poitrine *f.* chest
policier policeman-like
poliment politely
pommette *f.* cheek bone
pompon *m.* pompon, tuft
porc *m.* swine
porte-fenêtre *f.* French window
porter to bear; to wear; —sur les nerfs to exasperate; se— to offer oneself, stand as
portière *f.* door (of a vehicle), doorkeeper
portion *f.* share
pose *f.* attitude, pose
posé settled
posément steadily, soberly
poste *m.* radio set
poste restante *f.* "general delivery"
pot *m.* flowerpot
potager,-ère for cooking; **jardin—** kitchen garden
poteau *m.* post
potence *f.* gallows
pou,-x *m.* louse
pouce *m.* thumb, inch
poulailler *m.* henhouse
poupée *f.* doll
poupon *m.* baby, infant
pourboire *m.* tip
pourchasser to chase

se pourlécher to lick the chops
pourrir to decay
pourrisser to rot
pourriture *f.* decay
poursuivant *m.* pursuer
poursuivre to proceed, continue, pursue, chase
pourtant however
pourvu que provided
pousser to grow; to push
poussière *f.* dust
poussiéreu-x,-se dusty
poutre *f.* beam
pratiquement practically
précaution *f.* care
précepteur *m.* tutor
prêche *f.* sermon
préciser to specify, state in detail
préconiser to recommend
prenant possessive
prendre to take, catch; —parti pour to take sides for; —un repas to have a meal; —fin to end
prénom *m.* first name, Christian name
se préoccuper (de) to worry (about)
préparer to prepare, prepare for
près near, nearby; **à ceci—** with this difference
présenter to introduce
présider à to supervise
presser to squeeze, crowd, hurry
pression *f.* pressure
prestance *f.* commanding appearance
prestement quickly, nimbly
prêt ready
prétendant *m.* suitor, wooer
prétendre to claim, assert
prêter to ascribe, lend; —à discussion to lend itself to discussion
prêtre *m.* priest

411

preuve *m.* proof; **faire—de** to show

prévenir to inform; to warn

prévisible foreseeable

prévoir to foresee

prière *f.* supplication

privé private

priver de to deprive of

procès *m.* legal proceedings, lawsuit, trial

procès-verbal *m.* minutes of a meeting

proche near, approaching

procureur *m.* public prosecutor

prodigieu-x,-se stupendous

proférer to utter, pronounce

se profiler to be silhouetted, appear

profond deep

profondeur *f.* depth

projeter to thrust forward

proie *f.* prey

se prolonger to continue

promotion *f.* class

propos *m.* statement

propre *m.* characteristic; *adj.* own, clean

propreté *f.* cleanliness, neatness

propriétaire *m.f.* owner, landowner

propriété *f.* estate

provoquer to cause, incite, challenge

pruderie *f.* prudery

prunelle *f.* eyeball, pupil

puant stinking, foul

puanteur *f.* stench, smell

pudeur *f.* modesty

pudique modest

puer to stink, smell

pugiliste *m.* boxer

puissance *f.* power

puissant powerful

puits *m.* well

punaise *f.* bedbug; thumb tack

pupille *m.f.* ward

purger to purge

putain *f.* street-walker, prostitute

quadrature *f.* squaring

quai *m.* railway platform

quant à as for

quart *m.* fourth; mug

quartier *m.* district, neighborhood; **—de viande** side of meat

quasi almost

querelle *f.* dispute

quêteu-r,-se imploring

queue *f.* tail

queue leu leu: à la— single file

quiconque anyone

quittance *f.* receipt

quitter to leave

quoi what, which; **n'importe—** no matter what

rabaisser to lower

rabat-joie *m.* kill-joy

rabattre to turn down, pull down, push down

raboter to plane (wood); to polish

rabrouer to scold, snub, treat snappishly

raccommodage *m.* mending, darning

raccommoder to mend

raccompagner to escort

se raccorder to fit together

racheter to save, atone for

raclement *m.* scraping

racolage *m.* soliciting

racontar *m.* chit-chat, idle talk

raconter to tell, narrate

radieu-x,-se radiant, beaming

rafale *f.* squall, strong gust of wind

rager to be in a rage, fume over

rageu-r,-se passionate, violent-tempered

ragot *m.* tattle, gossip
raide stiff
se raidir to become stiff
railler to mock
rajuster to put back in order
(se) ralentir to slow down
ramasser to pick up, gather
rame *f.* subway train
ramené held close
ramener to bring back (again)
rampe *f.* railing
rancœur *f.* resentment
rancune *f.* spite, grudge;
  garder— harbor resentment
randonnée *f.* ramble, walk
rang *m.* row
rangé set, arranged
rangée *f.* row
ranger to put in order, arrange
  neatly
ranimer to bring back to life
rapetissement *m.* shrinking, di-
  minution
rapetisser to shrink
rappliquer to come back
rapport *m.* return, yield, connection; **par—à** with respect to,
  in relation to
rapporter to tell, report; to
  bring back
(se) rapprocher to draw near
ras *m.* level; **au—de** level with;
  à—bord to the brim
(se) raser to shave
rassemblement *m.* muster, roll
  call
rassembler to assemble, gather
rasséréné calmed again
rassurer to reassure, pacify
rattacher to fasten, sew on, link,
  tie up again
rattraper to catch up, catch,
  capture; **se—** to regain one's
  balance
rauque raucous

ravir to delight
se raviser to think better of it
rayer to scratch; **—de la liste**
  to strike from the list
rayon *m.* ray, sunbeam
rayure *f.* stripe
réaliser to effect, carry into effect,
  carry out
rébarbatif grim
rebondi plump
rebord *m.* ledge
rebours contrary, reverse; **à—**
  inverted, backwards
rebrousser to turn back;
  —chemin to retrace one's steps
rebuté rebuffed
recéler to conceal, contain, receive (stolen goods)
recéleu-r,-se receiver of stolen
  goods
recevoir to entertain, have as
  one's guest
réchaud *m.* small portable stove
rechercher to look for again, seek
  after
rechigner to sulk
récipient *m.* container
réclamer to beg for, demand
reclus sequestered
recoiffer to replace one's hat
recoin *m.* corner
récompense *f.* reward
reconnaître to recognize
recoquiller to curl up
recourbé curved
recours *m.* recourse; **avoir—à**
  to resort to
se recroqueviller to shrivel up
recta punctually
reçu *m.* receipt
se recueillir to meditate
recul *m.* recoil, drawing back
reculé distant, remote
reculer to move back, recede,
  retreat

413

VOCABULAIRE

reculons: à— backwards
récurer to scour, clean, scrub
récuser to challenge, take exception to, object to
rédaction *f.* drawing up, writing out
redire: trouver à— take exception, find fault
redoutable formidable, terrible
redouter to fear
redressé upright
redresser to right, lift
réduction *f.* small scale model
réduire to reduce, shrink
réduit *m.* retreat, nook
réfectoire *m.* dining hall, mess
refluer to ebb, be driven back
réformé de guerre disabled veteran
réfugié *m.* refugee
refus *m.* refusal
regagner to recapture
regard *m.* glance, gaze
regarder to concern
regimber to resist
régisseur *m.* agent
règne *m.* reign
régul-ier,-ière even, steady
rehaussement *m.* enhancing
rehausser to enhance
rejet *m.* rejection, throwing back
rejeter to reject, dismiss; **—en arrière** to throw back
rejoindre to join, catch up to
relâcher to slacken, release; **se—** to become slack, relax
relaxer to release, let go (a prisoner, etc.)
relever to raise, enhance, observe; **se—** to get up again
relier to connect, unite
reluisant shining, glistening
reluquer to eye, ogle
remâcher to ruminate
se remémorer to recall

remettre to put back, deliver, send; **se—** to recover (from an illness), to calm oneself; **se—à** to begin again to
remise *f.* shed
remonter to go back to, pull up, wind up
remontrance *f.* reprimand
remplacer to replace
remuer to stir up, move, stir
renardeau *m.* fox cub
rendre to render, return; **se—** to make one's way, proceed, go; **se—compte de** to realize; **—justice** to treat fairly; **—grâces** to thank; **se—maître** to master
renflé swollen
renfort *m.* reinforcement, relief
renseignement *m.* information
renseigner to inform
rentrée *f.* beginning of the fall social season
renverser to invert, turn over, throw back; **se—** to turn over
(se) répandre to spread, spill out, scatter
repartir to start up again
repérer to spot
répétition *f.* rehearsal
répit *m.* rest; **sans—** endlessly
replié folded in, under
se replier to retreat
se reposer to take a rest; to put down again
repousser to push back; to repel, resist
reprendre to recommence, start up again, take back, revive
reprise *f.* resumption; **à plusieurs—s** time and again
repriser to mend, darn (stockings)
reprocher to object to; reproach, blame

répugner to feel reluctant, loath
requis demanded, required
réquisitoire *m.* indictment
rescapé *m.* refugee
réserve *f.* stock
réserver to reserve, set aside, save up, keep back
se résigner to submit, be resigned
résille *f.* net
résister to endure, bear, resist
résonner to resound
résoudre to solve, settle, work out
ressasser to repeat again and again
ressentiment *m.* resentment
ressentir to feel
resserrer to reknot, retie, tighten
ressortir to take out, unearth
ressusciter to bring to life again, resurrect
reste *m.* remainder, leftover
retard *m.* delay
retardataire *m.* straggler
retenir to restrain, keep
retentissant resounding
rétif stubborn, disobedient
rétorquer to retort
retors twisted (thread); crafty, wily
retourner to turn inside out, turn over; **se—** to turn around
retracer to recount
retraité retired
rétrécir to diminish, shrink
rétribuer to remunerate
retrouver to find (again)
réunir to gather
réussite *f.* success
revanche *f.* revenge; **en—** on the other hand
réveil *m.* awakening
réveille-matin *m.* alarm clock
revenant *m.* ghost, spirit

revendiquer to claim, assert one's rights
revenir à soi to get hold of oneself again
rêver to dream
réverbère *m.* street light
revers *m.* back part
revêtir to clothe; to take upon
révolte *f.* rebellion
révolu past, finished, outdated
rez-de-chaussée *m.* ground floor
ricaner to snicker, sneer
rideau *m.* curtain
rien: il n'en est— nothing of the kind!
rigoler to laugh
risquer to venture
rivage *m.* shore, beach
rive *f.* shore
robinet *m.* faucet, tap
robuste sturdy
rocher *m.* rock
rognures *f.pl.* cuttings, clippings, parings
rôle *m.* part, register; **tenir un—** to play a part
romanesque romantic
(se) rompre to break; **rompez!** dismissed!
ronce *f.* bramble, thorn
ronchonner to mutter
rond *m.* round spot, circle
ronde *f.* watch, round(s)
rondin *m.* log
rond-point *m.* crossroads
ronflement *m.* snoring, snore
ronfler to roar, whirr (as an engine)
ronger to gnaw, torment
ronronnement *m.* purr
ronronner to purr
rosier *m.* rose bush
rosserie *f.* malicious or crude remark
rôtir to roast

415

VOCABULAIRE

roucouler to coo
rouerie *f.* trickery, trick
rougir to blush
rouillé rusty
rouleau *m.* roll (wave)
roulement *m.* rumbling
rouler (le gazon) to mow (the lawn); **se—** to roll
rouspéter to resist, protest, show fight
rou-x,-sse red, red-haired
ruban *m.* ribbon
ruche *f.* beehive
rude strict, severe
ruée *f.* stampede, rush
ruelle *f.* narrow street, lane, passageway
rugueu-x,-se rugged, rough, wrinkled, corrugated
ruisseau *m.* stream, rivulet
rupture *f.* breakup
rustre coarse, unpolished, homely
rutiler to glow ruddily

sable *m.* sand
sabot *m.* hoof
sac *m.* sack, bag; **—de couchage** sleeping bag
saccade *f.* jerk, sudden motion
saccadé jerky, abrupt
sacré *m.* sanctity, holiness
sacripant *m.* scoundrel
sage wise, good
saillant prominent, standing out
saillir to stand out, project
sain healthy, clean
saisi amazed
saisir to take hold; **s'e—de** to grab hold of
saisissant striking, startling
salaud *m.* scoundrel, bastard; *adj.* caddish
sale dirty
salir to soil

salut *m.* salvation, safety; greetings; **les—échangés** having said hello
sanction *f.* punishment
sang *m.* blood
sang-froid *m.* composure, self-control
sangler to fasten, strap
sanglot *m.* sob
sangloter to whimper, sob
santé *f.* health
saoul drunk, intoxicated
saule *m.* willow
saumon salmon-colored
saut *m.* jump, start
sauter to jump, explode, blow up
sautiller to hop, skip, jump from one thing to another (in conversation)
savant erudite
saveur *f.* flavor
savoureu-x,-se savory
scarabée *m.* scarab beetle
sceller to seal, confirm
scierie *f.* saw mill, saw yard
scintillation *f.* glittering
scintiller to shimmer, glitter
scruter to scrutinize
séance *f.* session, sitting
seau *m.* pail, bucket
sec, sèche dry
sécheresse *f.* drought, dryness
secouer to shake, shake up, rouse
secours *m.* relief, aid, help
séduire to fascinate, charm, seduce
sein *m.* breast, bosom
séjour *m.* residence, stay
selle *f.* saddle, bicycle seat
selon according to
semblable *m.* fellow man; *adj.* similar
semblant: faire— to pretend
semelle *f.* sole
semer to sow, scatter, leave behind

semonce *f.* reprimand, scolding, lecture

sensible sensitive, appreciable

sensiblement noticeably

senteur *f.* smell

sentier *m.* path

se sentir to feel

sépulture *f.* burial place

séquestrer to seclude, isolate

sérail *m.* seraglio, salon

série *f.*: sortir en— to mass-produce

serment *m.* oath

serré close together

serrer to hug, clutch, press, squeeze; —les dents to clench one's teeth

serrure *f.* lock

serviette de toilette *f.* towel

servir (de) to serve as, act as

seuil *m.* threshold, doorstep

sève *f.* sap

short *m.* short pants, shorts

sidéral pertaining to the stars, sidereal

siècle *m.* century

siège *m.* seat

sifflement *m.* whistling sound, whistle

siffler to whistle

sifflet *m.* whistle

signalement *m.* description (on passport, etc.)

signaler to indicate

silex *m.* silex, flint

simulacre *m.* imitation, simulation

simulateur *m.* simulator, shammer, malingerer

singe *m.* monkey

singer to ape, mimic

situation *f.* position

slip *m.* shorts, bathing trunks

socle *m.* pedestal

soi-disant self-styled, so-called

soie *f.* silk

soigné cared for, carefully groomed

soigner to take care of

soigneuse *f.* (nurse's) aid

soigneusement carefully

soin *m.* care; avoir— to take care

soixantaine *f.* about sixty

sol *m.* ground

soldat *m.* soldier

solliciter to attract

sombrer to sink, be overcome by

somme *f.* sum, amount; en— in short

somnoler to doze, snooze

songer to think, consider, dream

sonner to ring

sonnerie *f.* ringing

sonnette *f.* bell, small bell, house bell

sort *m.* destiny, fate

sorte *f.* kind, manner; de—que so that

sortie *f.* exit

sot,-te fool; *adj.* silly

sottise *f.* stupidity, foolishness

soubresaut *m.* jerk, start

soubrette *f.* maid

souci *m.* concern, anxiety

se soucier (de) to care about

souffle *m.* breath, breath of life; reprendre son— to catch one's breath

souffrir to suffer

soufre *m.* sulfur

souhaitable desirable

souhaiter to wish

souillé soiled, dirty

soûl drunk

soulagement *m.* relief

soulager to relieve, soothe

soulever to raise; se— to rise

soulier *m.* shoe

souligner to underline, stress

417

soumis submissive
soupir *m.* sigh
soupirer to sigh
soupçonner to suspect
sourcil *m.* eyebrow
sourd muffled, deaf
sourdement dully, with a hollow sound
sourire *m.* smile
souris *f.* mouse
sournois sly, underhand
sous-alimentation *f.* undernourishment
sous-produit *m.* by-product
soustraire to take away; **se—à** to elude, escape
soutenir to sustain, support, endure
souterrain *m.* underground cavern, passage
souvenir *m.* memory
soyeu-x,-se silky
squelette *m.* skeleton
stade *m.* stadium
stage *m.* training period
station *f.* stay
stère *m.* cubic meter (of wood)
stupeur *f.* amazement
style: chapeau de— picture hat, period hat
subir to suffer, bear, endure
subit sudden
subrepticement surreptitiously, clandestinely
subtil subtle
sucer to suck
suer to sweat
sueur *f.* sweat
suffire to suffice
suggestionner to influence (by hypnosis)
suinter to ooze
Suisse *f.* Switzerland
suisse Swiss
suivant following, next

sujet *m.* reason, matter, cause, subject; **à mon—** about me
supérieur upper
supplier to beg
supporter *m.* fan (of sports)
supporter to stand, put up with, bear
supprimer to do away with
surchauffé overheated
sûreté *f.* sureness, unerringness
surgir to rise, arise, appear
surnager to remain afloat
surnommer to nickname
surpasser to be better than
surprenant surprising
surprendre to catch unawares
sursis *m.* reprieve
surtout especially, above all
surveiller to keep a watch on, watch over
susceptible hypersensitive, capable of
susciter to bring about, generate, arouse
suspens: en— in suspense, outstanding, hanging
sympathique likable

table: faire—rase to make a clean sweep
tablier *m.* apron, smock
tabouret *m.* stool
tache *f.* mark, stain, blemish, blot
tâche *f.* task
taille *f.* waist, stature, cut, size
tailler to trim, cut out
se taire to become or remain silent
taloche *f.* rap, punch, slap
talon *m.* heel
talus *m.* embankment, slope
tampon *m.* plug, buffer
tamponner: se—les yeux to dab one's eyes

tandis que while
tanière *f.* den, lair, hole
tannerie *f.* tannery
tantôt ... tantôt ... now ... now ...
tape *f.* pat
taper to bang, hit
tapette *f.* fly swatter
tapis *m.* rug, carpet
tapissé lined, covered, hung with
tapoter to tap, thrum
tartine *f.* slice of bread spread with butter or jam
tas *m.* heap, pile; —de lots of
tasse *f.* cup
tasser to compress; se— to sag
tâter to touch
tâtons: à— gropingly, blindly
tâtonner to grope
taureau *m.* bull
teint *m.* complexion
teinter to tint
tel,-le such; —quel such as it is
téméraire daring
témoignage *m.* testimony, tribute
témoigner to show, bear witness to, testify
témoin *m.* witness
tempe *f.* temple (head)
temps *m.* time; de—à autre from time to time; à— in time
tenant *m.* champion, supporter
tendre to hold out, offer; to hang (curtains); to set (a trap); to lead, tend
tendre soft
tendresse *f.* tenderness
tendu tense, taut
ténèbres *f.pl.* darkness, gloom
tenir to keep, hold; —lieu de to take the place of; se— to hold, stand; —pour to consider as; —à to insist on, become anxious to; —un rôle to play a part; —une page to fill a page

tenter to tempt
tenue *f.* behavior, dress
terre *f.* earth, land
terrier *m.* burrow, hole
territorial *m.* home guard
tesson *m.* piece of broken glass
testament *m.* will
têtu stubborn
thé *m.* tea party
thon *m.* tuna
tiède tepid
(les) tiens *m.pl.* members of your family, of your class
tintement *m.* tinkling
tinter to ring, toll; to tinkle, clink
tirage: à grand— with a wide circulation
tirer to drag, pull, draw, fire; s'en— to get off with
tiroir *m.* drawer
tissu *m.* material, fabric
titre: à—de as a
tituber to stagger
toile *f.* canvas, oil painting (on canvas), linen; —goudronnée tarpaulin; —de fond backdrop
toilette *f.* dress; getting dressed
toit *m.* roof
toiture *f.* roofing, roof
tôle *f.* sheet metal
tombe *f.* grave
tombeau *m.* tomb, grave
tonnerre *m.* thunder
tordre to twist
torse *m.* torso; —nu stripped to the waist
torse crooked
tort *m.* wrong; avoir— to be wrong
se tortiller to twist oneself
tortionnaire *m.f.* torturer
toubib *m.* doctor (slang)
touche *f.* key (of a piano)
touffu thick, leafy, bushy

419

VOCABULAIRE

toupie *f.* top (toy)
tour *m.* trick
tourbillonner to whirl around
tournant *m.* corner (of a street),
curve; *adj.* revolving
tournée *f.* round (of drinks)
tourner to revolve
tournoyer to eddy
tournure *f.* turn
tourterelle *f.* turtledove
toussoter to cough
tout *adj. adv.* all; —à **coup**
suddenly; —à **fait** completely;
—à altogether taken up by
toux *f.* cough
tracasser to worry
trafic *m.* trade
trahir to betray
train: être en— to be in good
spirits, in good form
train *m.* **de maison** domestic
organization of a house; high
standard of living
traîne *f.* train (of a dress)
traînée track
traîner to drag, linger, last;
laisser— to leave lying about
trait *m.* line, feature, beam, flash,
stroke, sally; **avoir—à** to be
connected with, relate to
traiter de to call (someone a)
traître *m.* traitor; **en—** treach-
erously
trajet *m.* length of a trip
trame *f.* thread, plot
tranchant *m.* sharp edge
tranche *f.* slice, face, edge
tranchée *f.* trench
trancher to cut; to decide, settle
(question); cut short (discussion)
tranquille calm, quiet, safe
transir to chill, numb
trappe *f.* trap door
traqué hunted
traquer to track down

travers: à— through; **en—**
across, transversely, crosswise
traverse *f.* reverse, obstacle, short
cut
trembler to shake
tremper to drench, soak, dip
trépidant agitated, vibrating
trépied *m.* three-legged stool
trésor *m.* treasure
tressaillir to shudder, start
tressauter to jump, tremble
tresse *f.* tress, plait (of hair)
tresser to braid; to weave
tribun *m.* politician, representa-
tive of the people
tribunal *m.* law court
tribune *f.* stand
tricherie *f.* cheating
tricot *m.* knitting, knitted work;
jersey, vest, jumper
tricoter to knit
trinquer to drink with, clink
glasses in drinking
triperie *f.* tripe shop
tristesse *f.* sadness
trogne *f.* reddish, bloated face
trognon *m.* stalk (of a vegetable)
tromper to deceive, mislead; **se—**
to be mistaken
tronc *m.* trunk (of a tree)
trôner to sit enthroned
troquer to barter, exchange
trottiner to toddle along
trottoir *m.* sidewalk
trou *m.* hole; **faire son—** to
work oneself into a good position
trouble *m.* (emotional) disturbance
troublé murky
troupe *f.* flock
trouvaille *f.* discovery, find
trouver to find; **se—** to happen
to
truc *m.* dodge, trick (of a trade)

4 2 0

truchement: par le— by means of
tuer to kill
tuile *f.* tile
tutelle *f.* guardianship
tuyau *m.* pipe; **—acoustique** speaking tube
type *m.* fellow, chap, guy, "character"

uni smooth, united, happy
unique single, only
unir to bind together
urgence *f.* urgent need, emergency
usage *m.* custom
usure *f.* wear and tear

vacarme *f.* din, racket
vague *f.* wave
vaguemestre *m.* orderly, postman (milit.)
vaillamment valiantly
vain deceptive, useless
vaisseau vessel (ship)
val *m.* vale
valeur *f.* value, security
valide able-bodied
valoir to be worth; **—à quelqu'un** to yield, bring someone
vanter to extol; **se—de** to boast, brag about
vaquer to attend to one's business
vasistas *m.* fan light (over door)
vautré sprawled about
vedette *f.* (theater) star
veille *f.* night before, eve
veillée *f.* evening
veiller to sit up with; to attend, to keep awake
veilleuse *f.* night lamp
vélo *m.* bicycle
vélomoteur *m.* motorbike, autobike

velours *m.* corduroy, velvet
velouté soft, velvety
vendange *f.* vintage; wine harvest
vendeuse *f.* shopgirl
venir: en—aux mains to come to blows
ventre *m.* belly, womb; **avoir mal au—** to have a belly ache
verdir to make (something) turn green
verdissement *m.* effect of becoming green
verger *m.* orchard
véridique truthful
vérité *f.* truth
vernir to polish, varnish
verser to pour
vestiaire *m.* cloak room
veston *m.* jacket
vêtement *m.* clothing, vestment
se vêtir to put on
vétuste ancient
veuf *m.* widower
veule flabby
veuve *f.* widow
vexer to provoke, annoy
viande *f.* meat
vicier to taint, corrupt
vide *m.* emptiness, nothingness; empty place; *adj.* empty
vider to empty
vieillir to grow old
vierge *adj.* untouched, unmarked
vilain ugly
vi-f,-ve lively, great, strong
villa *f.* villa, suburban residence
viol *m.* desecration (of a tomb)
virage *m.* turn, corner, bend
visage *m.* face
viser to aim
vison *m.* mink
vitesse *f.* speed
vitrail *m.* (stained) glass window
vitre *f.* window, window pane

421

VOCABULAIRE

vitré glassed
vitrier *m.* glazier
vitrine *f.* shop window
vœu *m.* wish
voie *f.* way, path
voile *m.* veil; *f.* sail
voiler to veil
voilette *f.* little veil
voisin *m.* neighbor; *adj.* neighboring
voisinage *m.* neighborhood
voix *f.* voice; **donner de la—** to sound off
vol *m.* flight; theft
volant *m.* steering wheel
voler to rob, steal
volet *m.* shutter
voleter to flutter
voleu-r,-se thief
volière *f.* aviary
volontaire willful
volontiers often, habitually; willingly

voltiger to flit, hover, flutter
vomir to vomit
vorace voracious
vouer to pledge
vouloir to wish; **—bien** to accept, be willing to; **en—à** to bear ill will toward
voûte *f.* vault, arch
voûté vaulted, bent
voyageur *m.* traveler
voyant gaudy, loud, garish (color)
voyou *m.* young loafer, dead-end kid, hoodlum
vraisemblable probable, likely, convincing
vue *f.* sight

yeux: faire des— to give (someone) the eye

zouave *m.* soldier of the Algerian light infantry

422

Format by Vincent Torre
Set in Monotype Bodoni No. 3
by William Clowes & Sons, Ltd.
Printed by The Murray Printing Co.
Bound by American Book–Stratford Press
HARPER & ROW, PUBLISHERS, INC.